L'Allemand

Collection Sans Peine

par Maria ROEMER

Illustrations de J.-L. GOUSSÉ

Le don des langues

B.P. 25
94431 Chennevières-sur-Marne Cedex
FRANCE

© ASSIMIL 2012
ISBN 978-2-7005-0287-9

ASSiMiL
La méthode intuiti

Nos méthodes

sont accompagnées d'enregistrements sur CD audio ou mp3, et existent désormais en version numérique.

Collections Assimil

Sans Peine

L'Allemand* - L'Anglais* - L'Anglais d'Amérique - L'Arabe - Le Bulgare - Le Chinois - L'Écriture chinoise - Le Coréen - Le Croate - Le Danois - L'Égyptien hiéroglyphique - L'Espagnol* - Le Finnois - Le Nouveau grec - Le Grec ancien - L'Hébreu - Le Hindi - Le Hongrois - L'Indonésien - L'Italien* - Le Japonais - Le Japonais : l'Écriture kanji - Le Khmer - Le Latin - Le Malgache - Le Néerlandais - Le Norvégien - Le Persan - Le Polonais - Le Portugais - Le Portugais du Brésil - Le Roumain - Le Russe* - Le Sanskrit - Le Suédois - Le Swahili - Le Tchèque - Introduction au thaï - Le Turc - L'Ukrainien - Le Vietnamien - Le Yiddish

Perfectionnement

Allemand - Anglais* - Arabe - Espagnol - Italien - Russe

*e-méthode disponible sur le site www.assimil.com

Langues régionales

Le Basque unifié (initiation)
Le Breton
Le Catalan
Le Corse
L'Occitan

Affaires

L'Anglais des affaires

Assimil English

L'Anglais par l'humour
Les expressions anglaises
La congugaison anglaise
Le grand livre de l'humour
British

Sommaire

Introduction VI

Leçons 1 à 100
1   Viel Glück! 1
2   Im Hotel 5
3   Das Foto 7
4   Das Frühstück im Café 11
5   Ein Telefongespräch 17
6   Es ist noch nicht spät 21
7   Wiederholung 25
8   Was trinken wir? 27
9   Wer hat Geld? 33
10   Das ist nicht dumm! 37
11   Eine Nachricht 41
12   Bist du's, Janina? 47
13   Ferienende 51
14   Wiederholung 55
15   Entschuldigen Sie bitte, ich habe eine Frage… 59
16   Warum vergeht die Zeit so schnell? 65
17   Zahlen machen müde 71
18   Eine Postkarte aus München 75
19   Essen? Ja gern! Aber was? 79
20   Am Bahnhof 85
21   Wiederholung 89
22   Das Geburtstagsfest 95
23   Eine gute Organisation 101
24   Komm, wir gehen einkaufen! 105
25   Ist Ihr Terminkalender auch zu voll? 109
26   Was machen wir heute Abend, Liebling? 115
27   Na, schmeckt's? 119
28   Wiederholung 125
29   Man kann nicht immer Glück haben 131
30   Dienst ist Dienst und Schnaps ist Schnaps 137
31   Guter Rat ist teuer 141
32   Ein gefährliches Missverständnis 147
33   Die Stadtbesichtigung 151
34   Was man darf und was man nicht darf 157

35	Wiederholung	161
36	Eine gute Partie	167
37	Eine gute Partie (Fortsetzung)	171
38	Alles zu seiner Zeit	177
39	Die Zeiten ändern sich	181
40	Der Autokauf	185
41	Die Stadt Dresden ist eine Reise wert	191
42	Wiederholung	197
43	Die Mücke	203
44	Der 31. Dezember	207
45	In der letzten Minute	213
46	„Der Mensch denkt und Gott lenkt"	217
47	Im Vorzimmer des Chefs	223
48	Ein schwieriger Samstagmorgen	227
49	Wiederholung	233
50	Anzeigen für Ferienwohnungen	241
51	Eine Radiosendung	245
52	Pünktlichkeit ist die Höflichkeit der Könige	251
53	Er ist nicht auf den Mund gefallen (Fortsetzung)	257
54	Kopf hoch!	263
55	„Der Apfel fällt nicht weit vom Stamm"	269
56	Wiederholung	275
57	Wer wird das alles essen?	285
58	Der Hase und der Igel	291
59	Der Hase und der Igel (Fortsetzung)	299
60	Der Hase und der Igel (Fortsetzung und Ende)	305
61	Ein überzeugendes Argument	311
62	Eine schlaue Verkäuferin im Reisebüro	315
63	Wiederholung	321
64	Berlin, die Hauptstadt der Bundesrepublik Deutschland	331
65	Wie wird man reich?	337
66	Ein perfekter Ehemann	343
67	Und was ist für Sie das Paradies?	349
68	Zehn Fragen zu Ihrer Allgemeinbildung	355
69	Man nimmt sich niemals genug in Acht	361
70	Wiederholung	367
71	„Vater werden ist nicht schwer, Vater sein dagegen sehr"	377
72	Dreimal dürfen Sie raten	383
73	Ein Tierfreund	389

74 „Ich bin von Kopf bis Fuß auf Liebe eingestellt" 395
75 „Was der Bauer nicht kennt, isst er nicht." 403
76 Im Dunkeln geschehen komische Dinge..................... 409
77 Wiederholung 413
78 Der Vorteil flexibler Arbeitszeiten 421
79 Auf der Autobahn.. 427
80 Eine positive oder negative Antwort? 433
81 Ein nicht ganz alltägliches Vorstellungsgespräch 439
82 Ein nicht ganz alltägliches Vorstellungsgespräch
    (Fortsetzung) 445
83 Genial oder verrückt?.. 451
84 Wiederholung 459
85 Wie wird das Frühstücksei gegessen?.......................... 467
86 Wie wird das Frühstücksei gegessen? (Fortsetzung) 473
87 Willkommen auf der Wies'n!....................................... 479
88 Unsere Vorfahren, die Affen....................................... 485
89 Ein Interview im Radio mit Herrn „Stöffche",
    dem Apfelwein-König... 493
90 Ein perfekter Plan... 501
91 Wiederholung 507
92 Der verständnisvolle Blumenhändler............................ 515
93 Bewahren Sie die Ruhe, wenn möglich! 523
94 Noch einmal Glück gehabt! 529
95 Wenn sie das gewusst hätte…..................................... 535
96 Auf Regen folgt Sonnenschein 541
97 Wenn es doch nur schneien würde!.............................. 547
98 Wiederholung 555
99 Ohne Fleiß kein Preis 565
100 Ende gut, alles gut 571

Appendice grammatical 580
Index grammatical et lexical..609
Liste des verbes irréguliers...614
Bibliographie...618
Lexique allemand – français 622
Lexique français – allemand 662

Introduction

Chère lectrice, cher lecteur,

Vous avez choisi *L'Allemand*, dans la collection "Sans peine" d'Assimil pour votre apprentissage, et nous vous en félicitons ! En nous suivant attentivement – et régulièrement –, vous allez apprendre en quelques mois le vocabulaire de la langue courante, ainsi que les règles fondamentales de la grammaire.

Très rapidement, cette belle langue vous semblera familière, grâce à la centaine de dialogues tirés de la vie quotidienne que nous vous présentons ici.

Apprendre l'allemand avec Assimil : mode d'emploi

Tout ce que vous avez à faire est de vous laisser conduire et de suivre consciencieusement nos conseils :

Consacrez à votre apprentissage environ trente minutes tous les jours. Nous insistons sur la régularité ! Pour commencer, lisez puis écoutez le dialogue de la leçon et répétez-le à voix haute autant de fois que possible ! Si vous n'avez pas les enregistrements, la prononciation figurée sous le texte vous aidera.

N'essayez pas de traduire le dialogue mot à mot en français. Regardez la traduction française qui vous est proposée, mais seulement dans un deuxième temps, après avoir répété le texte plusieurs fois. Cette pratique vous permettra de vous habituer à des tournures purement allemandes souvent intraduisibles littéralement.

Toute particularité qui ne trouverait pas son explication dans la traduction ou le mot à mot fait l'objet d'une note explicative simple. Les notes sont là pour apporter des réponses à toutes vos questions. Ces explications ponctuelles portant sur les points de grammaire les plus importants sont reprises et développées, de façon structurée, toutes les sept leçons, dans une leçon dite de révision. Cette "grammaire progressive" est consultable à tout moment grâce à l'index grammatical qui figure en fin de méthode. Une synthèse est également disponible dans l'appendice grammatical.

Une fois le dialogue lu et répété, faites les exercices qui vous donneront une deuxième, voire une troisième chance d'assimiler tout naturellement le vocabulaire et les structures que vous venez de découvrir dans le dialogue, mais dans une situation légèrement différente, pour vous apprendre à mettre en pratique par vous-même vos toutes nouvelles connaissances.

Pendant les cinquante premières leçons – que nous appelons la phase passive –, nous vous demandons simplement d'assimiler et de répéter les phrases allemandes. Et c'est une fois toutes ces leçons emmagasinées que vous pourrez vous-même commencer à "produire", à l'exemple de l'enfant qui reste longtemps passif avant de se mettre à parler. C'est donc à la cinquantième leçon que vous entrerez dans une phase active et entamerez la deuxième vague. Nous vous indiquerons comment procéder à ce moment-là.

Impatient et curieux de commencer ? Allez-y, nous sommes heureux de vous tenir la main tout au long de vos progrès !

Dans le paragraphe suivant, nous vous donnons quelques explications sur la prononciation, ce qui vous aidera à prendre un bon accent dès le départ !

L'alphabet allemand et la prononciation

La prononciation de l'allemand n'est pas très compliquée, car, comparé à d'autres langues, l'allemand connaît très peu d'exceptions aux règles établies. Néanmoins, il faut un certain temps pour s'habituer aux sons particuliers de cette belle langue qui, contrairement à ce que l'on pense généralement, n'est pas une langue sourde et dure, mais sonore et mélodieuse !

Prononcer l'allemand, c'est d'abord en connaître l'alphabet. Vous trouverez la transcription phonétique de la lettre en italique entre crochets, lorsque celle-ci varie du français :

a, **b**, **c** *[tsé:]*, **d**, **e** *[é:]*, **f**, **g** *[gué:]*, **h** *[ha:]*, **i**, **j** *[yo't]*, **k**, **l**, **m**, **n**, **o**, **p**, **q** *[khou:]*, **r**, **s**, **t**, **u** *[ou:]*, **v** *[faou]*, **w** *[vé:]*, **x**, **y** *[upsilo'n]*, **z** *[tsé't]*. Voici enfin quatre lettres inconnues dans la langue française : **ß** *[ès-tsé't]*, **ä** *[è:]*, **ö** *[eu:]*, **ü** *[u:]*.

C'est ensuite en connaître quelques règles générales.

• Toutes les lettres se prononcent, même si certaines se prononcent à peine. On parle alors de terminaison inaccentuée ou "muette", c'est-à-dire qu'on ne s'arrête pas vraiment au **t** : on prononce un *[e]* en une sorte de souffle, comme dans le mot *forte* lorsqu'il est suivi d'un nom : *une forte pluie*. Il en est de même pour la terminaison inaccentuée **-en** : pour dire le **n**, il faut souffler un **e** bref : **München**, *Munich*, **[munchën]** ou **[munch'n]**. Comme vous le voyez, dans la transcription phonétique, nous vous indiquons ce e soufflé par un e avec tréma *[ë]* ou par une simple apostrophe.

• Dans la mesure où toutes les lettres se prononcent, il n'y a pas de "nasales" comme en français : **an**, **am**, **en**, **in**, **on**, etc. La voyelle et la consonne qui la suit se prononcent en général séparément : **an** se dit d'abord **a** (ouvert) puis **n** : **Land** *[la'nt]*, *pays*. La seule exception est **ng**, les deux lettres se prononçant ensemble comme dans "ping-pong".

• La prononciation d'une lettre peut varier suivant son emplacement et son entourage. Ainsi par exemple **b**, **d**, **g** deviennent insonores à la fin d'un mot, où elles se prononcent **p**, **t** et **k** ; le **r** final devient un souffle pareil à un **a** bref, transcrit *[ª]* dans notre prononciation, après une voyelle accentuée ou dans une terminaison non accentuée : **klar** *[kla:ª]*, *clair* ; **leider** *[laïdª]*, *malheureusement*.

• L'allemand comporte plusieurs diphtongues : **ei** et **ai** qui se prononcent *[aï]*, **eu** et **äu** *[oï]*, et **au** *[aou]*. Attention à **ie** dont on n'entend que le **i** : **viel** *[fi:l]*.

• C'est le **ch** guttural qui est en grande partie responsable de la réputation de langue "dure" de l'allemand. En effet, le **ch** précédé des voyelles **a**, **au**, **o**, **u** se prononce dans la gorge. C'est un son qui ressemble à un court raclement de gorge... Mais il y a aussi l'autre **ch** précédé des voyelles **i**, **e**, **eu**, **ü**. Il se prononce comme un souffle, en poussant fermement la langue contre les dents inférieures : **ich** *[içh]*.

• L'accent tonique est bien marqué, en allemand. Dans notre transcription phonétique, de même que dans les dialogues des leçons, nous l'indiquons en caractères gras. Prononcez-le de manière bien appuyée – c'est important pour avoir un bon accent.

Vous trouverez dans le tableau de prononciation clair et structuré qui suit des lettres ou groupes de lettres dont la prononciation ne semble pas aller de soi pour un francophone. Nous indiquons, chaque fois que cela est possible, un mot français comportant le même son, ce qui vous aidera à trouver une prononciation exacte.

Lettre	Transcription	Exemple	Comme dans
ä	*è:*	**Käse [*kè:*zë]**, *fromage*	lèvre, r<u>ai</u>de
c	*k, ts* ou *s*	**Cousine [kou*zi:*në]**, *cousine* ; **Celsius [*tsèl*siou's]**, *celsius*	<u>c</u>ousine, <u>ts</u>ar
e accentué/ allongé	*é*	**leben [*lé:*bën]**, *vivre* (verbe)	d<u>é</u>
e accentué et bref	*è*	**Geld [gèlt]**, *argent*	<u>e</u>ffort
e inaccentué		**erlaubt [èr*la*oupt]**, *(c'est) permis*	po<u>è</u>me
e inaccentué/ final	*ë* ou *'*	**habe [*ha:*bë]**, *(j')ai* ; **haben [*ha:*b'n]**, *avoir*	grand<u>e</u> (avec l'accent marseillais)
h aspiré	*h*	**hat [*ha:*t]**, *(il) a*	<u>h</u>um
h après une voyelle, allonge celle-ci		**Sahne [*za:*në]**, *crème*	
j	*y*	**ja [ya:]**, *oui* ; **jetzt [yètst]**, *maintenant*	<u>y</u>acht, <u>y</u>en
ö accentué/ bref	*œ*	**möchte [*meuçh*të]**, *(je) voudrais, (j')aimerais*	d<u>eu</u>x

ö accentué/ allongé	eu:	**Brötchen** [**breu:t**çhën], *petit pain*	<u>jeu</u>ne
q	kv	**Quittung** [**kvi**touñg], *quittance*	sa<u>c v</u>ert
s suivi d'une voyelle	z	**Hase** [**ha:**zë], *lièvre*	lé<u>z</u>ard
s final	s	**Thomas** [**to:**ma's]	autobu<u>s</u>
u	ou	**Luft** [louft], *air*	<u>lou</u>p
ü	u	**Glück** [gluk], *chance, bonheur*	f<u>u</u>t<u>u</u>r
v	f	**Vater** [**fa:**tª], *père* ; **vier** [fi:ª], *quatre* ;	<u>f</u>atal
	v	**Vokabel** [vo:**ka**:b'l], *mot*	<u>v</u>ocabulaire
y	u	**Symbol** [zum**bo:**l], *symbole*	<u>su</u>r
z	ts	**Zeit** [tsaït], *temps* ; **zu** [tsou:], *à, vers, chez*	<u>ts</u>igane, <u>ts</u>é-<u>ts</u>é

et puis :			
sch	*ch*	**schön** [*cheu:n*], *beau/belle*	<u>ch</u>er
ch s'appelle **ch guttural** et se prononce après **a**, **o**, **u**, **au**	*cH*	**lacH'n** [*lacH'n*], *rire*	*(aucun équivalent)*
ch se prononce après **e**, **i**, **ü**, **ö**, **ä**, **eu**, **ai**, **ie**, **ei**	*çh*	**ich** [*içh*], *je* ; **Küche** [*kuçhë*], *cuisine*	*(aucun équivalent)*
ß	*ss* ou *ç*	**Straße** [*chtrassë*], *rue*	pa<u>ss</u>e, tra<u>c</u>e

*Avant de commencer, il est absolument nécessaire de lire l'intro-
duction qui précède, même si vous êtes faux débutant. Dans la
traduction française, les tournures littérales allemandes sont notées*

---

1   Erste Lektion *[é:ªstë lèktsyô:n]*

Viel Glück!

1 – **Gu**ten Tag ①!
2   **Heu**te ist ein **gro**ßer Tag.
3 – Wa**rum**?
4 – Sie **ler**nen ② Deutsch!
5   Wir **wün**schen ③ viel Ver**gnü**gen!   □

Prononciation
*fi:l gluk **1** **gou**:t'n ta:k **2** **h**oïtë ist aïn **grô**:'sª ta:k **3** var**oum** **4**
zi: **lèr**nën doïtch **5** **vi**:ª **vu'n**ch'n fi:l fèr**gnu**:g'n*

Remarques de prononciation
*Pour vous faciliter cette première rencontre avec la pronon-
ciation allemande, nous vous donnons quelques explications
spécifiques dans les premières leçons. Dans les remarques de
prononciation, les chiffres vous indiquent la ou les phrases auxquelles elles se réfèrent. Reportez-vous à l'introduction pour des
explications plus détaillées.*

1, 2, 4, 5 La lettre *[ë]* dans la prononciation figurée (il n'existe
pas de ë dans l'alphabet allemand !) vous indique qu'il s'agit

Notes
① Notez que **Glück**, *chance, bonheur*, et **Tag**, *jour*, s'écrivent
avec une majuscule. En allemand, les noms propres – ainsi que
tous les noms communs – prennent une majuscule.

② **lernen**, *apprendre*. En général, l'infinitif d'un verbe se termine par **-en** (ou **-n**). À la forme de politesse, le verbe est ▸

Première leçon 1

Bonne chance *(Beaucoup chance)* !

1 – Bonjour *(Bon jour)* !
2 Aujourd'hui est un grand jour.
3 – Pourquoi ?
4 – Vous apprenez [l']allemand !
5 Amusez-vous bien *(Nous souhaitons beaucoup plaisir)* !

---

d'un **e** "muet", c'est-à-dire qu'il se prononce légèrement, un peu comme le font les Marseillais lorsqu'ils disent "une petite fête" : **heute** *[hoïtë]*, **lernen** *[lèrnën]*. Nous avons remplacé ce e muet par une simple apostrophe lorsque la lettre qui suit vous oblige quasiment à le "souffler" : **guten** *[gou:t'n]*, **Vergnügen** *[fèrgnu:g'n]*.
2 N'oubliez pas de bien souffler le **h** aspiré souligné dans la prononciation figurée. Entraînez-vous à dire **heute** *[hoïtë]* en essayant d'éteindre une bougie, par exemple…
2, 5 La terminaison **-er** inaccentuée, ainsi que le **r** qui suit une voyelle allongée porteuse d'accent, deviennent pratiquement un **a** bref, à peine soufflé : **großer** *[grô:'sª]*, **wir** *[vi:ª]*. Le petit *[ª]* vous rappellera cette particularité.

▸ semblable à l'infinitif : **Sie lernen**, *vous apprenez*. Le pronom de politesse **Sie**, *vous*, s'écrit toujours avec une majuscule.
③ **wir wünschen**, *nous souhaitons*, est la 1ʳᵉ personne du pluriel. Comme à la forme de politesse, le verbe prend la même terminaison **-en** qu'à l'infinitif : **wünschen**, *souhaiter, désirer*.

1 *Voici, pour la première fois, les deux exercices qui accompagneront toutes vos leçons, pour vous permettre de reprendre – et d'assimiler – ce que vous venez de voir dans les dialogues.*
Le premier est un exercice de traduction, et le deuxième, un exercice à "trous" que nous vous demandons de compléter.
Au début, vous allez retrouver des éléments du dialogue de la leçon en cours. Par la suite, vous serez appelé(e) à rencontrer également le vocabulaire et les structures des leçons précédentes. Profitez donc pleinement de cette révision et n'hésitez pas à lire les phrases à voix haute.

Übung 1 – Übersetzen Sie bitte!
Exercice 1 – Traduisez s.v.p. !

❶ Sie lernen heute Deutsch. ❷ Guten Tag! ❸ Warum lernen Sie Deutsch? ❹ Wir wünschen viel Glück! ❺ Warum ist heute ein großer Tag?

Übung 2 – Ergänzen Sie bitte!
Exercice 2 – Complétez s.v.p. !

(Chaque point représente un caractère.)

❶ Apprenez-vous l'allemand ?
. . . . Deutsch?

❷ Amusez-vous bien *(Nous souhaitons beaucoup plaisir)* !
. . . . viel Vergnügen!

❸ C'est un grand jour aujourd'hui.
. . . . . ist ein großer Tag.

❹ Nous apprenons l'allemand.
. . . . Deutsch.

❺ Bonjour et bonne chance !
Guten . . . und viel . . . . . !

Corrigé de l'exercice 1

❶ Aujourd'hui, vous apprenez [l']allemand. ❷ Bonjour ! ❸ Pourquoi apprenez-vous [l']allemand ? ❹ Nous [vous] souhaitons bonne chance ! ❺ Pourquoi est[-ce] un grand jour aujourd'hui ?

Corrigé de l'exercice 2 (Mots manquants)

❶ Lernen Sie – ❷ Wir wünschen – ❸ Heute – ❹ Wir lernen – ❺ – Tag – Glück

Oui, nous vous souhaitons **viel Glück** *et aussi... un peu de patience. Vous allez voir, tous ces sons vous deviendront familiers en très peu de temps. Écoutez les phrases, lisez-les à voix haute et répétez-les à votre guise.*

2 Zweite Lektion [tsvaïtë lèktsyô:n]

Im ① Hotel

1 – **Gu**ten **A**bend!
2 – **Ha**ben Sie ② ein **Zi**mmer frei?
3 – Für **ei**ne Per**son** ③?
4 – Sind Sie ④ al**lein**?
5 – Ja, ich bin al**lein** ⑤. □

Prononciation
i'm hotèl 1 gou:t'n a:bënt 2 ha:b'n zi: aïn tsi'm^a fraï 3 fu:^a aïnë pèrzô:n 4 zi'nt zi: alaïn 5 ya: ịch bi'n alaïn

Remarques de prononciation
Titre, 5 Souvenez-vous qu'en allemand chaque lettre se dit séparément : **im** se prononce donc **i**, puis **m** : *[i'm]*, et **bin**, **i** puis **n** : *[bi'n]*.

Notes

① **im** est la contraction de la préposition **in**, *dans*, *en*, et de l'article **dem**. Nous ne vous en disons pas plus pour l'instant, mais ne vous inquiétez pas, vous en saurez bientôt davantage.

② Pour une question, on inverse généralement le verbe et le sujet, qu'il soit nom ou pronom : **Sie haben Glück**, *Vous avez [de la] chance*, mais **Haben Sie Glück?** *Avez-vous [de la] chance ?*

③ Nous voici en pleine interrogation. Pourquoi dit-on **ein Zimmer**, *une chambre*, mais **eine Person**, *une personne* ? La réponse est simple. Vous avez sûrement entendu dire qu'il y a trois genres en allemand. **Das Zimmer**, *la chambre*, est ▸

À l'hôtel *(Dans l'hôtel)*

1 – Bonsoir *(Bon soir)* !
2 – Avez-vous une chambre libre ?
3 – Pour une personne ?
4 – Vous êtes *(êtes vous)* seule ?
5 – Oui, je suis seule.

1, 4 Notez qu'un **d** final se prononce **t** : **Abend** *[a:bënt]*, **sind** *[zi'nt]*.
2 Pensez à la mouche tsé-tsé pour bien prononcer le **z** de **Zimmer** *[tsi'mᵉ]*.
5 Le **ch** de **ich** n'est pas le même son que le ch français, qui, lui, équivaut au **sch** en allemand ! Prononcez-le simplement en soufflant et en poussant fermement la langue contre les dents inférieures. Nous vous rappellerons cette particularité dans la prononciation figurée en mettant une cédille sous le **c** : *[çh]*.

▸ neutre (l'article indéfini neutre est **ein**, *un*), et **die Person**, *la personne*, est féminin (l'article indéfini féminin est **eine**, *une*). Nous verrons le masculin dans la prochaine leçon.

④ Nous savons qu'à la forme de politesse, le verbe est semblable à l'infinitif : **haben**, *avoir*, **Sie haben**, *vous avez*. La forme de politesse du verbe **sein**, *être*, constitue la seule exception à cette règle : **Sie sind**, *vous êtes*.

⑤ Contrairement au français, **allein**, *seul(e)*, est invariable, car il s'agit d'un adverbe en allemand – au singulier comme au pluriel et au masculin comme au féminin.

Übung 1 – Übersetzen Sie bitte!
Exercice 1 – Traduisez s.v.p. !

❶ Guten Tag, haben Sie ein Zimmer frei? ❷ Ein Zimmer für eine Person? – Ja. ❸ Sie haben Glück. ❹ Sarah ist allein. ❺ Warum bin ich allein?

Übung 2 – Ergänzen Sie bitte!
Exercice 2 – Complétez s.v.p. !

❶ Peter est seul.
Peter ist . . . .

❷ Oui, une chambre est libre.
Ja, ... ist frei.

❸ Avez-vous de la chance ?
. . . . Glück?

❹ Bonsoir, êtes-vous seul(e) ?
. . . ., sind Sie allein?

❺ Apprenez-vous l'allemand ? – Oui.
. . . . Deutsch? – . . .

---

3 **Dritte Lektion** [dritë lèktsyô:n]

Das Foto

1 – Wer ist das ①?

Prononciation
da's **fo:**to *1 vé:ª ist da's*

Remarques de prononciation
1, 2 N'oubliez pas de prononcer les **-s** finaux de **das** [da's] et de **Thomas** [to:ma's] !

❶ Bonjour, avez-vous une chambre libre ? ❷ Une chambre pour une personne ? – Oui. ❸ Vous avez de la chance. ❹ Sarah est seule. ❺ Pourquoi suis-je seule ?

Corrigé de l'exercice 2 (Mots manquants)

❶ – allein ❷ – ein Zimmer – ❸ Haben Sie – ❹ Guten Abend – ❺ Lernen Sie – Ja

Troisième leçon 3

La photo

1 – Qui est-ce ?

Note

① **das** n'est pas seulement l'article défini neutre, mais également le pronom impersonnel neutre, qui se traduit par *ce* ou *cela* en français : **das ist Thomas**, *c'est Thomas*.

2 – Der Mann ② heißt ③ **Tho**mas Frisch.
3 Er ④ ist ein Freund aus ⑤ Ber**lin**.
4 – Und wer ist die Frau?
5 Sie ⑥ ist sehr schön.
6 – Das ist **Ju**lia, **ei**ne **Freun**din ⑦ von **Gi**sela. □

*2 dé:ᵃ ma'n **ha**ïst **to:**ma's frich 3 é:ᵃ ist aïn **fro**ï'nt aou's **bèr**li:'n 4 ount vé:ᵃ ist di: **fra**ou 5 zi: ist zé:ᵃ cheu:n 6 da's ist **you:**lya aïnë **fro**ï'ndi'n fo'n **gui:**zëla*

Notes

② **der** est l'article défini masculin *le* : **der Mann**, *l'homme*. L'article indéfini masculin est **ein**, *un* (semblable au neutre) : **ein Freund**, *un ami*.

③ La 3ᵉ personne du singulier se termine, en général, par **-t** que l'on ajoute au radical du verbe : **heißen**, *s'appeler*, **er heißt**, *il s'appelle* (comme d'habitude le verbe **sein**, *être*, fait exception : **ist**, *est*).

④ **er** est le pronom personnel masculin *il*.

⑤ **aus** signifie *de* dans le sens "originaire de", "en provenance de", "sortir de" : **Peter ist aus Berlin**, *Peter est de Berlin*. En revanche, **von** qui signifie également *de* (voir phrase 6) exprime soit l'appartenance, **der Freund von Thomas**, *l'ami de Thomas*, soit la provenance.

⑥ **sie**, *elle*, est semblable au pronom de la forme de politesse, sauf que ce dernier s'écrit avec une majuscule : **Sie sind schön**, *vous êtes belle/beau* ; **sie ist schön**, *elle est belle*. Notez que l'adjectif attribut (l'adjectif séparé du sujet par un verbe) est invariable : **schön** ne change donc pas de terminaison, qu'il s'agisse d'un homme ou d'une femme : **er ist schön**, *il est* ▸

***

Übung 1 – Übersetzen Sie bitte!

❶ Das ist ein Foto von Thomas und Julia. ❷ Guten Tag, wer sind Sie? ❸ Die Frau von Thomas heißt Gisela. ❹ Sie ist aus Berlin. ❺ Thomas ist ein Freund.

2 – L'homme [s']appelle Thomas Frisch.
3 C'est *(Il est)* un ami de Berlin.
4 – Et qui est la femme ?
5 Elle est très belle.
6 – C'est Julia, une amie de Gisela.

Remarques de prononciation
2 La lettre **ß** remplace deux **s** après une voyelle allongée, et se prononce simplement *[s]*.
2, 6 Attention ! L'accent tonique de **Tho**mas, de **Ju**lia et de **Gi**sela porte sur la première syllabe.
6 Avez-vous bien noté que le **j** allemand se prononce tout simplement *[y]* (suivi d'une voyelle) : **Julia** *[you:lya]*, et que le **g** se prononce toujours *[gu]* : *[gui:zëla]* ?

▶ *beau* ; **sie ist schön**, *elle est belle.* Mais oui, il y a en allemand des règles plus simples qu'en français !

⑦ Le féminin se forme souvent en ajoutant la terminaison **-in** au masculin : **ein Student**, *un étudiant*, **eine Studentin**, *une étudiante* ; l'article indéfini féminin se termine par **-e** : **eine**, *une*, comme l'article défini **die**, *la*.

***

Corrigé de l'exercice 1
❶ C'est une photo de Thomas et [de] Julia. ❷ Bonjour, qui êtes-vous ? ❸ La femme de Thomas s'appelle Gisela. ❹ Elle est de Berlin. ❺ Thomas est un ami.

Übung 2 – Ergänzen Sie bitte!

❶ Qui est l'amie de Julia ?

... ist ... . von Julia?

❷ C'est Gisela, la femme de Thomas.

... ... Gisela, ... Thomas.

❸ Qui est-ce ?

... ist ... ?

❹ L'ami de Thomas s'appelle Peter.

... . von Thomas ..... Peter.

---

4   Vierte Lektion *[fi:ᵃtë lèktsyô:n]*

Das Frühstück ① im Café

1 – Was **wün**schen ② Sie?
2 – Ich **möch**te bitte ein **Früh**stück mit Ei und
       zwei **Bröt**chen ③.

Prononciation
*da's **fru:-**chtuk i'm café: **1** va's **vu'n**ch'n zi: **2** iҫh **meuҫh**të
bitë aïn **fru:-**chtuk mi't aï ount **tsva**ï **breu:t**ҫhën*

Remarques de prononciation
Titre, 3 das Café (l'endroit), s'écrit et se prononce comme en
français avec l'accent sur la dernière syllabe. En revanche, **der**

Notes

① **das Frühstück**, *le petit-déjeuner*, est un nom neutre. Rappelons
   que l'article indéfini neutre est **ein** (semblable au masculin).

② **wünschen**, *désirer, souhaiter*. Rappelez-vous **Wir wünschen
   viel Vergnügen!**, *Amusez-vous bien* (litt. "Nous souhaitons
   beaucoup plaisir") *!*

▶

11 • **elf** *[èlf]*

⑤ Julia est une amie de Berlin.

Julia ist .... Berlin.

Corrigé de l'exercice 2

❶ Wer – die Freundin – **❷** Das ist – die Frau von – **❸** Wer – das
❹ Der Freund – heißt – **❺** – eine Freundin aus/von –

---

*Ne vous inquiétez pas du lot de nouveautés que vous apporte
chaque leçon car pour le moment, il vous suffit de comprendre
les phrases allemandes. Reprenez tous les jours régulièrement
vos leçons, lisez-les à voix haute, et répétez-les autant que
vous voulez ; vous verrez, c'est la méthode la plus sûre pour
vous familiariser avec ce qui vous semble encore "étrange".*

Quatrième leçon   4

Le petit-déjeuner *(tôt-morceau)* au café

1 – Que désirez-vous ?
2 – Je voudrais, s'il vous plaît, un petit déjeuner
avec [un] œuf et deux petits pains.

Kaffee (la boisson) s'écrit à l'allemande et se prononce soit en
mettant l'accent sur la première syllabe avec un **-e** final bref :
*[kaf**é**]*, soit à la française : *[kaf**é:**]*.
1, 2, 5 Voici les trois lettres portant un "**Umlaut**", **ö** *[eu:]*,**ü** *[u]* et
ä *[è:]* rassemblées. Rappelons que le **e** avec tréma *[ë]* n'apparaît
que dans notre transcription phonétique.

▸ ③ **das Brötchen**, *le petit pain*, est le diminutif de **das Brot**, *le
pain*. En ajoutant la terminaison **-chen** à un nom commun et
en mettant un tréma (**Umlaut**) sur la voyelle accentuée si elle
peut en porter un (voir les remarques de prononciation), vous
formez son diminutif : **die Wurst → das Würstchen**. Tous les
diminutifs sont neutres et ne changent pas au pluriel.

4

3 – **Neh**men Sie **Ka**ffee **o**der Tee ④?

4 – Ich **tri**nke ⑤ Tee.

***

5 – Hier **bi**tte, ein **Früh**stück mit **Bröt**chen, **Kä**se und Wurst ⑥.

6 – **Dan**ke!

7 – **Bi**tte ⑦!

8 – Und das Ei?

9 – Oh ja, das Ei! Es ⑧ kommt so**fort**. ☐

---

3 *né:mën zi: **ka**fé **o:**d^a té:* **4** *içh tri'ñkë té:* **5** *<u>hi:</u>^a bitë aïn fru:-chtuk mi't **breu:**tçhën **kè:**zë ount vourst* **6** *da'ñkë* **7** *bitë* **8** *ount da's aï* **9** *o: ya: da's aï! ès ko'mt zo**fort***

Remarques de prononciation

4, 6 Le ~ sur le *[ñ]* de *[triñk'n]* ou *[da'ñkë]* vous signale que le **n** suivi de -k se prononce un peu comme si l'on écrivait **ngk** *[ñgk]*.

Notes

④ **Kaffee** et **Tee** sont masculins : **der Kaffee**, **der Tee**. Il n'y a pas d'article partitif en allemand ; il suffit de dire **Kaffee** pour *du café*, **Tee** pour *du thé*. C'est pratique, non ?

⑤ La 1re personne du singulier se termine généralement par -e : **ich trinke**, *je bois*, **ich nehme**, *je prends*.

⑥ **die Wurst**, *la charcuterie*, *le saucisson* et *la saucisse* dans toutes ses variétés, est féminin. Comme en français, les genres sont parfois distribués sans logique apparente. Ainsi on dit **der Käse** (masc.), **die Wurst** (fém.) et **das Brot** (neutre).

⑦ **bitte** s'emploie dans le sens de *s'il vous plaît*, *s'il te plaît*, mais aussi pour dire *je vous en prie*, *je t'en prie* en réponse à **bitte**, ou à **danke**. Ce qui peut nous entraîner dans un jeu de ping-pong de **bitte/danke** qui fait partie du savoir-vivre germanique. ▶

3 – Prenez-vous [du] café ou [du] thé ?
4 – Je bois [prends du] thé.

***

5 – Voici *(ici s'il vous plaît)* un petit-déjeuner
avec [des] petits pains, [du] fromage et [de la]
charcuterie.
6 – Merci !
7 – Je vous en prie !
8 – Et l'œuf ?
9 – Ah *(Oh)* oui, l'œuf ! Il arrive tout de suite.

C'est un son nasal que nous trouvons dans "parking" en français.
Prononcez clairement la voyelle qui le précède : le **a** de **danke**
est un **a** bien ouvert !

▸ ⑧ **es** est le pronom personnel neutre : **Das Kind lernt Deutsch**,
L'enfant apprend l'allemand ; **Es lernt Deutsch**, *Il apprend
l'allemand.*

vierzehn *[fi:ᵊ'tsé:n]* • 14

Übung 1 – Übersetzen Sie bitte!

❶ Ich möchte bitte Tee und zwei Brötchen mit Käse. ❷ Trinkt er Kaffee oder Tee? ❸ Was ist das? – Das ist Wurst. ❹ Das Frühstück im Hotel ist ein Vergnügen. ❺ Ich komme sofort.

Übung 2 – Ergänzen Sie bitte!

❶ Je voudrais un œuf avec du fromage, s'il vous plaît.

... . bitte ... .. mit Käse.

❷ *(Buvez)* Prenez-vous du café ou du thé ?

.... Kaffee .... Tee?

❸ Que désirez-vous ? – Je prends une petite saucisse avec [un] petit pain.

Was ....? – ... . ein Würstchen mit ....

❹ Le petit-déjeuner arrive tout de suite.

... . sofort.

❺ Qu'est-ce que c'est ? – C'est du pain avec de la charcuterie.

... ...? – Das ist .... mit ....

Corrigé de l'exercice 1

❶ Je voudrais du thé, s'il vous plaît, et deux petits pains avec du fromage. ❷ *(Boit)* Prend-il du café ou du thé ? ❸ Qu'est-ce [que c'est] ? – C'est de la charcuterie. ❹ Le petit-déjeuner à l'hôtel est un plaisir. ❺ J'arrive tout de suite.

Corrigé de l'exercice 2

❶ Ich möchte – ein Ei – ❷ Trinken Sie – oder – ❸ – wünschen Sie – Ich nehme – Brötchen ❹ Das Frühstück kommt – ❺ Was ist das – Brot – Wurst

Comme vous le savez peut-être déjà, les Allemands sont en général matinaux ; le mot **Frühstück** *(litt. "tôt-morceau") est d'ailleurs là pour nous le prouver. Pour attaquer une longue journée, on aime prendre un petit-déjeuner copieux : jus d'orange, bol de* **Müsli** *(céréales), œuf à la coque ou sur le plat,* **Brötchen** *accompagné de charcuterie ou de fromage, et enfin… un croissant ! Souvent un deuxième petit-déjeuner,* **ein zweites Frühstück,** *est le bienvenu vers 10 heures, que ce soit au bureau, à la maison ou à l'école pendant la grande pause,* **die große Pause,** *où les élèves, s'ils n'ont pas apporté leur goûter, peuvent tout acheter sur place – chocolat chaud ou froid, pâtisserie ou toute sorte de "snacks".*

5 Fünfte Lektion [fu'nftë lèktsyô:n]

Ein Telefongespräch ①

1 – **Bach**mann.
2 – Ent**schul**digung ②, wie **hei**ßen Sie?
3 – **Klaus Bach**mann.
4 – Sie sind nicht ③ Herr **Spren**ger?
5 – Nein, mein **Na**me ④ ist **Bach**mann.
6 – Oh, ent**schul**digen Sie ⑤ bitte!

Prononciation
*a*ïn *téléfô:n*-gu*ëchprè:çh* **1** *bac***H**ma'n **2** è'ntchouldigouñg vi:
haïs'n zi: **3** klaous *bac***H**ma'n **4** zi: zi'nt niçht *hè*r **chprè**ñg*ª*
5 naïn maïn na:më ist *bac***H**ma'n **6** o: è'ntchouldig'n zi: bitë

Notes

① Une des particularités de la langue allemande est sa grande capacité à former des mots composés. Voici un exemple d'une composition de deux noms : **das Telefon**, *le téléphone* + **das Gespräch**, *la conversation*, devient **das Telefongespräch**, *la conversation téléphonique*, *l'appel*. L'ordre des mots est inversé par rapport au français : en allemand, c'est le dernier mot qui est déterminant, et qui donne son article au mot composé : **die Wurst** et **das Brot** → **das Wurstbrot**, *le sandwich* (litt. "le pain") *au saucisson*. Nous aurons beaucoup d'occasions d'y revenir.

② **Entschuldigung**, *excuse*, s'est formé à partir du verbe **entschuldigen**, *excuser*. De nombreux noms sont formés ainsi en ajoutant **-ung** au radical du verbe. Notez au passage qu'ils sont tous féminins.

③ La négation du verbe se fait en un seul mot en allemand, *ne... pas* se traduit par **nicht** : **Sie sind nicht allein?**, *Vous [n']êtes pas seul ?* Notez aussi qu'on peut poser une question sans ▸

Une conversation téléphonique
(téléphone-conversation)

1 – Bachmann.
2 – Pardon, comment [vous] appelez-vous ?
3 – Klaus Bachmann.
4 – Vous [n']êtes pas M. Sprenger ?
5 – Non, mon nom est Bachmann.
6 – Oh, veuillez m'excuser *(excusez s'il vous plaît)* !

Remarques de prononciation

1, 3, 5 Avez-vous remarqué que le **ch** de **Bachmann** est le **ch** guttural qui, comme son nom l'indique, se prononce du fond de la gorge ? Nous le transcrivons *[cH]*.

2, 6 Faites attention à prononcer séparément le **e** et le **n** de **Entschuldigung** et **entschuldigen** en évitant tout son nasal !

2, 4, 7, 8 **heißen**, **Herr**, **habe** et **Wiederhören** vous donnent l'occasion de vous entraîner à la prononciation du **h** aspiré.

4 Au début d'un mot, **sp** se prononce comme si l'on écrivait **schp** *[chp]*.

▶ inversion verbe-sujet. Comme en français, l'intonation interrogative suffit : **Sie heißen nicht Sprenger?**, *Vous ne [vous] appelez pas Sprenger ?*

④ **der Name**, *le nom*, est masculin. Comme vous le savez déjà, l'article indéfini est **ein** : **ein Name**, *un nom*. Pour dire *mon nom*, on ajoute simplement **m** devant **ein** : **mein**. Au féminin, cela devient **meine** : **meine Frau**, *ma femme*, et au neutre, **mein**, comme au masculin : **mein Frühstück**, *mon petit-déjeuner*.

⑤ L'impératif de la forme de politesse se construit avec le pronom, en inversant le verbe et le pronom : **Kommen Sie!**, *Venez !* ; **Entschuldigen Sie!**, *Excusez-[moi] !* Dans ce dernier cas, le "moi" n'est pas nécessaire en allemand.

5   **7**   Ich **ha**be **ei**ne **fal**sche **Nu**mmer ⑥.

     8   Auf **Wie**derhören.   □

*7 iç̧h **ha**:bë **a**ïnë **fal**ch̆ë **nou**m^a 8 **a**ouf **vi**:d^a-**heu**:r'n*

Note

⑥ Comme nous avons déjà pu le constater, le genre d'un nom allemand ne correspond pas toujours à son homologue ▸

***

Übung 1 – Übersetzen Sie bitte!

❶ Entschuldigung, wer sind Sie? ❷ Das ist nicht meine Nummer, das ist eine falsche Nummer. ❸ Frau Bachmann, hier ist ein Telefongespräch für Sie. ❹ Nein, mein Name ist nicht Sprenger. ❺ Entschuldigen Sie, wie heißen Sie?

Übung 2 – Ergänzen Sie bitte!

❶ Excusez[-moi], s'il vous plaît, êtes-vous monsieur Bachmann ?
. . . . bitte, ... Herr Bachmann?

❷ Bonsoir, mon nom est Gisela Frisch.
Guten Abend, ... ist Gisela Frisch.

❸ Je m'appelle Julia, et comment vous appelez-vous ?
. . . . Julia und wie . . . . ?

❹ Qui est-ce ? – C'est ma femme.
. . . ist das? – Das ist . . . .

❺ Non, Thomas n'est pas ici.
. . . . , Thomas . . . . hier.

7 J'ai un mauvais *(faux)* numéro.
8 Au revoir *(ré-entendre)*.

▶ français. Par exemple, **die Nummer**, *le numéro*, est féminin. Un bon conseil : apprenez chaque mot avec son article. Si le genre d'un mot n'apparaît pas dans la leçon elle-même, vous le trouverez dans le lexique proposé en fin d'ouvrage.

***

Corrigé de l'exercice 1

❶ Pardon, qui êtes-vous ? ❷ Ce n'est pas mon numéro, c'est un mauvais numéro. ❸ Madame Bachmann, il y a *(ici est)* un appel pour vous. ❹ Non, mon nom n'est pas Sprenger. ❺ Excusez-moi, comment vous appelez-vous ?

Corrigé de l'exercice 2

❶ Entschuldigen Sie – sind Sie – ❷ – mein Name – ❸ Ich heiße – heißen Sie ❹ Wer – meine Frau ❺ Nein – ist nicht –

Ein Telefongespräch.

Andere Länder, andere Sitten (*"Autres pays, autres coutumes"*),
*Vérité en deçà des Pyrénées, erreur au-delà. Dans les pays germa-
niques, celui qui décroche le téléphone indique son nom, et parfois
son prénom avant de savoir qui l'appelle. Vous allez vite apprécier
cette coutume, car d'une part, vous n'avez pas besoin de demander*

---

6   Sechste Lektion [*zèk*stë lèk*tsyô:n*]

Es ① ist noch nicht spät

1 — **Gu**ten **Mor**gen, Frau **Spiel**berg, wie geht es
     Ihnen ②?
2 — Sehr gut, **da**nke. Und **Ih**nen, Herr Schwab?
3 — Es geht auch gut ③, **da**nke.
4   Sind die Kol**le**gen ④ noch nicht da?

Prononciation
*ès ist nocH nicht chpè:t **1 gou:***t'n **mor**g'n **fra**ou **chpi:l**bèrk vi:
gué:t ès **i:**nën **2 zé:**ᵃ gou:t **da'**ñkë. ount **i:**nën *hèr* chva:p **3** ès
gué:t **a**oucH gou:t **da'**ñkë **4** zi:nt di: ko**lé:**g'n nocH nicht da:

Notes

① **es**, pronom personnel neutre de la 3ᵉ personne du singulier,
s'emploie également avec les verbes impersonnels et se traduit
alors par *il* ou *ce, ça, cela* : **es ist spät**, *il est tard*, **es geht**, *ça va.*

② **Wie geht es Ihnen?**, *Comment allez-vous ?*, signifie littéralement "Comment va-t-il à vous ?". **Ihnen** (avec majuscule) est le
datif (complément d'objet indirect) du pronom de politesse **Sie**.
Vous aurez bientôt des explications complémentaires. Pour le
moment, retenez simplement cette question très utile avec sa
réponse la plus simple : **Gut, danke, und Ihnen?**, *Bien, merci,
et ("à") vous ?*

③ Nous n'indiquons pas systématiquement quand l'ordre des
mots de la traduction française ne correspond pas exactement ▸

à qui vous parlez, et d'autre part, vous ne risquez pas de raconter certaines choses à des oreilles auxquelles elles ne sont pas destinées. Et à la fin de la conversation ne dites pas **auf Wiedersehen**, *au revoir, mais* **auf Wiederhören**, *au ré-entendre, ce qui est on ne peut plus logique, n'est-ce pas ?*

Sixième leçon   6

Il n'est pas encore *(encore pas)* **tard**

1 – Bonjour *(Bon matin)*, Mme Spielberg, comment allez-vous ?
2 – Très bien, merci. Et vous *(à vous)*, M. Schwab ?
3 – Ça va bien aussi, merci.
4 Les collègues ne sont-ils pas encore *(sont les collègues encore pas)* là ?

Remarques de prononciation
Titre N'ayez pas peur d'ouvrir la bouche en grand pour dire **spät** *[chpè:t]* ; **ä** est une voyelle allongée et ouverte.
1, 2 De même que le **d** final se prononce *[t]*, les consonnes sonores **b** et **g** deviennent sourdes à la fin d'un mot. Ainsi le **g** de **Spielberg** se prononce *[k]* : *[chpi:lbèrk]*, et le **b** de **Schwab** devient *[p]* : *[chva:p]*.

▸ à celui de l'allemand. Mais nous comptons sur vous pour y faire attention ! Voyons des exemples : **es geht gut**, *ça va bien* ; **es geht auch gut**, *ça va bien aussi* ("aussi bien") ; **noch nicht**, *pas encore* ("encore pas"). Vous l'aviez remarqué ? Si oui, bravo ! Sinon, vous aurez d'autres occasions dès demain !

④ **die Kollegen**, *les collègues*, est le pluriel de **der Kollege**, *le collègue*. Pour une femme, on dit **die Kollegin**, *la collègue*, et **die Kolleginnen**, *les collègues femmes*. Une bonne nouvelle : au pluriel, l'article défini est le même pour les trois genres – comme en français : **die Männer**, *les hommes*, **die Frauen**, *les femmes*, **die Kinder**, *les enfants*.

6

5 – Nein, aber sie ⑤ **ko**mmen **si**cher gleich ⑥.
6 Sie sind **immer pünkt**lich im Büro. □

5 naïn a:bª zi: ko'mën ziçhª glaïçh 6 zi: zi'nt i'mª puñktliçh i'm burô:

Notes

⑤ Il n'y a qu'un seul pronom pour la 3ᵉ personne du pluriel : **sie**, *ils/elles*, et la forme conjuguée correspond à celle de l'infinitif : **sie kommen**, *ils/elles arrivent*. Seule exception à cette règle : **sie sind**, *ils/elles sont*.

⑥ **gleich**, *tout de suite*, est un synonyme de **sofort** (voir leçon 4).

***

Übung 1 – Übersetzen Sie bitte!

❶ Guten Tag, Julia, wie geht es? ❷ Es geht gut, danke. ❸ Herr Schwab ist noch nicht da, er ist nicht pünktlich. ❹ Entschuldigen Sie, sind Herr und Frau Spielberg da? ❺ Nein, aber sie kommen gleich.

Übung 2 – Ergänzen Sie bitte!

❶ Il est très tard.
Es ist ....

❷ Les collègues viennent sûrement tout de suite.
Die Kollegen ...... sicher ....

❸ Comment ça va ? – Très bien, merci.
... .? – ...., danke.

❹ Pourquoi ne sont-ils pas là ?
Warum .... nicht da?

5 – Non, mais ils vont sûrement arriver *(viennent sûrement)* tout de suite. 6

6 Ils sont toujours à l'heure au bureau.

***

Corrigé de l'exercice 1

❶ Bonjour, Julia, comment vas-tu ? ❷ Ça va bien, merci.
❸ M. Schwab n'est pas encore arrivé *(là)*, il n'est pas à l'heure.
❹ Excusez-moi, M. et Mme Spielberg sont-ils là ? ❺ Non, mais ils arrivent tout de suite.

❺ Mme Spielberg est toujours à l'heure.

. . . . Spielberg ist . . . .

Corrigé de l'exercice 2

❶ – sehr spät ❷ – kommen – gleich ❸ Wie geht es – Sehr gut –
❹ – sind sie – ❺ Frau – immer pünktlich

> **Hallo, wie geht es Ihnen?** *Vous commencez à assimiler des mots ou de petites phrases ? Excellent ! Continuez à répéter chaque phrase à voix haute. Pour conforter vos acquis, vous retrouverez tout ce que nous avons vu dans les leçons suivantes.*

Wiederholung – Révision

Comme nous vous l'avons expliqué dans l'introduction, toutes les sept leçons, nous reprenons, en les développant, les points de grammaire et le vocabulaire que vous avez rencontrés dans les six leçons précédentes. Lisez-les attentivement et ne soyez pas inquiet si quelque chose ne vous semble pas tout à fait clair. Tout sera approfondi dans les leçons suivantes.

1   Le verbe et la conjugaison

Récapitulons ce que nous avons vu jusqu'ici :
À l'infinitif, la plupart des verbes se terminent en **-en** : **lernen**, *apprendre*, **kommen**, *venir*, **haben**, *avoir*, etc.
Les terminaisons du verbe changent aux 1re et 3e personnes du singulier (et à la deuxième, évidemment, mais chaque chose en son temps…).
Il s'ajoute toujours une terminaison au radical du verbe. On trouve le radical à partir de l'infinitif en enlevant **-en** (ou **-n**) : **lernen**, *apprendre*, radical : **lern-**.
À la 1re personne, on ajoute **-e** au radical : **ich lerne**, *j'apprends*. La 3e personne du singulier se termine par **-t** : **er/sie/es lernt**. La forme de politesse et la 3e personne du pluriel sont semblables à l'infinitif : **Sie lernen**, *vous apprenez*, **sie lernen**, *ils/elles apprennent*. La seule différence entre les deux formes est la majuscule de **Sie**, *vous*. Notez que **sie**, *elle*, sert également comme pronom personnel au singulier : **sie lernt**, *elle apprend*, mais comme le verbe se termine par **-t** à la 3e personne du singulier, aucune confusion n'est possible.

2   Les genres et les articles

En allemand, il y a trois genres : le masculin, le féminin et le neutre.
Au singulier, les trois articles définis sont : **der**, *le*, **die**, *la*, **das**, *le* ou *la*, les articles indéfinis : **ein**, *un*, **eine**, *une*, **ein**, *un* ou *une*.
• le masculin : **der Freund**, *l'ami*, ou **ein Freund**, *un ami* ;
• le féminin : **die Freundin**, *l'amie*, ou **eine Freundin**, *une amie* ;
• le neutre : **das Kind**, *l'enfant*, ou **ein Kind**, *un enfant*.

Au pluriel, en revanche, il n'y a qu'un seul article défini pour les trois genres : **die**, *les* ; **die Freunde**, *les amis* ; **die Freundinnen**, *les amies* ; **die Kinder**, *les enfants*.
À part les personnes ou les animaux qui ont leur genre respectif – le masculin pour le mâle, le féminin pour la femelle et le neutre pour les petits (sauf **der Junge**, *le garçon*…) –, le genre n'est pas évident à déterminer. Parfois, il correspond au genre français (**der Tag**, *le jour*, **der Käse**, *le fromage*), mais ce n'est pas toujours le cas : **die Milch**, *le lait*, **das Zimmer**, *la chambre*. En revanche, nous verrons que certaines terminaisons sont caractéristiques du genre. Nous vous recommandons à nouveau d'apprendre un nom avec son genre, c'est-à-dire avec son article !

3   Les pronoms personnels

Vous vous êtes sûrement vite familiarisé avec la 1re personne du pronom personnel **ich**, *je*, et celui de la forme de politesse **Sie**, *vous*. À la 3e personne du singulier, le pronom personnel peut être masculin, féminin ou neutre selon le nom qu'il représente : **er**, *il* (masculin), **sie**, *elle* (féminin) et **es**, *il* ou *elle* (neutre) :
Das ist der Freund von Julia. Er heißt Thomas, *C'est l'ami de Julia. Il s'appelle Thomas.*
Frau Berg kommt gleich. Sie ist pünktlich, *Mme Berg vient tout de suite. Elle est à l'heure.*
Das Zimmer ist schön. Ist es frei?, *La chambre est belle. Est-elle libre ?*

À la 3e personne du pluriel, en revanche, il n'y a qu'un seul pronom personnel : **sie**, qui peut signifier *ils* ou *elles* :
Thomas und Klaus lernen Deutsch, sie haben Glück, *Thomas et Klaus apprennent l'allemand, ils ont de la chance.*
Julia und Sarah kommen, sie sind pünktlich, *Julia et Sarah arrivent, elles sont à l'heure.*
Die Zimmer sind schön. Sind sie frei?, *Les chambres sont belles. Sont-elles libres ?*

À cette occasion, nous sommes heureux de vous rappeler que l'adjectif attribut est invariable :

Der Mann ist schön, *L'homme est beau.*
Die Frau ist schön, *La femme est belle.*
Das Kind ist schön, *L'enfant est beau.*
Die Männer und die Frauen sind schön, *Les hommes et les femmes sont beaux.*

***

Dialogue de révision

Wer sind Sie?

1 – Guten Tag!
2 – Guten Tag, wie geht es Ihnen, Frau Spielberg?
3 – Gut, danke, aber ich bin nicht Frau Spielberg.
4 – Oh, entschuldigen Sie, bitte!
5 – Bitte!
6 – Ist das nicht das Büro von Frau Spielberg?
7 – Sicher, aber Frau Spielberg ist nicht da.
8   Sie trinkt Kaffee, sie kommt sofort.
9 – Und wie heißen Sie?
10 – Ich bin Julia Bachmann, eine Kollegin.

---

8   Achte Lektion [acHtë lèktsyô:n]

Was trinken wir?

1 – **Gu**ten Tag, was **möch**ten Sie ①?

Prononciation
va's triñk'n vi:ᵃ 1 gou:t'n ta:k va's meuçhtën zi:

Nous vous proposons maintenant un petit dialogue reprenant des notions que vous avez apprises au cours des six leçons précédentes. Écoutez-le tranquillement, détendez-vous et répétez chaque phrase plusieurs fois. Quelle expérience merveilleuse que de reconnaître quelques mots en écoutant l'enregistrement ! Vous en seriez-vous cru capable il y a six jours ?

***

Traduction

Qui êtes-vous ?

1 Bonjour ! **2** Bonjour, comment allez-vous, Mme Spielberg ? **3** Bien, merci, mais je ne suis pas Mme Spielberg. **4** Oh, excusez-moi, *(s'il vous plaît)* ! **5** Je vous en prie ! **6** Ce n'est pas le bureau de Mme Spielberg ? **7** Certainement, mais Mme Spielberg n'est pas là. **8** Elle boit [un] café, elle arrive tout de suite. **9** Et comment [vous] appelez-vous ? **10** Je suis Julia Bachmann, une collègue.

Voilà, votre première semaine se termine. Reposez-vous. Beaucoup de choses intéressantes vous attendent demain.

Huitième leçon   8

Que buvons-nous ?

1 – Bonjour, que voulez-*(voudriez)* vous ?

Note

① **Sie möchten**, *vous voudriez, vous aimeriez*, **ich möchte**, *je voudrais, j'aimerais*, sont des formes du conditionnel comme en français. Le verbe de base est **mögen**, *aimer bien*, que nous regarderons bientôt de plus près.

2 – Ich **möch**te **bit**te ein **Känn**chen ② **Kaffee.**

3 Und du? Was trinkst du ③, Alex?

4 – Ich **neh**me ein Bier.

5 Ist das Bier kalt?

6 – Aber na**tür**lich! **Möch**ten Sie auch **et**was essen ④?

7 – Ja, gern.

8 – Gut ⑤, ich **brin**ge die **Spei**sekarte und die Getränke ⑥ so**fort.** □

---

2 iç h **meuçh**të bitë aïn **kèn**ç hën kafé **3** ount dou:? va's **trin**kst dou: **a:**lèx **4** iç h **né:**më aïn **bi:**ª **5** ist da's **bi:**ª kalt **6 a:**bª na**tu:**ªliç h! **meuçh**tën zi: aoucH **èt**va's **èss**'n **7** ya: guèrn **8** gou:t iç h **brin**gë di: **chpa**ïzë-kartë ount di: guë**trèn**kë zo**fort**

Remarques de prononciation

8 • Pour bien prononcer **bringe**, rappelez-vous que **ng** se prononce comme dans "ping-pong" en français. Le **n** qui précède

Notes

② **das Kännchen** est le diminutif de **die Kanne** ou **die Kaffeekanne**, *la cafetière*. Il s'agit donc d'une petite cafetière qui contient *deux tasses*, **zwei Tassen**. Le café des pays germaniques n'étant pas très fort, vous pouvez facilement en boire plusieurs tasses sans risquer de rester éveillé toute la nuit !

③ Voici la 2e personne du singulier qui se termine toujours par **-st** : **du trinkst**, *tu bois*, **du kommst**, *tu viens*, etc. Lorsque le radical se termine par **-ss** ou **-ß**, on n'ajoute que **-t** : **Wie heißt du?**, *Comment t'appelles-tu ?* En revanche, lorsque le radical se termine par **-t**, on intercale un **-e** avant le **-st** final : **du möchtest**, *tu voudrais*.

④ Notez cette particularité : quand un infinitif dépend d'un autre verbe, il est rejeté à la fin de la phrase : **Ich möchte etwas essen** (litt. "Je voudrais quelque chose manger"). ▶

2 – Je voudrais une "petite cafetière" [de] café, s'il
vous plaît.

3 Et toi ? Que bois-tu, Alex ?

4 – Je prends une bière.

5 Est[-ce que] la bière [est] fraîche *(froide)* ?

6 – Mais bien sûr ! Voulez-*(Voudriez)* vous
aussi manger quelque chose *(quelque chose
manger)* ?

7 – Oui, volontiers.

8 – Bien, j'apporte la carte *(nourriture-carte)* et les
boissons tout de suite.

-k, comme dans **trinken** ou dans **Getränke**, se prononce de la
même façon (voir les remarques de prononciation de la leçon 4).
• **die Speisekarte** se compose de **die Speise** et de **die Karte**.
L'accent dominant du mot composé est l'accent tonique du
premier mot, ce qui ne veut pas dire pour autant que le deuxième
mot (ou le troisième…) n'est plus accentué. Il garde en fait son
accent habituel en respectant "la hiérarchie", c'est-à-dire qu'il
est moins accentué que le premier mot : <u>Spei</u>seka<u>r</u>te.

▶ ⑤ Voilà une bonne surprise ! L'adverbe est souvent identique à
l'adjectif ! Ainsi **gut** signifie *bon* ou *bien* : **Der Kaffee ist gut**,
Le café est bon ; **Sie sprechen gut Deutsch!**, *Vous parlez bien
[l']allemand !*

⑥ **das Getränk**, *la boisson*, **die Getränke**, *les boissons* ; ici,
le pluriel se forme en ajoutant **-e**. En revanche, le pluriel de
Speisekarte se forme en ajoutant **-n** : **die Speisekarten**, *les
menus*. Dans la leçon précédente, nous avons vu : **der Mann**,
l'homme, **die Männer**, *les hommes*, et **die Frau**, *la femme*, **die
Frauen**, *les femmes*. Malheureusement, il n'y a pas de règle
générale pour former le pluriel. Tout ce que nous pouvons
faire pour l'instant, c'est vous indiquer le pluriel de chaque
nom entre parenthèses dans le lexique en fin d'ouvrage. Par
exemple : **das Getränk (-e)**, **die Speisekarte (-n)**, **der Mann
(¨er)**, **die Frau (-en)**.

Übung 1 – Übersetzen Sie bitte!

❶ Was möchten Sie essen? ❷ Wir nehmen zwei Würstchen mit Brötchen. ❸ Er bringt sofort das Bier und die Speisekarte. ❹ Der Kaffee ist kalt! ❺ Möchtest du etwas trinken? – Nein danke.

Übung 2 – Ergänzen Sie bitte!

❶ Bonsoir, que voulez-*(voudriez)* vous ?
Guten Abend, was . . . . ?

❷ Bois-tu aussi une bière ? – Bien sûr !
. . . . auch . . . . . . ? – . . . . !

❸ Que prenez-vous ? Une petite cafetière de café ou de thé ?
Was . . . . ? . . . . Kaffee oder Tee?

❹ Comment t'appelles-tu ? – Je m'appelle Alex.
Wie . . . . ? – . . . . Alex.

❺ Voulez-vous manger quelque chose ? – Volontiers.
Möchten Sie . . . . ? – . . . . .

***

Was möchten Sie essen ?

Corrigé de l'exercice 1

❶ Que voulez-vous manger ? ❷ Nous prenons deux saucisses avec [des] petits pains. ❸ Il apporte la bière et le menu tout de suite. ❹ Le café est froid ! ❺ Veux-*(Voudrais)* tu boire quelque chose ? – Non merci.

Corrigé de l'exercice 2

❶ – möchten Sie ❷ Trinkst du – ein Bier – Natürlich ❸ – nehmen Sie – Ein Kännchen – ❹ – heißt du – Ich heiße – ❺ – etwas essen – Gern

***

Die Speisekarte

Voici un extrait de carte d'un café en Allemagne :

GETRÄNKE *(boissons)*

Tasse Kaffee	**2,20 Euro**
Kännchen Kaffee	**3,50 Euro**
Espresso	**2,00 Euro**
Capuccino	**2,80 Euro**
Tasse Tee	**1,60 Euro**
Tasse Trinkschokolade	**2,50 Euro**
Kännchen Trinkschokolade	**3,50 Euro**
Eine Portion Schlagsahne	**0,50 Euro**

*Vous voyez qu'il convient de préciser si vous voulez **eine Tasse Kaffee**, une tasse de café, ou **ein Kännchen Kaffee**, une petite cafetière de café. Normalement, le café est servi avec de petits pots de crème pasteurisée. Pour avoir un vrai café au lait, il faut bien préciser à la commande que vous voulez **Kaffee mit Milch**, café avec [du] lait, ou **Milchkaffee** (litt. "lait-café") ! Si vous préférez votre café avec de la véritable crème, vous préciserez : **mit Sahne** (die Sahne, la crème). Et si l'on vous propose de la crème fouettée (**die Schlagsahne**), ne refusez surtout pas ! Ce n'est pas facile à digérer pour un foie français, mais c'est vraiment bon.*

9   Neunte Lektion [noïntë lèktsyô:n]

Wer hat ① Geld?

1 –   Bitte, wir **möch**ten **zah**len.
2   Wie viel ② macht **a**lles zu**sa**mmen, **bi**tte?
3 –   Ja, **a**lso ein Bier, ein **Känn**chen **Kaf**fee und
       zweimal ③ **Brat**wurst mit **Po**mmes,
4   das macht **fünf**zehn **Eu**ro ④ **fünf**zig.

Prononciation
vé:ᵃ ha't guèlt **1** bitë **vi:ᵃ meuçh**tën **tsa:**l'n **2** vi: fi:l macHt **a**lès
tsouzamën bitë **3** ya: alzo: aïn **bi:ᵃ** aïn **kèn**çhën **ka**fé ount
tsvaï-ma:l **bra:t**-vourst mi't **po**mës **4** da's macHt **fu'nft**sé:n
oïro fu'nftsiçh

Notes

① Vous avez appris que la 3ᵉ personne du singulier se forme en
   ajoutant **-t** au radical : **machen**, *faire*, **das macht**, *cela fait*. **Er
   hat**, *il a*, est une exception, car le **b** de **haben**, *avoir*, disparaît.
   De même pour la 2ᵉ personne du singulier : **du hast**, *tu as*.

② **wie viel?**, *combien ?* (litt. "comment beaucoup"), est suivi soit
   d'un verbe : **Wie viel macht das, bitte?**, *Combien cela fait-il,
   s'il vous plaît ?*, soit immédiatement d'un nom (sans aucune
   préposition) : **Wie viel Geld hat er?**, *Combien [d']argent
   a-t-il ?*
   ▶

Qui a de l'argent ?

1 – S'il vous plaît, nous voudrions payer.
2 Combien *(Comment beaucoup)* ça fait en tout
   (tout ensemble), s'il vous plaît ?
3 – Oui, alors une bière, une petite cafetière [de]
   café et deux saucisses à griller *(deux-fois rôtie-
   saucisse)* avec frites,
4 ça fait 15 euros 50.

Remarques de prononciation

4 D'après les règles traditionnelles de prononciation, la
terminaison **-ig** doit être prononcée comme si l'on écrivait **-ich**
[-iç] : **fünfzig** *[fu'nftsiç]*. En revanche, les Allemands du Sud,
les Autrichiens et les Suisses préfèrent prononcer un **-k** à la place
du **-g** : *[fu'nftsik]*. Personne ne vous en voudra si vous optez
pour cette prononciation. Mais entraînez-vous tout de même à
la prononciation du **ch** *[çh]*. Les chiffres vous offrent une bonne
occasion : **zwanzig** *[tsva'ntsiç]*, *vingt*, **dreißig** *[draïssiç]*,
trente, **vierzig** *[fi:ᵃtsiç]*, *quarante…*

▶ ③ **einmal**, *une fois*, **zweimal**, *deux fois*, **dreimal**, *trois fois…*
   rien ne vous empêche de continuer vous-même : **viermal**,
   fünfmal… Les chiffres en bas de page vous aideront.

④ Comme beaucoup de mots d'origine étrangère, **der Euro**,
   l'euro, forme son pluriel en **-s** : **die Euros**. Cependant, on dit
   bien **fünf Euro** (sans **-s** !). La règle est simple : précédés d'un
   nombre, les noms d'unité de mesure (ou les noms employés
   comme unité de mesure) sont invariables lorsqu'ils sont masculins ou neutres. **Das Kilo, die Kilos**, mais **zwei Kilo**, *deux
   kilos* ; **der Tee, die Tees**, mais on commande **zwei Tee**, *deux
   thés*.

9

5 – Mist ⑤, ich **ha**be kein Geld ⑥.
6   Hast du Geld?
7 – Klar, ich be**zah**le ⑦, ich **ha**be ge**nug**.   ☐

---

5 mist içh **ha:**bë **kaïn** guèlt **6** <u>h</u>ast dou: guèlt **7 kla:**ᵃ içh
bë**tsa:**lë içh <u>**ha:**</u>bë guë**nou:k**

Notes

⑤ **Mist!** est une exclamation fréquemment utilisée pour exprimer un regret ou une désagréable surprise, qui équivaut à notre
"zut", même si sa traduction littérale est "fumier" !

⑥ **Geld** est neutre : **das Geld**, *l'argent*. Nous avons vu que l'article partitif (de, du, de la, des) n'existe pas en allemand : **Ich
habe Geld**, *J'ai [de l']argent*. En revanche, il existe un article
négatif : **kein(e)**, *aucun(e), pas de, pas un(e)* : **Haben Sie kein** ▸

***

Übung 1 – Übersetzen Sie bitte!

❶ Ich möchte bitte zahlen. ❷ Gut, zwei Bier und
ein Tee, das macht sechs Euro vierzig. ❸ Wie viel
Geld hast du? ❹ Sie* haben kein Glück, wir haben
kein Zimmer frei. ❺ Das macht zehn Euro fünfzig.

** Sans contexte, vous ne pouvez pas savoir s'il s'agit de la forme de
politesse ou de la 3ᵉ personne du pluriel. Mais rassurez-vous, dans
la vie courante, vous le saurez toujours.*

5 – Zut, je n'ai pas d'argent.
6 As-tu [de l']argent ?
7 – Bien sûr *(clair)*, je paie, j'ai assez.

> ▸ **Geld?**, *N'avez-vous pas d'argent ?* Au pluriel et au féminin singulier, **kein** prend la terminaison **-e** : **Ich nehme keine Milch**, *Je ne prends pas de lait* ; **Er hat keine Freunde**, *Il n'a pas d'amis.*

⑦ Il n'y a pas de différence de sens entre **zahlen** et **bezahlen**, *payer*. Mais méfiez-vous tout de même des particules ! Nous verrons bientôt qu'en général le sens d'un mot change avec une particule (et parfois même complètement).

***

Corrigé de l'exercice 1

❶ Je voudrais payer, s'il vous plaît. ❷ Bien, deux bières et un thé, ça fait 6,40 euros. ❸ Combien [d']argent as-tu ? ❹ Vous n'avez pas / Ils n'ont pas de chance, nous n'avons pas de chambre libre. ❺ Cela fait 10,50 euros.

> *Ne vous sentez pas obligé(e) de retenir tous les nouveaux mots immédiatement, vous avez le droit d'en oublier un ou deux ! Ils réapparaîtront tous un jour ou l'autre, ce qui vous les remettra en mémoire. Nous vous demandons juste un peu de patience !*

Übung 2 – Ergänzen Sie bitte!

❶ Qui paie ? Je n'ai pas d'argent, tu n'as pas d'argent et il n'a pas d'argent.

. . . . / . . . . . ? . . . . kein Geld,
. . . . . kein Geld und . . . . . kein Geld.

❷ Cela fait en tout *(ensemble)* huit euros cinquante.

. . . . zusammen . . . . Euro . . . .

❸ Que faisons-nous ? – J'aimerais boire une bière, et toi ?
Was . . . . ? – Ich möchte gern . . .
. . . . und du?

---

10   Zehnte Lektion *[tsé:ntë lèktsyô:n]*

Das ist nicht dumm!

1 – Was machst du **mor**gen ①, **A**nna?
2 – Ich **ge**he ② mit **Pe**ter in die Stadt.

Prononciation
*da's ist niçht doum **1** va's macHst dou: **mor**g'n **a**na **2** iç
gué:ë mi't **pé:**tᵃ i'n di: chta't*

Notes

① La seule différence entre le nom **der Morgen**, *le matin*, et l'adverbe **morgen**, *demain*, est la majuscule.

② Le futur s'exprime souvent en allemand par un présent, du moment qu'il est suggéré par un adverbe ou par le contexte : **Ich gehe zweitausendfünfzig auf die Station Mars**, *J'irai [en] 2050 sur la station Mars*. C'est pratique, non ?

④ Zut ! Ici, ils n'ont pas de saucisse à griller. **10**

. . . . ! Sie haben . . . . hier.

⑤ Je paie la bière et tu paies les frites.

Ich zahle . . . . . . und . . . . die
Pommes.

Corrigé de l'exercice 2

❶ Wer bezahlt/zahlt – Ich habe – du hast – er hat – ❷ Das macht –
acht – fünfzig ❸ – machen wir – ein Bier trinken – ❹ Mist – keine
Bratwurst – ❺ – das Bier – du zahlst –

Dixième leçon   10

Ce n'est pas bête !

1 – Que fais-tu demain, Anna ?
2 – Je vais [aller] en *(dans la)* ville avec Peter.

Remarque de prononciation
2, 3, 4 Le **h** de **gehen**, de **ihr**, ou de **ansehen** est un **h** muet. Il ne
sert qu'à allonger la voyelle qui le précède.

3 – Was macht ihr ③ denn dort?
4 – Ge**schäf**te **an**sehen ④.
5 – Aber **mor**gen ist **Sonn**tag.
6 Die Ge**schäf**te sind ge**schlo**ssen ⑤!
7 – **Glück**licherweise ⑥! Wir **müs**sen **spa**ren. □

---

*3 va's macHt i:ª dè'n dort 4 guë**chèf**të **a'**nzé:n 5 a:bª **mor**g'n ist **zo'**nta:k 6 di: guë**chèf**të zin't guë**chlo**ss'n 7 **gluk**liçhª**va**ïzë! **vi:**ª muss'n **chpa:**r'n*

Remarques de prononciation
3 Pour ne pas confondre **ihr** avec **er**, il faut bien insister sur le **i**. Comme tous les **r** après une voyelle accentuée, le **-r** final de **ihr**

Notes
③ Attention, ici, il ne s'agit pas de la forme de politesse qui serait : **Was machen Sie?**, *Que faites-vous ?* **Ihr**, *vous*, est le pluriel de **du**, *tu*, c'est-à-dire la 2ᵉ personne du pluriel qui s'emploie pour s'adresser à plusieurs personnes que l'on tutoie : **Kinder, kommt ihr?**, *[Les] enfants, vous venez ?* En revanche, la forme de politesse reste la même, que l'on s'adresse à une seule personne ou à plusieurs personnes : **Gehen Sie in die Stadt, Herr Schmidt?**, *Vous allez en ville, M. Schmidt ?*, ou **Gehen Sie in die Stadt, Herr und Frau Schmidt?**, *Vous allez en ville, M. et* ▸

***

Übung 1 – Übersetzen Sie bitte!

❶ Was machen Sie Sonntag, Herr und Frau Bachmann? ❷ Wir gehen in die Stadt Kaffee trinken. ❸ Das Café ist heute geschlossen. ❹ Was macht ihr morgen, Kinder? ❺ Ihr spart nicht? Das ist sehr dumm.

3 – Qu'allez-vous donc faire *(que faites-vous)* là-
bas ?

4 – Regarder [les] magasins.

5 – Mais demain, [c']est dimanche.

6 Les magasins sont fermés !

7 – Heureusement ! Nous devons faire des
économies *(épargner)*.

---

se prononce sans vibration. Il devient ainsi un "petit souffle" qui
ressemble à un **-a** bref et fermé : **ihr** *[i:ᵃ]*. Nous avons le même **a**
"étouffé" dans la terminaison **-er** (non accentuée) : **Peter** *[pé:tᵃ]*,
aber *[a:bᵃ]*.
7 N'ayez pas peur de ne pas arriver d'un seul élan au bout de
glücklicherweise. Vous avez le droit – et même l'obligation – de
couper et de respirer entre **glücklicher** et **weise**.

▶   *Mme Schmidt ?* Notez que la 2ᵉ personne du pluriel se termine
par **-t** comme la 3ᵉ personne du singulier : **ihr geht**, *vous allez.*

④   **ansehen**, *regarder*, vient de **sehen**, *voir* ; **das Geschäft** est *le
magasin, la boutique* ou *l'affaire*. Notez que le complément
précède l'infinitif : **Geschäfte ansehen**, *regarder [les] magasins*, **Geld sparen**, *épargner [de l']argent*.

⑤   **geschlossen**, *fermé*, est le participe passé de **schließen**.

⑥   **glücklich**, *heureux*, fait partie des rares adjectifs comportant
une forme adverbiale. Celle-ci se construit en ajoutant **-er** +
-weise à l'adjectif (**die Weise** étant *la manière, la façon*). **Sind
Sie glücklich?**, *Êtes-vous heureux ?* – **Glücklicherweise, ja!**,
Heureusement, oui !

***

Corrigé de l'exercice 1

❶ Que faites-vous dimanche, M. et Mme Bachmann ? ❷ Nous
allons en ville boire [un] café. ❸ Le café est fermé aujourd'hui.
❹ Que faites-vous demain, [les] enfants ? ❺ Vous n'économisez
pas ? C'est très bête.

11 Übung 2 – Ergänzen Sie bitte!

❶ Que faites-vous aujourd'hui, Anna et Peter ? – Nous apprenons [l']allemand !

Was . . . . heute, Anna und Peter?
– . . . . Deutsch!

❷ Heureusement, les magasins ne sont pas fermés aujourd'hui.

. . . . sind . . . .
heute nicht . . . .

❸ Demain [c']est dimanche, et nous allons en ville manger des frites.

. . . . . . ist . . . . . . und . . . . in die
Stadt . . . .

---

11 Elfte Lektion [èlftë lèktsyô:n]

Eine Nachricht

1 – **Hal**lo **Thor**sten, hier ist **Ja**ni**na**.
2 Sag mal ①, wo bist du ②?

Prononciation
*aïnë **nacH**riçht 1 **ha**lo **tor**st'n **hi**:ᵃ ist ya**ni**:na 2 za:k ma:l vô:
bist dou:*

Notes

① En général, l'impératif de la 2ᵉ personne du singulier se forme sur le radical de l'infinitif auquel on peut ajouter un **-e** (mais c'est de moins en moins courant) : **Sag(e)!**, *Dis !* ; **Komm(e)!**, *Viens !* En revanche, on fait souvent suivre un impératif de ▸

④ Pourquoi ne vas-tu pas avec Anna regarder les magasins ? 11
– J'épargne [mon argent].
Warum . . . . nicht . . . Anna die
Geschäfte . . . . ? – . . . .

⑤ Quoi ? Vous devez payer et vous n'avez pas d'argent ? Oh, [ça]
c'est bête !
Was? Ihr . . . . . zahlen und . . . . kein
Geld? Oh, ... dumm!

Corrigé de l'exercice 2

❶ – macht ihr – Wir lernen – ❷ Glücklicherweise – die Geschäfte
– geschlossen ❸ Morgen – Sonntag – wir gehen – Pommes essen
❹ – gehst du – mit – ansehen – Ich spare ❺ – müsst – ihr habt
– das ist –

Onzième leçon   11

Un message

1 – Allô *(Salut)* Thorsten, c'est *(ici est)* Janina.
2   Dis donc *(fois)*, où es-tu ?

Remarque de prononciation
1 Prononcez **hallo** vraiment "à l'allemande", avec le **h** bien aspiré
et l'accent sur le **a**. Entraînez-vous en aspirant profondément,
puis en expirant par le ventre : **h**allo, **h**ier, **H**aus, **H**andy, **h**abe,
heute.

▸ **mal**, *fois*, pour le renforcer – disent les uns –, pour l'adoucir
– disent les autres. **Mal** est d'ailleurs une forme abrégée de
einmal, *une fois* (voir leçon 9, note 3).
② Voici la 2ᵉ personne du singulier de **sein**, *être* : **du bist**, *tu es*.

3 Wann kommst du nach **Hau**se?

4 Dein **Han**dy ③ **ant**wortet ④ nicht.

5 Ich **ha**be zwei **Plä**tze ⑤ für die **O**per **heu**te **A**bend.

6 Ruf mich schnell an ⑥!

7 Ich **blei**be jetzt zu Ha**us** ⑦.

8 Auf **Wie**derhören! □

---

*3 va'n ko'mst dou: nacH **ha**ouzë **4** daïn **hè**ndi **a'nt**vortët niçt **5** iç **ha**:bë tsvaï **plè**tsë fu:ᵃ di: ô:pᵃ **ho**ïtë a:b'nt 6 rou:f miç chnèl **a'n** 7 iç **bla**ïbë yètst tsou **ha**ou's 8 aouf vi:dᵃ-**heu**:r'n*

Remarques de prononciation
3, 7 On peut dire **nach Haus** ou **nach Hause**, **zu Haus** ou **zu Hause** ; le **-e** final est facultatif. Attention ! Le **s** final se

Notes

③ **das Handy**, *le portable*, **die Handys**, *les portables*. Vous avez dit "anglicisme" ? Mais oui ! En allemand, on n'a pas peur des mots anglais. On en invente même ! (Pour votre information, le téléphone portable se dit en anglais *mobile* et non "handy" !)

④ Pour les verbes dont le radical se termine par **-t** ou **-d**, un **e** vient s'intercaler entre le radical et la terminaison aux 2ᵉ et 3ᵉ personnes du singulier et à la 2ᵉ personne du pluriel : **du antwortest**, *tu réponds*, **er antwortet**, *il répond*, **ihr antwortet**, *vous répondez*.

⑤ Le singulier de **die Plätze** est **der Platz**, *la place*. Mais oui, **der Platz** est masculin en allemand !

⑥ L'infinitif de **ruf an!**, *appelle !*, est **anrufen**, *appeler* (par téléphone), et non **rufen** qui veut dire *appeler* dans le sens de "crier". La particule **an** se sépare du verbe de base **rufen** dans toute la conjugaison : **ich rufe an**, *j'appelle*, **du rufst an**, *tu* ▸

3 Quand rentreras-tu *(viens tu à maison)* ?
4 Ton portable ne répond pas.
5 J'ai deux places pour l'opéra ce *(aujourd'hui)* soir.
6 Appelle-moi vite !
7 Je reste à la maison maintenant.
8 Au revoir *(Au ré-entendre)* !

---

prononce *[s]*, le **s** entre deux voyelles *[z]*. On dit donc *[haou's]*, mais *[haouzë]* quand on opte pour la version avec **-e**.
7 N'oubliez pas que le **z** allemand se prononce *[ts]*. Vous retrouvez le même son dans "tsigane" : **zu** *[tsou]*.

▸ *appelles*, etc. S'il y a d'autres éléments, ils se mettent entre le verbe de base et la particule qui se retrouve toujours à la fin de la phrase : **Rufen Sie mich schnell an!**, *Appelez-moi vite !* Notez aussi que l'accent porte sur la particule ! Nous reparlerons bientôt de cette histoire de "particules".

⑦ **das Haus**, *la maison*, **die Häuser**, *les maisons*. L'expression **nach Hause** ou **nach Haus** (le **e** est facultatif) est employée pour dire *à la maison / chez soi* quand on y va : **Ich gehe nach Haus(e)**, *Je vais à la maison / chez moi*. En revanche, on dit **zu Haus(e)** quand on s'y trouve : **ich bin zu Haus(e)**, *je suis à la maison / chez moi*. Nous verrons bientôt qu'il y a toujours une différence entre le directionnel (le lieu où l'on va) et le locatif (le lieu où l'on se trouve). En effet, **nach**, *vers*, *à*, est une préposition de mouvement. Cependant la locution **zu Haus(e)** est une exception, car généralement la préposition **zu**, *à*, indique le mouvement.

11   Übung 1 – Übersetzen Sie bitte!

❶ Warum sind die Kinder nicht zu Haus?
❷ Entschuldigung, bist du Julia oder bist du Anna?
❸ Haben Sie noch Plätze für die Oper morgen?
❹ Wann müssen wir nach Hause gehen? ❺ Ich bin im Büro, rufen Sie mich an!

Übung 2 – Ergänzen Sie bitte!

❶ Où es-tu ? Le portable ne répond pas.
Wo . . . . . .? Das Handy . . . . nicht.

❷ Elle appelle Thorsten, mais il n'est pas à la maison.
. . . . Thorsten . . , aber er ist nicht . .
. . . .(.) .

❸ Dis *(fois)*, as-tu un message de Janina ?
. . . . . . , hast du . . . . von
Janina?

❹ Pardon, la place est-elle libre ?
. . . ., ist . . . . frei?

❺ Il va à la maison et [il] apprend l'allemand.
Er geht . . . .(.) und . . . . . Deutsch.

Corrigé de l'exercice 1

❶ Pourquoi les enfants ne sont-ils pas à la maison ? ❷ Pardon, es-tu Julia ou es-tu Anna ? ❸ Avez-vous encore [des] places pour l'opéra demain ? ❹ Quand devons-nous rentrer *(aller à la maison)* ? ❺ Je suis au bureau, appelez-moi !

Corrigé de l'exercice 2

❶ – bist du – antwortet – ❷ Sie ruft – an – zu Haus(e) ❸ Sag mal – eine Nachricht – ❹ Entschuldigung – der Platz – ❺ – nach Haus(e) – lernt –

Une demi-heure par jour suffit, nous ne vous en demandons pas plus ! Ce qui est important, c'est que vous lisiez ou écoutiez tous les jours une leçon en répétant plusieurs fois les phrases allemandes. N'essayez pas encore de traduire l'allemand en français, contentez-vous d'en comprendre le sens. **Morgen ist auch noch ein Tag!** *"Demain est aussi encore un jour",* Demain il fera jour !

Bist du's ①, Janina?

1 – **Gu**ten Tag! Hier ist der **An**rufbeantworter
      von Ja**ni**na **Fi**scher.
2   **Lei**der **ha**be ich ② im Mo**ment** kei**ne**
      Zeit ③.
3   Hinter**las**sen ④ Sie **bit**te ei**ne Nach**richt!

Prononciation
*bist   dou:'s   yani:na   **1** gou:t'n   ta:k!   hi:ᵃ   ist   dé:ᵃ*
***a'n**rou:f**bëa'nt**vortᵃ fo'n yani:na fichᵃ **2** laïdᵃ **ha**:bë içh i'm*
*momè'nt **kaï**në **tsa**ït **3** hi'ntᵃ'lass'n zi: **bi**të aïnë **nacH**riçht.*

Remarques de prononciation
2 Dans **der Moment**, le **-e**, le **-n** et le **-t** finaux se prononcent, et
l'accent tonique est sur la dernière syllabe : *[momè'nt]*.
2, 4, 6 Le **e** final de la 1ʳᵉ personne du singulier est souvent
avalé : **hab' ich** *[hap içh]*, **ich ruf'** *[içh rouf]*, **ich komm' gern**
[içh ko'm guèrn].

Notes
① L'apostrophe marque l'élision d'une lettre, notamment le **e** du
   pronom **es**, *il*, *le*, *ce* (neutre) : **Bist du's?** = **Bist du es?**, *C'est
   toi ?* (litt. "es tu ce"). Depuis la dernière réforme d'orthographe, l'apostrophe n'est même plus obligatoire et on peut
   attacher le **s** au mot qui le précède sans apostrophe : **Bist dus?**
   Notez aussi que contrairement au français, **sein**, *être*, n'est pas
   impersonnel dans cette expression ; il se conjugue : **ich bin es**
   (ou **ich bin's/ich bins**), *c'est moi* ; **er ist es** (**er ist's/ists**), *c'est
   lui* ; **wir sind es** (**wir sind's/sinds**), *c'est nous*, etc.

② En allemand, on inverse le sujet et le verbe non seulement pour
   former un impératif : **Lassen Sie!**, *Laissez !*, ou pour formuler
   une question : **Bist du zu Haus?**, *Es-tu à la maison ?*, mais
   aussi dans une proposition affirmative, quand le sujet n'occupe
   pas la première place. Ainsi, on permet au verbe de garder ▸

C'est toi *(es tu ce)*, Janina ?

1 – Bonjour ! C'est *(ici est)* le répondeur *(appel-répondeur)* de Janina Fischer.
2 Malheureusement, je ne suis pas libre pour le moment *(ai je au moment aucun temps)*.
3 *(Derrière-)* Laissez un message, s'il vous plaît !

▸ toujours sa place habituelle en deuxième position : **Leider bist du nicht zu Haus**, *Malheureusement tu n'es pas* ("es tu pas") *à la maison*.

③ **ich habe Zeit**, *j'ai [le] temps*, ou **ich habe keine Zeit**, *je n'ai pas [le] temps*, signifient aussi *je suis libre* ou *je ne suis pas libre*. Notez qu'il faut dire **keine Zeit** (avec **-e**) parce que **Zeit** est féminin : **die Zeit**.

④ On emploie **hinterlassen** (litt. "derrière-laisser"), *laisser*, seulement quand on laisse définitivement quelque chose derrière soi : **Sie hinterlassen viel Geld**, *Ils laissent beaucoup d'argent* (derrière eux). Autrement, *laisser* se traduit par **lassen** tout court : **Lass die Kreditkarte zu Hause, wir müssen sparen!**, *Laisse la carte bleue (de crédit) à la maison, nous devons économiser !*

12
  4   Ich **ru**fe zu**rück** ⑤. **Dan**ke und bis bald!
  5 – **Ha**llo, **Ja**nina, ich bin's, **Thor**sten.
  6   Ich **kom**me gern **heu**te Abend **mit** ⑥.
  7   **Al**so bis **spä**ter! Tschüs.   □

---

4 içh rou:fë tsouruk. dañkë ount bi's balt 5 halo: yani:na içh bi'n's torst'n 6 içh ko'më guèrn hoïtë a:b'nt mi't 7 alzo: bi's chpè:tª! tchu's

Notes

⑤ Comme **anrufen**, *appeler par téléphone*, **zurückrufen**, *rappeler*, se détache de sa particule **zurück** lorsqu'il est conjugué. Tout seul, **zurück** signifie *[de] retour*, *en arrière*. En tant que particule séparable, il peut s'ajouter à beaucoup de verbes : **zurückkommen**, *revenir*, **zurückgehen**, *retourner*, etc. Et chaque fois **zurück** se sépare de son verbe de base dans la conjugaison : **Wann kommst du zurück?**, *Quand* ("reviens-") *reviendras-tu ?*

⑥ Ici, **mit** est la particule séparable du verbe **mitkommen** (litt. "venir avec"), *accompagner*, et non la préposition **mit**, *avec*. Une préposition est toujours suivie d'un nom : **Ich trinke Tee mit Milch**, *Je bois du thé avec du lait*. En revanche, une particule se trouve soit collée avant le verbe de base, soit seule à la fin de la phrase. **Kommt ihr mit?**, *Venez-vous avec [nous] ?* **Nein, wir kommen nicht mit**, *Non, nous ne venons pas avec [vous]*.

***

Übung 1 – Übersetzen Sie bitte!

❶ Warum hast du keine Zeit? ❷ Wir gehen in die Stadt, kommt ihr mit? ❸ Frau Fischer ist leider nicht zu Hause. ❹ Ich bleibe bis heute Abend hier, rufen Sie mich bitte zurück! ❺ Sind Sie's, Herr Spielberg? – Ja, ich bin's.

4   Je rappellerai *(J'appelle retour)*. Merci et à
     bientôt !

5 –   Allô, Janina, c'est moi *(je suis ce)*, Thorsten.

6   Je viendrai *(viens)* volontiers *(aujourd'hui)* ce
     soir avec [toi].

7   Alors à plus tard ! Salut.

Tschüs oder Auf Wiedersehen?, Salut ou au revoir ? *Dans les années 1990*, **tschüs**, *au revoir, salut, a fait une brillante carrière en Allemagne. Un grand quotidien publia un article intitulé* **Die Deutschen nehmen Abschied vom „auf Wiedersehen"!**, *Les Allemands prennent congé d'"au revoir" ! Si* **tschüs** *a longtemps été considéré comme un mot d'adieu familier, il remplace aujourd'hui* **auf Wiedersehen**, *au revoir, non seulement en famille, mais aussi chez le coiffeur et à la banque, par exemple. L'origine de* **tschüs** *ou* **tschüss** *(l'orthographe dépend de la longueur du* **ü** *qui varie de région en région, ou de personne à personne) est espagnole ou française, car, en fait,* **tschüs** *vient d'"adiós" ou d'"adieu" ! L'auriez-vous deviné ? Mais voyons, c'est facile : Dites très vite* **adiós**, **adiós**, *et puis* **dj** *à la place de* **di** *et* **adiós** *devient* **adjüs**. *C'est ainsi que l'on disait en "bas allemand". Au début du* xxe *siècle,* **adjüs** *est devenu* **atschüs**, *d'où* **tschüs**, *qui n'est qu'une forme abrégée de* **atschüs**...

***

Corrigé de l'exercice 1

❶ Pourquoi n'as-tu pas le temps ? ❷ Nous allons en ville, venez-vous avec [nous] ? ❸ Mme Fischer n'est malheureusement pas à la maison. ❹ Je reste ici jusqu'à ce soir, rappelez-moi, s'il vous plaît ! ❺ C'est vous, M. Spielberg ? – Oui, c'est moi.

13 Übung 2 – Ergänzen Sie bitte!

❶ Allô, Thomas, c'est moi, Julia, rappelle-moi, s'il te plaît !

Hallo, Thomas, ... 's, Julia, . . . mich bitte . . . . . . !

❷ C'est le répondeur [qui] répond, ils ne sont pas à la maison.

. . . . antwortet, ... nicht zu Hause.

❸ Malheureusement, elle n'a pas le temps dimanche.

. . . . . . hat sie Sonntag . . . .

❹ Viens-tu avec [moi] boire une bière ? – Je viens *(avec)*, bien sûr.

. . . . ein Bier trinken? – Natürlich . . . .

---

13 Dreizehnte Lektion *[draï-tsé:ntë lèktsyô:n]*

Ferienende

1 – Wo seid ihr ①, **Kin**der?

Prononciation
fé:ryën-èndë 1 vo: zaï't i:ᵃ ki'ndᵃ

Remarques de prononciation
Titre Ferienende : Faites attention à la coupure des mots composés que nous vous signalons par un tiret dans la

Note

① **sein**, *être*, est un verbe irrégulier, comme vous avez pu le constater. La 2ᵉ personne du pluriel est : **ihr seid**, *vous êtes*. Rassurez-vous, c'est le seul verbe qui se conjugue de manière ▸

❺ Laissez un message, s'il vous plaît. Salut et à bientôt !

. . . . **bitte** . . . .

Tschüs und bis . . . . !

Corrigé de l'exercice 2

❶ – ich bin – ruf – zurück ❷ Der Anrufbeantworter – sie sind
– ❸ Leider – keine Zeit ❹ Kommst du mit – komme ich mit
❺ Hinterlassen Sie – eine Nachricht – bald

Treizième leçon 13

Fin de vacances *(vacances-fin)*

1 – Où êtes-vous, [les] enfants ?

transcription phonétique. N'essayez pas de faire une liaison
[fè:rye'nènde]. Reprenez votre souffle avant **ende** : *[fé:ryën-*
èndë].
1, 3, 7 Bien que l'on écrive **-d**, on prononce *[-t]* à la fin de **ihr**
seid et **wir sind**.

▸ irrégulière aux formes plurielles du présent : **wir sind**, *nous*
sommes, **ihr seid**, *vous êtes*, **sie sind**, *ils, elles sont*. Même le
pluriel de **haben**, *avoir*, est régulier : **wir haben**, *nous avons*,
ihr habt, *vous avez*, **sie haben**, *ils/elles ont*.

13 **2** Kommt ② schnell, das **T**axi **war**tet ③.

3 – Wir sind **fer**tig, aber der **Kof**fer schließt nicht.

4 – Wie ist das **mög**lich?

5 Zeigt mal!

6 Iiii, was ist das denn ④?

7 – **Vor**sicht, das sind die **Kra**bben ⑤, die ⑥ **le**ben noch! □

---

*2 ko'mt chnèl da's **taxi** vartët 3 vi:ᵃ zi'nt **fèr**tiç a:bᵃ **dé:**ᵃ **kof**ᵃ chli:st niçht 4 vi: ist da's **meu:**kliç 5 **tsaï**kt ma:l 6 î::: va's ist da's dè'n 7 **fo:r**ziçt da's zi'nt di: **kra**bën di: **lé:**bën nocH*

Notes

② L'impératif de la 2ᵉ personne du pluriel se forme simplement en supprimant le pronom personnel : **ihr kommt**, *vous venez*, **Kommt!**, *Venez !* Rappelez-vous en revanche que l'impératif de la forme de politesse serait : **Kommen Sie!**, *Venez !*

③ Notez le **-e** intercalaire pour les 2ᵉ et 3ᵉ personnes du singulier et la 2ᵉ personne du pluriel : **du wartest**, *tu attends*, **er wartet**, *il attend*, **ihr wartet**, *vous attendez* (cf. leçon 11, note 4).

④ En allemand, il y a beaucoup de petits mots dont la seule fonction est de souligner une émotion, une injonction ou une question. Nous avons déjà rencontré **mal** que l'on ajoute souvent à un impératif. **Denn**, en revanche, s'ajoute à une question, pour souligner ou "adoucir" un étonnement (tout dépend du ton et du contexte). **Denn** peut se traduire par *donc*, *alors*, *mais*, ou ne se traduit pas du tout – ce qui est souvent la meilleure solution : **Wie heißen Sie denn?**, *Comment vous appelez-vous ?* ▸

2 Venez vite, le taxi attend.

3 – Nous sommes prêts, mais la valise ne ferme
pas.

4 – Comment est-ce possible ?

5 Faites voir *(Montrez fois)* !

6 Berk, [mais] qu'est-ce que c'est que ça *(donc)* ?

7 – Attention, ce sont les crabes, ils *(ceux-ci)* sont
encore vivants *(vivent encore)* !

Remarques de prononciation

6 i(iiii) est une interjection qui exprime le dégoût. C'est le ton
et l'insistance qui en indiquent le degré ! **Der Ton macht die
Musik!**, *C'est l'air qui fait la chanson !*

7 v se prononce en général *[f]* : **viel** *[fi:l]*, **vier** *[fi:ª]*, sauf dans des
mots d'origine étrangère : **bravo** *[bra:vo]*.

▶ ⑤ Le singulier de **Krabben**, *les crabes*, est **die Krabbe**, mot
féminin en allemand – comme beaucoup d'animaux dont le
sexe n'est pas évident. On dit par exemple **die Ratte** pour *le
rat* et *la rate* ; quant au chat, tant que l'on ne sait pas s'il s'agit
réellement d'un mâle, on dira **die Katze**, *la chatte*, et non **der
Kater**, *le chat, le matou*. D'autre part, presque tous les noms
féminins d'animaux se terminant en **-e** forment leur pluriel
en ajoutant **-n** : **die Katze → die Katzen**, **die Ratte → die
Ratten**. C'est une bonne nouvelle, non ?

⑥ Ici, **die** est le pronom démonstratif *ceux-ci/là, celles-ci/là*. La
plupart des formes de ce pronom sont identiques à celles de
l'article défini. Dans la langue courante, il est fréquemment
employé à la place du pronom personnel : **Die Kinder? Die
sind nicht zu Hause**, *Les enfants ?* ("Ceux-là") *Ils ne sont pas
à la maison* ; **Klaus? Der ist nicht hier!**, *Klaus ?* ("Celui-là")
Il n'est pas ici !

14 **Übung 1 – Übersetzen Sie bitte!**

❶ Wartet hier! Ich rufe ein Taxi. ❷ Sie haben Krabben? Zeigen Sie mal! ❸ Warum seid ihr noch nicht fertig, Kinder? ❹ Vorsicht! Dort kommt eine Krabbe. ❺ Das ist leider nicht möglich, wir haben keine Zeit.

Übung 2 – Ergänzen Sie bitte!

❶ [Les] enfants, pourquoi êtes-vous seuls, où est maman ?
Kinder, warum .... allein, .. ist Mama?

❷ Je ne mange pas les crabes, ils *(ceux-ci)* vivent encore.
... . die Krabben nicht, die .... noch.

❸ Faites vite, le taxi arrive tout de suite.
.... , das Taxi .... gleich.

❹ Berk, qu'est-ce que c'est ? Faites voir *(Montrez)* !
Iiii, ... denn? ..... mal!

---

14   Vierzehnte Lektion *[fi:ᵃ-tsé:ntë lèktsyô:n]*

Wiederholung – Révision

1   La conjugaison (suite)

Le verbe se conjugue, comme en français, avec trois personnes au singulier : **ich**, *je*, **du**, *tu*, et **er/sie/es**, *il/elle/il* ou *ce* (neutre) et avec trois personnes au pluriel : **wir**, *nous*, **ihr**, *vous*, **sie**, *ils/elles*.
Il y a trois différences capitales par rapport au français :
– à la 3ᵉ personne du singulier, l'existence du neutre **es** ;
– à la 3ᵉ personne du pluriel, **sie** représente tous les genres (masc., fém. et neutre) ;

Corrigé de l'exercice 1

● Attendez ici ! J'appelle un taxi. ● Vous avez des crabes ? Faites voir *(Montrez fois)* ! ● Pourquoi n'êtes-vous pas encore prêts, [les] enfants ? ● Attention ! Voilà un crabe *(là-bas vient un crabe)*. ● Ce n'est malheureusement pas possible, nous n'avons pas le temps.

● La valise est très grande et elle ferme bien.

. . . . ist sehr groß und . . . . gut.

Corrigé de l'exercice 2

● – seid ihr – wo – ● Ich esse – leben – ● Macht schnell – kommt – ● – was ist das – Zeigt – ● Der Koffer – er schließt –

Demain, votre deuxième leçon de révision vous attend. Si vous avez le temps de relire à voix haute les textes allemands des six dernières leçons avant de l'aborder, cela vous rendra service. N'hésitez pas à noter le vocabulaire, en accompagnant chaque nouveau mot de son article. Le lexique est là pour vous aider.

Quatorzième leçon   14

– la 3ᵉ personne du pluriel **Sie** avec **S** majuscule représente la forme de politesse *vous*.

À l'indicatif présent, la 1ʳᵉ personne du singulier se termine par **-e**, la deuxième par **-st** et la troisième par **-t**. Au pluriel, les 1ʳᵉ et 3ᵉ personnes sont semblables à l'infinitif, et la 2ᵉ se termine par **-t** (comme la 3ᵉ personne du singulier) :

	kommen *venir*	**warten** *attendre*	**haben** *avoir*	**sein** *être*
ich	komme	warte	habe	**bin**
du	kommst	wartest	hast	**bist**
er/sie/es	kommt	wartet	hat	**ist**
wir	kommen	warten	haben	**sind**
ihr	kommt	wartet	habt	**seid**
sie	kommen	warten	haben	**sind**
Sie	kommen	warten	haben	**sind**

Souvenez-vous que la 2ᵉ personne du pluriel, **ihr**, *vous*, est utilisée quand on tutoie plusieurs personnes, mais que le *vous* de politesse est **Sie** !

2 Le nominatif et ses articles

Avant tout, sachez qu'un nom peut occuper plusieurs fonctions dans une phrase. Il peut être sujet, complément d'objet direct ou indirect, ou complément de nom. À chacune de ces quatre fonctions correspond un "cas". Ainsi, lorsqu'un nom est le sujet de la phrase, il se trouve au nominatif. Lorsqu'il est complément direct, il se trouve à l'"accusatif". L'ensemble des cas s'appelle une déclinaison. Si vous voulez en savoir plus, référez-vous à l'index grammatical.

Vous avez désormais intégré qu'il y a trois genres en allemand (**der**, **die**, **das**). Au pluriel, il n'y a qu'un seul et même article (**die**) pour les trois genres. Au singulier, les articles indéfinis **ein**, *un*, et négatif **kein**, *pas un / pas de*, sont semblables au masculin et au neutre. Il n'y a ni article partitif (de, du, de la, des) ni article indéfini (des) au pluriel : **Ich trinke Bier**, *Je bois [de la] bière*. **Er hat Freunde in Deutschland**, *Il a [des] amis en Allemagne*.

	Singulier			Pluriel
	Masculin	Féminin	Neutre	
Article défini	**der**	**die**	**das**	**die**
Article indéfini	**ein**	**eine**	**ein**	-
Article négatif	**kein**	**keine**	**kein**	**keine**

Dans les six dernières leçons, nous avons eu de nouvelles preuves que le genre d'un nom en allemand ne correspond malheureusement que très rarement à son genre en français : **der Platz**, *la place*, **die Zeit**, *le temps*, **das Haus**, *la maison*… N'oubliez pas de retenir un nom avec son article.

3 La négation

Nous venons de voir l'article négatif, qui est la négation de l'article indéfini : **kein(e)**, *pas un(e), pas de, aucun(e)*. **Hat er ein Haus?**, *A-t-il une maison ?* – **Nein, er hat kein Haus**, *Non, il n'a pas de maison*. En revanche, la négation de l'article défini se fait à l'aide d'un seul mot, par exemple **nicht**, *ne... pas*. **Nicht** se place soit à la fin de la phrase : **Ich mache die Übungen nicht**, *Je ne fais pas les exercices*, soit avant le mot (ou le groupe de mots) concerné par la négation : **Der Platz ist nicht frei**, **La place n'est pas libre**. **Wir gehen nicht in die Oper**, *Nous n'allons pas à l'opéra*.

Assez de grammaire pour cette fois-ci. Peut-être avez-vous encore des questions ? Ne vous inquiétez pas. Nous allons reprendre demain des dialogues plus attrayants ! Pour le moment, nous vous demandons de vous détendre et de savourer le dialogue de révision. Rien ne remplace la pratique de la langue. **Wir wünschen Ihnen viel Vergnügen!**, *Nous vous souhaitons "beaucoup de plaisir" !*

Warum bleibt er allein?

1 – Was machst du denn heute, Thomas?
2 – Ich gehe in die Stadt.
3 – Gehst du allein?
4 – Nein, Julia kommt mit.
5 – Ihr habt Glück, ihr seid zusammen.
6   Ich bin immer allein. Warum?
7 – Also komm mit!
8 – Ja, warum nicht.
9   Was machen wir denn dort?
10 – Geschäfte ansehen, ein Bier trinken, oder zwei…
11 – Ach, ich habe kein Geld.
12   Ich bleibe zu Haus und lerne Deutsch.

---

15   Fünfzehnte Lektion
[fu'nf-tsé:ntë lëktsyô:n]

Entschuldigen Sie ① bitte, ich habe eine Frage…

1 –   Wo ist bitte eine U-Bahn-Station ②?

Prononciation
è'ntchouldig'n zi: bitë iç̧h habë aïnë fra:guë 1 vo: ist bitë aïnë ou:-ba:n-chtatsyô:n

Notes

① Rappelez-vous que le pronom **Sie** placé après le verbe est indispensable pour former l'impératif de politesse : **Entschuldigen Sie!**, *Excusez-[moi] !*, **Warten Sie!**, *Attendez !* En revanche, ▸

Pourquoi reste-t-il seul ?

1 Que fais-tu donc aujourd'hui, Thomas ? **2** Je vais en ville. **3** [Y] vas-tu seul ? **4** Non, Julia vient avec [moi]. **5** Vous avez [de la] chance, vous êtes ensemble. **6** [Moi], je suis toujours seul. Pourquoi ? **7** Alors viens avec [nous] ! **8** Oui, pourquoi pas. **9** Qu'allons-nous *(donc)* faire là-bas ? **10** Regarder [les] magasins, boire une bière, ou deux… **11** Oh, je n'ai pas d'argent. **12** Je reste à la maison et [j'] apprends [l']allemand.

Tschüs und bis morgen!, Salut et à demain !

Quinzième leçon   15

Excusez[-moi] s'il vous plaît, j'ai une question…

1 –   Où y a-t-il *(est)* une station de métro, s'il vous plaît ?

▶   les impératifs "tutoyés" se construisent sans pronoms : **entschuldige**, *excuse[-moi]*, et **entschuldigt**, *excusez[-moi]*.

②   Le **U** de **U-Bahn**, *métro*, vient de **der Untergrund**, *le souterrain*. **Die Bahn** signifie *le train*, *la voie* ou *la route*. **Die U-Bahn** est donc littéralement "le train souterrain" et **die Straßenbahn**, *le tramway*, "le train de rue".

15 **2** – Aber hier gibt es ③ **kei**ne U-Bahn, nur **ei**ne **Straß**enbahn.

3 – Ach so! Wo ist denn dann **bi**tte die **Straß**enbahn**hal**testelle?

4 – **Al**so, da **geh**en Sie ④ gerade**aus** und die **zwei**te **Straß**e rechts,

5 dann die **ers**te **Straß**e links ⑤ und dort **seh**en Sie schon die **Hal**testelle.

6 – **Vielen Dank** ⑥ für die **Aus**kunft.

7 – **Kei**ne **Ur**sache! □

---

*2 a:b^a **hi:**^a gui:pt ès **kaï**në **ou:**-ba:n **nou:**^a aïnë **chtra:s'n**-ba:n 3 acH zo! vo: ist dèn da'n bitë di: **chtra:s'n**-ba:n-**hal**të-chtèlë 4 alzo: da: **gué:**n zi: guëra:dë-**aou's** ount di: **tsvaï**të **chtra:**ssë rèchts 5 da'n di: **é:**^astë **chtra:**ssë liñks ount dort zé:n zi: cho'n di: **hal**të-chtèlë 6 **fi:**l'n da'ñk **fu:**^a di: **a**ouskounft 7 **kaï**në **ou:**^azacHë*

Remarques de prononciation

3 N'ayez pas peur des mots composés ! Prononcez-les mot par mot : **Straßen-bahn-halte-stelle**. Certes, l'accent le plus fort

Notes

③ L'expression impersonnelle **es gibt**, *il y a*, est plus fréquente en français qu'en allemand où l'on emploie souvent **sein**, *être*, ou d'autres verbes à la place : **Ist hier keine U-Bahn-Station?**, *N'y a-t-il pas de station de métro [par] ici ?* En fait, il s'agit de la 3e personne du singulier du verbe **geben**, *donner*, qui est un verbe irrégulier parce qu'il modifie la voyelle du radical. Au présent, la modification n'intervient qu'aux 2e et 3e personnes du singulier : **ich gebe**, *je donne*, mais : **du gibst**, *tu donnes*, **er/sie/es gibt**, *il/elle/il* (neutre) *donne*. Le pluriel est régulier.

④ Souvenez-vous qu'en allemand, on inverse le sujet et le verbe non seulement pour formuler un impératif ou une question, ▶

2 – Mais il n'y a pas de métro ici, seulement un **15**
tramway *(rue-train)*.

3 – Ah bon ! Où est donc *(alors)* l'arrêt du tramway
(rue-train-arrêt-endroit), s'il vous plaît ?

4 – Alors, vous allez *(là allez vous)* tout droit
(droit-de) et [vous prenez] la deuxième rue [à]
droite,

5 puis la première rue [à] gauche et là-bas, vous
allez voir *(voyez vous déjà)* l'arrêt.

6 – Merci beaucoup *(beaucoup merci)* pour le
renseignement.

7 – Il n'y a pas de quoi *(Aucune cause)* !

---

porte sur le premier mot, mais entre **Straßenbahn** et **Haltestelle**,
même un Allemand est obligé de reprendre son souffle…
4 geradeaus est une composition de **gerade** et de la préposition
aus, que vous avez déjà rencontrée ; chacun porte son accent
tonique, mais celui de **aus** est dominant.
4, 5 Insistez bien sur le -s final de **rechts** *[rèçhts]* et **links** *[liñks]* !
5 Vous rappelez-vous que le **st** se prononce au début d'un mot
[cht], comme si l'on écrivait **scht** : **die Straße** *[chtra:ssë]* ? Au
milieu d'un mot, en revanche, il se prononce normalement *[st]* :
erste *[é:ªstë]*.

▶ mais aussi dans une proposition affirmative quand le sujet
n'occupe pas la première place : **Dann gehst du geradeaus**,
Puis tu vas ("vas tu") tout droit ; ainsi le verbe garde sa deuxième place.

⑤ En général, **links**, *[à] gauche*, et **rechts**, *[à] droite*, s'emploient
sans préposition en allemand : **Links ist die Oper und rechts
sehen Sie das Café Kranzler**, *[À] gauche [c']est l'opéra, et
[à] droite vous voyez ("voyez vous") le café Kranzler.*

⑥ Le nom **der Dank**, *le remerciement*, n'a pas de **-e** final contrairement à l'adverbe **danke**, *merci*.

15 Übung 1 – Übersetzen Sie bitte!

❶ Entschuldigen Sie, wo ist bitte die Oper?
❷ Gehen Sie die zweite Straße links. ❸ Gibt es
hier keine U-Bahn? ❹ Die Straßenbahnhaltestelle
ist gleich rechts. ❺ Die U-Bahn-Station ist heute
geschlossen.

Übung 2 – Ergänzen Sie bitte!

❶ Ici, il n'y a pas de métro, mais un tramway.
Hier . . . . . . keine U-Bahn, aber . . . .
. . . .

❷ Excusez-moi, j'ai une question, où y a-t-il *(est)* un café ici ?
. . . . , ich habe . . . . ,
. . . . . hier ein Café?

❸ Vous allez à droite et puis toujours tout droit.
Sie gehen . . . . . . und dann immer . . . .

❹ Merci beaucoup pour le renseignement.
Vielen . . . . für . . . .

❺ Prenez *(Allez)* la deuxième rue à gauche, l'opéra est tout de
suite à droite.
Gehen Sie . . . . links, die
Oper . . . . rechts.

Corrigé de l'exercice 1

❶ Excusez[-moi], où est l'opéra, s'il vous plaît ? ❷ Prenez *(Allez)* la deuxième rue à gauche. ❸ N'y a-t-il pas de métro ici ? ❹ L'arrêt du tramway est tout de suite à droite. ❺ La station de métro est fermée aujourd'hui.

Corrigé de l'exercice 2

❶ – gibt es – eine Straßenbahn ❷ Entschuldigen Sie – eine Frage, wo ist – ❸ – rechts – geradeaus ❹ – Dank – die Auskunft ❺ – die zweite Straße – ist gleich –

Ne soyez pas trop perfectionniste dans les premières leçons. Répétez simplement les phrases des leçons plusieurs fois et contentez-vous d'en comprendre le sens. Vous n'avez pas encore à construire de phrases vous-même. Pour cela, patientez jusqu'à la deuxième partie de ce livre.

16   Sechzehnte Lektion
[zèçh-tsé:ntë lèktsyô:n]

Warum vergeht die Zeit so schnell?

1 – Um wie viel Uhr fährt dein Zug **ab** ①?
2 – In drei Mi**nu**ten, um **sech**zehn Uhr
achtzehn ②, Gleis zwölf.
3 – Das ist hier.
4 Komm, steig schnell **ein** ③!
5 – „**Ach**tung ④ an Gleis zwölf, die **Tür**en
schließen.
6 Der Zug nach Han**no**ver fährt **ab**."

Prononciation
*va**roum** fèr**gué:**t di: **tsa**ït zo: chnèl 1 oum vi: fi:l **ou:ᵃ** fè:ᵃt
daïn tsou:k ap 2 i'n **dra**ï mi**nou:**tën oum **zèch**-tsé:n **ou:ᵃ**
acHt-tsé:n glaï's tsveulf 3 da's ist <u>hi</u>:ᵃ 4 ko'm **chta**ïk chnèl aïn
5 **acH**touñg a'n glaï's tsveulf di: **tu:**rën **chli:**ss'n 6 **dé:**ᵃ tsou:k
na:cH <u>ha</u>'**no:**fᵃ fè:ᵃt ap*

Notes

① **fahren**, *aller en train, en voiture*, etc., mais pas à pied ;
abfahren, *partir*. La particule séparable **ab** exprime souvent
un détachement ou un éloignement. Notez que la voyelle du
radical **-a** se change en **ä** aux 2ᵉ et 3ᵉ personnes du singulier :
du fährst, er/sie/es fährt. Les autres formes sont toutes régulières : **ich fahre**, etc.

② De treize à dix-neuf, les nombres sont composés de l'unité +
-zehn (*dix*) : **dreizehn** ("trois-dix" = *treize*), **vierzehn**, etc.
Nous vous en reparlerons à la prochaine leçon de révision.
Retenez simplement pour le moment que l'on emploie **um** pour
indiquer l'heure précise : **um fünfzehn Uhr**, *à quinze heures*, ▸

Pourquoi *(passe)* le temps passe-t-il si vite ?

1 – À quelle *(À combien)* heure part ton train ?
2 – Dans trois minutes, à seize heures dix-huit,
      voie douze.
3 – C'est ici.
4 Viens, monte vite !
5 – "Attention *(à)* voie 12, les portes [se] ferment.
6 Le train pour *(vers)* Hanovre va partir *(part)*."

Remarque de prononciation

1, 4, 6 Notez que c'est la particule séparable qui porte l'accent tonique dans le verbe à l'infinitif comme dans le verbe conjugué, car c'est elle qui donne son vrai sens aux verbes **abfahren** et **einsteigen** : **Der Zug fährt ab, steigen Sie bitte ein!**

▸   et également pour poser la question : **Um wie viel Uhr?**, *À quelle heure ?*

③ Rappelons qu'en général, l'impératif de la 2ᵉ personne du singulier est semblable au radical : **Komm!**, *Viens !* ; **Steig ein!** *Monte !* On peut y ajouter un **-e** final, mais cela se fait de moins en moins. Le contraire de **einsteigen** est **aussteigen** : **Steig aus!**, *Descends !* Voyez à quel point la particule est importante !

④ **die Achtung**, *l'attention*, est synonyme de **die Vorsicht** lorsqu'on veut attirer l'attention de quelqu'un sur un danger possible.

7 – **Gu**te **Rei**se! Und ver**giss** ⑤ nicht: ich **lie**be dich ⑥!

8 – **War**te ⑦, gib mir noch **ei**nen Kuss ⑧! ☐

---

*7 gou:të raizë! ount fèr**gui's** niçht içh **li**:bë diçh 8 **var**të gui:p mi:r nocH **a**ïnën kouss*

Notes

⑤ **vergessen**, *oublier*, est un verbe irrégulier. Comme pour **geben**, *donner*, la voyelle du radical se change en **i** aux 2ᵉ et 3ᵉ personnes du singulier et à l'impératif du singulier : **Vergiss!**, *Oublie !* ; **Gib!**, *Donne !* Les verbes où le **e** se change en **i** ou **ie** ne prennent pas de **-e** final à l'impératif : **Sieh mal!**, *Regarde* ("fois") *!*

⑥ **du**, *tu*, devient **dich**, *te*, lorsqu'il est complément d'objet direct (accusatif).

⑦ Pour les verbes dont le radical se termine par **-t**, le **-e** final est obligatoire à l'impératif du singulier : **Warte!**, *Attends !* ; **Antworte!**, *Réponds !* ▸

***

Übung 1 – Übersetzen Sie bitte!

❶ Um wie viel Uhr fährt der Zug nach Berlin ab? ❷ Thomas hat einen Platz für die Oper heute Abend. ❸ Gute Reise! Ruf mich von Berlin an! ❹ Gibst du mir noch einen Kuss? ❺ Warte! Ich nehme auch den Zug nach Hannover.

7 – Bon voyage ! Et n'oublie pas [que] je t'aime ! **16**
8 – Attends, donne-moi encore un baiser !

▶ ⑧ **Kuss**, *baiser*, *bise*, étant masculin, son article défini est **der** et l'article indéfini **ein**. Lorsque le nom est sujet, l'article est au nominatif : **Ein Kuss ist nicht genug**, *Un baiser n'est pas assez*, mais lorsqu'il est complément d'objet direct, son article se met à l'accusatif : **ein** devient **einen** et **der** devient **den** : **Ich möchte bitte einen Kuss**, *Je voudrais un baiser, s'il te plaît.* **Nehmen Sie den Zug?**, *Prenez-vous le train ?* Une bonne nouvelle : seul l'article masculin du singulier change à l'accusatif ; le féminin, le neutre et le pluriel sont semblables à l'accusatif et au nominatif.

***

Corrigé de l'exercice 1

❶ À quelle heure part le train pour Berlin ? ❷ Thomas a une place pour l'opéra ce soir. ❸ Bon voyage ! Appelle-moi de Berlin ! ❹ Me donne[ra]s-tu encore un baiser ? ❺ Attends ! [Moi] je prends aussi le train pour Hanovre.

16 **Übung 2 – Ergänzen Sie bitte!**

❶ Attention, les portes se ferment, montez vite, s'il vous plaît !

    . . . . , die Türen . . . . , ...
    bitte schnell . . . !

❷ Ne m'oublie pas ! Je t'aime !

    . . . . mich . . . . . ! . . . . dich!

❸ Le train pour Cologne part à quinze heures dix.

    . . . . . . nach Köln . . . . . um fünfzehn Uhr
    zehn . . .

❹ Nous prenons le train à seize heures cinq, c'est dans dix
minutes.

    Wir nehmen . . . . um . . . . Uhr . . . . ,
    das ist . . . .

Connaissez-vous Hanovre ? Cette ville fait plutôt partie du Nord de l'Allemagne, bien qu'elle se trouve à peu près à 300 km au sud de Hambourg. Détruite pendant la dernière guerre, elle n'est ni très grande, ni célèbre, ni belle, mais c'est la capitale d'un **Land**, *c'est-à-dire d'un État. Si vous regardez une carte d'Allemagne, vous vous apercevrez qu'il y a de nombreuses frontières à l'intérieur du pays : elles partagent les 16* **Länder**, *c'est-à-dire les États autonomes de la* **Bundesrepublik Deutschland**, *la République fédérale d'Allemagne. Chaque* **Land** *a sa capitale. Ainsi* **Hannover**, *Hanovre, est la capitale de* **Niedersachsen**, *la Basse-Saxe,* **München**, *Munich, capitale de* **Bayern**, *la Bavière,* **Hamburg**, *Hambourg, capitale de...* **Hamburg**. *En effet, il y a trois villes qui sont à la fois ville et État :* **Hamburg**, **Bremen** *(Brême) et* **Berlin**. *Les* **Länder** *ont leur propre constitution, mais ils appliquent par principe les lois fédérales également. On traverse les frontières des* **Länder** *sans s'en rendre compte. En revanche, quand vous êtes dans* **eine Kneipe**, *un bistrot, à Berlin, à Dresde, à Munich ou encore à Francfort, les différences sont bien visibles et surtout audibles : expressions particulières pour les petits pains, la bière et le* **Schnaps** *(l'eau-de-vie), manière de vous accueillir, etc. Si vous visitez les différents* **Länder**, *observez bien ces particularismes (voir aussi p. 200) !*

⑤ À quelle heure partez-vous pour Hanovre ?

.. .. fahren Sie .... Hannover?

16

Corrigé de l'exercice 2

❶ Achtung – schließen, steigen Sie – ein **❷** Vergiss – nicht – Ich liebe – **❸** Der Zug – fährt – ab **❹** – den Zug – sechzehn – fünf – in zehn Minuten **❺** Um wie viel Uhr – nach –

17 Siebzehnte Lektion [zi:p-tsé:ntë lèktsyô:n]

Zahlen ① machen ② müde

1 Ein Jahr hat zwölf **Mo**nate.

2 Ein **Mo**nat hat **drei**ßig oder **ein**und**drei**ßig ③ **Ta**ge.

3 Pro Tag schläft man ④ acht **Stun**den ⑤.

4 **Neun**zig **Ja**hre ⑥, das macht **neun**zigmal **drei**hun**dert**fünfund**sech**zig **Ta**ge:

5 **al**so **zwei**und**drei**ßig**tau**send**acht**hundert-und**fünf**zig, und man schläft ⑦…

Prononciation
tsa:lën macH'n mu:dë 1 aïn ya:ᵃ ḥa't tsvœlf mo:natë 2 aïn mo:na't ḥa't draïssiçh odër aïn-ount-draïssiçh ta:guë 3 pro: ta:k chlè:ft ma'n acHt chtoundën 4 noïntsiçh ya:rë da's macHt noïntsiçhma:l draï-houndᵃt-fu'nf-ount-zèçhtsiçh ta:guë 5 alzo: tsvaï-ount-draïssiçh-taouzënt-acHt-houndᵃt-ount-fu'nftsiçh ount ma'n chlè:ft

---

Notes

① **die Zahl**, *le chiffre*, *le nombre*, est féminin en allemand. Pensez toujours à apprendre le nom avec son article ! Notez au passage que **bezahlen** ou **zahlen**, *payer*, est une dérivation de **Zahl**.

② **machen**, *faire*, employé avec un adjectif, prend le sens de *rendre* : **müde machen** (litt. "rendre fatigué"), *fatiguer*, **glücklich machen**, *rendre heureux*, etc.

③ De 21 jusqu'à 99, on indique l'unité avant la dizaine et on les relie par **und** : **einundzwanzig** ("un-et-vingt"), **fünfundacht-zig** ("cinq-et-quatre-vingts"). Vous trouverez plus d'explications dans la leçon 21, § 3.

④ Le pronom indéfini **man**, *on*, s'emploie quand on ne peut/veut pas définir le sujet : **Man macht das nicht**, *On ne fait pas cela*. Attention, **man** ne peut en aucun cas remplacer **wir**, *nous*, contrairement au "on" français. ▶

Les chiffres fatiguent *(rendent fatigué)*

1   Une année compte *(a)* douze mois.
2   Un mois compte *(a)* trente ou trente et un jours.
3   On dort huit heures par jour *(par jour dort on)*.
4   Quatre-vingt-dix ans, ça fait quatre-vingt-dix
    fois trois cent soixante-cinq jours :
5   donc trente-deux mille huit cent *(et)* cinquante,
    et on dort…

Remarques de prononciation

4, 5 En toutes lettres, les nombres s'écrivent en un mot. Mais contrairement aux autres mots composés, les nombres composés peuvent avoir plusieurs accents toniques équivalents. Faites donc une petite pause entre les chiffres comme s'ils étaient écrits séparés, et reprenez votre souffle avant chaque syllabe accentuée ! C'est d'ailleurs le seul moyen pour arriver au bout, car **zweiunddreißigtausendachthundertfünfzig** est loin d'être le nombre le plus long… Nous en reparlerons dans la leçon 21, § 3.

▶ ⑤ **die Stunde**, *l'heure*, indique une durée : **Eine Stunde hat sechzig Minuten**, *Une heure compte soixante minutes*. En revanche **die Uhr**, *l'heure*, qui signifie également *la montre*, *l'horloge*, désigne une heure précise : **um fünf Uhr**, *à cinq heures*. Notez que **Uhr** reste au singulier, tandis que **Stunde** se met au pluriel à partir d'*une heure et demie*, **eineinhalb Stunden**.

⑥ **das Jahr**, *l'an*, **der Monat**, *le mois*, **die Stunde**, *l'heure*. Souvenez-vous que l'article du pluriel est uniformément **die**, *les* : **die Jahre**, **die Monate**, **die Stunden**. Profitez du lexique pour vérifier le genre et le pluriel des noms.

⑦ **schlafen**, *dormir*, se conjugue comme **fahren** (leçon 16, note 1) : **ich schlafe**, mais **du schläfst**, **er/sie/es schläft**.

17   **6**   Mensch ⑧ bin ich **mü**de!
    7   Ich **zäh**le **mor**gen **wei**ter ⑨.
    8   **Gu**te Nacht!   ☐

> **6** *mènch bi'n içh* **mu:**dë **7** *içh* **tsè:**lë **morg**'n va**ïtᵃ 8 gou:*të nacHt*

Notes

⑧ **Mensch** est une interjection familière répandue qui permet, selon la tonalité que l'on y met, d'exprimer tout sentiment propre à l'homme, car **der Mensch** n'est rien d'autre que *l'homme* en tant qu'être humain. Nous distinguons donc en allemand l'homme en général : **der Mensch**, (pluriel : **die Menschen**), de l'homme, mâle : **der Mann**, (pluriel : **die Männer**). ▶

Übung 1 – Übersetzen Sie bitte!

❶ Wir machen die Übungen morgen weiter. ❷ Ein Jahr hat zwölf Monate und dreihundertfünfundsechzig Tage. ❸ Man schläft zweihundertvierzig Stunden pro Monat. ❹ Kinder, ich zähle bis drei und dann schlaft ihr! ❺ Mensch, macht schnell, der Zug wartet nicht!

6 Oh là là ! [Que] je suis *(Homme suis je)* fatigué !   17

7 Je continue[rai] à compter demain *(Je compte demain plus-loin)*.

8 Bonne nuit !

Remarques de prononciation

7 Notez que l'inflexion (l'**Umlaut**) sur le **a** est la seule différence entre **zählen** et **zahlen**. Prononcez donc le **ä** bien ouvert et allongé.

▶ ⑨ En tant que particule séparable, **weiter** (litt. "plus loin"), signi-fie *continuer à* : **zählen**, *compter* → **weiterzählen**, *continuer à compter* ; **schlafen**, *dormir* → **weiterschlafen**, *continuer à dormir*, **weitermachen**, *continuer à faire* (ou simplement *continuer*).

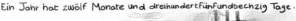

Ein Jahr hat zwölf Monate und dreihundertfünfundsechzig Tage.

Corrigé de l'exercice 1

❶ Nous continu[er]ons les exercices demain. ❷ Une année a douze mois et trois cent soixante-cinq jours. ❸ On dort deux cent quarante heures par mois. ❹ Les enfants, je compte jusqu'à trois et puis vous dormez ! ❺ *(Homme)* Faites vite, le train n'attend pas !

Übung 2 – Ergänzen Sie bitte!

❶ On ne fait pas cela *(cela fait on pas)*.
Das . . . . nicht.

❷ Je voudrais *(volontiers)* dormir. Bonne nuit !
Ich möchte gern . . . . !

❸ Un jour a vingt-quatre heures.
Ein Tag hat . . . .

❹ Il dort douze heures par nuit et au bureau, il continue à dormir.
. . . . zwölf Stunden . . . Nacht und im
Büro . . . .

---

18 Achtzehnte Lektion
[*acHt-tsé:ntë lèktsyô:n*]

Eine Postkarte aus München

1 **Lie**be ① **Mu**tti ②! Wie geht's dir?
2 Hier läuft ③ **al**les fan**tas**tisch.

Prononciation
*aïnë **post**-kartë **a**ou's **mu'n**çh'n 1 li:bë **mou**ti! vi: gè:ts **di:ᵃ**
2 hi:ᵃ loïft alès fa'n**tas**tich*

Notes

① **lieb**, *cher*, *sage*, vient du verbe **lieben**, *aimer*, mais **meine Liebe** veut dire *ma chère* et non "mon amour" !

② **Mutti** est une abréviation de **die Mutter**, *la mère*, de même que **Vati** se dit pour **der Vater**, *le père*.

③ **laufen**, *marcher*, *courir*, *aller*, se conjugue comme **fahren** et **schlafen** (voir leçon 17, note 7). On aurait pu dire **Hier geht alles gut**, *Ici, tout va bien*.

❺ Le nombre sept porte *(apporte)* chance.

... ... sieben ...... Glück.

---

*Êtes-vous déçu par cette leçon, parce que vous pensiez vous
entraîner à l'accusatif ? Et vous n'en avez pas trouvé un seul ?
Faux ! Vous avez eu des noms à l'accusatif dans votre leçon, par
exemple :* **Ein Jahr hat zwölf Monate**. *Si vous ne les avez pas
remarqués, c'est parce que le féminin, le neutre et le pluriel ne
changent pas à l'accusatif.*

Dix-huitième leçon 18

Une carte postale de Munich

1 Chère maman ! Comment vas-tu ?
2 Ici, tout va *(va tout)* à merveille
   (fantastiquement).

3 Mein **Zim**mer ist groß und schön und die Uni ④ ist nicht weit.

4 **Näch**ste ⑤ **Wo**che **se**he ich **mei**nen ⑥ Pro**fes**sor ⑦.

5 Man sagt, er sieht gut **aus** ⑧ und ist nett.

6 Ich bin ein **biss**chen **auf**geregt.

7 **Vie**le **lie**be **Grü**ße ⑨!

8 **Dei**ne Me**la**ni.

□

---

*3 ma*ï*n tsim*ª *ist gro:'s ount cheu:n ount di: ou*ni *ist ni*çht *va*ï*t 4 *nèch*stë *vo*cHë *zé:*ë *i*çh *ma*ï*nën pro*fès*sor 5 *ma'n za:kt *é:*ª *zi:t gou:t *a*ou's ount ist nèt 6 *i*çh *bi'n *a*ïn *biss*'*çh'n *a*oufguëré:kt 7 *fi:*lë *li:*bë *gru:*ssë 8 *da*ï*në *mé*lani*

Notes

④ **Uni** est l'abréviation de **die Universität**.

⑤ En allemand, l'adjectif épithète se place toujours devant le nom qu'il qualifie : **nächste Woche**, *la semaine prochaine*. Nous parlerons le temps venu de la terminaison de l'adjectif épithète. Remarquez seulement pour le moment qu'il prend un **-e** final : **nette Kollegen**, *de gentils collègues*, contrairement à l'adjectif attribut : **Die Kollegen sind nett**, *Les collègues sont gentils*.

⑥ Comme **ein**, *un*, devient **einen** à l'accusatif masculin, **mein**, *mon*, devient **meinen**.

▸

***

Übung 1 – Übersetzen Sie bitte!

❶ Frau Bachmann sieht heute sehr gut aus. ❷ Wir fahren nächste Woche in Ferien. ❸ Wie geht es dir, Melanie? ❹ Wann siehst du deinen Professor das nächste Mal? ❺ Das Hotel ist gut, die Zimmer sind schön.

3 Ma chambre est grande et belle, et la fac n'est pas loin.

4 [La] semaine prochaine, je verrai *(vois je)* mon professeur.

5 On dit [qu']il est beau *(il a l'air beau)* et gentil.

6 J'ai hâte de le connaître *(Je suis un peu "excitée")*.

7 Je t'embrasse *(beaucoup chères salutations)* !

8 *(Ta)* Melanie.

Remarques de prononciation

4 nächst- se prononce souvent *[nèkst-]* au lieu de *[nèçhst-]*.

6 On dit que **bisschen** n'est pas facile à prononcer. C'est faux. Prononcez **biss** sans penser à la terminaison **-chen**. Une fois **biss** bien prononcé, vous dites **-chen** : *[biss'çh'n]*. Voilà, c'est ça !

▶ ⑦ **der Professor** est un enseignant à l'université.

⑧ **aussehen**, *avoir l'air*, vient de **sehen**, *voir*. Le **e** du radical devient **ie** aux 2e et 3e personnes et à l'impératif du singulier : **Du siehst müde aus**, *Tu as l'air fatigué* ; **Sie sieht gut aus**, *("Elle a l'air")* *Elle est belle* ; **Sieh mal!**, *Regarde !*

⑨ **viel**, *beaucoup*, employé comme adjectif change de terminaison : **Er hat viel Geld**, *Il a beaucoup d'argent*. **Sie haben viele Freunde**, *Ils ont beaucoup d'amis*. Nous vous en reparlerons. **Der Gruß**, *le salut* ; **die Grüße**, *les salutations* ; **grüßen**, *saluer*.

***

Corrigé de l'exercice 1

❶ Mme Bachmann est très belle *(a l'air très bien)* aujourd'hui. ❷ Nous partons *(allons)* la semaine prochaine en vacances. ❸ Comment vas-tu, Melanie ? ❹ Quand verras-tu ton professeur la prochaine fois ? ❺ L'hôtel est bien, les chambres sont belles.

Übung 2 – Ergänzen Sie bitte!

❶ Pourquoi cours-tu donc ? Tu n'as pas le temps ?

Warum .... denn? .... .. keine Zeit?

❷ La semaine prochaine, nous allons voir *(voyons nous)* le professeur.

.... lau..... sehen wir ... Stun..... .

❸ Chère Mme Spielberg, comment allez-vous ?

.... Frau Spielberg, ... Ihnen?

❹ Tu as l'air fatigué, dors un peu !

.. .. müde ..., schlaf ... .!

❺ À bientôt ! Je t'embrasse *(beaucoup de salutations)*, *(ton)* Thomas.

Bis bald! ...., ... Thomas.

---

19 Neunzehnte Lektion
[noïn-tsé:ntë lèktsyô:n]

Essen? Ja gern! Aber was?

1 – Jetzt **lau**fen wir schon zwei **Stun**den.

Prononciation
*èss'n? ya: guèrn! a:bᵃ va's **1** yètst laouf'n vi:ᵃ cho'n tsvaï chtoundën*

❶ – läufst du – Hast du – ❷ Nächste Woche – den Professor
❸ Liebe – wie geht es – ❹ Du siehst – aus – ein bisschen ❺ – Viele
Grüße, dein –

*Comment écrire une lettre amicale ? La formule classique pour
s'adresser à des amis est* **liebe Susanne**, **lieber Paul**, **liebe Freunde**,
etc. Si vous préférez un style plus décontracté, vous pouvez écrire
hallo Susanne, hi Paul, wie geht's (Freunde)?, *comment ça va
(les amis) ? Et si vous trouvez que c'est encore trop classique ou
pas assez personnalisé, il vous faudra attendre que votre allemand
vous permette d'inventer. Voici quelques exemples :* **bester Freund**,
meilleur ami, **altes Haus**, *"vieille branche",* **kleines Mäuschen**,
petite souris, **geliebtes Schmusekätzchen**, *dont la traduction
serait à peu près "mon petit chat câlin bien-aimé..."*
*Les salutations de fin de lettre varient également selon les conven-
tions, les personnes et le degré d'affection qui vous lie. La formule
traditionnelle est* **viele Grüße**, *qui signifie littéralement "beaucoup de salutations". À partir de là, vous pouvez donner libre
cours à votre imagination. Renforcez vos salutations en quantité :*
tausend Grüße, *mille salutations,* **eine Million Grüße**, *un million
de salutations, ou en qualité :* **liebe Grüße**, *amicales salutations,*
herzliche Grüße, *cordiales salutations, ou en associant les deux :*
tausend herzliche Grüße, *etc. D'ailleurs, dans* **herzlich**, *cordial, vous trouvez le mot* **das Herz**, *le cœur ; et regardez ce que
vous pouvez en faire :* **viele tausend ♥-liche Grüße**. *Dans tous les
cas, n'oubliez pas de faire précéder votre signature par* **dein**, *ton,*
deine, *ta ou* **Ihr(e)**, *votre.*

Dix-neuvième leçon   19

Manger ? Oui, volontiers ! Mais quoi ?

1 – Ça fait deux heures que nous marchons
(maintenant marchons nous déjà deux heures).

2 Sag mal, hast du **kei**nen **Hu**nger ①?

3 – Doch ②, na**tür**lich, und auch Durst ③.

4 – **Al**so, was **ma**chen wir?

5 – **Kau**fen wir **et**was zu ④ **es**sen!

6 – Wo denn? Hier gibt es ⑤ **kei**nen **Su**permarkt, **kei**ne **Knei**pe, nichts.

7 – **Su**chen wir ⑥ **ei**ne **Tank**stelle!

8 – **Wozu** ⑦?

9 – Dort **fin**den wir **si**cher was ⑧. □

---

2 *za:k ma:l* <u>*hast*</u> *dou:* **ka**ï*nën* <u>**hou**</u>*ñg*ª **3** *docH na***tu:**ª*liç h ount* **a***oucH dourst* **4** **al***zo:* *va's* **ma***cH'n* **vi:**ª **5** *ka***ouf***'n* **vi:**ª **èt***va's tsou* **èss**'n **6** *vo:* *dèn* <u>**hi:**</u>ª *gui:pt ès* **ka**ï*nën* **zou***p*ª*-markt* **ka**ï*në* **kna**ï*pë niçhts* **7** *zou:cH'n* **vi:**ª *a*ï*në ta'***ñk***-chtèlë* **8** *vo***tsou:** **9** *dort* **fi'n***dën* **vi:**ª *ziçh*ª *va's*

Notes

① Dans certaines expressions sans article, on emploie la négation **kein-** : **Zeit haben**, *avoir le temps*, **keine Zeit haben**, *ne pas avoir le temps*, **Hunger haben**, *avoir faim*, **keinen Hunger haben**, *ne pas avoir faim*. La terminaison -**en** de **keinen** vous indique que **Hunger** est masculin. Nous aurions eu **kein** s'il était neutre.

② *si*, en réponse à une question négative, se traduit par **doch** : **Heißen Sie nicht Sonja?**, *Ne vous appelez-vous pas Sonja ?* – **Doch, natürlich, ich bin Sonja**, *Si, bien sûr, je suis Sonja*. En revanche, *si* (= tellement) suivi d'un adjectif ou d'un adverbe se traduit par **so** (voir leçon 16) : **Die Zeit vergeht so schnell**, *Le temps passe si vite*.

③ **Durst**, *soif*, tout comme **Hunger**, est masculin : **Er hat Durst**, *Il a soif*. **Er hat keinen Durst**, *Il n'a pas soif*.

④ **zu** devant un infinitif signifie *à*, *de* ou *pour* suivant le cas. **Wir haben keine Zeit zu schlafen**, *Nous n'avons pas le temps de dormir*. **Sie haben nichts zu trinken**, *Ils n'ont rien à boire*. ▸

2   Dis donc *(fois)*, tu n'as pas faim ?

3 –   Si, bien sûr, et soif aussi.

4 –   Alors, qu'est-ce qu'on fait *(que faisons-nous)* ?

5 –   Achetons quelque chose à manger !

6 –   Où ça *(donc)* ? Ici, il n'y a pas de supermarché, pas de bistro, rien.

7 –   Cherchons une station-service !

8 –   Pour quoi [faire] ?

9 –   Là-bas, on trouvera *(trouvons nous)* certainement quelque chose.

Remarques de prononciation

6 Seul le **-s** final différencie **nichts** de **nicht**. N'oubliez donc pas de le prononcer !

7 **die Tankstelle** se compose du nom **die Stelle**, *le lieu*, et du verbe **tanken**, *prendre du carburant*. Rappelez-vous que le **a** se prononce ouvertement même s'il est suivi de **n** : *[ta'ñkën]*.

▸ ⑤   **es gibt**, *il y a*, s'accompagne de l'accusatif. **Es gibt noch einen Platz**, *Il y a encore une place.* Avez-vous remarqué, d'après la déclinaison, que **Supermarkt** est masculin et **Kneipe**, féminin ?

⑥   Tout comme l'impératif de la forme de politesse, l'impératif de la 1ʳᵉ personne du pluriel se forme avec le pronom placé après le verbe : **Gehen wir!**, *Allons !* ; **Gehen Sie!**, *Allez[-y] !*

⑦   **wozu?**, *pour quoi faire ?, à quoi bon ?, dans quel but ?, pourquoi ?*, est souvent remplacé par **warum**, mais si l'on veut vraiment savoir à quoi sert quelque chose, c'est **wozu** que l'on emploie : **Wozu lernen Sie Deutsch?**, *Pourquoi (= Dans quel but) apprenez-vous l'allemand ?* – **Ich möchte in Berlin arbeiten**, *Je voudrais travailler à Berlin.* Rappelez-vous que l'infinitif dépendant d'un autre verbe est rejeté à la fin de la phrase.

⑧   **was** remplace souvent **etwas**, *quelque chose* : **Möchten Sie was trinken?**, *Voulez-vous boire quelque chose ?*

19

Übung 1 – Übersetzen Sie bitte!

❶ Hast du keinen Hunger? – Doch! ❷ Was gibt es heute zu essen? ❸ Komm, kaufen wir etwas zu trinken! ❹ Ich warte schon eine Stunde, warum kommst du so spät? ❺ Die Kneipe ist geschlossen, was machen wir jetzt?

Übung 2 – Ergänzen Sie bitte!

❶ Voulez-vous boire quelque chose ? – Certainement !
Möchten Sie . . . . ? – . . . . . . !

❷ Non merci, je n'ai pas faim.
Nein . . . . . , ich habe . . . .

❸ Restons encore un jour ! – Pour quoi faire ? Ici, il n'y a rien à voir.
Bleiben wir noch . . . . ! – . . . . ? Hier . . . . . . nichts . . . .

❹ N'y a-t-il pas de supermarché ici ? Ça fait deux heures que je cherche.
Gibt es hier . . . . ? Ich suche schon . . . .

❺ La station-service n'est pas loin, nous y trouverons *(là-bas trouvons nous)* quelque chose à manger.
. . . . ist nicht weit, dort . . . . etwas . . . .

Corrigé de l'exercice 1

❶ Tu n'as pas faim ? – Si ! ❷ Qu'est-ce qu'il y a à manger aujourd'hui ? ❸ Viens, achetons quelque chose à boire ! ❹ J'attends déjà [depuis] une heure, pourquoi viens-tu si tard ? ❺ Le bistro est fermé, qu'allons-nous faire *(que faisons-nous maintenant)* ?

Corrigé de l'exercice 2

❶ – etwas trinken – Sicher ❷ – danke – keinen Hunger ❸ – einen Tag – Wozu – gibt es – zu sehen ❹ – keinen Supermarkt – zwei Stunden ❺ Die Tankstelle – finden wir – zu essen

20 Zwanzigste Lektion

[*tsva'ntsiçhste lèktsyô:n*]

Am Bahnhof ①

1 – **Ha**llo **Ga**bi! Ich bin am **Bahn**hof in Köln.
2 Ich **ha**be den **An**schluss nach **Ham**burg ver**passt** ②.
3 – Oh, das ist **scha**de! **Wel**chen ③ Zug nimmst du denn jetzt?
4 – Ich **neh**me den ICE ④ um fünf vor sechs.
5 Kommst du mich **ab**holen ⑤?

Prononciation
a'm **ba:n**-*ho:f* **1** *halo:* **ga:***bi! içh bi'n a'm* **ba:n**-*ho:f i'n keuln* **2** *içh* **ha***:bë dé:n* **a'n***chlou's na:cH* **ha'm***bourk fèr***past 3** *o: da's ist* **cha***:dë!* **vèl***çhën tsou:k ni'mst dou: dèn yètst* **4** *içh* **né***:më dé:n i:-tsé:-é: oum fu'nf* **fo:ª** *zèks* **5** *ko'mst dou miçh* **ap'***ho:l'n*

Notes

① **der Bahnhof**, *la gare*, est un mot composé de **die Bahn**, *le train*, *la voie*, qui nous est bien connu et de **der Hof**, *la cour*. Souvenez-vous que c'est le dernier élément qui donne son genre au mot composé. **Am** est la contraction de la préposition **an** et de l'article **dem**. Nous y reviendrons.

② **verpasst**, *manqué*, *raté*, est le participe passé de **verpassen**. Notez simplement pour le moment que le participe passé se met à la fin de la phrase.

③ L'interrogatif **welcher**, **welche**, **welches**, *quel*, *quelle*, *quel* (neutre), se décline comme l'article défini **der**, **die**, **das**. À l'accusatif masculin, il prend **-en** : **Welchen Käse möchten Sie**, ▸

À la gare

1 – Salut, Gabi ! Je suis à la gare, à Cologne.
2   J'ai manqué la correspondance pour Hambourg
      *(J'ai la correspondance vers Hambourg
      manqué)*.
3 – Oh, c'est dommage ! Quel train prends-tu
      (donc) maintenant ?
4 – Je prends le ICE à six heures moins cinq *(cinq
      avant six)*.
5   Tu viendras *(viens tu)* me chercher ?

Remarques de prononciation

2, 3 Faites bien la différence entre l'article masculin **den** et
l'adverbe **denn**. Le **e** du premier est long et, par conséquent,
fermé : *[é:]*, alors que le **e** de **denn** est bref et ouvert à cause des
deux consonnes qui suivent : *[è]*.
3, 4 Le **e** du radical de **nehmen** est long et fermé. Il devient **-i**
bref aux 2ᵉ et 3ᵉ personnes du singulier : **du nimmst**.
6, 7 Nous avons marqué en gras la particule séparable à la fin
des phrases, car c'est elle qui porte l'accent dominant de la
phrase : **Holst du mich ab?** N'oubliez pas qu'il faut la rattacher
à l'infinitif lorsque vous cherchez le verbe dans le dictionnaire…

▸ **den** aus Holland oder d**en** aus Frankreich?, *Quel fromage
    voulez-vous, celui de Hollande ou celui de France ?*

④ **ICE** est l'abréviation de **I**nter**c**ity **E**xpress, le T.G.V. allemand.

⑤ **abholen** peut signifier en un mot *aller chercher* ou *venir cher-
    cher* : **Sie holt Thomas am Bahnhof ab**, *Elle va chercher
    Thomas à la gare* ; **Holen Sie mich ab?**, *Viendrez-vous me
    chercher ?* De la même façon que **du** devient **dich**, **ich** devient
    mich à l'accusatif.

6 – Natürlich **hol**e ich dich **ab**.

7 Um wie viel Uhr kommt dein Zug ge**nau an**?

8 – Ich **glau**be um **zwan**zig nach zehn ⑥.

9 – **Pri**ma ⑦! Ich **freu**e mich. ⑧

☐

6 na**tu:**ᵃliç**h** **ho:**l(ë) içh diç**h** ap **7** oum vi: fi:l **ou:**ᵃ ko'mt **da**ïn tsou:k guë**na**ou **a'n** **8** içh **gla**oubë oum **tsva'n**tsiç**h** na:cH tsé:n **9** pri:ma! içh **fro**ïë miç**h**

Notes

⑥ L'heure peut s'exprimer avec **nach**, *après*, et **vor**, *avant*, dans la langue courante (voir phrase 4). **Es ist zehn nach acht**, *Il est huit heures dix* (litt. "dix après huit"), **Es ist zwanzig vor sieben**, *Il est sept heures moins vingt* (litt. "vingt avant sept"). **sieben**, *sept*, s'applique aussi bien à sept heures du matin qu'à dix neuf heures. À la radio et à la télévision, vous entendrez plutôt **acht Uhr zehn**, *huit heures dix* (matin), **zwanzig Uhr zehn**, *vingt heures dix* (soir).

⑦ Il existe de nombreux mots synonymes pour exprimer l'enthousiasme : **prima**, **toll**, **super** (avec l'accent sur la première syllabe : *[zou:pᵃ]*), ou **klasse**, etc. Comme partout, c'est une question de mode et de génération. ▶

***

Übung 1 – Übersetzen Sie bitte!

❶ Peter kommt um zwanzig nach fünf in Köln an.
❷ Nehmen Sie den ICE um achtzehn Uhr fünf!
❸ Um wie viel Uhr kommt der nächste Zug aus Hamburg an? ❹ Warten Sie am Bahnhof, ich hole Sie ab. ❺ Ich komme um sechzehn Uhr in Hannover an.

6 – Bien sûr, je viendrai *(viens je)* te chercher.

7 À quelle heure arrive ton train exactement ?

8 – Je crois [qu'il arrive] à vingt-deux heures vingt *(vingt après dix)*.

9 – Super ! Je suis ravie *(Je réjouis me)*.

Am Bahnhof.

▶ ⑧ **sich freuen**, *se réjouir*, *être content*, est un verbe très usité, que nous examinerons bientôt de plus près. Retenez pour l'instant la 1ʳᵉ personne : **ich freue mich**, *je me réjouis*, *je suis content*.

***

Corrigé de l'exercice 1

❶ Peter arrive à dix-sept heures vingt à Cologne. ❷ Prenez le ICE à dix-huit heures cinq ! ❸ À quelle heure arrive le prochain train de Hambourg ? ❹ Attendez à la gare, je viendrai vous chercher. ❺ J'arrive à seize heures à Hanovre.

21 Übung 2 – Ergänzen Sie bitte!

❶ À quelle heure viendras-tu me chercher ?

.. .. kommst du mich .... ?

❷ Je crois [qu']il y a deux trains pour Bonn, lequel prends-tu ?

........., ... zwei Züge ....

Bonn, ... nimmst du?

❸ Dommage, le ICE de *(à)* sept heures quatre ne part pas aujourd'hui.

......, der ICE .. .. fährt

heute nicht.

❹ Elle a manqué la correspondance, elle arrive une heure plus tard.

Sie hat ... . verpasst, ...

eine Stunde später ...

---

21 Einundzwanzigste Lektion

[aïn-ount-**tsva'n**tsiçhstë lèk**tsyô:n**]

Wiederholung – Révision

1 Le verbe et ses particularités au présent

Dans les six dernières leçons, nous avons rencontré deux particularité :

1.1 Les verbes irréguliers (dits "forts")

Ils se caractérisent par un changement de voyelle du radical. Au présent, il n'y a modification qu'aux 2e et 3e personnes du singulier. La première personne du singulier et le pluriel sont réguliers (à l'exception de **sein**, *être* – voir les conjugaisons leçon 14, § 1).

⑤ Bien sûr, nous viendrons *(venons)* te chercher à la gare.
– Super, je suis content.

Wir holen dich . . . . am Bahnhof . . .
– Prima, ...

Corrigé de l'exercice 2

❶ Um wie viel Uhr – abholen **❷** Ich glaube es gibt – nach – welchen – **❸** Schade – um sieben Uhr vier – **❹** – den Anschluss – sie kommt – an **❺** – natürlich – ab – ich freue mich

---

Vingt et unième leçon   21

Il y a plusieurs changements de voyelle possibles :
– **a** devient **ä** : **schlafen**, *dormir* → **ich schlafe**, mais : **du schläfst, er/sie/es schläft** ;
– **au** devient **äu** : **laufen**, *courir* → **ich laufe**, mais : **du läufst, er/sie/es läuft** ;
– **e** devient **i** : **geben**, *donner* → **ich gebe, du gibst, er/sie/es gibt** ;
– **e** devient **ie** : **sehen**, *voir* → **ich sehe, du siehst, er/sie/es sieht**.
Nous vous signalerons d'autres exemples au fur et à mesure.
Quelques verbes suivent des règles un peu plus compliquées, mais à force de les rencontrer, vous allez les connaître ; **nehmen**, *prendre*, en est un bon exemple : **du nimmst, er nimmt**.

Seuls les verbes où le **e** devient **i** ou **ie** prennent **i** ou **ie** à l'impératif du singulier : **Gib!**, *Donne !*, **Nimm!**, *Prends !*, **Sieh!**, *Vois !* Il n'y a pas de **-e** final dans ce cas.

21

Rappelons à cette occasion que tous les autres verbes forment l'impératif sur le radical de l'infinitif. Au radical s'ajoutent les terminaisons **-(e)**, **-t**, **-en**, **-en** :
- 2e personne du singulier : **Lern(e)!**, *Apprends !*
- 2e personne du pluriel : **Lernt!**, *Apprenez !*
- forme de politesse : **Lernen Sie!**, *Apprenez !*
- 1re personne du pluriel : **Lernen wir!**, *Apprenons !*

1.2 Les verbes à particule séparable

Nous ne pouvons vous cacher que les verbes à particule séparable ont une très grande importance en allemand ; vous devrez vous y faire le plus vite possible. Pour le moment, prenez le réflexe de regarder si un petit mot "traîne" à la fin d'une phrase : s'il y en a un, ajoutez-le au début du verbe pour en trouver l'infinitif. Pour vous entraîner, nous vous invitons à répondre aux deux questions suivantes :

• Quel est l'infinitif du verbe dans la phrase : **Machen Sie bitte die Tür auf!**, *Ouvrez la porte, s'il vous plaît !…* ? Vous l'avez trouvé ? Bravo ! C'est **aufmachen**, *ouvrir*, et non **machen**, *faire*.

• Que signifie **Sie gibt viel Geld aus?** Non, la traduction n'est pas "elle donne beaucoup d'argent", mais *elle dépense beaucoup d'argent* : **geben**, *donner*, **ausgeben**, *dépenser*. Vous voyez encore une fois que la différence peut être capitale !

2 L'accusatif et ses articles

Récapitulons ce que nous avons vu de la déclinaison :

• Un article est au nominatif quand le nom qu'il précède est sujet du verbe ou attribut du sujet : **Der Professor ist ein Freund von Claudia**, *Le professeur est un ami de Claudia*. Au nominatif, l'article défini masculin du singulier est **der**, *le* ; l'article indéfini **ein**, *un*.

• L'article est à l'accusatif quand le nom qu'il précède est complément d'objet direct du verbe. **Der Student sieht den Professor**, *L'étudiant voit le professeur*. **Der Professor trinkt einen Kaffee**, *Le professeur boit un café*. À l'accusatif, l'article défini masculin du singulier est **den**, l'article indéfini, **einen**.

Les articles du féminin, du neutre et du pluriel ne changent pas à l'accusatif, ce que nous montre bien le tableau suivant :

	Masculin	Féminin	Neutre	Pluriel
Nominatif	**der/ein**	**die/eine**	**das/ein**	**die/ –**
Accusatif	**den/einen**	**die/eine**	**das/ein**	**die/ –**

Contentons-nous d'ajouter pour aujourd'hui que les articles négatifs **kein(e)**, *aucun*, *aucune*, *pas de*, et possessifs **mein(e)**, *mon*, *ma*, **dein(e)**, *ton*, *ta*, etc. se déclinent comme **ein(e)** : **Thomas hat keinen Koffer**, *Thomas n'a pas de valise* ; **Er nimmt immer meinen Koffer**, *Il prend toujours ma valise*.

3 Les nombres cardinaux

Si vous avez toujours bien regardé les numéros de pages, ce paragraphe n'est pour vous qu'une simple révision :
De 1 à 12 : **eins** *[aïns]*, **zwei** *[tsvaï]*, **drei** *[draï]*, **vier** *[fi:ª]*, **fünf** *[fu'nf]*, **sechs** *[zèks]*, **sieben** *[zi:b'n]*, **acht** *[acHt]*, **neun** *[noïn]*, **zehn** *[tsé:n]*, **elf** *[èlf]*, **zwölf** *[tsvœlf]*.

Profitons-en pour revoir quelques points sensibles de la prononciation :
– Toutes les lettres se prononcent. Appuyez sur le **-s** final de **eins** ;
– Pour la bonne prononciation du **z**, entraînez-vous avec **zwei**, **zehn**, **zwölf**. C'est un son vraiment dur. Il rappelle le sifflement de la cocotte minute "tsssssss…". D'ailleurs, *siffler* se dit **zischen** avec un **z** initial. Il s'agit donc bien d'une onomatopée ;
– Le **v** de **vier** se prononce comme le **f** de **fünf** ;
– **sechs** et **Sex** se prononcent pareil : *[zèks]* ;
– **acht** nous donne l'occasion de délivrer le chat enfermé au fond de notre gorge…
– Pour **zehn** *[tsé:n]*, prononcez d'abord le **-e** long et fermé comme dans "fée", puis ajoutez **-n**.

21

De 13 jusqu'à 19, on dit les nombres "à l'envers", c'est-à-dire d'abord l'unité, puis la dizaine : **dreizehn, vierzehn, fünfzehn, sechzehn, siebzehn, achtzehn, neunzehn.**
Attention à **sechzehn** et à **siebzehn.**

De 20 à 90, les dizaines prennent la terminaison **-zig** (ou **-ßig** pour 30) : **zwanzig, dreißig, vierzig, fünfzig, sech**zig, **sie**bzig, **acht-zig, neunzig.**
Rappelons que **-ig** se prononce *[içh]* à la fin d'un mot, sauf dans les régions du Sud où on prononce *[-ik]*. Personne ne vous empêche de vous faire passer pour originaire de ces régions-là.

De 21 à 99, on dit d'abord l'unité puis la dizaine, reliés par **und** : **einundzwanzig, zweiundzwanzig**…, jusqu'à **neunundneunzig.**

À partir de 100 (**hundert** invariable), on dit d'abord les centaines, puis les unités et les dizaines : **(ein)hundertsiebenundachtzig** (*187*), **dreihundertfünfundvierzig** (*345*).
Comme en français, **tausend**, *mille*, est invariable : **(ein)tausend** (*1 000*), **siebentausend** (*7 000*), etc.

ein est souvent supprimé au début de cent ou de mille : **tausendvierhundertfünfzig** (*1 450*), mais jamais à l'intérieur : **tausendeinhundertfünfzig** (*1 150*).

Notez que **eins**, *un*, devient **ein-** lorsqu'il est suivi d'un autre chiffre : **einundsiebzig** (*71*), et qu'il se décline lorsqu'il est suivi d'un nom : **Wir bleiben einen Tag**, *Nous restons un jour*.
Arrêtons-nous ici pour aujourd'hui. Juste une "petite" question. Pourriez-vous écrire en lettres le nombre suivant : 969 897 ?

Réponse :
Neunhundertneunundsechzigtausendachthundertsiebenund-neunzig.
*[**no**ïnhound^a t'**no**ïnountzèçhtsiçh'**ta**ouzënt'**acHt**hound^a t' **zi**:bën'ount**noïn**tsiçh]*
C'est joli, n'est-ce pas ?

Vous êtes essoufflé ? Alors, le moment est venu de vous détendre avec le dialogue de révision qui suit. Prenez votre temps ! Ce n'est pas vous qui avez un train à prendre...

Die Bahnhofsauskunft

1 – Guten Morgen, um wie viel Uhr fährt der nächste Zug nach Hamburg, bitte?

2 – Ein ICE fährt um dreizehn Uhr zweiunddreißig.

3 – Was? In sechs Stunden? So spät?

4 Gibt es keinen Zug heute Morgen?

5 – Doch, einen Schnellzug, aber der fährt in vier Minuten ab.

6 – Prima, den nehme ich.

7 Sagen Sie schnell, welches Gleis?

8 – Gleis zehn, Sie gehen rechts und dann immer geradeaus!

9 – Vielen Dank! Sie sind sehr nett.

10 – Keine Ursache, aber verpassen Sie nicht den Zug!

11 Laufen Sie! Die Zeit vergeht schnell!

---

22 Zweiundzwanzigste Lektion
*[tsvaï-ount-**tsva'n**tsiçhstë lèk**tsyô:n**]*

Das Geburtstagsfest

1 – Was für **ein**e ① **Hit**ze!

Prononciation
*da's guë**bou:ªts**-ta:ks-fèst **1** va's **fu:ª** aïnë **hit**së*

Remarque de prononciation
Titre Le **s** intercalé entre deux noms pour en faire un nom composé s'attache au premier : **das Geburts-tags-fest**.

Le[s] renseignement[s] à la gare

1 Bonjour, quand part le prochain train pour Hambourg, s'il vous plaît ? **2** Il y a un T.G.V. *(Un ICE part)* à 13 heures 32. **3** Quoi ? Dans six heures ? Si tard ? **4** Il n'y a pas de train ce *(aujourd'hui)* matin ? **5** Si, un express, mais il *(celui-ci)* part dans quatre minutes. **6** Super, je le prends *(le prends je)*. **7** Dites[-moi] vite, quelle voie ? **8** Voie dix, vous allez à droite et puis toujours tout droit ! **9** Merci beaucoup ! Vous êtes très gentil. **10** Il n'y a pas de quoi, mais ne manquez pas le train ! **11** Courez ! Le temps passe vite !

Vingt-deuxième leçon 22

La fête d'anniversaire
(naissance-jour-fête)

1 – Quelle chaleur *(Quoi pour une chaleur)* !

Note

① **was für ein(e)…**, *quel(le), quel genre de…* peut exprimer une exclamation ou une interrogation : **Was für ein Tag!**, *Quelle journée !* ; **Was für einen Mann suchen Sie?**, *Quelle sorte d'homme cherchez-vous ?* **Ein(e)** se décline comme l'article indéfini ; il n'y a donc pas d'article au pluriel : **Was für Probleme hat er?**, *Quel genre de problèmes a-t-il ?*

2 Die **Schü**ler **ha**ben Glück, sie **ha**ben **hit**zefrei.

3 – Ja, wir sind zu ② alt, für ③ uns ist das vor**bei**.

4 – Sag mal, wie alt ④ bist du **ei**gentlich?

5 – Ich bin **fünf**und**zwan**zig ⑤, **a**ber nicht mehr ⑥ **la**nge.

6 – Wa**rum**? Wann ist denn dein Ge**burts**tag?

7 – Am 4. Au**gust** ⑦ **wer**de ich **sechs**und**zwan**zig.

8 – Mensch, das ist **Sams**tag!

9 Weißt du ⑧ was, wir **ge**ben **ei**ne Ge**burts**tagsparty für dich! ☐

---

2 di: chu:|ᵃ ha:b'n gluk zi: ha:b'n hitsë-fraï 3 ya: vi:ᵃ zi'nt tsou: alt fu:ᵃ ouns ist da's fo:ᵃbaï 4 za:k ma:l vi: alt bist dou: aïg'ntliçh 5 içh bi'n fu'nf-ount-tsva'ntsiçh a:bᵃ niçht me:ᵃ lañguë 6 varoum? va'n ist dèn daïn guëbou:ᵃts-ta:k

Notes

② **zu** suivi d'un adjectif ou d'un adverbe signifie *trop* : **Es ist zu heiß**, *Il fait ("est") trop chaud*. Nous avons déjà vu **zu**, *de, à, pour*, avec infinitif (leçon 19) : **Ich habe nichts zu essen**, *Je n'ai rien à manger*, et dans la locution **zu Haus(e)**, *à la maison* (quand on y est), qui s'oppose à **nach Haus(e)**, *à la maison* (quand on y va).

③ **für**, *pour*, est suivi de l'accusatif ; **uns** est l'accusatif de **wir**, *nous* (sujet).

④ Beaucoup de questions de mesure se forment avec **wie?**, *comment ?* + adjectif (invariable) : **Wie alt sind Sie?**, *Quel âge avez-vous ?* (litt. "Comment vieux êtes-vous ?") ; **Wie groß ist er?**, *Quelle taille fait-il ?* (litt. "Comment grand est-il ?").

⑤ Pour dire l'âge, on n'emploie pas **haben**, *avoir*, mais **sein**, *être*. *Il a douze ans* se dit **Er ist 12 Jahre alt** (litt. "Il est 12 ans vieux"), ou simplement **Er ist zwölf** (litt. "Il est douze"). ▸

2 Les écoliers ont de la chance, ils ont congé à cause de la chaleur *(ont chaleur-libre)*.

3 – Oui, nous sommes trop vieilles, pour nous c'est *(est ce)* fini.

4 – Dis-[moi], quel âge as-tu *(comment vieux es tu)* au fait ?

5 – J'ai vingt-cinq ans *(je suis vingt-cinq)*, mais *(ne)* plus pour longtemps.

6 – Pourquoi ? Quand est *(donc)* ton anniversaire ?

7 – Le 4 *(Au quatrième)* août, j'aurai *(deviens je)* vingt-six [ans].

8 – [Mais] *(Homme)* c'est samedi !

9 Tu sais *(Sais tu)* quoi, nous donnerons *(donnons)* une soirée d'anniversaire pour toi !

7 a'm **fi:ᵃ**tën aou**goust vé:ᵃ**dë iç̌h **zèks**-ount-**tsva'nt**siç̌h
8 mènch da's ist **za'ms**ta:k **9** **vaï**st dou: va's **vi:ᵃ gué:**b'n aïnë guë**bou:ᵃts**-ta:ks-**pa:ᵃ**ti **fu:ᵃ** diç̌h

▸ ⑥ **nicht mehr**, *ne... plus*, se suivent : **Er trinkt nicht mehr**, *Il ne boit plus*.

⑦ Les dates se disent avec des nombres ordinaux. Le point après le chiffre du jour est obligatoire : **am 4. August**, *le 4 août*, se lit **am vierten August**, (litt. "au quatrième août"), **am 15. Mai**, *le 15 mai*, **am fünfzehnten Mai** (litt. "au quinzième mai"). Nous en reparlerons dans la leçon 28, § 5. Retenez pour le moment simplement que l'on emploie **am** pour indiquer un jour précis.

⑧ Le verbe **wissen**, *savoir*, est totalement étranger aux règles de conjugaison que nous avons vues : **ich weiß, du weißt, er/ sie/es weiß**. Nous en reparlerons. Dans l'expression **Weißt du was?**, *Tu sais quoi ?* ("Sais tu quoi"), **was** est l'abréviation de **etwas**, *quelque chose*.

Übung 1 – Übersetzen Sie bitte!

❶ Weißt du was, ich trinke nicht mehr. ❷ Wie alt sind die Kinder? ❸ Am 19. (neunzehnten) August gebe ich eine Party, kommen Sie? ❹ Was für ein Geburtstagsfest und was für eine Hitze! ❺ Samstag gibt Thorsten eine Geburtstagsparty für Janina.

Übung 2 – Ergänzen Sie bitte!

❶ Quelle journée ! Pourquoi n'avons-nous pas de congé avec cette chaleur *(chaleur-libre)* ?

... ... Tag! ..... haben wir nicht
.........?

❷ Vous n'êtes plus écolière ? – Mais non, c'est fini !

Sie sind .... Schülerin? – Aber nein,

... ...

❸ Les frites sont pour nous, pas pour toi seul.

Die Pommes sind ... ..., nicht ... .
allein.

Das Geburtstagsfest

Corrigé de l'exercice 1

❶ Tu sais quoi, je ne bois plus. ❷ Quel âge ont les enfants ? ❸ Le 19 août, je donnerai une soirée, vous viendrez *(venez vous)* ? ❹ Quelle fête d'anniversaire et quelle chaleur ! ❺ Samedi, Thorsten donnera une soirée d'anniversaire pour Janina.

❹ Le 16 août, [c']est l'anniversaire d'Anna.
. . 16.(sechzehnten) . . . . . . ist . . . . von Anna.

❺ Quel âge avez-vous au fait ? Trente et un ou trente-deux ?
. . . . . . sind Sie . . . . ? Einunddreißig oder . . . . ?

Corrigé de l'exercice 2

❶ Was für ein – Warum – hitzefrei ❷ – nicht mehr – das ist vorbei ❸ – für uns – für dich – ❹ Am – August – der Geburtstag – ❺ Wie alt – eigentlich – zweiunddreißig

Dans les pays germaniques, contrairement à ce que l'on dit souvent, le climat n'est pas désagréable du tout en été. Il est vrai qu'en moyenne annuelle, il y a moins d'ensoleillement que dans les pays de l'hémisphère sud, du fait que l'été est court : il se limite aux mois de juillet et d'août. Pourtant, il peut faire très chaud en été. En Bade-Wurtemberg ou en Bavière, le thermomètre monte facilement au-dessus de trente degrés, température limite au-delà de laquelle les écoliers sont renvoyés à la maison "pour cause de chaleur". Au nord, **die Hitzewellen,** *les grandes vagues de chaleur, sont plus rares. Les gens profitent du moindre rayon de soleil. Dès que l'on peut rester dehors, on va dans son jardin (toujours très bien entretenu). On y travaille, on y prend tous ses repas, des bains de soleil (même si c'est avec un manteau d'hiver), et on donne des fêtes :* **Gartenfeste** *ou* **Grillfeste.** *Cette coutume sympathique et conviviale a pour seul désavantage que vous pouvez vous trouver, le soir où vous avez décidé de manger végétarien, entouré de l'odeur de grillades de vos voisins.*

23 Dreiundzwanzigste Lektion

*[draï-ount-**tsva'n**tsiçhstë lèk**tsyô:n**]*

Eine gute Organisation

1 – **Möch**test du im **Gar**ten **o**der im Haus
feiern?

2 – Im **Gar**ten. Ich mag ① **Gar**tenfeste.

3 – Gut! Wen ② **la**den wir **ein**?

4 – Klaus und **sei**ne ③ **Freun**din, **Son**ja und
ihren ④ Mann, **dei**ne **Schwes**ter und **ih**re
Fami**li**e, **mei**ne **Brü**der ⑤, das Or**ches**ter…

Prononciation

*aïnë **gou:**të organiza**tsyô:n 1 meuçh**tëst dou: i'm **gar**tën o:dᵃ
i'm **ha**ou's **fai**ᵃn **2** i'm **gar**tën. içh ma:k **gar**tën-**fès**të **3 gou:t!**
vé:n **la:**dën **vi:**ᵃ aïn **4 kla**ous' ount **za**ïnë **fro**ïndi'n **zo'n**ya ount
i:rën ma'n **da**ïnë **chvès**tᵃ ount **i:**rë fa**mi:l**yë **ma**ïnë **bru:**dᵃ
da's or**kès**tᵃ*

Notes

① **ich mag**, *j'aime bien*, est la première personne du présent de
l'indicatif du verbe de modalité **mögen**, dont vous connaissez
déjà le conditionnel : **ich möchte, du möchtest, Sie möchten**,
je voudrais, tu voudrais, vous voudriez.

② Le pronom interrogatif **wer?**, *qui ?*, se décline comme l'article défini masculin **der**, *le*. Lorsqu'il est complément d'objet
direct, **wer?** se met donc aussi à l'accusatif et devient **wen?** :
Wen laden wir ein?, *Qui invitons-nous ?*

③ *son, sa, ses* ("à lui") se dit **sein(e)**, et *son, sa, ses* ("à elle"),
ihr(e). Le système est donc plus pratique qu'en français,
puisqu'on n'a pas besoin d'ajouter "à lui" ou "à elle" : **Sein
Geburtstag ist am 4. Mai und ihr Geburtstag ist ein Tag
später**, *Son anniversaire [à lui] est le 4 mai, et son anniversaire* ▸

Une bonne organisation

1 – Veux-tu faire la fête au jardin ou à la maison
(voudrais-tu… fêter) ?
2 – Au jardin. J'aime bien [les] fêtes au jardin.
3 – Bien ! Qui invitons-nous ?
4 – Klaus et son amie, Sonja et son mari *(homme)*,
ta sœur et sa famille, mes frères, l'orchestre…

Remarque de prononciation
4 On prononce bien le **-l** de **Familie** comme dans **Julia**
[**you:**lya] : [fa**mi:**lyë].

▶ *[à elle] est un jour plus tard.* Notez aussi que l'article possessif
avant **Freund** ou **Freundin** indique qu'il ne s'agit pas d'un
quelconque/d'une quelconque ami(e), mais du "petit" ami ou
de la "petite" amie : **mein Freund** est donc *mon [petit] ami*,
deine Freundin, *ta petite amie*. De même **ihr Mann**, "son
homme à elle", est bien *son mari*.

④ Dans cette phrase, tous les noms étant des compléments d'objet
direct du verbe **einladen**, *inviter*, les articles sont à l'accusatif :
**Wir laden ihren Freund, seine Schwester, das Orchester
und alle Freunde ein**, *Nous invitons son ami [à elle], sa sœur
[à lui], l'orchestre et tous [les] amis.*

⑤ **Brüder** (avec inflexion) est le pluriel de **der Bruder**, *le frère*.
En revanche, **die Schwester** forme son pluriel en **-n** : **die
Schwestern**. Il existe en allemand un nom, **die Geschwister**,
pour désigner en un seul mot *les frères et sœurs.*

5 – Wird ⑥ das nicht zu viel?
6 Das wird **teu**er.
7 – Nein, das wird **lus**tig ⑦.
8 Alle **bri**ngen **et**was zu **es**sen oder zu **tri**nken **mit**. ☐

*5 virt da's nicht tsou: fi:l **6** da's virt **to**i'ᵃ **7 na**ïn da's virt l**ous**tiçh **8 a**lë **bri**ñgën **èt**va's tsou: **èss**'n o:dᵃ tsou: **tri**ñk'n **mi**'t*

Notes

⑥ **werden**, *devenir*, est un verbe irrégulier : **ich werde, du wirst, er/sie/es wird**. En liaison avec un adjectif ou un adverbe, **werden** exprime la notion de changement, d'évolution (de "devenir") : **Das wird zu viel**, *Ce sera* ("devient") *trop* ; **Ich werde müde**, *Je commence à être* ("deviens") *fatigué*.

⑦ **lustig** : "Le loustic" français a été emprunté phonétiquement à **lustig**, *drôle, joyeux, amusant*. Les régiments suisses de l'ancienne monarchie française appelaient ainsi le bouffon chargé de distraire les soldats menacés ou atteints du mal du pays. ▸

***

Übung 1 – Übersetzen Sie bitte!

❶ Daniels Bruder ist neunzehn und seine Schwester dreiundzwanzig. ❷ Am 5. (fünften) Mai feiern wir den Geburtstag von Anna. ❸ Klaus lädt Sonja und ihre Schwester ein. ❹ Bringt nichts mehr mit! Das wird zu viel. ❺ Sie sieht ihren Freund um fünfzehn Uhr im Café.

5 – Ce ne sera *(devient ce)* pas trop *(beaucoup)* ?
6 Ça va être *(devient)* cher.
7 – Non, ce sera *(devient)* amusant.
8 Tout le monde apportera *(Tous apportent)*
quelque chose à boire ou à manger *(avec)*.

Am 5. Mai feiern wir den Geburtstag von Anna.

▸ C'est d'ailleurs la preuve qu'il y avait, au XVIIIe siècle, des gens qui prononçaient *[-ik]* et non *[-içh]*.

***

Corrigé de l'exercice 1

❶ Le frère de Daniel a 19 ans et sa sœur 23 ans. ❷ Le 5 mai, nous fêtons l'anniversaire d'Anna. ❸ Klaus invite Sonia et sa sœur *(à elle)*. ❹ N'apportez plus rien ! Ce sera trop. ❺ Elle voit son ami à 15 heures au café.

24 Übung 2 – Ergänzen Sie bitte!

❶ Qui invitez-vous ? Anna et ses frères et Thomas et son amie.
. . . ladet ihr ein? Anna und . . . .
und Thomas und . . . .

❷ Voudrais-tu une fête dans le jardin ou à la maison ?
. . . . ein Fest . . . . oder . . . . . . ?

❸ Anna et Klaus nous invitent pour samedi soir, ce sera sûrement amusant.
Anna und Klaus . . . . . uns für Samstagabend
. . . , ... sicher lustig.

❹ Elle va chercher son frère et sa sœur à la gare.
Sie holt . . . . und . . . .
am Bahnhof ab.

---

24 Vierundzwanzigste Lektion
[fi:ª-ount-tsva'ntsiçhstë lèktsyô:n]

Komm, wir gehen einkaufen!

1 – Wir **ha**ben das **Grill**fleisch, die Kar**t**offeln
und den **Ap**felsaft ①.
2 Was **brau**chen ② wir noch?

Prononciation
*ko'm vi:ª gué:n aïn'kaouf'n 1 vi:ª **ha**:b'n da's **gril**-flaïch di:
kar**t**of'ln ount dé:n **ap**f'l-zaft 2 va's **bra**oucH'n vi:ª nocH*

Remarque de prononciation
1, 5, 6 Prononcer le **h** aspiré ne vous pose sûrement plus de problème, n'est-ce pas ?

⑤ La fête ne sera pas chère, tous apporteront quelque chose.   24
Das Fest .... nicht ....., alle ....
etwas ....

Corrigé de l'exercice 2
❶ Wen – ihre Brüder – seine Freundin ❷ Möchtest du – im Garten
– im Haus ❸ – laden – ein, das wird – ❹ – ihren Bruder – ihre
Schwester – ❺ – wird – teuer – bringen – mit

Viens, *(nous)* allons faire des courses !

1 – Nous avons la viande à griller, les pommes de
terre et le jus de pomme.
2 [De] quoi avons-nous encore besoin ?

Notes
① **der Saft**, *le jus*, **der Apfel**, *la pomme.* Vous souvenez-vous de la
formation des mots composés ? Le premier en français devient
le dernier en allemand : *le jus d'orange*, **der Orangensaft**.
② **brauchen**, *avoir besoin*, s'emploie avec l'accusatif : **Ich
brauche etwas**, *J'ai besoin [de] quelque chose.*

3 – Nichts, das ist **a**lles.

4 – Gut, dann **ge**hen wir **zah**len.

5 – Halt, wir **ha**ben den Sekt ③ ver**ge**ssen ④.

6 – Stimmt! Ich **ho**le ⑤ ihn ⑥.

7 – O**kay**, ich **ge**he schon mal an ⑦ die **Ka**sse und **ste**he **Schla**nge ⑧. □

*3 niçhts da's ist alès 4 gou:t da'n **gué**:n **vi**:ª **tsa**:l'n 5 halt **vi**:ª **ha**:b'n dé:n zèkt fèr**gué**ss'n 6 chti'mt! iç **ho**:lë i:n 7 oké: iç **gué**:ë cho'n ma:l a'n di: **ka**ssë ount **chté**:ë **chla**ñgë*

Notes

③ **der Sekt**, le "champagne" allemand, est plus exactement un vin qui contient beaucoup de gaz carbonique. Il est indispensable pour célébrer un événement, et même s'il est beaucoup moins cher que son grand frère français, c'est un signe de luxe et de prospérité. (Si l'on peut s'offrir du vrai champagne, que l'on appelle **Champagner** *[cha'm**pa**'nyª]* en allemand, le luxe est incontestablement plus grand !)

④ Le participe passé du verbe **vergessen**, *oublier*, est semblable à l'infinitif. Ce n'est pas toujours le cas ! Souvenez-vous de **geschlossen**, *fermé*, dont l'infinitif est **schließen**. Nous verrons bientôt la formation des participes. Notez pour l'instant que le participe passé se place à la fin de la phrase, et que c'est l'auxiliaire qui occupe la place habituelle du verbe : **Er hat alles vergessen**, *Il a tout oublié*. ▸

***

Übung 1 – Übersetzen Sie bitte!

❶ Sie brauchen Ferien, Herr Spielberg, das ist alles. ❷ Ich mag nicht Schlange stehen. ❸ Sie kauft einmal pro Woche ein. ❹ Haben Sie keinen Sekt? – Doch, ich hole ihn. ❺ Was möchten Sie? Zwei Kilo Kartoffeln?

3 – [De] rien, c'est tout.

4 – Bon, alors allons payer.

5 – Stop, nous avons oublié le "vin mousseux" *(oublié)*.

6 – Exact ! Je vais le chercher.

7 – Ok, je vais déjà *(une-fois)* à la caisse faire la queue *(et fais [le] serpent)*.

▸ ⑤ **holen** signifie – comme **abholen** – en un seul mot *aller chercher*, *venir chercher* : **Ich hole Brot**, *Je vais chercher [du] pain*. La particule **ab** exprime souvent un détachement, mais implique souvent aussi une notion d'attente : **Freunde am Flughafen abholen**, *aller chercher (attendre) des amis à l'aéroport* ; **ein Paket abholen**, *aller chercher un paquet*.

⑥ À l'accusatif, **er**, *il*, devient **ihn**, *le*. **Sie liebt ihn**, *Elle l'aime*. Les pronoms personnels féminin **sie**, *elle*, et neutre **es**, *il* (neutre) ne changent pas à l'accusatif. **Er liebt sie**, *Il l'aime*. **Wo ist das Brot? – Ich hole es.** *Où est le pain ? – Je vais le chercher.*

⑦ **an**, *à*, *au bord de*, *près de* : **Ich gehe an die Kasse**, *Je vais à la caisse* ; **Wir fahren an das Meer**, *Nous allons au bord de la mer*.

⑧ En allemand, on ne fait pas "la queue", mais "le serpent". Dans l'expression **Schlange stehen**, *faire la queue*, nous retrouvons **die Schlange**, *le serpent* et **stehen**, *être debout*.

***

Corrigé de l'exercice 1

❶ Vous avez besoin de vacances, M. Spielberg, c'est tout. **❷** Je n'aime pas faire la queue. **❸** Elle fait ses courses une fois par semaine. **❹** Vous n'avez pas de vin mousseux ? – Si, je vais le chercher. **❺** Que voulez *(voudriez)*-vous ? Deux kilos de pommes de terre ?

25 **Übung 2 – Ergänzen Sie bitte!**

❶ Pourquoi as-tu oublié les pommes de terre et pas la bière ?
Warum hast du ... . vergessen
und nicht ... . ?

❷ De quoi avez-vous besoin ? – De rien, merci.
... brauchen Sie? – ......, danke.

❸ Elle va à la caisse et [lui] il va encore vite chercher le vin mousseux.
Sie geht .. .., und .. ... noch
schnell den Sekt.

❹ Je voudrais un jus d'orange, s'il vous plaît, et c'est tout.
Ich möchte bitte .... und das
ist ......

❺ Quand allez-vous faire des courses ? Il me faut quelque chose à boire.
Wann geht ihr .... ? Ich brauche .....
zu trinken.

---

25 **Fünfundzwanzigste Lektion**
[fu'nf-ount-tsva'ntsiçhstë lèktsyô:n]

Ist Ihr ① Terminkalender ② auch zu voll?

1 Ich bin Vertreter für Computer.

Prononciation
ist i:ª tèrmi:n-kalèndª aoucH tsou: fol 1 içh bi'n fèrtré:tª fu:ª
compyou:tª

Notes

① **Ihr(e)** – avec une majuscule – signifie *votre/vos* (forme de politesse). **Machen Sie bitte Ihre Übungen!**, *Faites vos exercices, s'il vous plaît.*

❶ – die Kartoffeln – das Bier ❷ Was – Nichts – ❸ – an die Kasse
– er holt – ❹ – einen Orangensaft – alles ❺ – einkaufen – etwas –

*Si vous trouvez qu'il y a surabondance de nouveautés, ne vous
croyez surtout pas obligé(e) de tout retenir tout de suite. Continuez à répéter plusieurs fois les phrases de chaque leçon à voix
haute et dites-vous tranquillement :* **Es ist noch kein Meister
vom Himmel gefallen** *(litt. "Aucun maître n'est encore tombé
du ciel"),* Apprenti n'est pas maître.

Vingt-cinquième leçon   25

Votre agenda est-il aussi trop chargé
(Est votre agenda aussi trop plein) ?

1   Je suis représentant en *(pour)* ordinateurs.

▶ ② **der Termin**, *le terme*, *la date*, et **der Kalender**, *le calendrier*.
On emploie **der Termin** pour un rendez-vous officiel, par
exemple chez le médecin : **Freitag hat er einen Termin bei
Doktor Schmidt**, *Vendredi, il a un rendez-vous chez [le] docteur Schmidt*.

2   Am **Mon**tag **fli**ege ich ③ nach Barce**lo**na.
3   **Diens**tag**nach**mittag ④ **kom**me ich zu**rück**.
4   **Mitt**woch**vor**mittag **ha**ben wir **ei**ne **Si**tzung ⑤.
5   **Do**nnerstag ⑥ **tre**ffe ich **Kun**den.
6   Ich **hof**fe, **ih**re ⑦ Ma**schi**nen funktio**nie**ren.
7   Am **Frei**tag **ar**beite ich im Bü**ro**.
8   Und am **Sams**tag repa**rie**re ich zu **Hau**se… den Com**pu**ter.   ☐

---

*2 a'm **mo:n**ta:k fli:guë içh na:cH bartsё**lo:**na 3 **di:ns**ta:k-**nacH**mita:k ko**më** içh tsou**ruk** 4 **mi't**vocH-**fo:**ªmita:k **ha:**b'n **vi:**ª aïnë **zit**souñg 5 **do**nªsta:k **trè**fë içh **koun**dën 6 içh **ho**fë i:rë ma**chi:**nën fouñktsyoni:rën 7 a'm **fraï**ta:k **ar**baïtë içh i'm bu**rô**. 8 ount a'm **sa'ms**ta:k répari:rë içh tsou: **ha**ouzё… dé:n co'm**pyou:**tª*

Notes

③ Rappelons que dans une phrase déclarative, le verbe conjugué garde sa place – en 2ᵉ position –, que l'on commence la phrase par le sujet : **Ich fliege am Montag nach Barcelona**, ou par une autre indication : **Am Montag fliege ich nach Barcelona**, ou même : **Nach Barcelona fliege ich am Montag**. Nous pourrions vous parler plus longtemps de la structure des phrases allemandes, mais nous préférons vous laisser vous habituer. Lisez attentivement les phrases et répétez-les à voix haute. C'est ainsi que vous prendrez de bons automatismes sans vous en rendre compte !

④ **Dienstagnachmittag** est composé de **Dienstag**, *mardi*, et de **der Nachmittag**, *l'après-midi* (**nach**, *après* + **Mittag**, *midi*). De même **der Vormittag**, *la matinée*, veut dire littéralement "avant-midi" (**vor**, *avant* + **Mittag**, *midi*). Rappelez-vous que **nach** signifie non seulement *après*, mais aussi *à*, *pour*, *vers* avec un verbe de mouvement. **Er fliegt nach Barcelona**, *Il part en avion pour Barcelone*.   ▶

2 *(Au)* Lundi, je prends l'avion pour *(vais-en-avion à)* Barcelone.

3 Mardi après-midi, j'[en] reviens *(viens je retour)*.

4 Mercredi matin *(matinée)*, nous avons une réunion.

5 Jeudi, je rencontre [des] clients.

6 J'espère [que] leurs appareils fonctionnent.

7 *(Au)* Vendredi, je travaille au bureau.

8 Et samedi, je répare… l'ordinateur à la maison.

Remarque de prononciation

6, 8 Il y a en allemand beaucoup de verbes d'origine française. Ils se terminent en **-ieren** et l'accent tonique porte sur **ie** : **funktionieren** *[fouñktsyoni:rën]*, **reparieren** *[répari:rën]*, **studieren** *[chtoudi:rën]*, **telefonieren** *[telefoni:rën]*, etc.

▶ ⑤ **die Sitzung**, *la réunion*, est un nom formé à partir du verbe **sitzen**, *être assis*. Beaucoup de noms se forment ainsi en ajoutant la terminaison **-ung** au radical du verbe. Nous connaissons déjà **die Entschuldigung**, *l'excuse*, de **entschuldigen**, *excuser*. Pour mémoire, tous les noms qui se terminent en **-ung** sont féminins, et forment leur pluriel en ajoutant **-en** : **die Sitzungen**, *les réunions*.

⑥ Pour indiquer le jour de la semaine, on dit simplement **Donnerstag**, *jeudi*, ou **am Donnerstag**.

⑦ Nous avons vu que le pronom personnel féminin du singulier est semblable à celui du pluriel : **sie trinkt Kaffee**, *elle boit du café* ; **sie trinken Kaffee**, *ils/elles boivent du café*. Il en est de même pour l'article possessif : **ihr(e)** – avec une minuscule – signifie *son/sa/ses* (à elle) ou *leur*. **Sie trifft ihre Freundin**, *Elle rencontre son amie* ; **Die Kinder treffen ihre Freunde**, *Les enfants rencontrent leurs amis*. Vous aurez remarqué que le **e** de **treffen**, *rencontrer*, se change en **i** aux 2e et 3e personnes du singulier.

25 Übung 1 – Übersetzen Sie bitte!

❶ Am Dienstag fahren wir nach Berlin. ❷ Haben Sie nächste Woche Zeit? ❸ Am Mittwoch arbeitet sie zu Hause. ❹ Fliegen Sie Freitagvormittag nach München? ❺ Ich möchte bitte einen Termin mit Doktor Bachmann.

Übung 2 – Ergänzen Sie bitte!

❶ Que faites-vous samedi ? – J'ai une réunion.

Was machen Sie .. .. ? – Ich habe

....

❷ Klaus revient vendredi soir de Barcelone.

Klaus ..... Freitagabend aus Barcelona

....

❸ Quand rencontrez-vous vos clients ? – Lundi.

Wann .... Kunden? – ....

❹ Son ordinateur *(à elle)* ne fonctionne plus, il le répare.

... Computer .... nicht mehr,

.. .. ihn.

❺ Mercredi, mon agenda est trop chargé, mais jeudi pendant la matinée, j'ai du temps [libre].

.... ist mein .... zu voll,

aber .... habe ich Zeit.

Les noms des jours de la semaine ont tous leur histoire, qui permet de mieux les retenir : **Sonntag** *est* le jour du soleil (**die Sonne**, le soleil*), et* **Montag** *le jour de la lune (***der Mond**, la lune*).* **Dienstag** *n'est pas le jour du service (***der Dienst**, le service*) comme beaucoup le croient, mais le jour de Things ou Tyr, qui était le dieu germain de la guerre. Les Romains l'identifiaient à Mars. Ainsi*

Corrigé de l'exercice 1

❶ Mardi, nous allons à Berlin. ❷ Avez-vous du temps la semaine prochaine ? ❸ Mercredi, elle travaille à la maison. ❹ Allez-vous *(en avion)* à Munich vendredi matin ? ❺ Je voudrais un rendez-vous avec [le] docteur Bachmann, s'il vous plaît.

Ich möchte bitte einen Termin mit Doktor Bachmann.

Corrigé de l'exercice 2

❶ – am Samstag – eine Sitzung ❷ – kommt – zurück ❸ – treffen Sie Ihre – Montag ❹ Ihr – funktioniert – er repariert – ❺ Mittwoch – Terminkalender – Donnerstagvormittag –

"mardi" et **Dienstag** *ont bien la même signification historique.*
Mittwoch *est le jour du milieu de la semaine :* **die Mitte**, *le milieu et* **die Woche**, *la semaine.*
*C'est Donar, le dieu germain du tonnerre (***der Donner**, *le tonnerre) qui a donné son nom à* **Donnerstag**, *tout comme, d'ailleurs, Jupiter – son équivalent romain – a donné le sien au jeudi. Enfin, un jour de la semaine a été consacré à une déesse, la déesse germanique Frija ou Freya, épouse de Wotan, "le dieu des dieux" germains. C'était la déesse de la fécondité et du mariage, et les Romains l'identifiaient à Vénus. C'est ainsi que le jour de Vénus (le vendredi) est devenu, pour les Germains, le jour de Frija,* **Freitag**.
Samstag *ne tire pas son nom d'un dieu, mais d'une expression roumaine "sambata" (septième jour) venue en Allemagne par le Danube et le Rhin. C'est pourquoi* **Samstag** *est très répandu au sud et au sud-ouest de l'Allemagne ; au nord, on dit* **Sonnabend** *à la place de* **Samstag**, *qui veut dire le soir/la veille du dimanche.*

Was machen wir heute Abend, Liebling ①?

1 – Hast du Lust ②, ins ③ The**a**ter zu **ge**hen?
2 – Nein, ich **fin**de The**a**ter zu **an**strengend.
3 – Wir **kön**nen **ei**nen Spa**zier**gang ④ **ma**chen.
4 – Ach nein, es **reg**net ⑤ **si**cher bald.
5 – Wir **neh**men **ei**nen **Re**genschirm ⑥ mit.

Prononciation
va's **macH**ën **vi:ª hoï**të **a:**b'nt **li:p**'liñg **1** <u>h</u>ast dou: loust i'ns
té**a:**tª tsou: **gué:**n **2** naïn içh **fi'n**dë té**a:**tª tsou: **a'n**chtrèñg'nt
3 vi:ª keunën **aï**nën chpa**tsi:ª**gañg **macH**ën **4** acH **naï**n ès
ré:gnët ziçhª balt **5 vi:ª né:**mën **aï**nën **ré:g**'n-chirm **mi'**t

---

Notes
① **Liebling**, *chéri(e)*, est invariable. Il peut désigner une femme ou un homme, bien que son article soit masculin : **der Liebling**.

② Après certaines expressions ou verbes comme **Lust haben**, *avoir envie*, **Zeit haben**, *avoir le temps*, **sich freuen**, *être content/se réjouir*, l'infinitif qui tient lieu de complément est précédé de **zu** : **Er hat Lust, eine Pizza zu essen**, *Il a envie de manger une pizza*, et cet infinitif précédé de **zu** est rejeté à la fin de la phrase. Depuis la dernière réforme de l'orthographe, la virgule pour séparer le groupe infinitif du reste de la phrase n'est plus obligatoire, mais beaucoup de gens continuent à l'utiliser, soit par habitude, soit pour assurer une meilleure compréhension de la phrase : **Ich freue mich (,) Sie zu sehen**, *Je suis content de vous voir*.

③ **ins** est la contraction de la préposition **in**, *dans*, et de l'article **das**. ▸

Que faisons-nous ce soir, chéri ?

1 – As-tu envie d'aller au théâtre ?
2 – Non, je trouve [le] théâtre trop fatigant.
3 – Nous pouvons faire une promenade *(faire)*.
4 – Ah non, il va sûrement pleuvoir *(il pleut sûrement)* bientôt.
5 – Nous emport[er]ons un parapluie.

Remarque de prononciation
1 Comme toutes les terminaisons **-er** inaccentuées, le **-er** de **Theater** se prononce *[ª]*.

▶ ④ Vous avez remarqué que **Spaziergang** est masculin ? S'il était neutre, on aurait **ein**, et s'il était féminin, **eine** ! Oui, c'est cela, l'accusatif. Notez également que l'infinitif qui dépend d'un verbe de modalité n'est jamais précédé de **zu**, bien qu'il soit rejeté à la fin de la phrase : **Wir können eine Pizza essen**, *Nous pouvons manger une pizza*.

⑤ Comme les verbes dont le radical se termine par **-t** ou **-d**, les verbes dont le radical se termine par une consonne suivie de **-n** ou de **-m** prennent un **-e-** intercalaire avant la terminaison : **regnen**, *pleuvoir*, **es regnet**, *il pleut*. Il est facile de comprendre pourquoi : essayez-donc de prononcer **regnt** sans **e** entre le **n** et le **t**…

⑥ Souvent on dit **der Schirm** à la place de **der Regenschirm**, qui signifie littéralement "pluie-protection". Notez que l'on dit **der Regen**, *la pluie*, mais **regnen** avec **-n**, *pleuvoir*.

hundertsechzehn *[hound't'**zèçh**'tsé:n]* • 116

26

6 – Och, ich habe **kei**ne Lust.

7 – Dann **blei**ben wir zu Haus und **la**ssen ⑦
Pizzas **ko**mmen,

8 was meinst du?

9 – Au ja, **das** ist **ei**ne **gu**te **I**dee. ☐

*6 ocH içh **ha**:bë **kai**në loust 7 da'n **bla**ïb'n **vi**:ª tsou: **ha**ou's
ount **la**ss'n **pit**sa's **ko**mën 8 va's **ma**ïnst dou: 9 **a**ou ya: **da's**
ist **a**ïnë **gou**:të i**dé**:*

Note

⑦ **lassen** signifie *laisser* ou *faire [faire]* : **Sie lässt ihren
Regenschirm zu Haus**, *Elle laisse son parapluie à la maison* ;
Sie lässt ihren Computer reparieren, *Elle fait réparer son
ordinateur.*

***

Übung 1 – Übersetzen Sie bitte!

❶ Machen wir einen Spaziergang! ❷ Habt ihr
keine Lust, ein Bier zu trinken? ❸ Lassen Sie bitte
ein Taxi kommen. ❹ Es regnet und ich habe keinen
Regenschirm! ❺ Einkaufen ist anstrengend!

6 – Bof, je n'[en] ai pas envie.
7 – Alors restons à la maison et faisons venir [des]
      pizzas *(faisons pizzas venir)*,
8 qu'[en] penses-tu ?
9 – Ah oui, [ça] c'est une bonne idée.

Remarques de prononciation

6, 9 och est une interjection de lassitude ; **au ja**, en revanche,
exprime une joyeuse approbation. Il faut donc leur donner une
intonation toute différente !

9 L'allemand ne connaissant pas la forme double des pronoms,
Ça, c'est une bonne idée ! se rend par le seul pronom qui porte
l'accent : **Das ist eine gute Idee!**

***

Corrigé de l'exercice 1

❶ Faisons une promenade ! ❷ Vous n'avez pas envie de boire une
bière ? ❸ Faites venir un taxi, s'il vous plaît. ❹ Il pleut et je n'ai
pas de parapluie ! ❺ C'est fatigant de faire des courses *(Faire des
courses est fatigant)* !

Übung 2 – Ergänzen Sie bitte!

❶ Tu as envie d'aller manger ? – Oui, volontiers.
. . . ., essen zu gehen? – Ja, ...

❷ Ne pouvons-nous pas rester à la maison ?
Können wir nicht .. . . ?

❸ Elle n'a pas le temps d'aller au théâtre.
Sie hat . . . ., . . . Theater . . gehen.

❹ Qu'aimerais-tu faire ce soir, chérie ?
. . . möchtest du . . . . machen,
. . . . ?

---

27 Siebenundzwanzigste Lektion
*[**zi:**b'n-ount-**tsva'n**tsiçhstë lèk**tsyô:n**]*

Na, schmeckt's ①?

1 – Sehr gut! Das **E**ssen ② ist **wirk**lich
ausge**zei**chnet.

Prononciation
*na chmèkts **1** zé:ᵃ gou:t! da's **èss**'n ist **virk**liçh **a**ous'guë**tsaï**çhnët*

Notes

① **Schmeckt's?**, *C'est bon ?*, ou **Wie schmeckt's?**, *Comment le trouvez-vous/trouves-tu ?* est probablement la question la plus usitée en allemand. Elle se pose quand on est en train de manger, car **schmecken** signifie *goûter, avoir (bon) goût, être bon.* **Das schmeckt!** tout seul veut donc dire *c'est bon !, ça a bon goût !* Ce qui n'empêche pas d'ajouter souvent **gut**, *bon*, **sehr gut**, *très bon*, **ausgezeichnet**, *excellent*, etc.

▶

⑤ Il ne pleut plus, nous n'avons pas besoin de parapluie.

.. .. nicht mehr, wir brauchen ......

....

Corrigé de l'exercice 2

❶ Hast du Lust – gern **❷** – zu Haus bleiben **❸** – keine Zeit, ins – zu – **❹** Was – heute Abend – Liebling **❺** Es regnet – keinen Regenschirm

---

Alors, c'est bon *(goûte il)* ?

1 – [C'est] très bon ! Le repas est vraiment excellent.

Remarque de prononciation

1 Dans **ausgezeichnet**, l'accent principal porte sur la particule **aus** et l'accent secondaire sur le radical **zeich-**.

▶ ② On peut former un nom à partir de n'importe quel infinitif en mettant une majuscule : **essen**, *manger* → **das Essen**, *le repas* ; **lesen**, *lire* → **das Lesen**, *la lecture*, etc. Les infinitifs substantivés – c'est ainsi qu'ils s'appellent – sont tous neutres.

2 – Ja, die **Vor**speisen ③ **schme**cken **köst**lich.

3 – Und die **Haupt**speisen ④ sind noch **be**sser!

4 – **A**ber ich **fin**de die Por**tio**nen zu groß.

5 – Ich auch, ich bin schon to**tal** satt ⑤.

6 – Wie **bi**tte? Wollt ihr **kei**nen **Nach**tisch?

7 Der Schoko**la**denkuchen schmeckt hier so gut!

8 – Nein **dan**ke, ich kann nicht mehr.

9 – Ich auch nicht ⑥, ich **neh**me auch **kei**nen.

10 – Ich ver**ste**he euch ⑦ nicht.

11 Der **Nach**tisch ist das **Bes**te ⑧! □

---

*2 ya: di: **fo**:ᵃ-chpaïz'n **chmèk**'n **keust**liç̌h 3 ount di: **ha**ouptchpaïz'n zi'nt nocH **bèss**ᵃ 4 a:bᵃ iç̌h **fi'nd**ë di: portsyô:nën tsou: gro:'s 5 iç̌h **a**oucH iç̌h bi'n cho'n to**ta:l** za't 6 vi: **bi**të? volt **i:**ᵃ **ka**ïnën **na:cH**tich 7 **dé:**ᵃ chokola:dën-koucH'n chmèkt **hi:**ᵃ zo: gou't 8 **na**ïn da'ñkë iç̌h ka'n niç̌ht **mé:**ᵃ 9 iç̌h **a**oucH niç̌ht iç̌h **né:**më **a**oucH **ka**ïnën 10 iç̌h fèr**chté:**ë oïç̌h niç̌ht 11 **dé:**ᵃ **na:cH**tich ist da's **bès**të*

Notes

③ **die Vorspeise**, *l'entrée*, signifie littéralement "l'avant-plat". Ainsi *le dessert* se dit **die Nachspeise**, ("l'après-plat"), ou **der Nachtisch**, ("l'après-table"). Attention ! **Der Nachtisch** est masculin parce que **der Tisch**, *la table*, est masculin.

④ **die Hauptspeise**, *le plat principal*, est composé de **das Haupt**, *la tête*, et de **die Speise**, *le plat, la nourriture*. **Das Haupt** ne s'emploie plus que dans le sens figuré : **Opa ist das Haupt der Familie**, *Pépé est le chef* ("la tête") *de la famille*, ou dans des mots composés où il signifie "principal, central" : **der Hauptbahnhof**, *la gare principale*, **die Hauptstadt**, *la ville principale, la capitale*.

⑤ **Sind Sie satt?** (litt. "Êtes-vous rassasié ?") se traduit plutôt par *Vous n'en voulez plus ?* car, en allemand, il est tout à fait poli ▸

2 – Oui, les entrées sont *(goûtent)* délicieuses.

3 – Et les plats principaux sont *(goûtent)* encore meilleurs !

4 – Mais je trouve les portions trop grosses *(grandes)*.

5 – Moi aussi, je n'ai déjà plus faim du tout *(je suis déjà totalement rassasié)*.

6 – Comment *(s'il vous plaît)* ? Vous ne voulez pas de dessert ?

7 Le gâteau au chocolat est *(ici)* si bon ici !

8 – Non merci, je [n']en peux *(pas)* plus.

9 – Moi non plus, je n'en prends pas *(je prends aussi aucun)*.

10 – Je ne vous comprends pas.

11 [C'est] le dessert [qui] est le meilleur !

6, 9 Les Allemands prononcent à peine – ou pas du tout – le **e** final de la 1ʳᵉ personne et la terminaison **-en** de l'article masculin à l'accusatif. Vous entendrez **ich nehm' kein' Nachtisch** à la place de **ich nehme keinen Nachtisch**. En effet, les terminaisons qui comportent des **-e** "muets" sont souvent avalées.

▶ de répondre à la question **Wollen Sie noch ein bisschen?**, *[En] voulez-vous encore un peu ?*, par **Nein danke, ich bin satt**, *Non merci, je n'ai plus faim* ("je suis rassasié"). En revanche, **ich bin total satt** est plutôt familier.

⑥ Ce qui est très simple en allemand, c'est que **auch** veut dire *aussi*, et **auch nicht** (litt. "aussi pas"), *non plus*. **Du verstehst das nicht? Ich auch nicht!** *Tu ne comprends pas cela ? Moi non plus.*

⑦ **euch** est l'accusatif de **ihr**, *vous* (sujet). Souvenez-vous qu'il ne s'agit pas de la forme de politesse – qui est **Sie** –, mais du pluriel de "*tu*" : **Kinder, wo seid ihr? Ich sehe euch nicht**, *Les enfants, où êtes-vous ? Je ne vous vois pas.*

⑧ **das Beste**, *le meilleur*, au neutre, signifie "ce qu'il y a de meilleur", "le meilleur que j'aie jamais vu/mangé/entendu".

Übung 1 – Übersetzen Sie bitte!

❶ Schmeckt der Apfelkuchen gut? ❷ Guten Tag, entschuldigen Sie, verstehen Sie Deutsch? ❸ Nein, danke, wir nehmen keinen Nachtisch. ❹ Das schmeckt köstlich, ich möchte bitte ein bisschen mehr. ❺ Ich nehme keine Vorspeise, und du?

Übung 2 – Ergänzen Sie bitte!

❶ Mme Spielberg, votre gâteau au chocolat est vraiment excellent.

Frau Spielberg, ...
schmeckt wirklich ....•

❷ Les entrées sont ce qu'il y a de *(le)* meilleur ici, j['en] prends deux.

... . sind hier ... ., ...
zwei.

❸ Pourquoi ne voulez-vous pas manger, les enfants ? Ce n'est pas bon ?

Warum .... nicht essen, Kinder?
.... nicht?

❹ Il ne la comprend pas, les portions sont petites, mais [elle,] elle les trouve trop grosses *(grandes)*.

.. .. sie nicht, ... sind
klein, aber ... . sie .. ..•

❺ Merci beaucoup, je ne veux *(voudrais)* pas de dessert. – Moi, non plus, je suis rassasié.

Vielen Dank, ich möchte ....
– Ich ...., ich bin .....

Corrigé de l'exercice 1

① Le gâteau aux pommes est-il bon ? ② Bonjour, excusez-moi, comprenez-vous l'allemand ? ③ Non merci, nous ne prenons pas de dessert. ④ C'est délicieux, j'en voudrais encore un peu *(un peu plus)*, s'il vous plaît. ⑤ Je ne prends pas d'entrée, et toi ?

Corrigé de l'exercice 2

① – Ihr Schokoladenkuchen – ausgezeichnet ② Die Vorspeisen – das Beste ich nehme – ③ – wollt ihr – Schmeckt es – ④ Er versteht – die Portionen – sie findet – zu groß ⑤ – keinen Nachtisch – auch nicht – satt

Avant d'aborder la leçon 28, nous ne saurions trop vous recommander de relire le texte allemand des leçons 22 à 27, car les explications seules ne valent pas grand-chose. Il faut les mettre en pratique...

28 Achtundzwanzigste Lektion

*[acHt-ount-**tsva'n**tsiçhstë lèk**tsyô:n**]*

Wiederholung – Révision

1 Le pronom personnel à l'accusatif

L'accusatif n'est plus du tout nouveau pour vous. En quelques leçons, vous vous êtes familiarisé avec lui. Ce qu'il vous faut maintenant, c'est le pratiquer le plus possible. Néanmoins, nous avons établi un tableau du pronom personnel pour soutenir vos efforts.

	Singulier		
	1ʳᵉ pers.	2ᵉ pers.	3ᵉ pers.
Nominatif	**ich**	**du**	**er/sie/es**
Accusatif	**mich**	**dich**	**ihn/sie/es**

	Pluriel			Sing./Pl.
	1ʳᵉ pers.	2ᵉ pers.	3ᵉ pers.	Politesse
Nominatif	**wir**	**ihr**	**sie**	**Sie**
Accusatif	**uns**	**euch**	**sie**	**Sie**

Au risque de nous répéter, rappelons quelques règles utiles :
- Le féminin, le neutre et le pluriel ne changent pas à l'accusatif, de même que la forme de politesse qui, à part sa majuscule, est semblable à la 3ᵉ personne du pluriel. Souvenez-vous que la 2ᵉ personne du pluriel s'emploie pour un tutoiement collectif.
- Comme pour les articles, l'accusatif masculin singulier du pronom personnel se termine par **-n** : **ihn**, *le*.

2   L'adjectif possessif

Singulier :
1re pers. :   **mein(e)**, *mon, ma, mes*
2e pers. :   **dein(e)**, *ton, ta, tes*
3e pers. :   **sein(e)**, *son, sa, ses* (le possesseur est masculin ou neutre)
          ihr(e), *son, sa, ses* (le possesseur est féminin)

Herr Berg ist allein, seine **Frau ist in Ferien**, *M. Berg est seul, sa femme est en vacances.*
Frau Berg ist auch allein, ihr **Mann ist in Deutschland**, *Mme Berg aussi est seule, son mari est en Allemagne.*

La 3e personne du pluriel et la forme de politesse sont identiques au féminin du singulier :
ihr(e), *leur(s)*, et avec une majuscule : **Ihr(e)**, *votre, vos.*
Herr und Frau Berg treffen ihre **Kollegen**, *M. et Mme Berg rencontrent leurs collègues.*
Und wann treffen Sie Ihre **Kollegen?**, *Et [vous], quand rencontrez- vous vos collègues ?*

3   Les pronoms interrogatifs : *wer?* ; *welcher, welche, welches?* ; *was für (ein)?*

Wer?, *qui ?* se décline comme l'article masculin **der**, *le* : **Wer ist das?**, *Qui est-ce ?* ; **Wen treffen sie um fünfzehn Uhr?**, *Qui rencontrent-ils/elles à 15 heures ?*

Le pronom **welcher, welche, welches?**, *(le)quel, (la)quelle, (le) quel (neutre) ?* se décline comme l'article défini **der, die, das** :
Welcher Zug fährt nach Bonn?, *Quel train part pour Bonn ?*
Welche Vorspeise nimmst du?, *Quelle entrée prends-tu ?*
Welches Essen ist das Beste?, *Quel repas est le meilleur ?*

28   **Welchen Freund triffst du Sonntag und welchen siehst du Montag?**, *Quel ami rencontres-tu dimanche et lequel vois-tu lundi ?*

Quel(le) ? au sens de *quel genre de..., quelle sorte de... ?* se traduit par **Was für...?/Was für ein(e)...?** Attention, **ein** se décline : **Was für eine Sitzung haben Sie morgen?**, *Quelle sorte de réunion avez-vous demain ?* ; **Was für ein Fest ist das?**, *Quelle fête est-ce ?* ; **Was für einen Nachtisch möchtest du?**, *Quel genre de dessert* ("voudrais") *veux-tu ?* Comme pour l'article indéfini, il n'y a pas d'article au pluriel : **Was für Speisen gibt es hier?**, *Quels plats y a-t-il ici ?*
Was für ein...! peut prendre un sens exclamatif : **Was für eine Idee!**, *Quelle idée !* ; **Was für ein Tag!**, *Quelle journée !*

4   La place du verbe

Jusqu'à maintenant, nous avons vu plusieurs structures de phrases possibles que nous récapitulons ici. Il en existe d'autres que nous découvrirons plus tard.

• Le verbe conjugué occupe la première place
– dans une injonction (comme en français) : **Machen Sie schnell!**, *Faites vite !*
– dans une question globale (comme en français) : **Haben Sie Hunger?**, *Avez-vous faim ?*

Une question globale est une question à laquelle on répond "globalement" par "oui" ou "non" ou "peut-être", etc.
On parle d'une question globale par rapport à une question partielle qui porte, elle, sur un seul élément. Cette dernière est généralement introduite par un mot interrogatif (voir le paragraphe suivant).

• Le verbe conjugué se trouve toujours à la deuxième place (comme d'habitude, il y a des exceptions, que nous verrons plus tard).

Pour définir "la deuxième place" dans une phrase déclarative, il faut pouvoir déterminer le premier élément. Celui-ci peut consister en un seul mot ou en un groupe de mots. Vous voyez donc qu'il n'est pas évident de comprendre ce que veut dire "la deuxième place" : le verbe occupe la place <u>après l'élément introductif,</u> qui peut être le sujet (ou plusieurs sujets), un complément de lieu, de temps, d'objet direct, un adverbe, etc.

– dans une question commençant par un mot interrogatif (comme en francais) :

Wie heißen Sie?, *Comment vous appelez-vous ?*

Wer trinkt keinen Kaffee?, *Qui ne boit pas de café ?*

Um wie viel Uhr kommt Ihr Zug an?, *À quelle heure arrive votre train ?*

– dans une phrase déclarative, c'est-à-dire qui établit un fait, qui n'est ni une question ni une injonction :

Thomas arbeitet heute nicht, *Thomas ne travaille pas aujourd'hui.*

Heute arbeitet Thomas nicht, *Aujourd'hui, Thomas ne travaille pas.*

Seine Freundin arbeitet auch nicht, *Son amie ne travaille pas non plus.*

Morgen Abend gehen sie in die Oper, *Demain soir, ils vont à l'opéra.*

• L'infinitif (précédé de **zu** ou non) qui dépend d'un autre verbe est rejeté à la fin de la phrase.

Ich möchte im Garten Geburtstag feiern, *J'aimerais fêter l'anniversaire dans le jardin.*

28 **Er hat keine Lust, nach Hause zu gehen**, *Il n'a pas envie de rentrer* ("à la maison").

Même si cela vous semble un peu compliqué, ne craignez rien. Dans la pratique, vous prendrez vite le réflexe de placer le verbe conjugué au bon endroit.

5   Les nombres ordinaux et la date

5.1 Formation des ordinaux

De 1 à 19, les nombres ordinaux se forment en ajoutant **-te** aux chiffres. Seules exceptions : **der erste**, *le premier*, **der dritte**, *le troisième*, et **der siebte** (au lieu de **siebente**), *le septième*.

1. erste	**11. elfte**
2. zweite	**12. zwölfte**
3. dritte	**13. dreizehnte**
4. vierte	**14. vierzehnte**
5. fünfte	**15. fünfzehnte**
6. sechste	**16. sechzehnte**
7. siebte	**17. siebzehnte**
8. achte	**18. achtzehnte**
9. neunte	**19. neunzehnte**
10. zehnte	

À partir de 20, on passe à la terminaison **-ste** : **der zwanzigste**, *le vingtième*, **der einundzwanzigste**, *le vingt et unième*, etc.
La terminaison **-te** ou **-ste** n'est pas invariable. À l'accusatif du singulier, elle change, par exemple, en **-ten** ou **sten** :
Er ist der erste (nominatif), *Il est le premier*, mais **Er hat den ersten Platz** (accusatif), *Il a la première place*.

Les dates font appel aux nombres ordinaux. Elles peuvent être énoncées de deux façons :
– Avec le verbe être :
Heute ist Dienstag, der 25. Mai, *Aujourd'hui [on] est le mardi 25 mai.*
On lit "**fünfundzwanzigste**" parce qu'il y a un point après les chiffres. Le point est donc obligatoire.
– Avec le verbe avoir :
Heute haben wir den 25. Mai, *Aujourd'hui, nous sommes ("avons") le 25 mai.*
Ici, on lit "**fünfundzwanzigsten**" avec **-n** parce que la date est à l'accusatif.

Une date précise s'indique avec la préposition **am (an + dem)** :
Wann ist Ihr Geburtstag?, *Quand est votre anniversaire ?* – **Am 3. (dritten) September**, *Le 3 septembre.*
Si votre anniversaire est en février ou en juillet, ne soyez pas frustré… voici les douze mois : **Januar**, **Februar**, **März**, **April**, **Mai**, **Juni**, **Juli**, **August**, **September**, **Oktober**, **November**, **Dezember.**
Profitons-en pour vous indiquer les noms des quatre saisons :
der Frühling, *le printemps*, **der Sommer**, *l'été*, **der Herbst**, *l'automne*, et **der Winter**, *l'hiver.*

Et maintenant notre dialogue de révision vous donnera l'occasion de mettre en pratique tout ce que nous venons de voir.

29 Dialogue de révision

Die Geburtstagsparty von Melanie

1 – Guten Abend, ich bin Sonja, eine Freundin von Melanie.
2   Die Party ist super, finden Sie nicht?
3 – Stimmt, aber was für eine Hitze!
4 – Ach, ich glaube, es regnet bald.
5 – Möchten Sie etwas trinken?
6 – Au ja, das ist eine gute Idee.
7 – Warten Sie, ich hole ein Glas Sekt für Sie.
8   Ich komme gleich zurück.

***

9   Hallo, wo sind Sie? Hier ist Ihr Sekt!
10 – Vielen Dank. Sie trinken keinen?
11 – Nein, ich fahre, ich trinke Apfelsaft.
12 – Sind Sie der Bruder von Melanie?
13 – Nein, ich bin ihr Kollege, wir arbeiten zusammen.
14 – Ach, Sie sind das, jetzt verstehe ich.
15 – Was verstehen Sie?
16 – Melanie findet ihren Kollegen sehr nett.
17 – Ach wirklich? Das ist lustig.
18   Sie findet ihre Freundin auch prima…

---

29   Neununzwanzigste Lektion
*[noïn-ount-**tsva'n**tsiçhstë lèk**tsyô:n**]*

Man kann ① nicht immer Glück haben

1 –   Sag mal, ist es noch weit?

Prononciation
*… ka'n … **1** … **v**aït*

La fête d'anniversaire de Melanie

1 Bonsoir, je suis Sonja, une amie de Melanie. **2** La soirée est super, vous ne trouvez pas ? **3** C'est vrai, mais quelle chaleur ! **4** Malheureusement *(hélas)*, je crois [qu']il va bientôt pleuvoir. **5** Vous voulez boire quelque chose ? **6** Oh oui, c'est une bonne idée. **7** Attendez, je vais chercher un verre de vin mousseux pour vous. **8** Je reviens tout de suite. **9** Coucou, où êtes-vous ? Voici *(Ici est)* votre vin mousseux ! **10** Merci beaucoup. Vous n'en prenez pas *(buvez aucun)* ? **11** Non, je conduis, je bois du jus de pomme. **12** Vous êtes le frère de Melanie ? **13** Non, je suis son collègue, nous travaillons ensemble. **14** Ah, c'est vous *(vous êtes cela)*, maintenant je comprends. **15** Qu'est-ce que vous comprenez ? **16** Melanie trouve son collègue très sympa. **17** Ah vraiment ? C'est drôle. **18** Elle trouve son amie aussi [très] chouette…

Vous vous rendez compte de la conversation que vous pourriez déjà tenir si vous alliez à une **Gartenparty** *demain ? N'est-il pas indispensable de savoir faire un peu de* **small talk** *(comme on dit en bon allemand) ? Nous ne sommes pas sûrs qu'il y ait une suite à notre petite histoire, mais quelle importance ? En revanche, nous sommes sûrs de vous retrouver demain.* **Bis morgen!**

Vingt-neuvième leçon   29

On ne peut pas toujours avoir de la chance

1 –   Dis *(fois)*, c'est encore loin ?

Note

① L'infinitif de **kann** est **können**, *pouvoir, être capable de…*, qui fait partie des six verbes de modalité. Ceux-ci ont leur propre règle de conjugaison que nous verrons bientôt.

29   2 – Nein, viel**leicht** noch **fünf**zehn Kilo**me**ter.

3 – Gott sei Dank, die Ben**zin**uhr ② ist auf null.

4 – **Seit** wann? Schon **lan**ge?

5 – **Un**gefähr **zwan**zig Kilo**me**ter ③.

6 – Dann **kön**nen wir es theo**re**tisch **scha**ffen ④.

7   Wa**rum** hältst du denn **an** ⑤?

8 – Es ist Schluss ⑥, wir **ha**ben kein Ben**zin** mehr.

9 – Ver**flixt** ⑦, **das** ist der **Un**terschied **zwi**schen theo**re**tisch und **prak**tisch.   □

---

2 ... fi:l-**laïçht** ... kilo**mé**:t*ª* **3** go't **zaï** ... bèn**tsi:n-**ou*ª* ... noul **4 zaï**t va'n ... **lan**guë **5 oun**guëfè:r ... **6 keu**nën ... téo**ré**:tich chaf'n **7** ... hèltst ... **8** ... chlou's ... fèr**flikst** ... ount*ª*chi:t **tsvi**ch'n ... **prak**tich

Remarques de prononciation

Vous connaissez maintenant la prononciation figurée de certains mots par cœur. À partir d'aujourd'hui, nous vous donnerons

Notes

② **die Benzinuhr** se décompose en **die Uhr**, *la montre, l'horloge, l'heure*, et **das Benzin**, *l'essence*.

③ Au pluriel, la plupart des noms masculins et neutres terminés par **-er** prennent simplement un "**Umlaut**" : **der Vater**, *le père*, **die Väter**, *les pères*, ou ne changent pas du tout : **der Kilometer**, *le kilomètre*, **die Kilometer**, *les kilomètres* ; **das Zimmer**, *la pièce*, **die Zimmer**, *les pièces*. Rappelons à cette occasion que les noms masculins ou neutres employés comme unités de mesure sont généralement invariables : **zehn Euro** (et pas **Euros**).

④ **schaffen** est un verbe à plusieurs sens. Employé ici dans le sens de *réussir à..., arriver à faire qqch.*, il s'agit d'un verbe transitif, c'est-à-dire qu'il est toujours accompagné d'un complément d'objet direct : **Er schafft die Arbeit nicht**, *Il ne réussit pas [à faire] le travail* ; **Ich schaffe es nicht**, *Je n'y* ("le") *arrive pas*. ▸

2 – Non, peut-être *(encore)* quinze kilomètres encore.

3 – Dieu *(soit)* merci, la jauge à essence *(essence-montre)* est à *(sur)* zéro.

4 – Depuis quand ? [Il y a] déjà longtemps ?

5 – [Depuis] à peu près vingt kilomètres.

6 – Alors nous pouvons théoriquement *(le)* y arriver.

7 – Mais pourquoi t'arrêtes-tu *(donc)* ?

8 – C'est fini *(fin)*, nous n'avons plus d'essence *(aucune essence plus)*.

9 – Zut alors *(fichu)*, c'est [ça] la différence entre la théorie *(théoriquement)* et la pratique *(pratiquement)*.

donc uniquement celle des mots que vous n'avez pas encore – ou très peu – rencontrés. Ainsi, vous pouvez reconnaître à première vue les mots nouvellement introduits dans la leçon.

9 Rappelons qu'en allemand le sujet est fortement accentué au lieu d'être répété : **Das ist der Unterschied**. C'est pourquoi nous l'avons fait figurer en gras dans la phrase du dialogue.

▶ ⑤ Nous connaissons **halt!**, *stop !* Le verbe **anhalten**, ou simplement **halten**, *s'arrêter, stopper*, s'emploie pour l'arrêt volontaire d'un véhicule, de quelque chose en mouvement. La voyelle du radical **-a** se change en **ä** aux 2e et 3e personnes du singulier : **du hältst, er/sie/es hält. Nicht öffnen, bevor der Zug hält**, *Ne pas ouvrir avant l'arrêt du train* ("avant que le train [ne s']arrête").

⑥ **der Schluss**, *la fin*, est de la même famille que **schließen**, *fermer* et **geschlossen**, *fermé*. **Schluss** et **geschlossen** s'écrivent avec **-ss** parce que la voyelle précédente est brève ; après une voyelle longue comme dans **schließen**, on utilise le **ß**.

⑦ **Verflixt!** est une interjection familière, un peu comme **Mist!** (leçon 9, note 5), mais il s'agit avant tout d'un adjectif qui signifie *maudit, sacré, fichu* : **Die verflixte Benzinuhr funktioniert nicht!**, *Cette* ("La") *maudite jauge à essence ne fonctionne pas !* Notez à cette occasion que l'adjectif épithète s'accorde avec le nom qui le suit, contrairement à l'adjectif attribut, qui est invariable.

Übung 1 – Übersetzen Sie bitte!

❶ Schaffen Sie das allein oder brauchen Sie mich? ❷ Seit wann funktioniert die Benzinuhr nicht mehr? ❸ Theoretisch kann er das, aber praktisch ist er zu dumm. ❹ Halten Sie bitte an, ich möchte einen Kaffee trinken. ❺ Der Unterschied zwischen „Mist" und „verflixt" ist nicht sehr groß.

Übung 2 – Ergänzen Sie bitte!

❶ Dieu merci, ce n'est plus loin.
Gott sei . . . ., es ist . . . .

❷ Zut alors, je n'ai plus d'essence, et il n'y a pas de station-service ici.
Verflixt, ich habe . . . ., und hier ist . . . .

❸ Laisse-moi, je peux y arriver seul.
Lass mich, ... das allein . . . .

❹ Depuis quand apprenez-vous l'allemand ? – Cela ne fait pas longtemps *(pas encore longtemps)*, à peu près quatre semaines.
. . . . lernen Sie Deutsch? – Noch nicht . . . . ., ... vier Wochen.

❺ Quand est-ce qu'on s'arrête *(nous arrêtons-nous)* ? Je voudrais boire un café.
Wann . . . . ? Ich möchte . . . .

Corrigé de l'exercice 1

❶ Vous y arrivez seul(e) ou vous avez besoin de moi ?
❷ Depuis quand la jauge à essence ne fonctionne-t-elle plus ?
❸ Théoriquement il le peut, mais en pratique, il est trop bête.
❹ Arrêtez-vous, s'il vous plaît, je voudrais boire un café. ❺ La différence entre "zut" et "fichtre" n'est pas très grande.

Corrigé de l'exercice 2

❶ – Dank – nicht mehr weit ❷ – kein Benzin mehr – keine Tankstelle ❸ – ich kann – schaffen ❹ Seit wann – lange, ungefähr – ❺ – halten wir an – einen Kaffee trinken

30 Dreißigste Lektion [draïssiçhstë lèktsyô:n]

Dienst ist Dienst und Schnaps ist Schnaps ①

1 – Ich **bit**te Sie, **blei**ben Sie doch noch ein **we**nig ②!
2 Es ist nicht spät.
3 – Ich weiß, **a**ber ich muss ③ **mor**gen früh **auf**stehen ④.
4 – Wa**rum müs**sen Sie denn so früh **auf**stehen?
5 – **Mor**gen ist **Dien**stag ⑤ und **dien**stags ⑥ kontrol**liert** mein Chef per**sön**lich die **An**kunftszeit.

Prononciation
*di:nst … chnaps … **1** … **vé**:niç **3** … mou's … **a**ouf'chté:n
4 … **muss**'n … **5** … **di:ns**taks ko'ntroli:**rt** … pèr**zeu:n**liç …
a'nkounfts-tsaït*

Notes

① Pris littéralement, ce dicton signifie "Service est service et eau-de-vie est eau-de-vie" (**der Dienst**, *le service*, et **der Schnaps**, *l'eau-de-vie*).

② **wenig** signifie *peu* : **ein wenig** est synonyme de **ein bisschen**, *un peu*.

③ L'infinitif de **muss** est le verbe de modalité **müssen**, *être obligé, falloir, devoir*. Aux trois personnes du singulier, le **ü** se change en **u** : **ich muss, du musst, er/sie/es muss**.

④ **aufstehen**, *[se] lever*, n'est pas un verbe réfléchi en allemand : **ich stehe auf**, *je [me] lève*, **du stehst auf**, *tu [te] lèves*, **er steht auf**, *il [se] lève*, etc.

▶

Le règlement, c'est le règlement

1 – Je vous [en] prie, restez donc encore un peu !
2 Il n'est pas tard.
3 – Je sais, mais je dois me lever tôt demain.
4 – [Mais] pourquoi faut-il que vous vous leviez si tôt *(devez-vous donc si tôt lever)* ?
5 – Demain, [c']est mardi, et le mardi, mon patron contrôle personnellement l'heure d'arrivée.

Remarque de prononciation
5 Dans **Ankunftszeit (Ankunfts-zeit)** *[a'nkounfts-tsaït]*, la coupure se fait comme d'habitude après le **-s** ajouté au premier mot.

▶ ⑤ Beaucoup de gens pensent que **Dienstag** veut littéralement dire "jour de service", tout comme ils pensent que **Freitag** signifie "jour libre" (**frei**, *libre*). Il n'en est rien. Reportez-vous à la note culturelle de la leçon 25 pour réviser l'origine des noms des jours.

⑥ N'oubliez pas le **-s** final de **dienstags**, car c'est lui qui change le sens de **Dienstag**, *mardi*, en "tous les mardis". C'est ainsi – en ajoutant un **-s** aux noms de la semaine ou aux heures du jour et en enlevant la majuscule – que l'on exprime la répétition ou la périodicité : **der Morgen**, *le matin* → **morgens**, *tous les matins* ; **Freitag** → **freitags**, *tous les vendredis*, **freitagabends**, *le vendredi soir*, etc.

hundertachtunddreißig • 138

6 – Aber nein, **mor**gen ist nicht **Dien**stag, **son**dern ⑦ **Mitt**woch.

7 Sie **kön**nen noch **blei**ben!

8 – Ach, **Dien**stag, **Mitt**woch oder **Don**nerstag, das ist das**sel**be ⑧ für **mei**nen Chef.

9 **Wi**ssen Sie, für ihn ist **je**der ⑨ Tag „**Dienst**tag".

□

6 ... **zo'n**d[a]n ... **8** ... da's-**zèl**bë ... **9** ... **yé:**d[a]...

Notes

⑦ En général, *mais* se dit **aber** en allemand. En revanche, on emploie **sondern** dans le sens de *mais, au contraire...* seulement après une proposition négative que l'on s'apprête à corriger : **Ich heiße nicht Claudia, sondern Anna**, *Je ne m'appelle pas Claudia, mais Anna*. **Er kommt nicht aus Italien, sondern aus Frankreich**, *Il ne vient pas d'Italie, mais de France*.

⑧ **dasselbe** veut dire *la même chose* : **Es ist immer dasselbe!**, *C'est toujours la même chose !* En vérité, il s'agit du neutre de l'article démonstratif **derselbe**, *le même*, **dieselbe**, *la même*, et **dasselbe**, *le même* (neutre). ▶

***

Übung 1 – Übersetzen Sie bitte!

❶ Sonntags essen wir nicht zu Hause. ❷ Jede Woche trifft sie einmal ihre Freundin. ❸ Es ist immer dasselbe, sie steht zu spät auf! ❹ Ich muss leider gehen, meine Frau wartet schon lange. ❺ Trinken Sie nicht zu viel Schnaps!

6 – Mais non, demain [ce] n'est pas mardi, mais   30
mercredi.

7 Vous pouvez encore rester !

8 – Oh, mardi, mercredi ou jeudi, c'est la même
chose *(le même)* pour mon patron.

9 Vous savez *(savez vous)*, pour lui, chaque jour
est "jour de service" *(service-jour)*.

▶ ⑨ **jeder, jede, jedes**, *chaque*, se décline comme l'article défini :
jeder Mann, *chaque homme*, **jede Frau**, *chaque femme*, **jedes
Kind**, *chaque enfant*.

***

Corrigé de l'exercice 1

❶ Le dimanche, nous ne mangeons pas à la maison. ❷ Chaque
semaine, elle rencontre son amie une fois. ❸ C'est toujours la
même chose, elle se lève trop tard ! ❹ Il faut malheureusement que
je m'en aille, ma femme attend depuis longtemps. ❺ Ne buvez pas
trop d'eau-de-vie !

Übung 2 – Ergänzen Sie bitte!

❶ Il faut qu'il rentre, il est déjà tard et il prend son service à six heures.

.. .... nach Haus gehen, es ist schon ....
und er hat um sechs Uhr ....

❷ Je [t'en] prie, reste encore un peu, chaque minute est un plaisir pour moi.

.... dich, ... doch noch ....,
.... ist ein Vergnügen ... mich.

❸ Aujourd'hui, on n'est pas mercredi, mais jeudi.
Heute ist ...., ...
Donnerstag.

---

31 Einunddreißigste Lektion

Guter ① Rat ist teuer

1 – **Tho**mas, Sie **so**llen ② zum ③ Chef **ko**mmen.

Prononciation
*gou:tᵃ ra:t... **1** ... zol'n ...*

Notes

① Lorsqu'un nom n'est précédé que d'un adjectif sans article, c'est l'adjectif qui nous indique son genre (et son cas) en prenant les terminaisons de l'article défini : **gut**er Rat, *bon conseil*, **gut**e Laune, *bonne humeur* (voir phrase 6). **Rat** est donc masculin : **der Rat**, et **Laune** féminin : **die Laune**.

② **sollen**, *devoir*, exprime une obligation venant de quelqu'un d'autre, de la société, ou même de sa propre morale... De ce ▶

❹ C'est toujours la même chose : le matin, on va au bureau, et le
soir, on boit [de la] bière et [de l']eau-de-vie.

Es ist immer . . . . : . . . . geht man
ins Büro und . . . . . . trinkt man . . . . und
. . . .

❺ Levez-vous, s'il vous plaît, je dois vous contrôler.

. . . . bitte . . . , ... Sie
. . . .

Corrigé de l'exercice 2

❶ Er muss – spät – Dienst ❷ Ich bitte – bleib – ein wenig, jede
Minute – für – ❸ – nicht Mittwoch, sondern – ❹ – dasselbe –
morgens – abends – Bier – Schnaps ❺ Stehen Sie – auf, ich muss
– kontrollieren

Difficile de conseiller
(Bon conseil est cher)

1 – Thomas, vous devez aller voir le patron *(chez le
patron venir)*.

▸   fait, **sollen** traduit une obligation moins contraignante que
müssen qui exprime une nécessité absolue du point de vue
de la personne qui parle. La différence n'est pas toujours
évidente : **Müssen oder sollen wir Geld verdienen?**, *Nous
sommes "absolument" obligés ou nous devons gagner de l'argent ?* Nous en reparlerons à d'autres occasions.

③ La préposition **zu**, *vers, à, chez*, s'emploie avec un verbe de
mouvement. Seule exception : **zu Hause sein**, *être à la maison*.
zum est la contraction de **zu** + **dem**. Nous parlerons bientôt de
l'article **dem**.

31

2 – Soll ich oder muss ich?

3 – Das **mü**ssen Sie **wi**ssen ④!

4 **Ich** weiß nur, dass der Chef will ⑤, dass Sie **ko**mmen.

5 – Halt, **war**ten Sie, das ⑥ ist nicht so **ein**fach.

6 Hat er **gu**te **Lau**ne oder **schlech**te **Lau**ne?

7 – **E**her **schlech**te **Lau**ne, **den**ke ich.

8 Er scheint **ziem**lich nervös zu ⑦ sein.

9 – **Se**hen Sie, jetzt ist **al**les klar:

10 ich **muss hin**gehen ⑧,

11 ich **ha**be **kei**ne Wahl.   ☐

---

5 … *aïnfacH* 6 … *gou:të laounë* … *chlèchtë* … 7 *é:ᵃ* …
dèñkë … 8 … *chaïnt tsi:mliç nèrveu:s* … 10 … *hi'n'gué:n*
11 … *va:l*

Notes

④ **wissen**, *savoir*, est le seul verbe qui suit le même schéma de conjugaison que les verbes de modalité. Au singulier, la voyelle change et les 1ʳᵉ et 3ᵉ personnes sont semblables : **ich weiß, du weißt, er/sie/es weiß**. Les formes du pluriel sont régulières.

⑤ **ich will**, **du willst**, **er/sie/es will** sont les trois personnes du singulier du verbe de modalité **wollen**, *vouloir*. Il n'y a pas de subjonctif après **wollen**.

⑥ Avez-vous remarqué la différence d'orthographe entre la conjonction **dass**, *que* – qui s'écrit avec deux **s** – et le pronom **das**, *ce, cela, il* ?

⑦ **scheinen**, *sembler*, *paraître*, est toujours suivi d'un infinitif précédé de **zu** : **Sie scheint müde zu sein**, *Elle semble être fatiguée* ("fatiguée d'être").   ▶

2 – Je devrais *(dois je)* ou je suis *(suis je)* obligé ?

3 – C'est à vous de le savoir *(cela devez vous savoir)* !

4 [Moi,] je sais simplement *(seulement)* que le chef veut que vous ven[i]ez.

5 – Stop, attendez, ce n'est pas si simple.

6 Est-il [de] *(a-t-il)* bonne humeur ou [de] mauvaise humeur ?

7 – Plutôt [de] mauvaise humeur, à mon avis *(pense je)*.

8 Il a l'air *(paraît)* assez nerveux *(à être)*.

9 – Vous voyez *(Voyez vous)*, maintenant tout est clair :

10 je suis obligé d'y aller,

11 je n'ai pas le choix *(aucun choix)*.

▸ ⑧ La particule **hin** indique un mouvement de la personne qui parle vers un autre lieu. Souvent elle se traduit par *y* en français. **Du gehst morgen in die Oper? Ich gehe auch hin**, *Tu vas à l'opéra demain ? J'y vais aussi.*

Übung 1 – Übersetzen Sie bitte!

❶ Frau Spielberg, Sie sollen Ihren Mann anrufen!
❷ Müsst ihr wirklich schon nach Hause gehen?
❸ Sie scheinen sehr nervös zu sein, was haben
Sie? ❹ Es muss leider sein, Sie haben keine Wahl.
❺ Die Kinder sollen zum Essen kommen!

Übung 2 – Ergänzen Sie bitte!

❶ Attention, le patron est de mauvaise humeur aujourd'hui.
Vorsicht, ... hat heute ....
. . . . . .

❷ Pourquoi ne veux-tu pas aller à la fête ?
Warum .... nicht ... . gehen?

❸ C'est simple, nous n'avons pas le choix.
Das ist ....; wir haben ....

***

Muss es sein?, Le faut-il ? – **Ja, es muss sein!**, – Oui, il le faut !
*Ces mots se traduisent littéralement par : "Doit-il être ? – Oui, il
doit être." On les prononce d'habitude avec certitude, car ils expriment une nécessité absolue, une chose incontournable. Ce n'est
pas une décision prise parmi d'autres ; il n'y en avait bel et bien
qu'une seule à prendre. Le problème est que l'appréciation de la
vraie nécessité diffère d'une personne à l'autre. Prenons l'exemple
où le père dit aux enfants :* **Ihr müsst jetzt schlafen!**, Il faut dormir
maintenant ! *Ce à quoi les enfants répondent* **Wir müssen aber
unser Spiel zu Ende machen!**, Mais il faut absolument que nous
terminions notre jeu. *Je laisse à votre imagination la suite de l'histoire... Ou encore : Votre mari ou votre femme dit* **Wir müssen
einkaufen gehen!**, Il faut qu'on aille faire des courses ! *Vous pouvez évidemment faire une petite tentative de défense en demandant :*
Muss das wirklich sein?, Le faut-il vraiment ? *Mais si la réponse
est* **Das muss sein!**, Il le faut ! *alors vous ne pouvez que vous y plier.*

Corrigé de l'exercice 1

❶ Mme Spielberg, vous devriez *(devez)* appeler votre mari !
❷ Devez-vous vraiment déjà rentrer ? ❸ Vous semblez très nerveux,
qu'avez-vous ? ❹ Malheureusement, il le faut, vous n'avez pas le
choix. ❺ Les enfants doivent venir manger *(au repas)* !

❹ Ils semblent ne pas savoir qu'il est assez nerveux.

... . nicht .. .., dass er
.... ist.

❺ Devez-vous ou êtes-vous obligé de faire une leçon par jour ?

...... oder ...... Sie eine Lektion pro Tag
......?

Corrigé de l'exercice 2

❶ – der Chef – schlechte Laune ❷ – willst du – zum Fest – ❸ –
einfach – keine Wahl ❹ Sie scheinen – zu wissen – ziemlich nervös
– ❺ Sollen – müssen – machen

***

Il est d'ailleurs intéressant de constater que l'on dit aujourd'hui :
Ich muss arbeiten, *Je dois "absolument" aller travailler, là où on
disait il n'y a pas si longtemps* **Ich soll arbeiten**, *Je dois travailler. En général,* **müssen** *remplace de plus en plus* **sollen**. *Est-ce
un signe d'une plus grande acceptation des obligations auxquelles
nous sommes confrontés ?*

*Comme vous le savez, nous vous conseillons de lire une leçon
par jour. À vous de voir si pour vous, c'est une obligation absolue ou relative... Dans le premier cas, vous direz :* **Ich muss eine
Lektion pro Tag machen**, *Il faut absolument que je fasse...., et
dans le deuxième :* **Ich soll eine Lektion pro Tag machen**, *Je
dois faire... Quoi qu'il en soit, nous constatons avec plaisir que
vous êtes arrivé à la leçon trente et un, et vous souhaitons une
bonne continuation.*

32 Zweiunddreißigste Lektion

Ein gefährliches Missverständnis ①

1 – Oh, der ist süß ②!
2 Wie alt ist der ③?
3 Darf ④ ich den **strei**cheln?
4 – Wenn Sie **wol**len.

Prononciation
... *guë**fè:**rliçhès* **mi's***fèrchtèntni's* **1** ... *zu:'s* **3** *darf* ...
chtra*ïçh'ln* **4** *vèn* ...

Notes

① **das Missverständnis**, *le malentendu, le désaccord*, est neutre ;
c'est l'adjectif **gefährlich**, *dangereux*, qui nous l'indique avec
sa terminaison **-es**, car l'article indéfini **ein** pourrait aussi bien
précéder un nom masculin. Dans ce cas-là, l'adjectif prendra
la terminaison **-er** du masculin, que nous venons de rencontrer
dans la leçon 31 : **guter Rat** ou **ein guter Rat**, ("un") *bon
conseil*. La règle est donc simple : si l'article ne nous indique
pas le genre d'un nom, c'est l'adjectif qui s'en charge.
Notez également que la particule **miss-** ("més-", "mal-")
exprime une idée négative. **Das Verständnis** est *la compréhension, l'accord*, tout comme **verstehen** veut dire *comprendre* et
missverstehen, *mal comprendre*.

② **süß** signifie *mignon* ou *sucré* : **Das ist ein süßes Kind**, *C'est
un enfant mignon* ; **Der Nachtisch ist zu süß**, *Le dessert est
trop sucré*. ▶

Un dangereux malentendu

1 – Oh, [qu'] il est mignon !
2 Quel âge a-t-il ?
3 Puis-je le *(celui-ci)* caresser ?
4 – Si vous voulez.

▶ ③ **der** signifie ici *celui-ci, celui-là*. Ce pronom démonstratif est identique à l'article défini (sauf au "génitif" qui nous intéressera plus tard…). Il remplace souvent le pronom personnel pour désigner quelqu'un ou quelque chose que l'on voit ou que l'on montre : **Wie alt ist der (er)?**, *Quel âge a-t-il ?* ; **Darf ich den (ihn) streicheln?**, *Puis-je le caresser ?* ; **Was macht die hier?**, *Qu'est-ce qu'elle* ("celle-ci") *fait ici ?* (Voir aussi leçon 13, note 6.)

④ L'infinitif de **darf** est **dürfen**, *avoir le droit, pouvoir*. Contrairement à **können**, *pouvoir, être capable de...*, **dürfen** indique que l'action ne dépend pas de nos possibilités, mais de l'autorisation d'autrui : **Ich kann in Ferien fahren**, *Je peux partir en vacances* (= j'ai les moyens / la possibilité), **Ich darf in Ferien fahren**, *Je peux partir en vacances* (= j'ai l'autorisation).

5 – Au, der beißt ja ⑤, au, **au**a!
6 Mensch, das tut weh!
7 **Hal**ten Sie doch **end**lich **Ih**ren Hund
  zu**rück**!
8 Sie **dür**fen so **ei**nen Hund nicht frei **lau**fen
  lassen ⑥!
9 Sind Sie ver**rückt**?
10 – Tut mir Leid ⑦, ich **ken**ne den Hund nicht.
11 Das ist nicht **mei**ner ⑧. □

---

5 aou ... **ba**ïst ya: ... **a**oua: **6** ... tou:t vé: **7** ... **ènt**liçh ... **8**
... **durf**'n ... **9** ... **fèr**rukt **10** ... laït ... **kè**'në ... **11** ... **ma**ïnᵃ

Notes

⑤ **ja**, *oui*, s'emploie aussi pour renforcer une exclamation éton-
née (comme "mais" en français) : **Es regnet ja!**, *Mais il pleut !*

⑥ Notez que l'on dit **laufen lassen** (litt. "courir laisser"). **Lassen**
dans ses deux sens, *laisser* et *faire faire*, est toujours le dernier
des deux infinitifs. **Man muss Kinder spielen lassen**, *On doit
laisser jouer [les] enfants.* **Wo kann ich bitte mein Handy
reparieren lassen?**, *Où puis-je faire réparer mon téléphone
portable, s'il vous plaît ?* (cf. leçon 26, note 7).

⑦ "**Tut mir Leid**" ou "**Das/es tut mir Leid**", *Je suis désolé(e)*,
signifie littéralement "Cela fait à moi peine". Le verbe **tun**, ▸

***

Übung 1 – Übersetzen Sie bitte!

❶ Mama, warum dürfen wir den Apfelkuchen nicht
essen? ❷ Er hat ein Handy, aber er nimmt immer
meins. ❸ Achtung! Mein Hund beißt! ❹ Oh, das
Kind ist süß! ❺ Tut mir Leid, Sie dürfen hier nicht
telefonieren.

5 – Aïe, mais il mord *(oui)*, aïe, aïe !
6 *(Homme)* Bon sang, ça fait mal !
7 Mais enfin retenez *(mais enfin)* votre chien !
8 Vous n'avez pas le droit de laisser courir un *(si un)* chien comme ça librement !
9 Vous êtes fou ?
10 – Je suis désolé, je ne connais pas ce chien.
11 Ce n'est pas le mien.

Remarque de prononciation

5 au et **aua** sont des cris de douleur. Plus la douleur est grande, plus on allonge le son **u** *[ou]* après le **a** : **a** *[aouou]*... Ne confondez pas **aua** avec **au ja**, interjection qui exprime un consentement enthousiaste (leçon 26).

▸ *faire*, synonyme de **machen**, s'emploie surtout dans certaines expressions utiles. Nous venons de voir : **Das tut weh!**, *Cela fait mal !*

⑧ **meiner** (masculin), *le mien*, **meine** (féminin), *la mienne*, **mein(e)s** (neutre), *le mien*. Le pronom possessif est tout simplement l'adjectif possessif + la terminaison de l'article défini : **Der Regenschirm dort? Ist das deiner?**, *Le parapluie là-bas ? C'est le tien ?* – **Nein, ich habe keinen**, *Non, je [n'en] ai pas* ("aucun"). – **Dann gebe ich dir meinen**, *Alors, je te donne le mien.*

***

Corrigé de l'exercice 1

❶ Maman, pourquoi n'avons-nous pas le droit de manger le gâteau aux pommes ? ❷ Il a un portable, mais il prend toujours le mien. ❸ Attention ! Mon chien mord ! ❹ Oh, cet enfant est mignon ! ❺ Je suis désolée, vous n'avez pas le droit de téléphoner ici.

33 Übung 2 – Ergänzen Sie bitte!

❶ Je suis désolé, mon chien mord tout le monde.

...., mein Hund ..... alle.

❷ Puis-je vous appeler demain ? – Si vous voulez.

.... Sie morgen anrufen? – Wenn ...

....

❸ Berk, mon gâteau est trop sucré, et comment est le tien ?

Iiii, mein Kuchen ist .. .., und wie ist

...... ?

❹ A-t-on le droit de laisser courir librement son chien ?

.... seinen Hund frei .... ?

---

33 Dreiunddreißigste Lektion

Die Stadtbesichtigung ①

1 – **Mei**ne **Da**men und **Her**ren,
2 **ge**gen**ü**ber ist der **Bahn**hof,
3 und links **seh**en Sie den **Köl**ner Dom ②.
4 Wir **müs**sen jetzt **aus**steigen und zu Fuß ③
weitergehen.

Prononciation
*di: **chta't**-bëziçhtigouñg 1 ... **da**:mën ... **h**èrën 2 **gué**:g'n-
u: bª ... 3 ... **keul**nª do:m 4 ... tsou: fou:s ...*

Notes
① Rappelez-vous que tous les noms qui se terminent en **-ung**
sont féminins (leçon 25, note 5). Le nom **die Besichtigung**, *la
visite*, est formé à partir du verbe **besichtigen**, *visiter*.
▶

⑤ Mais c'est un malentendu ! Il n'est pas dangereux, il est seulement un peu fou !

33

Aber das ist ... .! Er ist nicht ...., er ist nur ... .!

Corrigé de l'exercice 2

❶ Es tut mir Leid – beißt – ❷ Darf ich – Sie wollen ❸ – zu süß – deiner ❹ Darf man – laufen lassen ❺ – ein Missverständnis – gefährlich – ein wenig verrückt

---

La visite de la ville

1 – Mesdames *(mes dames et)*, messieurs,
2   en face voici *(est)* la gare,
3   et à gauche, vous voyez la cathédrale de Cologne.
4   Nous devons maintenant descendre et continuer à pied *(plus loin-aller)*.

▸ ② **der Dom von Köln** peut se dire **der Kölner Dom**. En général, on ajoute **-er** au nom de la ville (ou de la région) : **die Berliner Universität**, *l'université de Berlin*, **die Frankfurter Würstchen**, *les saucisses de Francfort*.

③ **der Fuß**, *le pied* ; **die Füße**, *les pieds* ; **zu Fuß**, *à pied*.

33 **5** Um ④ den Dom ist **eine Fuß**gängerzone ⑤.

6 Wir **woll**en zu**erst** den Dom be**sich**tigen
und dann die **Alt**stadt.

7 Zum Schluss **dür**fen Sie ein „Kölsch" ⑥
trinken, das **ty**pische Bier von hier.

8 Und wer ⑦ kein Bier mag ⑧, be**ko**mmt ein
Glas ⑨ **Ap**felschorle. □

---

5 ... **fou:s**-gèñgᵃ-tsô:në **6** ... tsoue:ᵃst ... bë**ziçh**tig'n ... **alt**-
chta't **7** ... keulch ... **tu:**pichë ... **8** ... bë**ko**'mt ... **apf**'l-chorlë

Notes

④ Ici, **um** est une préposition de lieu qui signifie *autour de*. Elle est suivie de l'accusatif : **um den Dom**, *autour de la cathédrale*. En revanche, nous avons déjà vu que **um** employé pour indiquer l'heure signifie *à* : **um drei Uhr**, *à trois heures*.

⑤ **die Zone**, *la zone*, **der, die Fußgänger**, *le, les piéton(s)*. Rappelons que les noms masculins terminés en **-er** ne changent pas au pluriel, à part quelques-uns, qui prennent un tréma : **der, die Arbeiter**, *le, les travailleur(s)*, mais **der Bruder**, *le frère*, **die Brüder**, *les frères*.

⑥ Notez que l'on dit **ein** ou **das „Kölsch"** parce que **das Bier**, *la bière*, est un nom neutre en allemand.

⑦ Nous connaissons le pronom interrogatif **wer?**, *qui ?* Ici, **wer** est un pronom relatif qui signifie *celui qui* en un seul mot. On peut dire **wer ..., der ...**, mais **der** est placé au début de la principale, séparé de **wer**. Le pronom relatif **wer** introduit une subordonnée dans laquelle le verbe (conjugué) se trouve à la fin : **Wer nicht pünktlich ist, (der) bekommt nichts**, *Celui qui n'est pas à l'heure n'aura ("obtient") rien*. Notez également que la subordonnée est toujours séparée de la principale par une virgule ! ▶

5 Autour de la cathédrale il y a *(est)* une zone piétonne.

6 Allons visiter *(nous voulons)* d'abord la cathédrale *(visiter)*, puis la vieille ville.

7 À la fin vous pourrez *(avez le droit)* boire une "Kölsch", la bière typique d'ici.

8 Et ceux *(celui)* qui n'aiment pas la bière auront *(obtient)* un verre [d']"Apfelschorle".

⑧ Nous avons déjà rencontré **ich mag**, *j'aime bien*, et son infinitif **mögen** (leçon 23, note 1). Sa signification est proche de celle d'*aimer*, mais en moins fort ; **mögen** exprime plutôt un goût qu'un sentiment : **ich mag kein Bier**, *je n'aime pas la bière* ; **ich mag Rap**, *j'aime bien le rap*, mais aussi **ich mag dich**, *je t'aime bien* (plus modéré que **ich liebe dich**, *je t'aime*). Rappelez-vous que **ich möchte** (forme du subjonctif de **mögen**) veut dire *je voudrais* et qu'il est proche de **ich will**, *je veux* : **ich möchte ein Bier**, *je voudrais une bière* ; **ich will kein Bier**, *je ne veux pas de bière*.

⑨ **das Glas**, *le verre* ; **die Gabel**, *la fourchette* ; **das Messer**, *le couteau* ; **der Teller**, *l'assiette*. Vous voilà équipé !

33 Übung 1 – Übersetzen Sie bitte!

❶ Wir fahren nächstes Wochenende nach Köln.
❷ Wer nicht zu Fuß gehen will, nimmt die U-Bahn.
❸ Zum Schluss wollen wir den Dom besichtigen.
❹ Ich mag keine Frankfurter Würstchen und Sie?
❺ Sie müssen hier aussteigen.

Übung 2 – Ergänzen Sie bitte!

❶ Elle n'aime pas la bière, elle voudrait un verre [de] vin.

. . . . . . kein Bier, ... ein Glas
Wein.

❷ Nous arrivons maintenant dans la zone piétonne et allons
continuer *(continuons)*, évidemment, à pied.

Wir kommen jetzt in . . . . und
gehen natürlich .. . . . weiter.

❸ Connaissez-vous la vieille ville de Hambourg ?

Kennen Sie die . . . . ?

❹ Demain je ne peux pas, je fais une visite de la ville.

Morgen . . . . nicht, ich mache . . . .
. . . .•

***

Contrairement au cidre, **Apfelwein** *(litt. "pomme-vin"), l'***Apfelschorle** *est un mélange sans alcool de jus de pommes et de* **Sprudel**,
*eau gazeuse. C'est tellement bon et rafraîchissant que tout le monde
en boit en été, sauf... ceux qui lui préfèrent la bière. Nulle part ailleurs qu'en Allemagne, on ne trouve une telle diversité de bières
(environ 9 000 !) et nulle part ailleurs, on n'en boit autant. On y
trouve le plus grand nombre de brasseries, et cela depuis des siècles.
La liste des grandes marques est longue, ainsi que leur tradition.
La célèbre* **Reinheitsgebot** *– "loi de pureté" –, toujours en vigueur,
qui prescrit que "l'on ne prenne et n'utilise rien d'autre que de
l'orge, du houblon et de l'eau pour faire de la bière" fut édictée en*

Corrigé de l'exercice 1

❶ Nous irons *(allons)* à Cologne le week-end prochain. ❷ Celui qui ne veut pas aller à pied, prend le métro. ❸ Pour finir *(à la fin)*, nous allons *(voulons)* visiter la cathédrale. ❹ Je n'aime pas les saucisses de Francfort, et vous ? ❺ Vous devez descendre ici.

❺ Celui qui veut visiter la cathédrale de Cologne doit descendre ici.

. . . den Kölner Dom . . . . ,
muss hier . . . .

Corrigé de l'exercice 2

❶ Sie mag – sie möchte – ❷ – die Fußgängerzone – zu Fuß – ❸ – Hamburger Altstadt ❹ – kann ich – eine Stadtbesichtigung ❺ Wer – besichtigen will – aussteigen

***

1516 par le duc Guillaume IV de Bavière. Pourtant, au Moyen Âge, le centre de gravité de la production de ce noble breuvage se situait plus au nord, à Hambourg et en Basse-Saxe, la vallée du Rhin et la Bavière étant des régions viticoles. Mais le goût de la bière a vite gagné ces régions. Depuis le XVIᵉ siècle, Munich et Dortmund sont devenues les capitales de la bière. Mais si l'on fabrique à Dortmund la célèbre **Dortmunder***, à cinquante kilomètres de là, à Cologne, on boit la bière locale :* **das Kölsch***. C'est une bière blonde peu alcoolisée, qu'on appelle* **helles Bier***, bière claire, par rapport à la bière brune,* **dunkles Bier** *("bière sombre"). Mais méfiez-vous, consommée sans modération, elle peut tout de même vous rendre* **total betrunken***, c'est-à-dire ivre mort.*

34 Vierunddreißigste Lektion

Was ① man darf und was man nicht darf

1 – Man darf nicht bei Rot ② die **Stra**ße über**que**ren.

2 – Man darf nicht be**tru**nken **Fahr**rad **fah**ren ③.

3 – Man darf nicht **sa**gen, dass **je**mand ver**rückt** ist ④.

4 – Aber man darf in Shorts spa**zie**ren **geh**en,

5 – und man darf San**da**len mit **So**cken **tra**gen!

6 – Eigentlich darf man **al**les **ma**chen, was ⑤ die **an**deren nicht stört.

Prononciation
1 … ro:t … u:bᵃ**kvé**:rën   **2** … bë**trou**ñk'n **fa**:ra:t   **3** … **yé:**ma'nt …   **4** … chorts …   **5** za'n**da**:l'n … **zok**'n **tra**:g'n   **6** … **a'n**dërën … chteu:rt

Remarque de prononciation
1 Attention ! **qu** se prononce *[kv]*.

Notes

① **was** (comme **wer**) peut être un pronom interrogatif : **Was machst du?**, *Que fais-tu ?* ou relatif : **Was sie macht, ist verboten**, *Ce qu'elle fait est interdit.*

② Dans l'expression **bei Rot gehen/fahren**, *passer à pied/en voiture au rouge*, **rot**, *rouge*, prend une majuscule parce qu'il est devenu un nom, la couleur rouge.

③ À la place de **das Fahrrad**, *le vélo*, on dit souvent simplement **das Rad**, *la roue*, notamment pour éviter la répétition dans l'expression **Fahrrad fahren**, *faire du vélo.*

④ Dans une subordonnée introduite par une conjonction – ici : **dass**, *que* –, ou par un pronom relatif (voir note 1), le verbe se ▸

Ce qu'on a le droit et
ce qu'on n'a pas le droit de faire

1 – On n'a pas le droit *(au rouge)* de traverser la rue aux feux rouges.

2 – On n'a pas le droit de faire du vélo en état d'ivresse *(ivre vélo rouler)*.

3 – On n'a pas le droit de dire que quelqu'un est fou.

4 – Mais on a le droit de se promener en short,

5 – et on peut porter [des] sandales avec [des] chaussettes !

6 – En fait, on peut faire tout ce qui ne gêne pas les autres.

▶ place à la fin : **Ich weiß, dass du verrückt bist**, *Je sais que tu es fou* ("que tu fou es"). Avez-vous remarqué la virgule qui sépare la principale de la subordonnée ? Souvenez-vous qu'elle est indispensable en allemand.

⑤ **was**, *ce qui, ce que*, s'emploie aussi après **alles**, *tout*, **nichts**, *rien*, **etwas**, *quelque chose*. Il peut être sujet ou complément direct : **Machen Sie nichts, was die anderen stört!**, *Ne faites rien qui gêne les autres !* ; **Ich mache alles, was du willst**, *Je fais tout ce que tu veux*.

7 – Ja, man darf nach zehn Uhr **a**bends **we**der ⑥
   laut ⑦ Mu**si**k **hö**ren noch **S**axofon **spi**elen.
8 – Kurz, man darf **ma**chen, was er**lau**bt ⑧ ist,
   und nicht **ma**chen, was ver**bo**ten ist… ☐

7 … **vé:d**ᵃ **la**out mou**zik** … **za**ksofo:n **chpi:**l'n **8** kourts …
è**rla**oupt … fè**rbo:**tën…

Notes

⑥ **weder… noch…**, *ni… ni…*

⑦ Le contraire de **laut**, *fort, bruyant, à haute voix, perceptible*,
est **leise**, "à peine audible" : *bas, doux, léger*. **Die Musik ist zu** ▸

***

Übung 1 – Übersetzen Sie bitte!

❶ Ihr dürft alles machen, was ihr wollt, Kinder.
❷ Es ist verboten, die Straße bei Rot zu überqueren.
❸ Thomas hat weder Zeit noch Lust Rad zu fahren.
❹ Man darf die anderen nicht stören. ❺ Hallo, ist
hier jemand?

Übung 2 – Ergänzen Sie bitte!

❶ Portez-vous [des] sandales avec [des] chaussettes ?
   . . . . Sandalen . . . . ?

❷ Tu n'as pas le droit de le faire, ce n'est pas permis après dix
   heures.
   . . . . das nicht . . . . . . , das ist . . . .
   . . . . nicht . . . .

❸ Mais dites ce que vous voulez, cela ne me gêne pas.
   Sagen Sie doch, ... , das . . . . .
   mich . . . . . .

7 – Oui, après dix heures du *(le)* soir, on ne doit
ni écouter de la musique fort, ni jouer du
saxophone.

8 – Bref, on peut faire ce qui est permis et non
(faire) ce qui est interdit…

▶ **laut**, *La musique est trop forte*. Ici, **laut Musik hören** pourrait
se traduire par *écouter de la musique en gênant les autres*.

⑧ **erlaubt** et **verboten** sont les participes passés de **erlauben**,
permettre, et **verbieten**, *interdire*. Nous verrons leur formation prochainement.

***

Corrigé de l'exercice 1

❶ Vous pouvez faire tout ce que vous voulez, les enfants. ❷ Il est
interdit de traverser la rue au feu rouge. ❸ Thomas n'a ni le temps
ni l'envie de faire du vélo. ❹ On n'a pas le droit de gêner les autres.
❺ Ohé, il y a quelqu'un ici *(est ici qqn)* ?

❹ Il est ivre et il fait du vélo, c'est interdit !
Er ist .... und ...., das ist
........!

❺ Ne pas déranger, s'il vous plaît, je ne veux pas de petit-déjeuner.
Bitte nicht ......, ... kein Frühstück.

Corrigé de l'exercice 2

❶ Tragen Sie – mit Socken ❷ Du darfst – machen – nach zehn Uhr
– erlaubt ❸ – was Sie wollen – stört – nicht ❹ – betrunken – fährt
Rad – verboten ❺ – stören, ich will –

35 Fünfunddreißigste Lektion

Wiederholung – Révision

1 Les verbes de modalité et leur conjugaison

Les six verbes de modalité – ou "auxiliaires de mode"– sont
können, *pouvoir, être capable de*, **wollen**, *vouloir*, **sollen**, *devoir*,
müssen, *être obligé, falloir, devoir*, **dürfen**, *avoir l'autorisation
de, pouvoir*, et **mögen**, *aimer bien*. Ils ont, avec le verbe **wissen**,
savoir, des caractéristiques communes :
– La voyelle du radical change aux trois personnes du singulier
(sauf **sollen**).
– Les 1re et 3e personnes du singulier sont semblables : elles ne
prennent pas de terminaisons (ni -**e** à la 1re personne, ni -**t** à la 3e !).
En revanche, la 2e personne se termine comme nous l'avons appris
pour les verbes en général : en -**st**.

	können	wollen	sollen	müssen	dürfen	mögen
ich	kann	will	soll	muss	darf	mag
du	kannst	willst	sollst	musst	darfst	magst
er/sie/ es	kann	will	soll	muss	darf	mag
wir	können	wollen	sollen	müssen	dürfen	mögen
ihr	könnt	wollt	sollt	müsst	dürft	mögt
sie	können	wollen	sollen	müssen	dürfen	mögen

• La plupart du temps, le verbe de modalité est suivi d'un infinitif
qui est rejeté à la fin de la phrase : **Er kann morgen nicht kommen**, *Il ne peut pas venir demain* ("Il peut demain pas venir").
Wir müssen jetzt nach Hause gehen, *Il faut rentrer maintenant*
("Nous devons maintenant à la maison aller").

• Le verbe de modalité occupe la place habituelle du verbe conjugué, c'est-à-dire qu'il est :
– le 2e élément dans une phrase déclarative : **Leider kann er morgen nicht kommen**, *Malheureusement, il ne peut venir demain* ;
– le premier élément dans une phrase interrogative : **Müssen wir wirklich nach Haus gehen?**, *Faut-il vraiment rentrer ?*
– situé à la 2e place dans une question introduite par un mot interrogatif : **Warum dürfen wir kein Bier trinken, Mama?**, *Pourquoi n'avons-nous pas le droit de boire de la bière, maman ?*

2 Deux mots sur le sens des verbes de modalité

• La différence entre **müssen**, *être obligé, devoir*, et **sollen**, *devoir*, est assez subtile : **müssen** s'emploie pour exprimer une obligation à laquelle on se tient, parce qu'on ne voit pas d'autres possibilités et qu'on l'a décidé ainsi ; **sollen**, parce qu'on se sent obligé par quelqu'un d'autre ou par sa conscience morale. Vous voyez, la marge n'est pas très grande… Mais attention ! Avec une négation, **müssen** signifie *ne pas être obligé*. C'est **nicht sollen** et **nicht dürfen** qui signifient *ne pas devoir*, **nicht sollen** exprimant plutôt une demande ou un conseil et **nicht dürfen**, un refus d'autorisation :
Du musst das nicht machen, *Tu n'es pas obligé de faire cela.*
Du sollst das nicht machen, *Tu ne dois pas faire cela.*
Du darfst das nicht machen, *Tu n'as pas le droit de faire cela.*

• **Ich möchte**, *j'aimerais, je voudrais*, conditionnel de **mögen**, *aimer bien*, exprime une volonté, un désir tandis que **ich mag** s'emploie en général pour désigner ce que l'on aime ou que l'on n'aime pas :
Ich mag Schokoladenkuchen, *J'aime bien le gâteau au chocolat.*
Ich möchte Schokoladenkuchen, *Je voudrais du gâteau au chocolat.*

Ne vous inquiétez pas, la pratique vous aidera à assimiler les différents sens.

Voici un avant-goût de ce qu'on appelle "la déclinaison de l'adjectif".

Nous avons appris que l'adjectif attribut est invariable :

Der Hund ist süß, *Le chien est mignon.*
Die Chefin ist süß, *La patronne est mignonne.*
Das Baby ist süß, *Le bébé est mignon.*

En revanche, l'adjectif épithète, qui, en allemand, se trouve toujours devant le nom, change souvent de terminaison.

Précédé de l'article défini, il se termine en **-e** au nominatif :

der süße Hund, *le chien mignon,*
die süße Chefin, *la patronne mignonne,*
das süße Baby, *le bébé mignon.*

En l'absence d'article, ou lorsque le nom est précédé de l'article indéfini, qui ne détermine pas clairement son genre, c'est l'adjectif épithète qui nous indique le genre du nom qu'il précède en prenant la marque du masculin (**er**), du féminin (**e**) ou du neutre (**es**) : **(ein) süßer Wein**, *(un) du vin sucré*, **(eine) süße Marmelade**, *(une) de la confiture sucrée*, **(ein) süßes Brot**, *(un) du pain sucré.*

En fin de compte, la déclinaison de l'adjectif est une bonne chose, car on a plus de chances de reconnaître – et, par là, de retenir – le genre d'un nom.

4   La structure de la subordonnée

Une subordonnée dépend toujours d'une phrase principale, et en est toujours séparée par une virgule. Elle est souvent introduite par une conjonction, un pronom relatif ou un mot interrogatif. Dans ces cas-là, le verbe se trouve à la fin :

Wir wissen, dass Sie Deutsch lernen, *Nous savons que vous apprenez l'allemand.*
Können Sie uns sagen, warum Sie kein Bier mögen?, *Pouvez-vous nous dire pourquoi vous n'aimez pas la bière ?*
Sie müssen ein bisschen warten, wenn Sie nicht alles verstehen, *Vous devez attendre un peu si vous ne comprenez pas tout.*
Heute wissen wir nicht, was morgen kommt, *Aujourd'hui, nous ne savons pas ce qui arrivera ("vient") demain.*

Die Woche hat sieben Tage: Montag, Dienstag, Mittwoch, Donnerstag, Freitag, Samstag (oder Sonnabend) und Sonntag, *La semaine compte sept jours : lundi, mardi, mercredi, jeudi, vendredi, samedi et dimanche.*
Der Tag teilt sich in: der Morgen, der Vormittag, der Mittag, der Nachmittag, der Abend und die Nacht, *Le jour se divise en matin, matinée, midi, après-midi, soir et nuit.*

Pour indiquer un jour, on peut se contenter de l'énoncer, ou employer la préposition **am** + le jour (voir aussi leçon 28, § 5.2)
(Am) Montag fahre ich nach Deutschland, *Lundi, je vais en Allemagne.*
(Am) Samstagabend feiere ich meinen Geburtstag, *Samedi soir, je fête mon anniversaire.*

En ajoutant **-s** à un nom de jour ou à une heure du jour, on en fait un adverbe qui exprime la répétition :
Montags arbeite ich, *Je travaille le lundi.*
Abends bleibe ich zu Hause, *Le soir, je reste à la maison.*
Und was machen Sie sonntags?, *Et que faites-vous le dimanche ?*
Notez qu'il n'y a plus de majuscule – sauf au début de la phrase – parce que le nom est devenu adverbe.

Wir wollen jetzt die Grammatik ein bisschen vergessen!, *Oublions maintenant un peu la grammaire !* **Hier kommt unser Dialog!,** *Voici ("Ici vient")* *notre dialogue.*

***

Ein netter Mann

1 – Sagen Sie mal, ist das Ihr Hund?
2 – Ja, das ist meiner, warum?
3 – Hunde dürfen nicht in den Dom.
4 – Aber mein Hund beißt nicht.
5 – Das macht keinen Unterschied: verboten ist verboten.
6 – Aber ich komme von weit und möchte den Dom besichtigen.
7 – Das können Sie auch, aber ohne Ihren Hund.
8   Sie haben keine Wahl.
9 – Vielleicht können Sie ihn fünf Minuten nehmen?
10 – Sind Sie verrückt? Ich bin im Dienst!
11   Und er kennt mich nicht.
12 – Das macht nichts, er mag jeden. Danke. Bis gleich! (wau, wau, wau…)
13 – Halt, halt das ist nicht so einfach, warten Sie, warten Sie doch!
14 – He, Sie da! Sprechen Sie leise!
15   Und Hunde sind hier verboten!

Un homme gentil

1 Dites[-moi], c'est votre chien ? **2** Oui, c'est le mien, pourquoi ? **3** [Les] chiens n'ont pas le droit [d'entrer] dans la cathédrale. **4** Mais mon chien ne mord pas. **5** Ça ne fait pas de différence : interdit, [c']est interdit. **6** Mais je viens de loin et je voudrais visiter la cathédrale. **7** Vous le pouvez *(Le pouvez vous aussi)*, mais sans votre chien. **8** Vous n'avez pas le choix. **9** Peut-être pouvez-vous le prendre 5 minutes ? **10** Vous êtes fou ? Je suis en service ! **11** Et il ne me connaît pas. **12** Ça ne fait rien, il aime tout le monde *(chacun)*. Merci. À tout de suite ! (ouah, ouah, ouah…) **13** Attendez *(halte)*, ce n'est pas si facile, attendez, mais attendez ! **14** Hé, vous *(là)* ! Parlez doucement ! **15** Et [les] chiens sont interdits ici !

Eine gute Partie

1 – Guck mal, **Clau**dia, kennst du den Mann dort?
2 – Den da? Den **großen blon**den?
3 – Ja, den. Sprich ① doch nicht so laut!
4   Er soll ② **schreck**lich reich sein.
5 – Wo**her** ③ weißt du das?
6 – Ich **ha**be es **ges**tern ge**hört** ④.
7 – Wo denn?
8 – **Zwei Mäd**chen **ha**ben im **Su**permarkt über ⑤ ihn ge**re**det ⑥.
9 – Und was **ha**ben sie ge**sagt**?

Prononciation
*… par**ti**: 1 kouk … kènst … 2 … **blo'n**dën 3 … chpriçh …*
*4 … **chrèk**liçh **ra**ïçh … 5 … vo**hé**:ᵃ … 6 … guë**heu**:ᵃt 8 …*
*guë**ré**:dët 9 … guë**za**:kt*

Remarques de prononciation
Titre (die) Partie est accentué sur la dernière syllabe : *[parti:]*,
parce que son origine est française. En revanche, l'accent

Notes

① **sprich!** est l'impératif singulier de **sprechen**, *parler*.

② **sollen**, *devoir*, peut remplacer "on dit que" : **Es soll regnen**, *Il doit pleuvoir*, mais dans le sens "j'ai entendu dire qu'il pleuvra". Ce sens s'explique par le fait que **sollen** traduit toujours une indication ou une invitation par un tiers (leçon 31, note 2). Rappelez-vous aussi que l'infinitif après un verbe de modalité se trouve renvoyé en fin de phrase.

③ **woher?**, *d'où ?*, pose la question de la provenance, de l'origine : **Woher kommt sie?**, *D'où vient-elle ?* On aurait pu dire aussi **Wo kommt sie her?**, *D'où vient-elle ?*

Un beau *(bon)* parti

1 – Regarde *(fois)*, Claudia, connais-tu cet
     *(l')*homme là-bas ?
2 – Celui-là ? Le grand blond ?
3 – Oui, lui *(celui-là)*. Mais ne parle pas si fort !
4   On dit qu'il est terriblement riche.
5 – Comment le sais-tu *(D'où sais-tu cela)* ?
6 – Je l'ai entendu [dire] hier.
7 – Où ça *(donc)* ?
8 – Deux filles ont parlé de lui au supermarché.
9 – Et qu'est-ce qu'elles ont dit *(qu'ont-elles dit)* ?

tonique de **die Party**, emprunté à l'anglais, porte sur la première
syllabe : **[pa:rti:]**.
1 Le **g** de **gucken** se prononce volontiers [k] : **[kouk'n]**.
1, 2, 3, 7, 11 Rappelons que le **e** de **den** est allongé et fermé :
[dé:n], et qu'en revanche le **e** de **denn** (phrases 7 et 11) est bref et
ouvert à cause des deux consonnes qui suivent : **[dèn]**.
6, 8, 9 Comme toutes les particules inséparables, la particule **ge-**
du participe passé n'est jamais accentuée.

▸ ④ **gehört**, *entendu*, est le participe passé de **hören**, *entendre*. La
    plupart des participes passés se reconnaissent à leur particule
    ge-. Les verbes réguliers prennent en plus un **-t** que l'on ajoute au
    radical. Le participe passé, rappelons-le, est rejeté en fin de phrase.

⑤ La préposition **über** signifie ici *de*, parce qu'elle va avec le
    verbe **reden** : **reden über...** ou **sprechen über...**, *parler de...*
    über entraîne ici l'accusatif. En tant que préposition de lieu,
    über signifie *au-dessus de*. Souvent les prépositions ont ainsi
    plusieurs fonctions. Nous en reparlerons.

⑥ **geredet** est le participe passé de **reden**, *parler*, synonyme de
    sprechen (excepté pour "parler une langue", où l'on n'utilise que
    sprechen : **Ich spreche kein Spanisch**, *Je ne parle pas l'espagnol*).

10 – Sie **fin**den, dass er **ei**ne interes**san**te **Beu**te
ist: reich, **le**dig, ein **biss**chen alt, **a**ber nicht
zu **häss**lich.

11 He, **war**te! Wo**hin** ⑦ willst du denn?
(Fortsetzung folgt)

□

---

10 ... i'ntërès**sa'**ntë **bo**ïtë ... **lé:**diçh **hès**liçh **11** **hé:** ... vo**hin**
... **fort**'zètsoung folkt

Note

⑦ **wohin?**, *où ?*, pose la question de la direction (où l'on va) :
Wohin geht sie?, *Où va-t-elle ?* (ou **Wo geht sie hin?**), exactement comme nous l'avons vu avec **woher**, note 3. **Wohin**
indiquant à lui tout seul un déplacement, on n'a pas toujours
besoin d'un verbe de mouvement, en particulier avec un verbe
de modalité : **Wohin wollt ihr?**, *Où voulez-vous [aller] ?*, ni
même de verbe de modalité : **Das Restaurant ist geschlossen. Wohin jetzt?**, *Le restaurant est fermé. Où [allons-nous]
maintenant ?* Souvenez-vous que sans l'idée d'une origine ou
d'une direction, *où ?* se dit **wo?** : **Wo bist du denn?**, *Mais où
es-tu (donc) ?*

***

Übung 1 – Übersetzen Sie bitte!

❶ Kennen Sie die Frau dort? ❷ Seine Frau soll viel
Geld haben. ❸ Wohin gehen wir heute Abend? Ins
Theater oder in die Oper? ❹ Was hast du gesagt?
Warum sprichst du so leise? ❺ Haben Sie gehört,
wohin er fährt?

10 –   Elles trouvent que c'est *(il est)* un gibier
    intéressant *(une intéressante proie)* : riche,
    célibataire, un peu vieux, mais pas trop moche.
11   Eh, attends ! [Mais] où veux-tu donc [aller] ?
    (À suivre)

Remarque de prononciation

10 interessant vous tend deux pièges : les deux voyelles
accentuées (le **i** et le **a**) sont brèves et ouvertes et se prononcent
indépendamment du **-n** qui les suit : *[i'ntërèssa'nt]*.

***

Corrigé de l'exercice 1

❶ Connaissez-vous la dame là-bas ? ❷ On dit que sa femme
a beaucoup d'argent. ❸ Où allons-nous ce soir ? Au théâtre
ou à l'opéra ? ❹ Qu'est-ce que tu as dit ? Pourquoi parles-tu si
doucement ? ❺ Avez-vous entendu où il va ?

37 **Übung 2 – Ergänzen Sie bitte!**

① D'où savez-vous cela ? Je n'ai rien entendu.

. . . . . wissen Sie das? Ich . . . . nichts

. . . .

② Regardez ! C'est une bonne proie.

. . . . . . Sie mal! Das ist . . . .

③ Nous avons parlé de tout.

. . . . über alles . . . .

④ Mais attendez ! Où voulez-vous donc aller ?

. . . . doch! . . . . . wollen Sie denn?

---

37 Siebenunddreißigste Lektion

Eine gute Partie
(Fortsetzung)

1 – Sie geht **wirk**lich **hin** ①.
2 Das darf nicht wahr sein!
3 Und jetzt spricht sie ihn so**gar an**!
4 Was kann sie ihm ② **sa**gen?

Prononciation
2 ... va:ᵃ ... 3 ... zoga:ᵃ ... 4 ... i:'m ...

Notes

① La particule séparable **hin** remplace le complément de lieu
(comme le "y" en français) : **Sie geht zu dem Tisch**, *Elle va
vers la table* → **Sie geht hin**, *Elle y va.*

② **ihm**, *à lui*, est le "datif" de **er**, *il*. Le datif est le troisième cas,
que nous rencontrons après le nominatif et l'accusatif. C'est le ▸

➎ Ne parle pas si fort, on peut nous entendre !

. . . . . . nicht . . . . . . , man kann uns . . . . . !

Corrigé de l'exercice 2

❶ Woher – habe – gehört ❷ Gucken – eine gute Beute ❸ Wir haben
– geredet ❹ Warten Sie – Wohin – ❺ Sprich – so laut – hören

---

*Vous n'oubliez pas de lire à voix haute les phrases des leçons et
celles des exercices ? Bravo ! Vous ne parlerez jamais trop fort.
Mais surtout écoutez-vous bien. Et si ce que vous entendez ne
vous plaît qu'à moitié, répétez la phrase, et petit à petit...*

Trente-septième leçon   37

Un beau parti
(Suite)

1 – Elle y va vraiment *(vers là)*.
2   Ce n'est pas croyable *(ça n'a pas le droit être
    vrai)* !
3   Et maintenant, elle l'aborde même !
4   Que peut-elle lui dire ?

Remarque de prononciation
1, 3, 5 L'accent tonique de la phrase porte sur le dernier petit mot
parce qu'il s'agit de particules séparables : **hin**gehen, **an**reden,
et **an**bieten.

▶   cas du complément d'objet indirect (COI) : **Sie zeigt ihm die
    Stadt**, *Elle lui montre* ("à lui") *la ville.* Au singulier, la termi-
    naison du datif masculin est **-m**, qu'il s'agisse d'un pronom ou
    d'un article.

5 Er lacht, er **bie**tet ihr ③ **ei**nen Platz **an**.

6 Sie setzt sich, **ne**ben ihn, ganz nah!

7 Sie ist to**tal ü**bergeschnappt.

8 Sie unter**hal**ten sich, er sieht hier**her** ④.

9 Was **ma**che ich nur? Sie **win**ken mir ⑤.

10 Ich muss zu **ih**nen ⑥ **ge**hen.

11 — **Hal**lo, **An**ja, darf ich dir **mei**nen **Va**ter **vor**stellen?

12 Er wohnt in Bra**si**lien und ver**bringt sei**nen **Ur**laub ⑦ in Eu**ro**pa. □

---

5 ... lacHt ... **bi:**tët **i:**ª ... **6** ... zètzt ziç **né:**bën i:'n **ga**'nts na:
7 ... to**ta:l** ubª'guëchnapt **8** ... ountª**hal**tën ziç ... zi:t **hi:**ª**hé:**ª
9 ... viñk'n **mi:**ª **11** ... **a'n**ya ... **di:**ª ... **fo:**ª'chtèl'n **12** ...
vo:'nt i'n brazi:lyën ... fèr**briñkt zaï**nën **ou:**ªlaoup i'n oïr**o:**pa

---

Notes

③ **ihr**, *à elle*, est le datif de **sie**, *elle*. La terminaison du datif féminin singulier est **-r**, ainsi que celle de l'article défini : **Er bietet der Frau einen Platz an**, *Il offre une place à la dame* ("à la dame une place").

④ **her** s'emploie lorsqu'il y a un rapprochement vers la personne qui parle. C'est l'opposé de **hin** qui indique toujours un éloignement. **Her** – tout comme **hin** – peut faire corps avec un autre adverbe de lieu : **Komm hierher**, *Viens ici*, ou être particule séparable d'un verbe : **herbringen**, *apporter/amener* ("vers") *ici*. ▶

5 Il rit, il lui dit de s'asseoir *(offre à elle une place)*.

6 Elle s'assoit à côté de lui, tout près !

7 Elle est complètement folle *(totalement disjonctée)*.

8 Ils bavardent *(s'entretiennent)*, il regarde [par] ici.

9 Qu'est-ce que je fais *(seulement)* ? Ils me font signe *(à-moi)*.

10 Il faut que j'y *(vers eux)* aille.

11 – Salut, Anja, puis-je te *(à-toi)* présenter mon père ?

12 Il habite au Brésil et passe ses congés en Europe.

37

Remarques de prononciation

6 Attention à la prononciation de **ganz** *[ga'nts]*.
12 Rappelez-vous aussi que le **eu** de **Europa** se prononce *[o]* puis *[ï]* *[oïro:pa]*.

▸ ⑤ **mir**, *à moi*, est le datif de **ich**, *je* : **Gib mir bitte den Käse!**, *Donne-moi le fromage, s'il te plaît !* Deux phrases plus loin, vous trouvez **dir**, *à toi*, datif de **du**, *tu*.

⑥ **ihnen**, *à eux/elles*, est le datif de **sie**, *ils/elles*. La préposition **zu**, *vers, à, chez*, est toujours suivie du datif. Eh oui, il y a des prépositions qui régissent le datif et d'autres l'accusatif, comme **für**, *pour* (leçon 22, note 3). Et, mieux encore : d'autres régissent tantôt le datif, tantôt l'accusatif ! Pas de panique, nous y reviendrons, et vous vous y ferez très vite.

⑦ **der Urlaub**, *le(s) congé(s)*, s'emploie au singulier. En revanche **die Ferien**, *les vacances*, sont toujours au pluriel.

Übung 1 – Übersetzen Sie bitte!

❶ Hallo, Thomas, wohin gehst du? ❷ Kann ich dir etwas zu trinken anbieten? ❸ Anja, kannst du bitte herkommen? ❹ Wo verbringen Sie Ihre Ferien? In Europa oder in Brasilien? ❺ Der Chef winkt mir, das darf nicht wahr sein!

Übung 2 – Ergänzen Sie bitte!

❶ Puis-je te présenter mon amie ?
Darf ich … meine Freundin ………?

❷ Ils te font signe, il faut que tu y ailles !
… …… dir, du musst ……… !

❸ Elle ne parle plus qu'en allemand, elle est folle.
… …… nur noch Deutsch, sie ist
………….

❹ Pourquoi ne vous asseyez-vous pas ? La place est libre.
Warum …… … sich nicht? … ……
ist frei.

❺ Qu'est-ce que tu lui as dit ?
Was …. .. ihm ……?

Corrigé de l'exercice 1

❶ Salut, Thomas, où vas-tu ? ❷ Je peux te proposer quelque chose à boire ? ❸ Anja, peux-tu venir ici, s'il te plaît ? ❹ Où passez-vous vos vacances ? En Europe ou au Brésil ? ❺ Le patron me fait signe, ce n'est pas possible !

Corrigé de l'exercice 2

❶ – dir – vorstellen ❷ Sie winken – hingehen ❸ Sie spricht – übergeschnappt ❹ – setzen Sie – Der Platz – ❺ – hast du – gesagt

38 Achtunddreißigste Lektion

Alles zu seiner Zeit

1 – **Gu**ten Tag, kann ich **Ih**nen ① **hel**fen?
2 – Ja, ich **su**che **ei**nen **fest**lichen **An**zug.
3 – **Schau**en Sie mal, hier **ha**ben wir **ei**nen **Smo**king ②.
4 Der Preis ist sehr **güns**tig.
5 – Nein, ich will **kei**nen **Smo**king, ich **ha**be nach ③ **ei**nem **An**zug ge**fragt**!
6 – Darf ich **fra**gen, für **wel**che Gele**gen**heit?

Prononciation
1 ... **hèlf**'n *2* ... **fèst**liçhën **a'nt**sou:k *3* **cha**ou'n ... **smo:**kiñg
4 ... **praï**'s ... **gu'ns**tiçh *5* ... guë**fra:**kt *6* ... guëlé:**g'n**haït

Notes

① **Ihnen**, *à vous* (avec majuscule !), est le datif de la forme de politesse **Sie**, *vous*, car **helfen**, *aider*, se construit avec le datif en allemand : **Ich helfe der Frau**, *J'aide* ("à") *la femme*.

② Avez-vous noté, grâce à l'article **einen**, que **Anzug** et **Smoking** sont des noms masculins : **der Anzug** et **der Smoking** ?

③ **nach** (suivi du datif) n'a ici ni un sens temporel ni un sens locatif (cf. leçon 25, note 4). C'est simplement la préposition qui accompagne **fragen**, *questionner, demander*. **Die Touristen fragen nach dem Weg**, *Les touristes demandent* ("après") *le chemin*. Vous rencontrerez d'autres verbes qui sont obligatoirement suivis de prépositions (voir note 5 : **gratulieren zu**). Au passage, **der Tourist**, *le touriste*, qui est emprunté directement à l'anglais *tourist*, se prononce comme "touriste" en français.

Chaque chose en son temps
(Tout à son temps)

1 – Bonjour [monsieur], puis-je vous aider ?
2 – Oui, je cherche un costume de cérémonie
     (solennel costume).
3 – Regardez *(fois)*, ici nous avons un smoking.
4   Le prix est très intéressant *(favorable)*.
5 – Non, je ne veux pas de *(aucun)* smoking ; j'ai
     demandé *(après)* un costume !
6 – Puis-je [vous] demander pour quelle occasion ?

7 – Ich will **hei**raten ④.

8 – Oh, wann denn? Ich gratu**liere** ⑤.

9 Was trägt denn **Ih**re **zu**künftige Frau?

10 – Ich weiß nicht, ich **ken**ne sie noch nicht.

11 Ich **su**che sie, wenn ich den **An**zug **ha**be ⑥.

12 Eins ⑦ nach dem **an**deren. □

---

7 ... **ha**ïraten   **8** ... gratou**li:**rë   **9** ... **tsou:**ku'nftiguë ...
12 a**ï**'ns nacH dé:m **a'n**dërën

Notes

④ **heiraten** signifie *épouser* ou *[se] marier* : **Er hat eine reiche Frau geheiratet**, *Il a épousé une femme riche*. En revanche, *je suis marié(e)* se dit **ich bin verheiratet**.

⑤ **gratulieren**, *féliciter*, s'utilise pour tout : l'anniversaire, le mariage, l'examen, etc. On l'accompagne de **zu** + datif : **Wir gratulieren Ihnen zum Geburtstag**, *Nous vous souhaitons un bon anniversaire*. **Zum** est la contraction de **zu dem**, et **dem** est le datif de l'article masculin **der** !

⑥ **habe** est en fin de phrase parce que... – vous devez vous en souvenir, maintenant – dans une subordonnée introduite par une conjonction, le verbe est rejeté à la fin et la conjonction est précédée d'une virgule ! Notez que **wenn** peut avoir un sens temporel : *quand*, ou un sens hypothétique : *si* : **Ich komme,** ▸

***

Übung 1 – Übersetzen Sie bitte!

❶ Guten Abend, darf ich Ihnen meinen Mann vorstellen? ❷ Wann heiraten Sie? Nächste Woche? ❸ Sie suchen einen Anzug? Für welche Gelegenheit? ❹ Sie haben mich nach dem Weg zur Oper gefragt. ❺ Liebling, ich gratuliere dir zum Geburtstag.

7 – Je veux [me] marier.

8 – Oh, quand ça *(donc)* ? Mes félicitations *(je félicite)*.

9   Que porte[ra] donc votre future épouse ?

10 – Je ne sais pas, je ne la connais pas encore.

11   Je la cherche[rai] quand j'aurai *(j'ai)* le costume.

12   Une [chose] après l'autre.

▶   **wenn ich kann**, *Je viendrai* ("viens") *si je peux, ou quand je pourrai.* C'est en général le contexte qui nous indique si **wenn** a une valeur hypothétique ou temporelle. En revanche, **wann**, *quand*, a toujours un sens temporel (voir phrase 8). Il s'emploie dans une question directe ou indirecte : **Wann haben Sie Zeit ?**, *Quand aurez* ("avez")*-vous le temps ?* **Ich weiß nicht, wann er kommt**, *Je ne sais pas quand il arrive[ra].*

⑦ **eins** ou **eines** est le neutre du pronom **ein**, *un*. En allemand, on emploie simplement le neutre pour dire "une chose". De même *l'autre chose* se dit **das andere**. Le datif neutre est semblable au datif masculin : **das** devient **dem** : **dem anderen**. Remarquez que **anderen** se termine dans ce cas-là en **-n**. Nous vous expliquerons pourquoi dans les leçons à venir.

***

Corrigé de l'exercice 1

❶ Bonsoir, puis-je vous présenter mon mari ? ❷ Quand vous mariez-vous ? La semaine prochaine ? ❸ Vous cherchez un costume ? Pour quelle occasion ? ❹ Ils m'ont demandé le chemin pour [aller à] l'opéra. ❺ Chéri, je te souhaite un bon anniversaire.

Übung 2 – Ergänzen Sie bitte!

❶ Je ne sais pas qui c'est, je ne le connais pas !

. . . ., wer das ist, ... ihn
nicht!

❷ Puis-je vous demander votre nom et vous inviter ? – Pas si vite,
une chose après l'autre.

Darf ich Sie . . . . fragen und
Sie einladen? – Nicht so . . . ., eins . . . .
. . . .

❸ Que cherchez-vous ? Puis-je vous aider ?

Was . . . .? Kann ich . . . .?

---

39   Neununddreißigste Lektion

Die Zeiten ändern sich ①

1 – Wem ② **schre**ibst du, wenn ③ ich **fra**gen
darf?

Prononciation
... ènd^an ... 1 vè:m chraïpst ...

Notes

① **(sich) ändern** signifie *changer* dans le sens de "modifier" (et
non pas "remplacer") ; **ändern** peut être transitif : **Er ändert
seine Pläne**, *Il change ses projets*, ou réfléchi : **Man muss sie
nehmen, wie sie ist, sie ändert sich nicht mehr**, *Il faut la
prendre comme elle est, elle ne ("se") change[ra] plus.* ▶

④ Je prends le costume, le prix est intéresssant *(favorable)*. 39

Ich nehme ... ., der Preis ist ....

⑤ Puis-je vous présenter ma future femme ?

.... Ihnen meine ....
vorstellen?

Corrigé de l'exercice 2

① Ich weiß nicht – ich kenne – **②** – nach Ihrem Namen – schnell –
nach dem anderen **③** – suchen Sie – Ihnen helfen **④** – den Anzug
– günstig **⑤** Darf ich – zukünftige Frau –

Trente-neuvième leçon   39

Les temps *(se)* changent

1 – À qui écris-tu si je peux [te le] demander
(peux) ?

▶ ② Nous avons vu que le pronom interrogatif **wer?**, *qui ?*, se
décline comme l'article défini masculin. Au datif, **wer** devient
donc **wem?**, *à qui ?*

③ Ici **wenn** a clairement le sens conditionnel de *si* : **Wenn ich
fragen darf**, *Si je peux demander*. Remarquez que c'est le
verbe "conjugué" – et non l'infinitif – qui se trouve à la fin de
la subordonnée introduite par **wenn**, et qu'il y a obligatoirement une virgule entre la principale et la subordonnée.

2 – **Mei**nem **On**kel ④ in A**me**rika.

3 – Du hast **ei**nen **On**kel in A**me**rika?

4 – Klar, **alle ha**ben doch Ver**wan**dte ⑤ dort.

5 – **Au**ßer mir ⑥, ich **ha**be **nie**mand dort.

6 – Das ist **wirk**lich Pech!

7 – Wa**rum** denn? Ich ver**ste**he dich nicht.

8 – Na, wem schickst du denn **Brie**fe, wenn ⑦ du Geld brauchst?

9 – Kein Pro**blem**! Ich **schrei**be **mei**ner **Tan**te ⑧ in **Chi**na. ☐

---

2 *maïnem* **o'ñk'l** ... *amé:rika* **4** ... *fèrva'ntë* ...
5 *aouss^a* ... **ni:ma'nt** **6** ... *pèch* **8** ... *chikst* ... **bri:fë** ...
9 ... *problé:m* ... *ta'ntë* ... **çhi:na**

Notes

④ Notez bien qu'il n'y a pas de préposition avec le datif pour traduire un complément indirect : c'est la déclinaison qui la remplace. **Er schreibt seinem Onkel**, *Il écrit à son oncle.* Comme l'article indéfini **ein**, les articles possessifs **mein/dein/sein**, etc. prennent la terminaison **-em** au datif masculin et neutre du singulier.

⑤ Le mot **Verwandte** désigne toute la parenté : **Onkel**, *oncle*, **Tante**, *tante*, **Großmutter**, *grand-mère*, etc. En revanche, **die Familie** n'inclut que **Vater, Mutter und Kinder**, *père, mère et enfants.*

⑥ La préposition **außer**, *excepté, à part, hors de...*, est suivie du datif : **Alle haben Geld außer meinem Vater**, *Tous ont de l'argent, sauf mon père.* ▶

2 – À mon oncle en Amérique.

3 – Tu as un oncle en Amérique ?

4 – Évidemment, tout le monde a *(tous ont)* bien [des] parents là-bas.

5 – Sauf moi, je n'ai personne là-bas.

6 – Ce [n']est vraiment [pas] de chance *(malchance)* !

7 – Pourquoi donc ? Je ne te comprends pas.

8 – Eh bien, à qui envoies-tu donc [des] lettres quand tu as besoin [d'] argent ?

9 – Aucun problème ! J'écris à ma tante en Chine.

(Man muss sie nehmen, wie sie ist, sie ändert sich nicht mehr.)

▸ ⑦ Ici, **wenn** est employé au sens temporel : *quand, chaque fois que, au moment où* (leçon 38, note 6).

⑧ Le datif féminin singulier se termine toujours en **-r**, que ce soit l'article défini, indéfini ou possessif : **Er schreibt der/einer/seiner Freundin**, *Il écrit à l'/une/son amie.*

40 **Übung 1 – Übersetzen Sie bitte!**

❶ Sie ändert sich nicht mehr. ❷ Mein Onkel aus China verbringt immer seinen Urlaub in Europa. ❸ Wem schreiben Sie? Ihrem Chef? ❹ Sagen Sie mir, wenn Sie Geld brauchen. ❺ Alle außer ihm haben Verwandte in Amerika.

Übung 2 – Ergänzen Sie bitte!

❶ Ma tante m'aide quand j'ai besoin [d']argent.

Meine Tante . . . ., wenn . . . .

. . . .

❷ Nous passons nos vacances en Chine.

. . . . unsere Ferien . . . .

❸ Je ne comprends pas ce que vous dites.

. . . ., was Sie sagen.

---

40 Vierzigste Lektion

Der Autokauf

1 – **Gu**ten Tag, Herr **Fi**scher, **ha**ben Sie **ei**nen **neu**en **Wa**gen ①?

Prononciation
… *a*outo-kaouf **1** … **no**ïën **va**:g'n

Remarque de prononciation
Titre Rappelez-vous qu'**au** se prononce *[a]* puis *[ou]* : **Autokauf** *[aouto-kaouf]*. Si vous le prononcez à la française, un Allemand risque de comprendre que vous parlez d'un monsieur du nom de **Otto Koof** !

Corrigé de l'exercice 1

❶ Elle ne change[ra] plus. ❷ Mon oncle de Chine passe toujours ses congés en Europe. ❸ À qui écrivez-vous ? À votre patron ? ❹ Dites-moi quand vous avez besoin d'argent. ❺ Tout le monde a *(tous sauf lui ont)* des parents en Amérique sauf lui.

❹ À qui écrivez-vous ? Est-ce que je connais cette personne ?
. . . schreiben Sie? . . . . die Person?

❺ J'ai beaucoup de parents, mais Klaus n'a qu'un oncle.
Ich habe viele . . . . , aber Klaus hat nur
. . . .

Corrigé de l'exercice 2

❶ – hilft mir – ich Geld brauche ❷ Wir verbringen – in China ❸ Ich verstehe nicht – ❹ Wem – Kenne ich – ❺ – Verwandte – einen Onkel

---

L'achat [d'une] voiture

1 – Bonjour, M. Fischer, vous avez une nouvelle voiture ?

Note

① Vous avez sûrement remarqué qu'il s'agit d'un accusatif masculin ? En effet, **der Wagen** est masculin. C'est pourquoi on dit **der Mercedes**, **der BMW** *[bé: èm vé:]*, etc. En revanche **das Auto**, *la voiture*, est neutre, comme le sont généralement les noms d'origine étrangère.

2 – Ja, den ② **ha**be ich **letz**ten **Mo**nat ge**kauft**.

3 Ge**fällt** ③ er **Ih**nen?

4 – Und wie! Der ist **wirk**lich **gro**ße **Kla**sse.

5 – Den **an**deren **Freun**den ④ ge**fällt** er auch sehr gut.

6 – Der ist doch **si**cher sehr **teu**er, nicht wahr?

7 – Stimmt ⑤, er ist nicht **bil**lig.

8 Aber ich **ha**be den **Wa**gen von ⑥ **mei**ner Frau ver**kauft** ⑦.

9 – Und was macht **Ih**re Frau jetzt?

10 – Sie hat ein **neu**es **Fahr**rad ge**kriegt** ⑧.

11 Das ist **um**weltfreundlicher ⑨. ☐

---

2 ... guë**ka**ouft **3** guë**fèlt** ... **4** ... kla**ssë** **5** dé:n **a'n**dërën **fro**ïndën ... **7** ... **bi**liç **8** ... fèr**ka**ouft **10** ... guë**kri**:kt **11** ... **oum**vèlt-**fro**ïntliç[a]

Notes

② Au lieu de dire **Ich habe den gekauft**, on aurait pu dire **ihn**, *le* : **Ich habe ihn gekauft**, *Je l'ai achetée* ("la voiture") ; mais dans le langage parlé, on emploie volontiers le pronom démonstratif.

③ **er gefällt mir**, *il me plaît*. L'infinitif n'a pas de tréma : **gefallen**, *plaire*.

④ Au datif, l'article du pluriel **die**, *les*, se change en **den** : **die Freunde**, *les amis*, **den Freunden**, *aux amis*. Notez cette particularité : au datif pluriel, on ajoute un **-n** au nom (s'il ne se termine pas déjà par **-n**).

⑤ **stimmt** est la 3e personne du singulier du verbe **stimmen**, qui signifie avant tout *accorder*, mais aussi *être juste/exact* : **das stimmt** ou simplement **stimmt** est une formule très usitée pour dire *[c'est] vrai, c'est juste, effectivement, c'est cela* (voir leçon 24). ▶

2 – Oui, *(celui-ci ai je)* je l'ai achetée le mois
dernier.

3 Elle vous plaît *(plaît il à-vous)* ?

4 – Et comment ! C'est vraiment [le] grand luxe
(grande classe).

5 – Aux autres amis, elle plaît aussi beaucoup *(très
bien)*.

6 – Mais elle est sûrement très chère, n'est-ce pas
(pas vrai) ?

7 – Effectivement *(juste)*, elle n'est pas bon
marché.

8 Mais j'ai vendu la voiture de ma femme.

9 – Et comment *(que)* fait votre femme
maintenant ?

10 – Elle a eu un nouveau vélo.

11 C'est plus écologique.

▶ ⑥ La préposition **von**, *de*, fait partie de celles qui entraînent toujours le datif.

⑦ **verkauft**, *vendu*, est le participe passé de **verkaufen**, *vendre*.
Les verbes à particule inséparable ne prennent pas de particule **ge-** au participe passé. Notez en revanche que le participe
passé de **kaufen**, *acheter*, est bien **gekauft**, *acheté* (voir phrase
2).

⑧ **kriegen** est probablement le verbe le plus employé en
allemand. Sa signification va de *avoir*, *obtenir*, *recevoir*, *commencer à avoir*, jusqu'à *attraper* (**Krieg keinen Schnupfen!**,
N'attrape pas de rhume !).

⑨ **umweltfreundlich** (litt. "environnement-amical") ; **die
Umwelt**, *l'environnement*, se décompose de son côté en **um**,
autour, et **die Welt**, *le monde*. **Freundlicher**, avec la terminaison **-er**, signifie plus *amical(e)* ; c'est une forme de comparatif.
Nous verrons bientôt les comparaisons.

40 Übung 1 – Übersetzen Sie bitte!

❶ Ich finde den neuen Kollegen sehr nett, er gefällt mir. ❷ Mir gefällt er auch, er gefällt allen. ❸ Wir haben unser Auto verkauft und Fahrräder gekauft! ❹ Fahrräder sind umweltfreundlich, sie fahren ohne Benzin. ❺ Er hat von seinen Eltern zum Geburtstag einen Anzug gekriegt.

Übung 2 – Ergänzen Sie bitte!

❶ Où est ta voiture ? – Je l'ai vendue.

.. ... dein Wagen? ... . ihn ....

❷ Qu'as-tu donc eu pour ton anniversaire ?

Was .... .. denn zum Geburtstag ....?

❸ Votre costume me plaît, M. Berg. Où l'avez-vous acheté ?

Ihr Anzug ...., Herr Berg. Wo ....
den ....?

❹ C'est cher. – C'est vrai, ce n'est pas bon marché.

Das ist ...... – Das stimmt, das ist .....
....

La voiture occupe une place très importante en Allemagne à plusieurs titres. Outre le fait que les voitures et les garages sont spacieux, l'Allemagne est le troisième constructeur automobile du monde. Qui ne connaît pas les grandes marques allemandes Audi, Mercedes, BMW – abréviation de **Bayrische Motoren-Werke** *("bavaroises moteurs-usines") –, sans oublier VW, la célèbre* **Volkswagen** *("voiture du peuple") ? Elle est également un élément de prestige. C'est pourquoi on en prend grand soin : l'Allemand moyen dépense beaucoup d'argent pour son "petit joyau", et trouve tout ce qui est nécessaire pour bien le soigner dans des supermarchés spécialisés du nom d'***Automarkt**. *Il faut dire qu'en Allemagne, prendre soin de sa voiture n'est pas seulement un loisir, mais une*

Corrigé de l'exercice 1

❶ Je trouve le nouveau collègue très sympa *(gentil)*, il me plaît [à moi]. ❷ À moi, il [me] plaît aussi, il plaît à tout le monde *(tous)*. ❸ Nous avons vendu notre voiture et acheté des vélos ! ❹ Les vélos sont écologiques, ils roulent sans essence. ❺ Pour son anniversaire, il a eu un costume [de la part] de ses parents.

Fahrräder sind umweltfreundlich, sie fahren ohne Benzin.

❺ Apportez encore une bière à mes amis ! C'est moi qui paye.

Bringen Sie meinen . . . . noch ein Bier!

Ich . . . . . .

Corrigé de l'exercice 2

❶ Wo ist – Ich habe – verkauft ❷ – hast du – gekriegt ❸ – gefällt mir – haben Sie – gekauft ❹ – teuer – nicht billig ❺ – Freunden – zahle

---

nécessité, car les contrôles techniques sont très sévères : tous les deux ans, chaque voiture doit passer au "**TÜV**" *(**Technischer Überwachungsverein**), organisme de surveillance technique, où l'on regarde jusqu'aux taches de rouille ! Toutefois, la voiture a aussi ses ennemis. Pour les mouvements écologistes, elle est l'un des premiers objets à combattre. Mais rassurez-vous, on peut être contre l'automobile et en posséder une superbe ! Encore un bon conseil : ne garez pas votre voiture en Allemagne comme en France – "au feeling", ou plus exactement "à l'oreille". Vous risquez de vous attirer de sérieux ennuis !*

41 Einundvierzigste Lektion

Die Stadt Dresden ist eine Reise wert ①

1 — Wir **möch**ten **Deutsch**land **bes**ser **ken**nen
   lernen.
2   Wo**hin sol**len wir **fah**ren?
3   Kannst du uns **ei**nen Rat ② **ge**ben?
4 — **Si**cher! Ihr müsst **un**bedingt nach **Dres**den
   fahren.
5 — Wo liegt ③ das denn?
6 — Im **Os**ten ④. **Dres**den ist die **Haupt**stadt
   von **Sach**sen.
7 — Und was gibt es ⑤ dort zu **seh**en?

Prononciation
… **dré:**s**dën** … **vé:**ᵃt **1** … **do**ïtch-la'nt **bèss**ᵃ … **3** … ra:t …
4 … **oun**'bëdiñkt … **5** … li:kt … **6** i'm **os**tën. … **ha**oupt-chtat
… **zax**'n

Notes

① **wert sein**, *valoir* : **Das ist viel wert / Das ist nichts wert**, *Cela*
a une grande valeur / Cela ne vaut rien ; **der Wert**, *la valeur*.

② Dans notre phrase, **der Rat**, *le conseil*, est à l'accusatif en tant
que complément d'objet direct. Le complément d'objet indirect, **uns**, *à nous*, est, lui, au datif. Ainsi de nombreux verbes
comme **geben**, *donner*, **bringen**, *apporter*, etc. sont accompagnés des deux compléments : **Sie gibt dem Kind einen**
Apfelsaft, *Elle donne un jus de pomme à l'enfant* ("à l'enfant
un jus de pomme").

③ Ici **liegen** signifie *se trouver*.

④ Nous avons vu que **im** est la contraction de la préposition **in**
+ l'article **dem**. Désormais nous savons que **dem** est un datif ▸

La ville [de] Dresde vaut [le] *(un)* voyage

1 – Nous voudrions mieux connaître l'Allemagne
   (connaître apprendre).
2   Où devons-nous aller ?
3   Peux-tu nous donner un conseil ?
4 – Certainement ! Il faut absolument que vous
   alliez à Dresde.
5 – Ça se trouve où *(Où se-trouve ça donc)* ?
6 – À l'est. Dresde est la capitale de [la] Saxe.
7 – Et qu'y a-t-il à [y] voir *(là-bas)* ?

Remarque de prononciation
6 Comme tous les **h** au début d'un mot, le **h** de **Hauptstadt** est
aspiré et **au** se prononce *[a]*, puis *[ou]*…

▶   masculin ou neutre : **der Osten**, *l'est*, **im Osten**, *à l'est*. Dans
une relation locative, la préposition de lieu est suivie du datif.
Wo wohnen Sie?, *Où habitez-vous ?* – **Im Zentrum**, *Au
centre*. Rappelez-vous que la question **wo?**, *où ?*, correspond
au locatif et que l'on utilise **wohin?**, *où ?* pour connaître le
but d'un déplacement : **Wohin fahren Sie?**, *Où allez-vous ?* –
Nach Hamburg, *À Hamburg*.

⑤ Nous avons déjà vu l'expression **es gibt**, *il y a*. L'infinitif qui
en dépend est précédé de **zu** et se met en fin de phrase : **Es gibt
hier nichts zu sehen**, *Il n'y a rien à voir ici*. Rappelez-vous à
cette occasion que lorsque **es gibt** est suivi d'un nom, celui-ci
se met à l'accusatif : **Gibt es hier keinen Supermarkt?**, *N'y
a-t-il pas de supermarché ici ?*

8 – Viel. Es ist eine **al**te Ba**rock**stadt mit
lan**ger** ⑥ Ge**schich**te.

9 Ich **schwö**re euch ⑦, die **Rei**se lohnt ⑧
sich. ☐

---

8 ... **al**të ba**rock**-chta't ... **la**'*ñgᵃ* gue**chich**të **9** ... **chveu:**rë
oiçh ... **lo:**nt ziçh

Notes

⑥ **die Geschichte** signifie aussi bien *l'Histoire* avec un grand
H que *l'histoire* que l'on raconte. La préposition **mit**, *avec*,
entraîne le datif. Notre phrase ne comportant pas d'article,
c'est l'adjectif qui se met au datif en prenant la terminaison
-er : **lang**, *long*, mais **mit langer Geschichte**, *avec une longue
histoire*.

⑦ **euch**, *à vous*, est le datif de **ihr**, *vous*. Rappelez-vous qu'il ne
s'agit pas de la forme de politesse qui serait **Ihnen**, *à vous*,
mais d'une forme de tutoiement au pluriel. ▶

***

Übung 1 – Übersetzen Sie bitte!

❶ Ich möchte München besser kennen lernen.
❷ Du musst unbedingt in den Englischen Garten
gehen. ❸ Wo liegt Sachsen? – Im Osten von
Deutschland. ❹ Ich gebe euch einen Rat, erzählt
mir keine Geschichten! ❺ Was gibt es denn hier
zu sehen?

8 – Beaucoup [de choses]. C'est une vieille ville baroque avec [une] longue histoire.
9 Je vous jure, le voyage [en] vaut la peine.

Remarque de prononciation
8 Certains disent que **Geschichte** n'est pas facile à prononcer. Effectivement, **sch** et puis **ch**, cela fait beaucoup. Mais pensez donc à **ich** et prononcez simplement **sch** avant : *[ch] → [içh]*.

▶ ⑧ Le verbe réfléchi **sich lohnen** – qui vient de **der Lohn**, *la rémunération, le salaire* – s'emploie avant tout dans l'expression **Das lohnt sich / lohnt sich nicht** (litt. "ça ne paye pas"), *Cela vaut la peine / ne vaut pas la peine*.

***

Corrigé de l'exercice 1
❶ Je voudrais mieux connaître Munich. ❷ Il faut absolument que tu ailles au jardin anglais. ❸ Où se trouve [la] Saxe ? – À l'est de l'Allemagne. ❹ Je vous donne un conseil, ne me racontez pas d'histoires ! ❺ Mais qu'y a-t-il à voir ici ?

Übung 2 – Ergänzen Sie bitte!

❶ Nous cherchons un bon restaurant, pouvez-vous nous donner un conseil ?

. . . . ein gutes Restaurant, könnt ihr
. . . . ?

❷ Ça ne vaut pas la peine, il n'y a rien à voir.

Das . . . . nicht, ... dort . . . . . .
zu sehen.

❸ Où allez-vous ? À Dresde ? Ça se trouve où ?

. . . . . fahren Sie? Nach Dresden? . . . .
das denn?

❹ À l'est de l'Allemagne, c'est la capitale de la Saxe.

. . . . von Deutschland, das ist . . .
. . . . von Sachsen.

Besichtigen Sie Dresden !, Allez visiter Dresde ! *La belle ville baroque de Dresde se trouve au sud de l'Allemagne de l'Est. C'est pour sa magnifique architecture, pour la douceur de son climat et pour la fertilité de sa terre qu'on l'appelle "la Florence du Nord". Située à la frontière entre le sud catholique et le nord protestant, l'ouest romain et l'est slave, elle a été un carrefour important depuis sa fondation il y a huit cents ans. C'est dans la première moitié du XVIIIe siècle, sous le règne d'***August der Starke** (Auguste le Fort)*, *comte de Saxe et roi de Pologne, que Dresde a connu son âge d'or. Les plus belles constructions baroques comme le **Dresdner Zwinger*** – *ancienne forteresse destinée aux fêtes de la cour* – *le château Pillnitz, la rue royale et la cathédrale, témoignent de cette époque. Aujourd'hui sont exposées dans la galerie des Maîtres anciens au Zwinger les splendides collections d'œuvres d'art du trésor royal ainsi qu'un remarquable ensemble de porcelaines*

⑤ Pourquoi l'as-tu acheté ? Ça ne vaut rien.

Warum .... das ....? Das ist ......

. . . . .

Corrigé de l'exercice 2

❶ Wir suchen – uns einen Rat geben ❷ – lohnt sich – es gibt –
nichts – ❸ Wohin – Wo liegt – ❹ Im Osten – die Hauptstadt –
❺ – hast du – gekauft – nichts wert

japonaises et chinoises et surtout les plus belles pièces de por-
celaine de Meißen depuis sa création en 1708. La petite ville de
Meißen est située à vingt kilomètres au nord-ouest de Dresde. Au
XIXe siècle, grâce à un artisanat de haute qualité et à sa situation
géographique, Dresde était prospère et devint l'une des villes les
plus riches d'Allemagne. Encore aujourd'hui, c'est là que l'on
trouve les plus beaux hôtels particuliers, luxueux symboles de ce
passé florissant. Pendant des siècles, la ville a miraculeusement
résisté aux coups du destin. Les empreintes terribles que les guerres
ont laissées, et surtout la Deuxième Guerre mondiale, sont, après
de longues années de reconstruction, presque effacées. Après avoir
visité toutes les richesses de la ville, n'oubliez surtout pas de faire
une excursion sur un des anciens bateaux à vapeur de l'Elbe. Vous
aurez une vue inoubliable sur la ville et admirerez un paysage des
plus charmants.

42   Zweiundvierzigste Lektion

Wiederholung – Révision

1   Le datif, ses articles et ses pronoms personnels

Le datif est, après le nominatif (sujet) et l'accusatif (COD), le troisième (et avant-dernier) cas de la déclinaison. En premier lieu, il s'emploie pour traduire le complément d'objet indirect :
Der Mann gibt dem Hund den Käse, *L'homme donne le fromage au chien* (litt. "au chien le fromage") :
Le sujet est au nominatif : **der Mann**.
Le complément d'objet direct répondant à la question "qu'est-ce qu'il donne ?" est à l'accusatif : **den Käse**.
Le complément d'objet indirect qui répond à la question "à qui / à quoi" est au datif : **dem Hund**, *au chien*.

Comme nous le savons, l'ordre des mots ne correspond pas toujours à l'ordre français. En allemand, le datif précède toujours l'accusatif, sauf quand l'un des deux est un pronom personnel. Dans ce cas-là le pronom précède le nom : **Der Mann gibt ihm den Käse**, *L'homme lui donne le fromage*. Ou : **Der Mann gibt ihn dem Hund**, *L'homme le donne au chien*. Et au cas où nous avons deux pronoms, le pronom à l'accusatif précède le pronom au datif : **Der Mann gibt ihn ihm**, *L'homme le lui donne*.

Voici nos tableaux de la leçon 21 élargis au datif :

1.1 Les articles définis et indéfinis

	Masculin	Féminin	Neutre	Pluriel
Nominatif	**der/ein**	**die/eine**	**das/ein**	**die/ –**
Accusatif	**den/einen**	**die/eine**	**das/ein**	**die/ –**
Datif	**dem/einem**	**der/einer**	**dem/einem**	**den/ -n**

Notez deux choses :

Au datif singulier, l'article masculin et l'article neutre sont semblables.

Au datif pluriel, ce n'est pas seulement l'article, mais aussi le nom qui prend la terminaison **-n** (s'il n'en a pas déjà un) :

Die Kinder spielen im Garten, *Les enfants jouent dans le jardin*.
Der Vater gibt den Kindern Schokolade, *Le père donne du chocolat aux enfants*.

1.2 Les pronoms personnels

	Singulier		
	1re pers.	2e pers.	3e pers.
Nominatif	**ich**	**du**	**er/sie/es**
Accusatif	**mich**	**dich**	**ihn/sie/es**
Datif	**mir**	**dir**	**ihm/ihr/ihm**

	Pluriel			Sing./Pl.
	1re pers.	2e pers.	3e pers.	Politesse
Nominatif	**wir**	**ihr**	**sie**	**Sie**
Accusatif	**uns**	**euch**	**sie**	**Sie**
Datif	**uns**	**euch**	**ihnen**	**Ihnen**

2   La formation du participe passé (ou participe II) des verbes dits réguliers

Pour la grande majorité des verbes, le participe passé prend la particule **ge-**. Tous les participes passés des verbes réguliers se terminent par **-t** ou **-et** lorsque le radical du verbe se termine en **-t** ou en **-d** (on ajoute alors un "e" de phonétique).

42 Ce qui donne : **ge-** + radical du verbe + **-t** = participe passé.

machen, *faire* → **gemacht**, *fait*
sagen, *dire* → **gesagt**, *dit*
reden, *parler* → **geredet**, *parlé*
arbeiten, *travailler* → **gearbeitet**, *travaillé*

Mais attention ! Les verbes à particule inséparable ne prennent pas de **ge-** :

verkaufen, *vendre* → **verkauft**, *vendu*
erzählen, *raconter* → **erzählt**, *raconté*.

Nous verrons le participe passé des verbes à particule séparable dans les prochaines leçons.

3 *wo?*, où ?, *wohin?*, où ? (avec déplacement), *woher?*, d'où ?

En allemand, on fait la différence entre :
– un lieu où l'on est (relation locative) qui répond toujours à la question **wo?** : **Wo sind Sie?**, *Où êtes-vous ?*
– un lieu où l'on va (relation directionnelle) qui répond à la question **wohin?** : **Wohin gehen Sie?** ou **Wo gehen Sie hin?**, *Où allez-vous ?*
– et un lieu d'où l'on vient (relation de provenance/d'origine) qui répond à la question **woher?** : **Er kommt hierher**, *Il vient d'ici* ; **Er kommt dorther**, *Il vient de là-bas.*

Dans les réponses correspondantes, on retrouve **hin** qui indique un éloignement, et **her** qui marque un rapprochement vers la personne ; **hin** et **her** sont également indispensables dans les réponses :
Ich bin hier, ich bin dort, *Je suis ici, je suis là-bas.*
Ich gehe hierhin, ich gehe dorthin, *Je vais ici, je vais là-bas.*
Ich komme hierher, ich komme dorther, *Je viens ici, je viens de là-bas.*

der Norden / *Le nord*

der Westen / *L'ouest* **der Osten** / *L'est*

der Süden / *Le sud*

15 Baden-Württemberg   13 Niedersachsen
16 Bayern   4 Nordrhein-Westfalen
7 Berlin   8 Rheinland-Pfalz
6 Brandenburg   9 Saarland
3 Bremen   12 Sachsen
2 Hamburg   11 Sachsen-Anhalt
14 Hessen   1 Schleswig-Holstein
5 Mecklenburg-Vorpommern   10 Thüringen

Die Welt ist klein

1 – Thomas! Das darf nicht wahr sein!
2   Was machst du hier in Dresden im Smoking?
3   Wohin gehst du denn?
4   Woher kommst du?
5   Was hast du die ganze Zeit gemacht?
6   Wie geht's dir?
7   Hast du meine Briefe nicht gekriegt?
8   Du musst mir unbedingt sagen, wo du wohnst…
9 – Sicher, Melanie, aber warte, lass mich dir antworten.
10   Eins nach dem anderen.
11   Also: mir geht's sehr gut.
12   Ich bin mit meinem Orchester für zwei Tage hier.
13   Wir spielen heute Abend in der Oper.
14   Ich habe deine Briefe leider nicht gekriegt.
15   Wir haben die letzten sechs Monate in China gespielt.
16   Aber hör mal: ich freue mich sehr, dich zu sehen!
17   Du siehst fantastisch aus!
18   Du gefällst mir wirklich.
19   Warum lachst du? Ich bin ledig und nicht häßlich.
20   Und ich schwöre dir, bald bin ich reich.

Le monde est petit

1 Thomas ! Ce n'est pas croyable ! **2** Que fais-tu ici à Dresde en smoking ? **3** Mais où vas-tu ? **4** D'où viens-tu ? **5** Qu'as-tu fait tout ce temps *(l'entier temps fait)* ? **6** Comment vas-tu ? **7** Tu n'as pas reçu mes lettres ? **8** Tu dois absolument me dire où tu habites… **9** Certainement, Melanie, mais attends, laisse-moi te répondre. **10** Une [chose] après l'autre. **11** Donc : je vais très bien. **12** Je suis ici avec mon orchestre pour deux jours. **13** Nous allons jouer *(jouons)* à l'opéra ce soir. **14** Je n'ai malheureusement pas reçu tes lettres. **15** Nous avons joué en Chine ces six derniers mois. **16** Mais écoute *(fois)* : je suis très content de te voir ! **17** Tu as une mine superbe ! **18** Tu me plais vraiment. **19** Pourquoi ris-tu ? Je suis célibataire et pas moche. **20** Et je te jure, bientôt je serai *(suis)* riche.

43 Dreiundvierzigste Lektion

Die Mücke

1 – Wa**rum** hast du das Licht **an**gemacht ①?
2 – Ich kann nicht **schlaf**en.
3 Ich **hab**e **ein**e Mücke ge**hört**.
4 – Oh nein! Wo ist sie?
5 – Sie sitzt ② auf der **Lam**pe.
6 – Schnell, gib mir die **Zei**tung! *(klatsch!)*
7 **Scha**de, zu spät, sie ist **weg**geflogen ③.
8 – Wo**hin** denn? Siehst du sie?
9 – Ja, dort, jetzt fliegt sie auf die ④ **Lam**pe
zu**rück**.

Prononciation
... *mu*kë **1** ... li*çht a'n*'gu*ë*mac*Ht* **5** ... *zitst* ... *la'm*pë
6 ... *tsa*ï*touñg* ... **7** *cha:*dë ... *wèk*'gu*ë*flo:*g'n*

Notes

① **angemacht**, *allumé*, est le participe passé de **anmachen**, **an**
étant séparable. La particule séparable précède la particule **ge-**
du participe passé. Le contraire de **anmachen** est **ausmachen**,
éteindre, dont le participe passé est **ausgemacht** : **Ich habe
das Licht ausgemacht**, *J'ai éteint la lumière* (voir phrase 13).

② **sitzen** signifie *être assis* (mais oui, en Allemagne les moustiques sont "assis" !).

③ **weggeflogen** est le participe passé de **wegfliegen**, *s'envoler*.
La particule séparable **weg**, qui à elle seule signifie *parti(r)*, ▸

Le moustique

1 –   Pourquoi as-tu allumé la lumière ?
2 –   Je ne peux pas dormir.
3   J'ai entendu un moustique.
4 –   Oh, non ! Où est-il ?
5 –   Il est *(assis)* sur la lampe.
6 –   Vite, passe-moi *(donne moi)* le journal ! *(paf !)*
7   Dommage, trop tard, il s'est envolé.
8 –   Où ça *(donc)* ? Tu le vois *(Vois tu la)* ?
9 –   Oui, là-bas, maintenant il retourne *(en volant)*
          vers *(sur)* la lampe.

Remarque de prononciation
1, 7, 9, 11 Rappelez-vous que c'est la particule séparable qui porte l'accent tonique : **<u>an</u>gemacht**, **<u>weg</u>geflogen**, **zu<u>rück</u>fliegen**, **<u>run</u>terfallen**.

▸   se place devant la particule **ge-** du participe passé (voir note 1). Le participe de **fliegen**, *voler*, est **geflogen**. Il s'agit d'un participe irrégulier.

④   Ici, nous trouvons la préposition de lieu **auf**, *sur*, suivie d'un accusatif : **auf die Lampe**, *sur la lampe*. Dans la phrase 5, **auf** était suivi du datif : **auf der Lampe**. La différence vient du fait que dans la phrase 5, le moustique se trouve déjà sur la lampe, alors qu'à la phrase 9, la lampe est une destination à atteindre. Nous verrons ceci plus amplement en leçon de révision.

10 **Die**ses ⑤ Mal ent**kommt** sie mir nicht!

11 – **Vor**sicht, fall nicht **run**ter ⑥! (*klatsch!*)

12 – Ich **ha**be sie! **End**lich **ha**be ich ⑦ sie.

13 – Dann **kön**nen wir ja ⑧ das Licht **aus**machen.

14 **Gu**te Nacht! □

---

10 di:zès ma:l èntko'mt … 11 … rountᵃ … 12 … èntliçh …

Remarque de prononciation
10 La particule inséparable ne porte jamais l'accent : ent**kom**men.

Notes

⑤ L'article démonstratif **dieser**, **diese**, **dieses**, *ce*, *cette*, *ce* (neutre), se décline comme l'article défini **der**, **die**, **das**.

⑥ **runter**, *vers le bas*, est une abréviation de **herunter**. Il s'ajoute au verbe en tant que particule séparable : **runterfallen**, *tomber*, **runtergehen**, *descendre* (par exemple les escaliers), **runtergucken**, *regarder en bas*, etc.

⑦ Voici un bel exemple pour vous rappeler l'inversion. Si le sujet ne figure pas en premier, il est inversé, c'est-à-dire qu'il suit le verbe qui, lui, garde la deuxième position : **Ich habe sie endlich** est pareil à **Endlich habe ich sie.** ▶

***

Übung 1 – Übersetzen Sie bitte!

❶ Onkel Klaus sitzt mit der Zeitung im Garten. ❷ Wir fliegen nicht, wir fahren mit dem Auto nach Italien. ❸ Mach bitte das Licht aus, die Mücken kommen. ❹ Im Sommer sind sie nach Brasilien geflogen. ❺ Was machst du auf dem Auto? Komm sofort runter!

10 Cette fois-ci il ne m'échappe[ra] pas !
11 – Attention, ne tombe pas *(en bas)* ! *(paf !)*
12 – Je l'ai [eu] ! Enfin, je l'ai [eu].
13 – Alors nous pouvons *(oui)* éteindre la lumière.
14 Bonne nuit !

Die Mücke

▶ ⑧ Nous avons vu que **ja** n'est pas seulement employé pour dire "oui". En intégrant **ja** dans une phrase, on peut exprimer l'accord présumé de l'autre : **Dann können wir ja gehen**, *Alors nous pouvons [bien] partir* (sous-entendu : tu es d'accord), ou renforcer une exclamation (cf. leçon 32, note 5) : **Da sitzt ja eine Mücke!**, *[Mais] il y a un moustique ici !*

***

Corrigé de l'exercice 1

❶ [L']oncle Klaus est assis dans le jardin avec le journal. ❷ Nous ne prenons pas l'avion, nous allons en *(avec la)* voiture en Italie. ❸ Éteins la lumière s'il te plaît, les moustiques arrivent. ❹ Cet été, ils sont allés *(en avion)* au Brésil. ❺ Que fais-tu sur la voiture ? Descends tout de suite !

44 **Übung 2 – Ergänzen Sie bitte!**

❶ Allume la lumière, s'il te plaît, je ne vois plus rien.

. . . . bitte das Licht . . , ... nichts
mehr.

❷ Où est le moustique ? – Sur la lampe.

. . sitzt . . . . ? – Auf . . . .

❸ Cette fois-ci il *(elle)* ne s'est pas envolé, je l'ai enfin [eu].

. . . . ist sie nicht . . . . , . . .
. . . . sie endlich.

❹ Ils ont éteint la lumière, ils veulent dormir.

Sie haben . . . . , sie wollen
. . . .

---

44 **Vierundvierzigste Lektion**

Der 31. Dezember ①

1 – Es ist fünf vor zwölf ②, hol schnell den
Cham**pag**ner.
2 – Wo ist er denn?

Prononciation
*... **aïn**-ount-**dra**ïssikstë dé:**tsèm**bᵃ **1** ... cha'm**pa'n**yᵃ*

Notes

① N'oubliez pas le point après le chiffre du jour, qui est indispensable pour qu'on lise un nombre ordinal : **der einunddreißigste Dezember** (le "trente et unième" décembre).

▶

⑤ As-tu enfin [eu] le crabe ? Attention, ne le laisse pas [s'] 44
échapper !

.... endlich die Krabbe? ...., lass
sie nicht ....!

Corrigé de l'exercice 2

❶ Mach – an, ich sehe – **❷** Wo – die Mücke – der Lampe **❸** Dieses
Mal – weggeflogen, ich habe – **❹** – das Licht ausgemacht –
schlafen **❺** Hast du – Vorsicht – entkommen

Quarante-quatrième leçon 44

Le 31 décembre

1 – Il est minuit moins cinq *(cinq avant douze)*, va
vite chercher le champagne.
2 – Mais où est-il ?

▸ ② **fünf vor zwölf** signifie littéralement "cinq avant douze",
soit cinq [minutes] avant minuit. Dans la vie courante, on dit
zwölf, *douze*, indifféremment pour midi ou pour minuit ; si
l'on veut préciser, on dit **zwölf Uhr mittags**, *midi*, ou **zwölf
Uhr nachts**, *minuit*. Pour "minuit", on peut également dire
Mitternacht ou **vierundzwanzig Uhr**, *vingt-quatre heures*.

3 – Er steht ③ na**tür**lich im **Kühl**schrank.

4 – Da ist er nicht, ich **ha**be überall
nachgesehen ④.

5 – Das kann nicht sein!

6 – Liegt er oder steht er im **Kühl**schrank?

7 – Ich bin **si**cher, ich **ha**be ihn in die Tür vom
Kühlschrank ge**stellt** ⑤.

8 – In der Tür steht nur e**ine** **Fla**sche Olivenöl.

9 Seit wann stellst du Öl in den **Kühl**schrank?

10 – Ach, jetzt weiß ich, wo**hin** ich den
Cham**pag**ner ge**stellt ha**be ⑥! □

---

*3 ... chté:t ... **ku:l**-chrañk 4 ... u:b*ᵃ*'al **nacH**'guëzé:n 6 **li:**kt
... 7 ...**tu:**ᵃ ... guë**chtèlt** 8 ... o**li:**v'n-eu:l*

Remarque de prononciation
8 Le **v** dans **Olive** se prononce comme en français *[v]*, car il
s'agit d'un mot d'origine étrangère.

Notes

③ **stehen**, *être/rester/se tenir debout*, ne s'emploie que pour
quelque chose ou quelqu'un qui tient debout ; autrement, on
dit : **liegen**, *être, rester* (allongé, couché) : **Die Flasche steht
im (in dem) Kühlschrank**, *La bouteille est* ("debout") *au
réfrigérateur*, mais : **Die Flasche liegt im Kühlschrank**, *La
bouteille est couchée au réfrigérateur*.

④ **nachgesehen** est le participe passé de **nachsehen** (litt. "après-
voir"), *vérifier, regarder*.

⑤ **gestellt** est le participe passé régulier de **stellen**, *mettre, poser*,
qui sous-entend que l'objet posé va se tenir "debout" : **Er stellt** ▶

3 – Il est *(debout)* au réfrigérateur, évidemment.

4 – *(Là)* Il n'y est pas, j'ai regardé partout.

5 – Ce n'est pas possible *(Ça ne peut pas être)* !

6 – Est-il couché ou debout dans le frigo ?

7 – Je suis sûr [que] je l'ai mis dans la porte du frigo.

8 – Dans la porte, il n'y a qu'une *(est-debout seulement une)* bouteille d'huile d'olive.

9 Depuis quand mets-tu [de l']huile au frigo ?

10 – Ah, maintenant je sais où j'ai mis le champagne !

Wo ist die Zeitung?

▸ **die Flasche auf den Tisch**, *Il pose la bouteille sur la table*. Rappelez-vous qu'avec un verbe indiquant un déplacement (avec un but précis : ici, la table), la préposition de lieu est suivie d'un accusatif : **auf den Tisch**, *sur la table*.

⑥ **habe** se trouve ici à la fin parce qu'il ne s'agit pas d'une question directe qui aurait été : **Wohin habe ich den Champagner gestellt?**, *Où ai-je mis le champagne ?*, mais d'une proposition dépendant d'une principale, c'est-à-dire une subordonnée. Notez la virgule qui précède **wohin** et souvenez-vous qu'une principale est toujours séparée de la subordonnée par une virgule.

Übung 1 – Übersetzen Sie bitte!

❶ Wohin habt ihr die Flaschen gestellt? **❷** Kannst du bitte nachsehen, wie viel Uhr es ist? **❸** Wo ist die Zeitung? Liegt sie auf dem Kühlschrank? **❹** Es ist fünf vor sechs und wir haben noch kein Brot geholt. **❺** Holen wir Champagner, wir müssen das feiern!

Übung 2 – Ergänzen Sie bitte!

❶ Mets la bouteille au réfrigérateur, nous allons la boire ce soir.

. . . . . die Flasche . . . ., wir
trinken sie . . . .

❷ À quelle heure est notre rendez-vous ? – Attendez, il faut que je vérifie.

. . . . ist unser Termin? – . . . . . .
. . ., ich muss . . . .

❸ Je ne sais plus où j'ai mis le champagne.

. . . . nicht mehr, ... ich den
Champagner . . . .

❹ J'en suis sûre, les pommes de terre sont *(couchées)* dans le placard.

Ich bin . . . . . ., die Kartoffeln . . . .
. . . .

Corrigé de l'exercice 1

❶ Où avez-vous mis les bouteilles ? ❷ Peux-tu regarder quelle heure il est, s'il te plaît ? ❸ Où est le journal ? Il est sur le frigo ? ❹ Il est six heures moins cinq et nous ne sommes pas encore allés chercher le pain. ❺ Allons chercher du champagne, il faut fêter cela !

❺ Va vite me chercher le journal ! – Depuis quand es-tu mon patron ?

... mir .... die Zeitung! – ....
bist du .... ?

Corrigé de l'exercice 2

❶ Stell – in den Kühlschrank – heute Abend ❷ Um wie viel Uhr – Warten Sie – nachsehen ❸ Ich weiß – wohin – gestellt habe ❹ – sicher – liegen im Schrank ❺ Hol – schnell – Seit wann – mein Chef

Commencez-vous à vous familiariser avec le participe passé ? C'est une simple question d'habitude, comme pour les déclinaisons et les verbes à particule. Il y a déjà un grand nombre de particularités de la langue allemande qui vous semblent familières aujourd'hui, **nicht wahr?**, *n'est-ce pas ?*

45 Fünfundvierzigste Lektion

In der letzten Minute

1 – Wo warst ① du denn so **la**nge?
2 – Auf dem Klo ② war ③ eine **Schla**nge.
3 – **Hof**fentlich ④ hat das Stück noch nicht **an**gefangen ⑤.
4 – Wo **sit**zen ⑥ wir? **Un**ten **o**der **o**ben?
5 – **Un**ten, ganz vorn, in der **zwei**ten **Rei**he. Komm!
6 – Oh, es ist schon **dun**kel.
7 – Ich **gla**ube, hier sitzt **nie**mand.

Prononciation
1 ... va:ᵃst ... 2 ... klo: va:ᵃ ... 3 hof'ntliçh ... a'n'guëfañg'n
4 ... ountën ... o:b'n 5 ... forn ... raïë 6 ... douñk'l

Notes

① **du warst**, *tu étais*, est la 2ᵉ personne du singulier du prétérit du verbe **sein**, *être*.

② Pour *les toilettes*, on dit **das Klo** ou **die Toilette** (employé au singulier) : **ich muss aufs** (= **auf das**) **Klo**, ou **Ich muss auf (die) Toilette**, *Je dois [aller] aux toilettes*. (Attention, il faut dire **auf**, *sur*, et pas **in**, *dans...* !) **Klo** est la forme abrégée de **Klosett** qui est empruntée à l'anglais *water-closet* (d'où vient également l'abréviation courante **WC** qui se prononce *[vé: tsé:]*).

③ Au prétérit, la 3ᵉ personne du singulier ne se termine jamais par un **-t** : **er/sie/es war**, *il, elle, il* (neutre) *était*. Notez aussi que **sein**, *être*, s'utilise souvent au prétérit, contrairement aux autres verbes que l'on emploie presque exclusivement au passé composé dans la langue parlée. ▶

À la dernière minute

1 – Mais où étais-tu *(donc)* [pendant] si
longtemps ?
2 – Il y avait la *(était une)* queue aux toilettes.
3 – J'espère [que] la pièce n'a pas encore
commencé.
4 – Où sommes-nous assis ? En bas ou en haut ?
5 – En bas, tout devant, au deuxième rang. Viens !
6 – Oh, il n'y a déjà plus de lumière *(il est déjà
obscur)*.
7 – Je crois, [qu']ici il n'y a personne.

Remarque de prononciation
4, 8 Faites attention à bien prononcer la voyelle du radical, qui
constitue la seule différence entre **si**tzen et **se**tzen.

▸ ④ **hoffentlich** est un adverbe qui vient de **hoffen**, *espérer*. On
peut le remplacer en allemand par **ich hoffe**, *j'espère*, ou,
quand plusieurs personnes parlent, par **wir hoffen**, *nous
espérons* : **Ich hoffe, das Stück hat noch nicht angefangen**,
J'espère [que] la pièce n'a pas encore commencé. Lorsqu'on
estime que tout le monde souhaite la même chose, **hoffentlich** se traduit par *espérons que* : **Hoffentlich regnet es nicht**,
Espérons qu'il ne pleuvra ("pleut") *pas.*

⑤ **angefangen** est le participe passé de **anfangen**, *commencer.*
Attention aux particules ! **Fangen** tout seul veut dire *attraper…*

⑥ **sitzen**, *être assis*, est avec **stehen**, *être debout*, et **liegen**, *être
allongé/couché*, le troisième des verbes de position. Son parti-
cipe passé est **gesessen**, *assis* (voir phrase 13).

45 **8**   **Set**zen ⑦ wir uns bis zur ⑧ **Pau**se **hier**hin.
    9 – **Hil**fe! Oh, ent**schul**digen Sie **bit**te!
   10 – Pst! **Kön**nen Sie nicht still sein? **Ru**he,
          bitte!
   11 – Was war denn?
   12   Wa**rum** hast du ge**schrien** ⑨?
   13 – Auf **mei**nem Platz hat schon **je**mand
          ge**ses**sen!   □

---

*8 zèts'n ... bi's **tsou:**ᵃ **pa**ouzë ... 9 **hil**fë ... 10 pst ... chtil
zaï'n? rou:ë ... 12 ... guë**chri:'n** 13 ... **yé:** ma'nt guë**zès'n***

Remarque de prononciation
13 N'oubliez pas que **j** se prononce comme si l'on écrivait **y** :
jemand *[yé:ma'nt]*.

Notes

⑦ **sich setzen**, *s'asseoir*, est un verbe réfléchi. À part les troisièmes personnes dont le pronom réfléchi est **sich**, *se*, les pronoms réfléchis sont semblables aux pronoms personnels à l'accusatif : **ich setze mich**, *je m'assois*, **du setzt dich**, *tu t'assois*.

⑧ **bis zu**, *jusqu'à* ; **zur** est la contraction de **zu** + **der**. Rappelez-vous que la préposition **zu**, *à*, est toujours suivie du datif. **Die Pause** est donc féminin... ▸

***

Übung 1 – Übersetzen Sie bitte!

❶ Ich bin müde, ich setze mich fünf Minuten hierhin. ❷ Können wir anhalten? Ich muss aufs (auf das) Klo. ❸ Komm schnell, hoffentlich gibt es keine Schlange. ❹ Thomas hat ganz allein unten gesessen und Musik gehört. ❺ Kommt da jemand? – Nein, da kommt niemand.

8   Asseyons-nous ici jusqu'à l'entracte.

9 –   Au secours ! Oh, excusez-moi *(s'il vous plaît)* !

10 –   Chut ! Vous ne pouvez pas vous taire *(calme être)* ? Silence, s'il vous plaît !

11 –   Mais qu'est-ce qui s'est passé *(qu'était donc)* ?

12   Pourquoi as-tu crié ?

13 –   Il y avait déjà quelqu'un sur mon siège *(assis)* !

▶ ⑨ **geschrien** vient du verbe **schreien**, *crier*. Souvent, **-ei-** à l'infinitif se change en **-ie-** au participe passé.

***

Corrigé de l'exercice 1

❶ Je suis fatigué, je m'assois pendant cinq minutes ici. ❷ Pourrions *(Pouvons)*-nous nous arrêter ? Je dois [aller] aux toilettes. ❸ Viens vite, j'espère qu'il n'y a pas de file d'attente. ❹ Thomas est resté *(a été)* assis tout seul en bas et a écouté [de la] musique. ❺ Y a-t-il *(vient là)* quelqu'un ? – Non, il n'y a *(là vient)* personne.

Übung 2 – Ergänzen Sie bitte!

❶ Je crois [que] la pièce a déjà commencé.

... ., das Stück ... schon

....

❷ Ne t'assieds pas à ma place ou je crie !

.... nicht auf .... oder

... .!

❸ Excusez-moi, vous êtes assis à ma place.

...., Sie sitzen ... .

......

---

46 Sechsundvierzigste Lektion

„Der Mensch denkt und Gott lenkt"

1 – Haben Sie **schö**ne **F**erien ver**bracht** ①,
Herr Sturm?

2 – Nein, das kann man nicht **sa**gen.

3 – Oh, das tut mir Leid für Sie.

4 Was ist denn pas**siert** ②?

Prononciation
... lêñkt **1** ... fèr**bracHt** ... chtourm **4** ... pas**si:**ᵃ't

Notes

① **verbracht** est le participe passé "totalement" irrégulier de
verbringen, *passer*. **Ver-** étant une particule inséparable,
elle se met à la place de **ge-**, qui est la particule habituelle du ▶

④ Où étais-tu ? Maintenant il faut attendre jusqu'à l'entracte
(pause).

Wo . . . . ? Jetzt müssen wir . . . . . .
. . . . . warten.

⑤ Au secours ! – Mais pourquoi avez-vous crié ? J'espère que vous allez bien.

. . . . . ! – Warum . . . . denn . . . . ?
. . . . geht es Ihnen gut.

Corrigé de l'exercice 2

❶ Ich glaube – hat – angefangen ❷ Setz dich – meinen Platz – ich schreie ❸ Entschuldigen Sie – auf meinem Platz ❹ – warst du – bis zur Pause – ❺ Hilfe – haben Sie – geschrien – Hoffentlich –

Quarante-sixième leçon   46

"L'homme propose *(pense)* et Dieu dispose *(dirige)*"

1 – Avez-vous passé de bonnes vacances, M. Sturm?
2 – Non, *(cela)* on ne peut pas dire cela.
3 – Oh, je suis désolé pour vous.
4   Mais que [s']est-il *(donc)* passé ?

▶   participe passé. En revanche, le participe passé de **bringen**, *apporter*, est bien **gebracht**, et celui de **mitbringen**, *apporter* ("avec soi"), **mitgebracht**.

② **passiert** est le participe passé de **passieren**, *[se] passer*. Les verbes d'origine française qui se terminent en **-ieren** ne prennent pas la particule **ge-**.

5 – Wir sind in die **Ber**ge ge**fah**ren ③ wie **je**des Jahr um **die**se **Ze**it.

6 Nor**ma**lerweise ist im **Ju**ni das **Wet**ter ④ sehr schön.

7 Aber **die**ses Jahr hat es in den **Ber**gen ⑤ nur ge**re**gnet.

8 Die **ers**ten **Ta**ge sind wir **trotz**dem **raus**gegangen ⑥.

9 Aber nach vier **Ta**gen **Re**gen **hat**ten ⑦ wir ge**nug**.

10 Wir sind nach **Hau**se ge**fah**ren.

11 Und kaum zu **Hau**se **an**gekommen ⑧, war der **Him**mel blau und das **Wet**ter **herr**lich! ☐

---

5 ... **bèr**guë gue**fa:**rën ... **yé:**dès ... **6** norma:l**ª**'**va**ïsë ... **you:**ni ... **vèt**ª... **7** ... guëré**:**gnët **8** ... **trots**dé:m raous'guëgañgën **9** ... **ré:**guën **ha**'tën ... guë**nou:**k **11** ... **ka**oum ... **a'n**'guëkomën ... **hi**mël **bla**ou ... **hèr**liç

Notes

③ Attention ! Tous les verbes indiquant un déplacement utilisent au passé composé l'auxiliaire **sein**, *être* : **Ich bin nach Köln gefahren**, *Je suis allé à Cologne*.

④ **das Wetter** est *le temps* qu'il fait, **die Zeit**, *le temps qui passe*.

⑤ **in den Bergen**, *dans les montagnes*, est bien un datif pluriel : **der Berg**, *la montagne*, **die Berge**, *les montagnes*. Rappelez-vous que le nom, tout comme l'article, prend également la terminaison **-n** au datif pluriel. C'est le datif qui s'applique ici, car nous <u>sommes</u> à la montagne – et si l'on voulait poser la question, on dirait : **Wo hat es geregnet?**, *Où a-t-il plu ?* En revanche, dans la phrase 5, nous avons l'accusatif : **in die Berge**, car les montagnes sont un but (on ne s'y trouve pas encore) et la question correspondante serait : **Wohin fahren wir?**, *Où allons-nous ?* ▶

5 – Nous sommes allés à la montagne *(dans les montagnes)* comme chaque année à cette époque.

6 Normalement, il fait très beau en juin *(est en juin le temps très beau)*.

7 Mais cette année, à la montagne, il n'a fait que pleuvoir *(a il dans les montagnes seulement plu)*.

8 Les premiers jours nous sommes *(malgré-cela)* sortis quand même.

9 Mais après quatre jours [de] pluie nous [en] avions assez.

10 Nous sommes rentrés *(à la maison allés)*.

11 Et, à peine arrivés à la maison, le ciel était bleu et le temps magnifique !

46

Remarques de prononciation

5, 7 Rappelons que **ie** n'est rien d'autre qu'un **i** allongé ; le **e** ne s'entend pas du tout : **diese** se dit simplement *[di:zë]* et **dieses** *[di:zès]* ; en revanche, **ei** se prononce *[aï]* : **die Zeit** *[di: tsaï"t]*.

▶ ⑥ **rausgegangen** est le participe passé irrégulier de **rausgehen**, *aller dehors, sortir*. **Raus** est une abréviation de la langue parlée pour **heraus**, *dehors*, de même que **runter** est une abréviation de **herunter**, *en* ("vers le") *bas* (cf. leçon 43, note 6).

⑦ **wir hatten**, *nous avions*, est le prétérit de **haben**, *avoir*. Vous trouverez la conjugaison à la leçon 49, § 3. Ce qu'il est important de savoir pour le moment, c'est qu'il n'y a pas de différence de sens entre le prétérit et le passé composé. À la place de **wir hatten genug**, nous pourrions dire **wir haben genug gehabt**. C'est une question de style. Le prétérit est plutôt réservé pour la narration. Dans la langue parlée, seuls **haben**, *avoir*, **sein**, *être*, et les verbes de modalité, s'utilisent volontiers au prétérit.

⑧ **angekommen** est… vous vous en doutez, le participe passé de **ankommen**, *arriver*.

Übung 1 – Übersetzen Sie bitte!

❶ Ich habe meine Ferien zu Hause verbracht.
❷ Wir sind wie jedes Jahr nach Italien gefahren.
❸ Wir hatten herrliches Wetter. ❹ In den Bergen
hat es die ganze Zeit geregnet. ❺ Diese Woche bin
ich nicht rausgegangen.

Übung 2 – Ergänzen Sie bitte!

❶ Malheureusement on ne peut pas le dire.
. . . . . . kann man das . . . .

❷ Ils sont allés à la montagne en juin.
. . . . im Juni . . . .

❸ Où as-tu passé la nuit ? Mais que s'est-il passé ?
Wo . . . . . . die Nacht . . . . ? Was ist
denn . . . . ?

❹ À peine arrivés, ils sont repartis à la maison.
Kaum . . . . , sind sie wieder . . . .
. . . . . gefahren.

Ich habe meine Ferien zu
Hause verbracht.

Corrigé de l'exercice 1

❶ J'ai passé mes vacances à la maison. **❷** Nous sommes allés en Italie comme tous les ans. **❸** Nous avons eu *(avions)* un temps magnifique. **❹** À la montagne, il a plu tout le temps. **❺** Cette semaine, je ne suis pas sorti.

❺ À la montagne, le temps était magnifique, mais à Munich, il n'a fait que pleuvoir.

. . . . war das Wetter . . . . ,
aber in München . . . es nur . . . .

Corrigé de l'exercice 2

❶ Leider – nicht sagen **❷** Sie sind – in die Berge gefahren **❸** – hast du – verbracht – passiert **❹** – angekommen – nach Hause – **❺** In den Bergen – herrlich – hat – geregnet

*Que pensez-vous de vos progrès ? Ne les trouvez-vous pas **herr-lich**, merveilleux ? Continuez à lire et à répéter plusieurs fois les phrases de chaque leçon. C'est grâce à votre persévérance que l'assimilation se fera sans trop d'efforts.*

47 Siebenundvierzigste Lektion

Im Vorzimmer des Chefs ①

1 – Guten Tag, ich **möch**te **bit**te Herrn ②
   Doktor ③ **Han**sen **spre**chen ④.
2 – Ja, **gu**ten Tag, wen darf ich **mel**den?
3 – Ich bin **Dok**tor **Büch**ner von der **Fir**ma
   Schneider & Co.
4 Ich **ha**be um 14 (**vier**zehn) Uhr mit ihm
   eine Ver**ab**redung.
5 – Setzen Sie sich ⑤ doch **bit**te! Ich bin gleich
   zu**rück**.

***

Prononciation
… **fo:**ᵃ'tsimᵃ dès chèfs **1** … hèrn **dokto:**ᵃ **ha**'ns'n … **2** …
mèldën **3** … **buçh**nᵃ … **chna**ïdᵃ ount ko: **4** … fèr**a**pré: douñg

Notes

① **des Chefs** est un génitif, car il s'agit d'un complément de nom.
   Au génitif masculin singulier, l'article défini est **des** et le nom
   lui-même prend la terminaison **-s** : **der Chef**, *le patron*, mais
   des Chefs, *du patron*. Le génitif est souvent remplacé par **von**
   + datif. On aurait pu dire aussi **das Vorzimmer vom (von
   dem) Chef**, *l'antichambre du patron*.

② **Herr**, *monsieur*, se termine ici par un **-n**, parce qu'il est à l'accusatif (voir aussi note 4) : **Herr Büchner ist ein Kollege**, *M.
   Büchner est un collègue*. Mais **Kennen Sie Herrn Büchner?**,
   Connaissez-vous monsieur Büchner ? Ainsi certains noms
   masculins prennent la terminaison **-n** ou **-en** dans tous les ▸

Dans l'antichambre *(avant-chambre)* du patron

1 – Bonjour, je voudrais *(s'il vous plaît)* parler [à]
M. *(docteur)* Hansen.
2 – Oui, bonjour, qui dois-je annoncer ?
3 – Je suis M. *(docteur)* Büchner, de la société
Schneider & Co.
4 J'ai *(un)* rendez-vous avec lui à 14 heures.
5 – Asseyez-vous donc ! Je reviens tout de suite.

cas, sauf au nominatif singulier. On les appelle les "masculins
faibles". Mais rassurez-vous, il n'y en a pas beaucoup. Nous les
verrons au fur et à mesure.

③ Dans les pays germaniques, on ne cache pas son titre **Doktor** ;
on le dit lorsqu'on se présente, on le marque sur sa carte de
visite et… on s'attend à ce que les autres en tiennent également
compte dans leurs formules de politesse.

④ **sprechen**, *parler*, dans le sens "chercher à voir quelqu'un", est
suivi de l'accusatif : **Der Chef will Sie sprechen**, *Le patron
veut vous parler*.

⑤ **sich** est également le pronom réfléchi de la forme de politesse :
Setzen Sie sich bitte!, *Asseyez-vous, s'il vous plaît !*

6 Herr **Dok**tor **Han**sen, **Dok**tor **Büch**ner ist
ge**ra**de ⑥ ge**kom**men.

7 – Oh, ich **ha**be mein **Ves**perbrot noch nicht
ge**ges**sen.

8 **Ge**ben Sie mir noch eine **Vier**telstunde.

***

9 – Herr **Dok**tor **Büch**ner, tut mir Leid, **Dok**tor
Hansen ist noch nicht vom **Mit**tagessen ⑦
zu**rück**gekommen.

10 **Kön**nen Sie sich **bit**te **ei**nen **Au**genblick ⑧
ge**dul**den? ☐

---

7 ... **fès**p^a-bro:t ... gü**ègè**ss'n **8** ... **fi**:^{a}tël-**chtou**ndë **9** ...
mita:k-**èss**'n ... **10** ... **a**oug'n-blick gü**dou**ldën

---

Notes

⑥ Nous avons vu **gerade** dans le sens de *droit*, et **geradeaus**,
tout droit, (cf. leçon 15). Ici, **gerade** – qui veut également dire
juste(ment) – s'emploie avec le passé composé pour exprimer
un passé récent : **Ich bin gerade angekommen**, *Je viens d'arriver* (litt. "Je suis juste arrivé").

⑦ **das Mittagessen**, *le déjeuner*, signifie mot à mot "midi-
repas" ; *le repas du soir* ou *dîner* se dit **das Abendessen** ; **vom** ▸

Übung 1 – Übersetzen Sie bitte!

❶ Unsere Verabredung ist um 16 Uhr. ❷ Frau
Büchner ist leider noch nicht da. ❸ Setzen Sie
sich bitte, der Chef kommt gleich zurück. ❹ Wen
möchten Sie sprechen? Herrn Hansen? ❺ Gedulden
Sie sich bitte eine Viertelstunde.

6 M. Hansen, M. Büchner vient d'arriver *(est juste venu)*.

7 – Oh, je n'ai pas encore pris *(mangé)* mon casse-croûte.

8 Accordez-moi encore un quart d'heure.

9 – M. Büchner, je suis désolée, M. Hansen n'est pas encore revenu de déjeuner.

10 Pourriez-vous *(vous)* patienter un moment, s'il vous plaît ?

▶ est la contraction de **von** + **dem**. Rappelez-vous que la préposition **von** est suivie du datif.

⑧ **der Augenblick**, (litt. "œil-regard") est un synonyme de **der Moment**, *le moment*. Notez que le complément de temps est à l'accusatif : **Ich bleibe nur einen Augenblick**, *Je ne reste qu'un moment*.

Corrigé de l'exercice 1

❶ Notre rendez-vous est à 16 heures. ❷ Mme Büchner n'est malheureusement pas encore arrivée *(là)*. ❸ Veuillez vous asseoir *(Asseyez-vous, s'il vous plaît)*, le patron revient tout de suite. ❹ À qui voulez-vous parler ? [À] monsieur Hansen ? ❺ Patientez un quart d'heure, je vous prie.

48 Übung 2 – Ergänzen Sie bitte!

❶ J'ai attendu un quart d'heure, je reviendrai *(reviens)* demain.

Ich habe . . . . gewartet, . . .
. . . . . morgen . . . .

❷ La voiture du chef n'est pas encore arrivée, patientez un instant, s'il vous plaît !

Der Wagen . . . . ist noch nicht
. . . ., ... bitte einen
Moment!

❸ Puis-je parler à M. Schneider, s'il vous plaît ? – Je suis désolé, il vient de sortir.

Kann ich bitte . . . . . Schneider . . . . ?
– . . . ., er ist . . . . . . rausgegangen.

À l'origine, **das Vesper** *est le goûter de l'après-midi.* **Vesper** *signifie également* vêpres, *la messe du soir. Ce mot vient du latin* "vespera", *qui désigne le temps après 18 heures. En Autriche et dans le sud de l'Allemagne,* **Vesper** *désigne aussi le repas du soir :* **das Abendbrot** *(litt. "pain du soir") que l'on prend à partir de 18 heures. Pendant longtemps, en pays germanique, le repas du soir, loin d'être le plus important de la journée, ressemblait davantage à un casse-croûte qu'à un véritable dîner ; l'ancien proverbe le dit : "le matin, on mange comme un roi, à midi comme un noble et le soir comme un mendiant". Même si cette tradition demeure*

---

48 Achtundvierzigste Lektion

Ein schwieriger Samstagmorgen

1 – Wo **kom**men nur **al**le **die**se **Au**tos her?

Prononciation
... *chvi:rig*[a] ...

❹ À quelle heure est notre rendez-vous ? À 15 heures ?

Um wie viel Uhr ist ....?
.. fünfzehn ...?

❺ Asseyez-vous donc, je vous annonce tout de suite.

.... doch, ich .... gleich.

Corrigé de l'exercice 2

❶ – eine Viertelstunde – ich komme – zurück **❷** – des Chefs – angekommen, gedulden Sie sich – **❸** – Herrn – sprechen – Tut mir Leid – gerade – **❹** – unsere Verabredung – Um – Uhr **❺** Setzen Sie sich – melde Sie –

---

dans beaucoup de familles – où l'on ne mange qu'une soupe ou du pain avec de la charcuterie ou du fromage le soir –, les choses ont bien changé aujourd'hui. Et cela pour plusieurs raisons. Tout d'abord, **das Mittagessen***, le repas de midi, n'est plus un repas commun, du moins dans la semaine. Même si les enfants ne vont à l'école que le matin, ils ne rentrent pas tous au même moment et, souvent, chacun se cherche quelque chose à manger au frigo quand il revient. Ensuite, chez les adultes, il n'y a qu'une personne sur six qui déjeune à la maison ; une personne sur quatre mange à la cantine, une sur dix au restaurant ou au fast-food, et deux personnes sur cinq apportent leur repas au bureau (les autres ne mangent rien...). Par conséquent, on a très faim le soir. Enfin, il y a de plus en plus de mères qui travaillent, ... ou qui n'ont plus envie de faire deux repas chauds par jour.*

Quarante-huitième leçon   48

Un samedi matin difficile

1 – D'où peuvent bien venir *(viennent seulement)* toutes ces voitures ?

2   War**um müss**en **alle Leu**te am
     Samstag**mo**rgen **ein**kaufen **fah**ren ①?

3 – Wahr**schein**lich aus dem**sel**ben ② Grund
     wie wir, **Pa**pa.

4 – **Wer**de nicht frech! Ich **par**ke jetzt hier.

5 – **A**ber das geht nicht, das ist die **Aus**fahrt der
     Poli**zei** ③.

6 – Das ist mir e**gal**.

7   **Sam**stags **ar**beiten die sowie**so** nicht, und
     wir sind in **ei**ner **hal**ben **Stun**de zu**rück**.

8   *Zehn Mi**nu**ten **spä**ter im **Groß**markt.*

---

3 va:ᵃ'**chai**nliç … dé:m**zèl**bën grount … *4* **vé:**ᵃdë … frèçh …
parkë … *5* … aou's'fa:ᵃt **dé:**ᵃ poli**tsa**ï *6* … e**ga:l** *7* … zovi**zo:**
… **hal**bën … *8* … **gro:**'s-markt

Remarque de prononciation
3 L'accent tonique de **Papa** et **Mama** porte sur la première
syllabe !

Notes
① **einkaufen gehen** ou **fahren**, *faire des courses* (*à pied* ou *en
voiture*), **kaufen**, *acheter*, **verkaufen**, *vendre*… Doutez-vous
encore de l'importance des particules ?

② Vous vous souvenez de **dasselbe**, *la même chose* (cf. leçon
30) ? **Derselbe**, **dieselbe**, **dasselbe**, *le même*, *la même*, *le
même* (neutre), se compose, comme en français, de l'article
défini **der**, **die**, **das**, et **selb-** qui veut dire *même*. Bien que
l'article défini et l'adjectif **selb-** soient attachés, on les décline
comme s'ils étaient écrits en deux mots. Nous disons **aus demselben Grund**, parce que **der Grund**, *la raison*, est masculin, ▶

2 Pourquoi faut-il que tous [les] gens fassent leurs **48**
courses le samedi matin ?

3 – Probablement pour *(de)* la même raison que
nous, papa.

4 – Ne sois *(deviens)* pas insolent ! Maintenant je
me gare ici.

5 – Mais ça ne va pas, c'est la sortie pour *(de)* la
police.

6 – Ça m'est égal.

7 Le samedi, ils *(ceux-ci)* ne travaillent pas de
toute façon, et nous serons *(sommes)* de retour
dans une demi-heure.

8 *Dix minutes plus tard à l'hypermarché.*

Ein schwieriger Samstagmorgen

▸ et la préposition **aus** est suivie du datif (**dem** est donc le datif
masculin) ; quant à **selb-**, il prend la terminaison **-en** dans
tous les cas (sauf aux trois nominatifs du singulier, où il ne se
termine que par **-e**). Ouf ! Les explications sont parfois bien
plus compliquées que la pratique ! Nous vous présenterons les
déclinaisons de l'adjectif dans la leçon 56… et d'ici là, cela
vous paraîtra déjà beaucoup plus simple !

③ **der Polizei** est ici le génitif de **die Polizei**, *la police*. Le génitif
féminin est semblable au datif féminin.

9 – Der Besitzer des **Fahr**zeugs ④ HH ⑤–
   DY–349 soll bitte so**fort sei**nen **Wa**gen
   wegfahren.

10 Sein **Fahr**zeug blo**ckiert** die **Ein**fahrt der
   Poli**zei**wagen ⑥! □

*9 … bë**zits**ᵃ dès **fa:**ᵃ-tsoïks <u>ha</u>: <u>ha</u>: dé: **up**silo'n dra**ï**-<u>hound</u>ᵃt-
noïn-ount-**fi:**ᵃtsiç … 10 … blo**ki:**ᵃt … **aï**n'**fa:**ᵃt …*

Notes

④ **des Fahrzeugs** est le génitif de **das Fahrzeug**, *le véhicule*. Le
génitif neutre est semblable au génitif masculin : l'article se
termine par **-es** et le nom prend lui aussi un **-s** final : **(das
Ende) des Regenwetters**, *(la fin) du temps pluvieux*. Vous
trouverez plus d'explications en leçon 49, § 1.   ▶

***

Übung 1 – Übersetzen Sie bitte!

❶ Hier dürfen Sie nicht parken, das ist eine
Ausfahrt! ❷ Werden Sie nicht frech, oder ich rufe
die Polizei! ❸ Die Freunde der Kinder kommen
in einer halben Stunde. ❹ Eine alte Frau ist die
Besitzerin des Großmarkts. ❺ Samstags bleibe ich
aus demselben Grund wie Sie zu Hause.

Übung 2 – Ergänzen Sie bitte!

❶ La mère de mon amie fait ses courses le lundi.

Die Mutter . . . . geht montags

. . . .

❷ La voiture de police bloque l'entrée de l'hypermarché.

. . . . blockiert die Einfahrt . . .

. . . .

❸ Ils ont la même voiture que nous ? Ça m'est égal.

Sie haben . . . . wie wir? Das ist

. . . .

9 – Le propriétaire du véhicule [immatriculé] HH–
DY–349 est prié *(doit s'il vous plaît)* d'enlever
sa voiture immédiatement.

10 Son véhicule bloque l'entrée des voitures de
police !

▸ ⑤ Les premières lettres sur la plaque d'immatriculation indiquent la ville d'où provient le véhicule. **HH** sont les initiales de **"Hansestadt Hamburg"** *(ville hanséatique Hambourg)*.

⑥ Ici, **der Polizeiwagen** est un génitif pluriel. L'article du génitif pluriel est **der** ; le nom ne change pas. Le nominatif singulier est également **der Polizeiwagen**, car **der Wagen** est un nom masculin. La confusion n'est pas à craindre. Les génitifs sont toujours précédés d'un autre nom.

***

Corrigé de l'exercice 1

❶ Ici, vous n'avez pas le droit de stationner, c'est une sortie ! ❷ Ne soyez *(devenez)* pas insolent, ou j'appelle la police ! ❸ Les amis des enfants viennent dans une demi-heure. ❹ Une vieille dame est *(la)* propriétaire de l'hypermarché. ❺ Tous les samedis, je reste à la maison pour la même raison que vous.

❹ Pourquoi es-tu si insolent ? Tu n'es pas le patron de la société.

Warum bist du so . . . . . ? Du bist nicht . . .
. . . . der Firma.

❺ Le propriétaire du véhicule est probablement au supermarché.

. . . . des Fahrzeugs ist <br />. . . . . im Supermarkt.

Corrigé de l'exercice 2

❶ – meiner Freundin – einkaufen ❷ Der Polizeiwagen – des Großmarkts ❸ – denselben Wagen – mir egal ❹ – frech – der Chef – ❺ Der Besitzer – wahrscheinlich –

*Pendant longtemps, une loi (**das Ladenschlussgesetz**/"magasin-fin-loi") imposait aux commerçants des horaires d'ouverture qui obligeaient quasiment les Allemands à faire leurs courses de la semaine en famille le samedi matin. Du lundi au vendredi, les magasins fermaient à 18 h ou 18 h 30 et le samedi – excepté le premier samedi du mois – à 13 h ou 14 h. Pendant la semaine, les femmes dont la plupart était "femmes au foyer" faisaient leurs petites courses quotidiennes après avoir conduit les enfants à l'école ou l'après-midi avant le dîner que l'on prenait à 18 h 30 ou à 19 heures au plus tard. À partir de cette heure-là, les rues étaient désertes, on restait chez soi. Mais depuis le début du xxie siècle,*

49　Neunundvierzigste Lektion

Wiederholung – Révision

1　Le génitif et ses articles

Le génitif est le dernier des quatre cas de la déclinaison.
C'est le cas du complément de nom : **der Wagen des Chefs**, *la voiture du patron* (**des Chefs**, *du patron*, est le complément du nom **Wagen**).

Voici notre tableau de la déclinaison des articles complétée du génitif :

	Masculin	Féminin	Neutre	Pluriel
Nominatif	**der/ein**	**die/eine**	**das/ein**	**die/ –**
Accusatif	**den/einen**	**die/eine**	**das/ein**	**die/ –**
Datif	**dem/ einem**	**der/einer**	**dem/ einem**	**den/–n**
Génitif	**des/eines -s**	**der/einer**	**des/eines -s**	**der/ –**

l'Allemagne commence à se mettre à l'heure de l'Europe. Les magasins peuvent rester ouverts jusqu'à 21 heures et plus, et aussi le samedi. Cependant les mentalités, surtout dans les petites villes ou à la campagne, ne changent pas forcément avec la loi même si celle-ci a été modifiée pour faciliter la vie... Les familles continuent donc à faire leurs achats pour la semaine le samedi matin. Il faut dire que les hommes n'ont guère envie de changer leurs habitudes du samedi après-midi consacré traditionnellement aux activités sportives (réelles ou regardées à la TV) ; d'ailleurs il y a de plus en plus de femmes qui partagent cet engouement.

Quarante-neuvième leçon 49

Nous attirons votre attention sur les trois points suivants :

• Au singulier, les articles des génitifs masculin et neutre sont semblables et, dans les deux cas, les noms prennent **-(e)s**. La présence ou l'absence du **-e** est, en grande partie, une question d'oreille. La plupart des noms ne prennent qu'un **-s** :

der Erste des Monats (génitif masculin de **der Monat**), *le premier du mois* ;
die Tür des Büros (génitif neutre de **das Büro**), *la porte du bureau.*

Aux noms monosyllabiques qui se terminent en **-d**, **-t**, **-sch**, **-st** ou **-ch**, on préfère ajouter **-es** :
der Rat des Freundes, *le conseil de l'ami* ;
das Fahrrad des Kindes, *le vélo de l'enfant.*

Aux noms terminés par **-s**, **-ß**, **-tsch**, **-tz**, **-x**, **-z**, **-zt**, on est obligé d'ajouter **-es** (pour la simple raison qu'un **-s** (sans **-e**) ne s'entendrait pas) :
die Tür des Hauses, *la porte de la maison.*

• Au féminin, les articles du datif et du génitif sont semblables, tandis que le nom ne change pas :
das Kind der (génitif) **Frau**, *l'enfant de la femme* ;
Er spricht mit der (datif) **Frau**, *Il parle avec la femme.*

• Au pluriel, l'article du génitif **der** est semblable, à l'article masculin du nominatif et aux articles féminins du datif et du génitif. Mais aucune confusion n'est à craindre : le génitif dépendant toujours d'un autre nom, il est facile à déterminer :
der Tag der Männer, *le jour des hommes* ;
der Tag der Frauen, *le jour des femmes* ;
der Tag der Kinder, *le jour des enfants.*

Ne vous inquiétez pas, c'est beaucoup moins compliqué que cela en a l'air. D'autant plus que le génitif est de plus en plus remplacé par la préposition **von** + datif : **das Büro von dem (vom) Chef**, *le bureau du chef.*

2 Les particularités du participe passé (ou participe II)

2.1 La formation du participe passé des verbes irréguliers

Rappelons que le participe passé des verbes réguliers (ou "faibles") se forme avec la particule **ge-** + radical du verbe + **-t** :
parken → geparkt, kaufen → gekauft, melden → gemeldet.

En revanche, les participes passés des verbes irréguliers (ou "forts") se terminent en général en **-en**. Entre le préfixe **ge-** et la terminaison **-en** se trouve le "radical propre" du verbe. La voyelle du radical propre change souvent par rapport au radical de l'infinitif, mais pas obligatoirement. Pour les verbes **fahren**, *aller en voiture*, **kommen**, *venir*, ou **schlafen**, *dormir*, par exemple, le radical propre correspond effectivement au radical de l'infinitif. Leurs participes respectifs sont donc : **gefahren**, **gekommen** et **geschlafen**. Mais nous avons vu aussi que le participe passé de **gehen**, *aller*, est **gegangen**, celui de **sitzen**, *être assis*, **gesessen**, celui de **schreien**, *crier*, **geschrie(e)n**, etc.

Nous n'attendons pas de vous que vous reteniez du premier coup les participes passés des verbes irréguliers. Vous allez peu à peu les assimiler, car nous les rencontrerons souvent.

2.2 Le participe passé avec ou sans préfixe *ge-*

Les verbes à particule séparable* forment leur participe passé avec le préfixe **ge-** intercalé entre la particule séparable et le radical du verbe, le tout formant un mot :

anmachen, *allumer* → **angemacht**, *allumé*,
runterfallen, *tomber* → **runtergefallen**, *tombé*,
zurückkommen, *revenir* → **zurückgekommen**, *revenu*.

En revanche, les verbes à particule inséparable forment le leur sans **ge-** :

erlauben, *permettre* → **erlaubt**, *permis* ;
verbieten, *interdire* → **verboten**, *interdit* ;
bekommen, *recevoir* → **bekommen**, *reçu* ;
(**be-, er-, ver-** sont des particules inséparables et remplacent le préfixe **ge-** du participe passé).

Ne prennent pas **ge-**, non plus, les verbes d'origine française se terminant en **-ieren** :

studieren, *étudier* → **studiert**, *étudié* ;
telefonieren, *téléphoner* → **telefoniert**, *téléphoné*.

*Rappelons à cette occasion que, comme le dit son nom, la particule séparable se détache du verbe pour se mettre en dernière position dans une phrase indépendante au présent : **Ich mache das Licht an**, *J'allume la lumière* ; c'est la particule séparable qui porte l'accent, car c'est elle qui donne son sens au verbe : **Ich mache das Licht aus**, *J'éteins la lumière*.

3 Le prétérit de *sein* "être" et *haben* "avoir"

En allemand, l'emploi des temps du passé est différent du français. Le prétérit est principalement considéré comme temps de la narration. À l'écrit, il correspond à l'imparfait et au passé simple français. En revanche à l'oral, c'est le passé composé qui en allemand est utilisé comme temps du passé ; il parvient même à chasser de plus en plus le prétérit de la langue courante. **Sein** et **haben** s'emploient pourtant de préférence au prétérit.

Voici leurs conjugaisons :

	sein	**haben**
ich	**war**	**hatte**
du	**warst**	**hattest**
er/sie/es	**war**	**hatte**
wir	**waren**	**hatten**
ihr	**wart**	**hattet**
sie	**waren**	**hatten**

On compare souvent la conjugaison du prétérit à celle des verbes de modalité au présent (leçon 35, § 1) car comme pour celle-ci, les 1re et 3e personnes du singulier sont semblables. Il n'y a pas de **-t** à la 3e personne ! Nous reparlerons du prétérit dans les leçons suivantes.

4 Les prépositions de lieu suivies tantôt du datif tantôt de l'accusatif

Nous avons vu qu'en allemand on fait toujours la différence entre une relation sans déplacement (locative) et une relation avec déplacement (directionnelle) (leçon 42, § 3).

Pour la question, la différence est indiquée par **wo?**, *où ?* (locatif) ou **wohin?**, *où ?* (directionnel).

Pour les réponses, ce sont soit les prépositions qui marquent la différence :
Ich wohne in Deutschland (loc.), *J'habite en Allemagne*, mais :
Ich fahre nach Deutschland (dir.), *Je vais en Allemagne* ;
Die Kinder sind zu Hause (loc.), *Les enfants sont à la maison*,
mais : **Die Kinder gehen nach Hause** (dir.), *Les enfants vont à la maison*,

soit le cas qui suit la préposition, lorsqu'il s'agit de prépositions de lieu mixtes – c'est-à-dire des prépositions suivies du datif pour indiquer un endroit où l'on se trouve (loc.), ou de l'accusatif pour indiquer un endroit où l'on va (dir.), comme **in**, *dans*, *à*, **auf**, *sur*, **unter**, *en dessous*, **neben**, *à côté de*, etc.

Wir sitzen in dem* (datif) **Garten** (loc.), *Nous sommes assis dans le jardin*,

Gehen wir in den (acc.) **Garten** (dir.), *Allons dans le jardin*.

*On aurait pu dire aussi **im Garten**, **im** étant la contraction courante de **in dem**.

Cette construction est très pratique, car il suffit d'entendre le complément de lieu pour savoir si l'on parle d'un endroit où il se passe quelque chose ou d'un endroit vers lequel on se dirige :

in der Stadt (loc.), *dans la ville* (on y est) ;
in die Stadt (dir.), *dans la ville* (on y va).

C'est pour cette raison que l'on peut supprimer le verbe de déplacement lorsqu'on utilise un verbe de modalité :

Es ist fünf vor acht, ich muss schnell ins Büro (dir.), *Il est huit heures moins cinq, je dois vite [aller] au bureau.*

– **Wohin** (dir.) **musst du ?**, *Où dois-tu [aller] ?* – **Ins Büro**, *Au bureau.*

5 L'article démonstratif : *dieser, diese, dieses*

L'article démonstratif se décline comme l'article défini qui, d'ailleurs, le remplace souvent en allemand :

Ich habe diesen Mann noch nicht gesehen, *Je n'ai pas encore vu cet homme.*

On peut aussi bien dire **Ich habe den Mann noch nicht gesehen**, en accentuant **den**.

Voilà, assez de grammaire pour aujourd'hui. Maintenant, passons au dialogue qui vous donnera l'occasion de mettre en pratique tout l'acquis des six dernières leçons.

Gesagt ist gesagt

1 – Du bist sicher, dass der Besitzer des Hauses nicht da ist?

2 – Ganz sicher, der verbringt seine Ferien immer im Juni in den Bergen.

3 – Ich weiß nicht. Wie viel, sagst du, liegt im Geldschrank?

4 – Jedes Jahr um diese Zeit ist der Geldschrank bis oben voll.

5 Er ist gerade aus Südamerika zurückgekommen

6 und hat einen Koffer voll Geld mitgebracht.

7 – Und wo steht der Geldschrank?

8 – Auf dem Klo, gleich neben der Tür.

9 – Um Gottes willen! Warum hat er ihn dorthin gestellt?

10 – Er glaubt sicher, niemand sucht ihn dort.

11 Ich schwöre dir, es ist wirklich nicht schwierig.

12 – Ach nein, lass mal, ich will nicht wieder anfangen.

13 – Mensch, nur noch dieses Mal: einmal ist keinmal.

14 – Nein, tut mir Leid, ich kann wirklich nicht.

15 Wir haben eine herrliche Zeit zusammen verbracht.

16 Aber ich habe der Mutter meiner Kinder gesagt, ich fange nicht wieder an.

[Ce qui est] dit, est dit

1 Tu es sûr que le propriétaire de la maison n'est pas là ? **2** Tout à fait sûr, en juin, il passe toujours ses vacances à la montagne. **3** Je ne sais pas. Combien dis-tu [qu']il y a dans le coffre *(argent-armoire)* ? **4** Chaque année, à cette époque, le coffre est plein à craquer *(jusqu'en haut)*. **5** Il vient de rentrer d'Amérique du Sud **6** et il a ramené une valise pleine [d']argent. **7** Et où est *(debout)* le coffre ? **8** Aux toilettes, tout de suite à côté de la porte. **9** Quelle horreur ! Pourquoi l'a-t-il mis *(debout)* là ? **10** Il croit sans doute *(sûrement)* [que] personne ne le cherche[ra] là. **11** Je te jure, ce n'est vraiment pas difficile. **12** Ah non, laisse [tomber], je ne veux pas recommencer *(à nouveau commencer)*. **13** *(Homme)* Écoute, seulement *(encore)* cette fois-ci : une fois *(est aucune fois)* n'est pas coutume. **14** Non, je suis désolé, je ne peux vraiment pas. **15** Nous avons passé un moment merveilleux ensemble. **16** Mais j'ai dit à la mère de mes enfants [que] je ne recommence[rai] pas.

La deuxième vague

Jusqu'à ce jour, nous vous avons demandé de vous contenter d'écouter et/ou de lire – à voix haute si possible –, de répéter et de traduire de l'allemand en français. Cette phase que nous appelons la phase "passive" s'achève. À partir de la prochaine leçon, nous allons entrer dans la phase "active". De quoi s'agit-il donc ? C'est très simple. Vous allez appliquer "activement" ce que vous avez assimilé "passivement". Vous allez donc traduire du français en allemand. Avec chaque nouvelle leçon, dès demain, vous allez reprendre une des anciennes leçons à partir de la première et vous traduirez le dialogue et l'exercice 1 du français en allemand – en cachant le texte allemand... à voix haute, naturellement. Cela vous fera revoir le vocabulaire et les points de grammaire – en moins de dix minutes par jour –, et ce petit exercice vous rapportera gros ! Vous allez vous rendre compte de tout le chemin parcouru, en vous étonnant des progrès réalisés presque à votre insu. Nous vous rappellerons la leçon à reprendre à la fin de chaque nouvelle leçon. **Viel Spaß!**, Amusez-vous bien *(Beaucoup plaisir)* !*

50 Fünfzigste Lektion

Anzeigen ① für Ferienwohnungen

1 – Hör mal, wie **fin**dest du das?
2 **Wun**derschöne **Lux**us-**Fe**rienwohnung in **Spa**nien zu ver**mie**ten.
3 **Herr**lich an der **Küs**te ge**le**gen ②.
4 **Son**niges ③, **gro**ßes **Wohn**zimmer, **zwei** **Schlaf**zimmer, **hel**le **Kü**che und Bad.
5 **Gro**ßer Bal**kon** (**Süd**seite) mit **schö**ner ④ **Aus**sicht auf das Meer.
6 Sie **brau**chen kein **Spa**nisch.

Prononciation
*a'n*tsaïg'n ... *fé:ryën-vo:*noung'n   **2** *vound*ª-*cheu:*në *louk*sou's ... fèr*mi:*tën   **3** ... *kus*të gu*ëlé:*g'n   **4** zo*niguès gro:*sès *vo:n*-tsimª ... *chla:f*-tsimª *hè*lë ku*ç*hë ... ba:t   **5** ... bal*kong* (*zu:t*-zaïtë) ... *cheu:*nª *a*ous'zi*ç*ht ... *mé:*ª   **6** ... *chpa:*nich

---

Notes
① **die Anzeige**, *l'annonce*, se dit également **die Annonce**. Souvenez-vous que, pour vous simplifier la vie, la plupart des noms en **-e** sont féminins et font généralement leur pluriel en ajoutant un **-n** (**die Anzeigen**, **die Annoncen**, *les annonces*).

② **gelegen**, qui se traduit ici par *situé*, est le participe passé de **liegen**, *être posé, couché* ou *allongé*. Nous en reparlerons en leçon de révision.

③ Comme vous le savez déjà, les adjectifs épithètes se déclinent en fonction du genre du mot qu'ils précèdent, mais aussi en fonction de l'article qui les précède. Vous vous souvenez donc qu'ils nous indiquent le genre d'un mot si l'article ne se ▸

Annonces pour appartements de vacances

1 – Écoute *(fois)*, comment trouves-tu cela ?
2   Magnifique appartement de luxe à louer en
    Espagne.
3   Merveilleusement situé près de la côte.
4   Grand salon ensoleillé, deux chambres, cuisine
    claire et salle de bains.
5   Grand balcon *(côté sud)* avec belle vue sur la
    mer.
6   Vous n'avez pas besoin [de l']espagnol.

Remarques de prononciation
2 Dans **wunderschön**, l'accent principal porte sur la première syllabe **[vound*ª*]**, mais on peut également accentuer **schön**, ce qui en renforce l'effet.
5, 8 L'accent des mots d'origine française porte sur la dernière syllabe : **der Balkon** *[bal**koñg**]*, **der Frisör** *[fri**seu:ª**]*.

▸ charge pas de cette tâche. **Sonniges** (avec **-es**) nous signale que **Wohnzimmer** est neutre : **das Wohnzimmer**, tout comme **helle**, que **Küche** est féminin : **die Küche** ; et dans la phrase suivante, **großer** (avec **-er**) nous indique que **Balkon** est masculin : **der Balkon**.

④ Si l'adjectif n'est pas précédé d'un article, c'est lui qui prend la terminaison du genre et du cas : **schön** prend ici la terminaison du datif féminin **-er**, car la préposition **mit** est suivie du datif, et **die Aussicht**, *la vue*, est un nom féminin. S'il y avait un article, ce serait l'article qui se mettrait au datif, et l'adjectif prendrait la terminaison **-en**, considérée comme terminaison "faible" de l'adjectif : **mit einer schönen Aussicht**, *avec une belle vue*. Nous y reviendrons, ne vous inquiétez pas.

7 Die **Spa**nier ⑤ **spre**chen sehr gut Deutsch.

8 Es gibt so**gar e**inen **deu**tschen **Zahn**arzt und Fris**ör**.

9 – Das klingt gut, **a**ber sie **sa**gen nicht, wie viel die **Woh**nung **kos**tet.

10 **Au**ßerdem **möch**te ich nach ⑥ **Spa**nien, um **Spa**nisch zu ⑦ **ler**nen… □

---

7 … *chpa:ni'ᵃ* … **8** … *doïtch'n* **tsa:n-a:ᵃtst** … *friseu:ᵃ* **10** *aoussᵃdé:m* …

Remarque de prononciation
8 Arzt se prononce avec un **a** allongé *[a:ᵃtst]* ou un **a** bref *[artst]*. Attention à l'orthographe ! Même si l'on prononce *[tst]*, on écrit un seul **t** à la fin, l'autre étant inclus dans le **z** *[ts]*.

Notes

⑤ **der Spanier**, *l'Espagnol*, **die Spanier**, *les Espagnols* ; mais la langue que l'on parle est **das Spanisch**, *l'espagnol*. En allemand, on emploie un nom pour dire ce que l'on est : **Er ist Deutscher**, *Il est Allemand*, **Sie ist Deutsche**, *Elle est Allemande*, et l'adjectif avec une majuscule pour dire ce que l'on parle : **Ich spreche Deutsch**, *Je parle allemand*. Nous verrons bientôt les autres nationalités et leurs langues respectives.

⑥ **Ich möchte nach Spanien**, *Je voudrais [aller] en Espagne*. En allemand, rappelons que l'on n'a pas besoin de préciser **gehen**, *aller*, car la préposition **nach** indique à elle seule qu'il y a un déplacement. ▶

***

Übung 1 – Übersetzen Sie bitte!

❶ Meine Wohnung hat ein großes Wohnzimmer. ❷ Er geht nach Südamerika, um Spanisch zu lernen. ❸ Zu vermieten: großes Haus am Meer mit vier Schlafzimmern. ❹ Unser Zahnarzt wohnt jetzt in Spanien. ❺ Er hat ein Haus mit herrlicher Aussicht auf das Meer gekauft.

7   Les Espagnols parlent très bien [l']allemand.   50

8   Il y a même un dentiste *(dent-médecin)* et un coiffeur allemands.

9 –   Ça a l'air bien *(Ça sonne bien)*, mais ils ne disent pas combien coûte l'appartement.

10   En plus, je voudrais [aller] en Espagne pour apprendre [l']espagnol…

▶ ⑦ *Pour* suivi d'un verbe se traduit par **um… zu** ; **um** introduit la subordonnée, et l'infinitif précédé de **zu** est placé à la fin de la phrase : **Ich bin gekommen, um Sie zu sehen**, *Je suis venu pour vous voir.*

***

Corrigé de l'exercice 1

❶ Mon appartement a une grande salle de séjour. ❷ Il va en Amérique du Sud pour apprendre l'espagnol. ❸ À louer : grande maison près de la mer avec quatre chambres. ❹ Notre dentiste habite maintenant en Espagne. ❺ Il a acheté une maison avec [une] vue magnifique sur la mer.

Übung 2 – Ergänzen Sie bitte!

❶ Combien de pièces a leur appartement ? – Un grand salon et cinq chambres.
Wie viele Zimmer hat . . . . ? – Ein
. . . . . Wohnzimmer und fünf . . . .

❷ Et en plus, ils ont un grand balcon avec une vue magnifique.
Und außerdem haben sie . . . .
. . . . . . mit . . . .

❸ La maison est située près de la côte et [elle] ne coûte pas cher *(beaucoup)*.
Das Haus . . . an der Küste . . . . und
. . . . . . nicht viel.

---

51 Einundfünfzigste Lektion

Eine Radiosendung

1 – **Gu**ten Abend, **mei**ne **Da**men und **Her**ren!
2 **Herz**lich will**kom**men bei **un**serer ①
Sendung „Be**rühm**te **Deu**tsche ②".

Prononciation
... **ra:**dio-**zèn**douñg **2** ... vil**ko**mën ... bë**ru:**mtë ...

Notes
① La préposition **bei** a plusieurs significations : *dans, chez, près de*, etc. Elle est toujours suivie du datif. Nous avons vu que l'article féminin **die** devient **der** au datif. De même **unsere**, *notre* au féminin, prend la terminaison **-r** au datif singulier : **bei unserer Sendung**. ▸

❹ Nous louons notre appartement de luxe en Espagne en mai et **51** juin.

. . . . unsere Luxuswohnung . .
. . . . im Mai und . . . . .

❺ J'ai besoin de l'espagnol pour faire un voyage en Espagne.

Ich brauche . . . . , . . in Spanien eine
Reise . . . .

Corrigé de l'exercice 2

❶ – ihre Wohnung – großes – Schlafzimmer **❷** – einen großen Balkon – einer herrlichen Aussicht **❸** – ist – gelegen – kostet – **❹** Wir vermieten – in Spanien – Juni **❺** – Spanisch, um – zu machen

Deuxième vague: 1re leçon

Cinquante et unième leçon   51

Une émission de radio *(radio-émission)*

1 –   Bonsoir, mesdames et messieurs !
2   *(Cordialement)* Bienvenue dans notre émission "[les] Allemands célèbres".

▶ ② Lorsque l'adjectif n'est pas précédé d'un article au nominatif pluriel, il se termine en **-e** (comme **die**, l'article du pluriel) : **berühmte Deutsche**, *[des] Allemands célèbres*. En revanche, précédé de l'article **die**, *les*, l'adjectif prend sa terminaison "faible" **-en** : **die berühmten Deutschen**, *les Allemands célèbres*. Pour le moment, nous vous demandons simplement de prendre connaissance des différentes terminaisons de l'adjectif et de vous familiariser avec elles.

3   Wir **möch**ten **Ih**nen **heu**te **ei**nen sehr
    be**deu**ten**den Dich**ter ③ **vor**stellen.

4   Er ist im **Jah**re ④ 1749 (**sieb**zehn**hun**dert-
    neunundvier**zig**) in **F**rank**f**urt ge**bo**ren.

5   Er hat in **Straß**burg und **Leip**zig **Ju**ra
    stu**diert**.

6   Mit **sei**nem **ers**ten Ro**man** *Die Leiden* ⑤
    des jungen Werther ist er be**rühmt**
    ge**wor**den ⑥.

7   Aber sein **Le**benswerk war *Faust*.

8   Er **hat**te viel **Ein**fluss auf **sei**ne Genera**tion**
    und die Genera**ti**o**nen** da**nach** ⑦.

9   Die **deu**tsche **Klas**sik hat mit ihm
    aufgehört ⑧.

10 Er ist am 22. (**zwei**und**zwan**zigsten) März
    1830 (**acht**zehn**hun**dert**drei**ßig) ⑨ in
    Weimar ge**stor**ben ⑩.   □

---

*3 ... bë**doï**tën**dën dich**t*ᵃ* ... 4 ... zi:ptsé:n-**hou**nd*ᵃ*t-**noï**n-*
*ount-**fi:**ᵃtsiçh ... guë**bo:**rën 5 ... **chtra:s**bourk ... laïptsiçh*
***you:**ra chtoudi:ᵃt 6 ... roma:n ... laïdën dès **you**ñgën **vèrth**ᵃ*
*... guë**vor**dën 7 ... **lé:**b'ns-vèrk ... **fa**oust 8 ... aïn'**flou**'s*
*... guénéra**tsyo:**n ... 9 ... **klas**sik ... aouf'guë**heu:**ᵃt 10*
*... **tsva**ïount-**tsva'n**tsiçhstën mèrts a**cH**t'tse:n-**hou**nd*ᵃt-**
***draï**ssiçh ... **va**ïmar guë**chtor**b'n*

Remarque de prononciation
7 Dans **Lebenswerk** *[lé:b'ns'-vèrk]*, le **-s** reliant les deux mots
Werk et **Leben** entre eux s'attache au premier.

Notes
③ **der Dichter** a un sens large en allemand ; il signifie *le poète* et
aussi *l'écrivain*.   ▶

3 Aujourd'hui, nous aimerions vous présenter un poète très important *(significatif)*.

4 Il est né à Francfort en *(l'an)* 1749.

5 Il a étudié le droit à Strasbourg et [à] Leipzig.

6 Avec son premier roman *Les souffrances du jeune Werther*, il est devenu célèbre.

7 Mais l'œuvre de sa vie *(vie-œuvre)* a été *(était)* Faust.

8 Il a eu *(avait)* beaucoup d'influence sur sa génération et les générations suivantes *(d'après)*.

9 Le classicisme allemand s'est arrêté avec lui.

10 Il est mort à Weimar le 22 mars 1830.

▶ ④ Le **-e** final de **im Jahr(e)**, *dans l'année*, est facultatif car il s'agit d'une ancienne terminaison du datif. Pour indiquer une année, on dit soit **im Jahr(e)** suivi de l'année, soit simplement l'année sans préposition du tout : **Ich bin 1982 (neunzehnhundertzweiundachtzig) geboren**, *Je suis né [en] 1982*.

⑤ **die Leiden**, *les souffrances*, est le pluriel de **das Leid**, qui signifie aussi *le mal*, *le malheur*.

⑥ **geworden** est le participe passé de **werden**, *devenir*.

⑦ *après* se dit **danach** quand rien ne le suit, c'est-à-dire quand il est adverbe : **Ich gehe ins Theater und danach gehe ich nach Hause**, *Je vais au théâtre et après, à la maison*.

⑧ **aufgehört** est le participe passé de **aufhören**, *terminer*. Dans la leçon précédente, nous avons vu **hören**, *écouter*, *entendre*. Voyez, encore une fois, la particule peut tout changer...

⑨ Pour la structure de la phrase, notez qu'en général le complément de temps précède le complément de lieu.

⑩ **sterben**, *mourir*, **gestorben**, *mort(e)*. Comme l'adjectif attribut, le participe passé à la fin de la phrase reste invariable, que le sujet soit un homme ou une femme : **Wann ist Goethe gestorben?**, *Quand Goethe est-il mort ?* (À ce propos, une coquille s'est glissée dans le dialogue... Goethe n'est pas mort en 1830 mais en 1832.) **Und wann ist seine Frau gestorben?**, *Et sa femme, quand est-elle morte ?*

Übung 1 – Übersetzen Sie bitte!

❶ Darf ich mich vorstellen? Ich bin Thomas Büchner.
❷ Ihre Kinder sind groß geworden! ❸ Wann sind Sie
geboren? Am 1. April? ❹ Es hat seit drei Wochen nicht
aufgehört zu regnen. ❺ Ich lerne eine Viertelstunde
Deutsch und danach gehe ich essen.

Übung 2 – Ergänzen Sie bitte!

❶ *(Cordialement)* Bienvenue dans notre ville !

. . . . in unserer Stadt!

❷ Cette émission de radio était très intéressante.

. . . . sehr interessant.

❸ Cet homme est très important et il a beaucoup d'influence.

Dieser Mann ist . . . . und er hat

. . . .

❹ Ma grand-mère est née en 1917 et [elle est] morte en 1998.

Meine Großmutter ist 1917* . . . . und
1998** . . . .

❺ Bonsoir M. Hansen, puis-je vous présenter ma femme ?

. . . . Herr Hansen, darf ich . . . . .
meine Frau . . . . ?

* *neunzehnhundertsiebzehn*
** *neunzehnhundertachtundneunzig*

❶ Puis-je me présenter ? Je suis Thomas Büchner. ❷ Vos enfants ont grandi *(sont devenus grands)* ! ❸ Quand êtes-vous né ? Le 1er avril ? ❹ Il n'a pas arrêté de pleuvoir depuis trois semaines. ❺ J'apprends [l']allemand [pendant] un quart d'heure et après je vais manger.

Corrigé de l'exercice 2

❶ Herzlich willkommen – ❷ Diese Radiosendung war – ❸ – sehr bedeutend – viel Einfluss ❹ – geboren – gestorben ❺ Guten Abend – Ihnen – vorstellen

Johann Wolfgang von Goethe est, sans aucun doute, l'un des plus importants personnages de la littérature allemande. Dans toutes les villes allemandes, il y a soit **ein Goetheplatz** *soit* **eine Goethestraße** *– ou les deux –, soit* **eine Goetheschule**, *soit les trois à la fois. Goethe était un génie universel. Il n'a pas seulement été le plus grand écrivain classique d'Allemagne, un essayiste et un philosophe qui a rapproché l'Orient et l'Occident, mais également avocat, ministre, conseiller, metteur en scène, directeur de théâtre, dessinateur, géologue, physicien et naturaliste. En plus de ses romans, pièces de théâtre et poèmes, il est l'auteur d'écrits scientifiques sur les plantes et les couleurs. Sa "théorie des couleurs"* **(Farbenlehre)** *est encore aujourd'hui d'actualité. Ce grand homme vivait pour et par la science, considérée à l'époque comme*

52   Zweiundfünfzigste Lektion

Pünktlichkeit ① ist die Höflichkeit der Könige

1 – Was ist denn pas**siert**?
2   Du bist nicht **zu**verlässig.
3   Wir **wa**ren um **Vier**tel vor acht ② ver**ab**redet.
4   Und du kommst fünf nach acht.

Prononciation
*pu*ñ*ktliçhkaït … **heu:**fliçhkaït **dé:**ᵃ **keu:**niguë **1** … pas**si:**ᵃt
2 … **tsou:**fèrlèssiçh **3** … **fi:**ᵃtël **fo:**ᵃ acHt …

Notes

① Il y a des noms qui se forment à partir d'un adjectif en ajoutant **-keit** : **pünktlich**, *ponctuel(le)* → **die Pünktlichkeit** ; **höflich**, *poli* → **die Höflichkeit**. Ils sont féminins et ils prennent **-en** au pluriel, comme ceux qui se terminent en **-ung**. Les adjectifs ▶

principale clé pour atteindre le bonheur humain. Il est donc d'autant plus étonnant que, dans Faust*, le chef-d'œuvre de sa vie, il mette en question la valeur du savoir scientifique. Il fait dire à son héros :* „ **Ich habe, ach, Philosophie, Juristerei und Medizin, und leider auch Theologie, durchaus studiert, mit heißem Bemühen. Da steh' ich nun, ich armer Tor, und bin so klug als wie zuvor.** "*,* "J'ai étudié, hélas, la philosophie, le droit et la médecine, oui, malheureusement aussi la théologie, avec un ardent effort. Et me voici, pauvre fou, pas plus intelligent qu'avant." *(En employant ici l'expression* **die Juristerei** *au lieu de* **die Jura***, Goethe veut donner un ton railleur au mot* "droit"*.) Dans son désespoir, Faust conclut un pacte avec le diable, Méphistophélès. Il lui promet son âme s'il arrive à lui faire aimer la vie…*

Deuxième vague : 2ᵉ leçon

Cinquante-deuxième leçon   52

L'exactitude est la politesse
des rois

1 – Mais que [s']est-il *(donc)* passé ?
2 On ne peut pas compter sur toi *(Tu n'es pas fiable)*.
3 Nous avions rendez-vous à huit heures moins le quart.
4 Et [toi] tu arrives [à] huit heures cinq.

▶ avec la terminaison **-lich** sont généralement formés à partir d'un nom : **der Punkt**, *le point*, et **der Hof**, *la cour*.

② **Viertel vor acht** signifie littéralement "quart avant huit". Nous avons déjà vu **fünf vor zwölf**, *midi/minuit moins cinq*. En allemand, l'heure s'indique avec **vor**, *avant* (à la place du "moins" français) et **nach**, *après* (à la place du "et" français) : **Viertel nach acht**, *huit heures et quart* (litt. "quart après huit"), **fünf nach acht**, *huit heures cinq* (phrase 4).

5 – Ich weiß, ent**schul**dige bitte.
6 Ich **konn**te ③ erst ④ halb acht ⑤ aus dem
Büro weg ⑥.
7 Dann **war**en na**tür**lich über**all** die **Stra**ßen
ver**stopft**.
8 Und **schließ**lich bin ich 10 (zehn) Mi**nu**ten
he**rum**gefahren ⑦, um **ei**nen **Par**kplatz zu
finden.
9 – Wo**hin** hast du denn das **Au**to ge**stellt**?
10 – Mach dir **kei**ne **Sor**gen, es ist **al**les in
Ordnung.
11 Komm, die **las**sen **nie**mand mehr rein ⑧,
wenn es **ein**mal **an**gefangen hat ⑨.
(Fortsetzung folgt)

---

6 … **ko**'ntë … wèk **7** … fèr**chtopft** **8** … **chli**:'sliç …
hèroum'guèfa:ªn … **10** … **zo:**rg'n … i'n **ort**nouñg **11** … **ra**ïn
…

Notes

③ **ich konnte**, *je pouvais*, est le prétérit de **können**, *pouvoir*.
Rappelez-vous qu'au prétérit les 1re et 3e personnes sont semblables : **er/sie/es konnte**, *il/elle/il* (neutre) *pouvait*, et que le
prétérit se traduit souvent par un autre passé en français.

④ Comme en français "ne… que", **erst** s'emploie avec une notion
temporelle lorsqu'on aurait souhaité ou qu'on s'attend à ce
que quelque chose se passe plus tôt : **Er ist erst um 10 Uhr
gekommen**, *Il n'est arrivé qu'à dix heures*, (il aurait dû/pu
arriver plus tôt). Ou lorsqu'on trouve qu'il n'est pas si tard que
ça : **Es ist erst 15 Uhr**, *Il n'est que 15 heures*.

⑤ **halb**, *demi(e)*. Pour indiquer l'heure en allemand quand on est
à la demie, il faut penser à l'heure qui vient : **halb sieben**, *six
heures et demie*, **halb drei**, *deux heures et demie*, **halb elf**, *dix
heures et demie*, etc. Vous vous y ferez très vite, vous verrez. ▶

5 – Je sais, excuse[-moi], s'il te plaît.

6 Je n'ai pu *(pouvais)* partir du bureau qu'à sept heures et demie *(demi huit)*.

7 Puis, naturellement, c'était *(les rues étaient)* bouché partout.

8 Et enfin j'ai tourné dix minutes pour trouver une place de parking.

9 – Où as-tu donc mis la voiture ?

10 – Ne te fais pas de soucis, tout va bien *(est en ordre)*.

11 Viens, ils *(les)* ne laissent *(plus)* entrer personne une fois que *(quand)* c'est commencé.
(À suivre)

⑥ **weg** signifie à lui seul : *parti(r)* : **Der Zug ist weg**, *Le train est parti*. **Ich kann jetzt nicht weg**, *Je ne peux partir maintenant*. Comme nous l'avons vu, **weg** peut aussi être une particule séparable : **weggehen**, *s'en aller* → **ich gehe weg**, *je m'en vais*.

⑦ Au lieu de dire **herumfahren**, on pourrait simplement dire **rumfahren** (voir la note suivante).

⑧ **rein** s'emploie dans la langue parlée pour dire **herein** ou **hinein**. Rappelez-vous que l'on dit **her** lorsqu'il s'agit d'un rapprochement, et **hin** lorsqu'il s'agit d'un éloignement. Ce qui n'est pas toujours évident à définir. Dans notre phrase, on aurait pu dire : **die lassen niemand mehr herein** (vers eux), si l'on se met à la place du sujet (**sie**, *eux*) à l'intérieur de la salle, ou : **die lassen niemand mehr hinein**, si l'on se met à la place de la personne qui parle à l'extérieur. Vous voyez que l'abréviation **rein** est une forme très pratique.

⑨ Comme vous le savez, la conjonction **wenn**, *quand* ou *si*, fait partie des conjonctions qui rejettent le verbe conjugué (et non le participe passé) à la fin de la phrase : **Wir können nicht mehr reingehen, wenn sie angefangen haben**, *Nous ne pouvons plus entrer quand ils ont commencé*.

Übung 1 – Übersetzen Sie bitte!

❶ Natürlich waren am Sonntag alle Autobahnen verstopft. ❷ Um wie viel Uhr waren wir verabredet? ❸ Er ist schließlich um neun Uhr gekommen. ❹ Wir sind eine Stunde rumgefahren, um das Hotel zu finden. ❺ Wir lassen Sie nicht rein, wenn Sie nicht pünktlich kommen.

Übung 2 – Ergänzen Sie bitte!

❶ Ne vous faites pas de soucis, on peut compter sur lui *(il est fiable)*, il vient toujours à l'heure.

Machen Sie sich . . . . , er ist
. . . . , er kommt immer . . . .

❷ Mais qu'est-ce qui s'est passé ? – Rien, tout est en ordre.

Was ist denn . . . . ? – Nichts, alles ist . .
. . . .

❸ J'ai un rendez-vous avec M. Hansen à cinq heures et demie. – Je suis désolé, il est déjà parti.

Ich bin um . . . . mit Herrn Hansen
. . . . – Tut mir Leid, ... schon
. . . .

❹ Personne ne peut entrer une fois que c'est *(a)* commencé.

. . . . darf . . . . , wenn es einmal
. . . .

Corrigé de l'exercice 1

❶ Naturellement, toutes les autoroutes étaient bouchées dimanche.
❷ À quelle heure avions-nous rendez-vous ? ❸ Il est finalement
arrivé à neuf heures. ❹ Nous avons tourné une heure pour trouver
l'hôtel. ❺ Nous ne vous laissons pas entrer si vous n'arrivez pas à
l'heure.

❺ Finalement elle est arrivée à quatre heures moins le quart.
. . . . ist sie um . . . .
gekommen.

Er ist schließlich um neun Uhr gekommen.

Corrigé de l'exercice 2

❶ – keine Sorgen – zuverlässig – pünktlich ❷ – passiert – in
Ordnung ❸ – halb sechs – verabredet – er ist – weg ❹ Niemand
– rein – angefangen hat ❺ Schließlich – Viertel vor vier –

Pünktlichkeit und Zuverlässigkeit, l'exactitude et la fiabilité, *sont – avec la volonté de travailler – les vertus majeures des pays germaniques, si l'on veut en croire les traditions et les statistiques. Leur lien est étroit : quelqu'un qui n'est pas à l'heure n'est pas fiable ! Quand vous recevez une invitation pour un dîner ou une soirée, venez à l'heure, sauf si vous trouvez en bas de votre carton d'invitation "c. t." qui signifie "cum tempore". C'est une manière officielle de vous donner le droit d'arriver avec un quart d'heure de retard. Autrement, tout retard est considéré comme négligence, si ce n'est comme un manque de respect sérieux envers l'autre. Un retard peut poser de vrais problèmes non seulement au travail, mais aussi dans la vie privée. Les retardataires provoquent des ruptures d'amitié et même de mariages. Et pourtant, notre sens du temps*

53　Dreiundfünfzigste Lektion

Er ist nicht auf den Mund gefallen ①
(Fortsetzung)

1 – Ich bin schon **la**nge nicht mehr in **e**inem so **gu**ten ② Kon**zert** gew**e**sen ③.

Prononciation
… mount … **1** … zo: **gou**:tën ko'n**ts**èrt guë**vé**:zën

---

Notes

① **gefallen** est le participe passé de **fallen**, *tomber*.

② La préposition de lieu **in**, *dans*, est ici suivie du datif car avec le verbe **sein**, *être*, il s'agit d'un "locatif" (on y est, au concert). **das Konzert**, *le concert*, est neutre en allemand, et le datif neutre de l'article indéfini **ein** est *einem*. L'article étant celui qui porte la marque du datif et du genre, l'adjectif **gut**, *bon*, prend la terminaison "faible" **-en** : in einem guten Konzert. (cf. leçon 50, note 4)

▶

est assez récent. Pendant des siècles, la vie des gens était réglée
par le jour et la nuit... et puis par les cloches, d'abord pour ne pas
oublier l'heure des prières ; et plus tard, pour mieux organiser la vie
d'un village ou d'une ville, car le temps n'était le même que dans
l'horizon d'un clocher... L'exactitude du temps est devenue impor-
tante au moment où l'on a commencé à payer les gens pour leur
temps de travail et non pour le résultat seulement. À partir de là,
Zeit, *le* temps, *est devenu* **Geld**, *de l'*argent. *La plupart des pays se*
sont finalement mis d'accord pour standariser le temps, mais seu-
lement à la fin du XIXᵉ siècle. Depuis, nous vivons avec le réveil. Des
peuples germaniques, on dit même qu'ils ont leur réveil dans la tête.
Au fait, savez-vous qui a dit **"Pünktlichkeit ist die Höflichkeit der**
Könige" *? Non, ce n'est pas un Germanique, c'est Louis XVIII !*

Deuxième vague : 3ᵉ leçon

Cinquante-troisième leçon   53

Il a la langue bien pendue
(Il n'est pas tombé sur la bouche)
(Suite)

1 – Cela fait longtemps que je n'ai pas assisté à un
si beau concert *(je suis déjà longtemps à un si
beau concert été)*.

▸ ③ Vous avez appris que l'on préfère souvent le prétérit du verbe
sein, *être*, à son passé composé. Mais le passé composé existe
aussi. Contrairement au français, on conjugue **sein** avec l'auxiliaire **sein** (et pas avec **haben**, *avoir*) au passé composé : **ich
bin gewesen**, *j'ai ("suis") été*, **du bist gewesen**, *tu as ("es")
été*, etc.

53 **2** Hat es dir auch gefallen ④?

3 – Ja, es war **traum**haft ⑤.

4 – Komm, ich **ha**be einen **Bä**ren**hu**nger ⑥.

5 Dort steht **un**ser **Au**to.

6 – **Gu**ten Abend, Polizei! Ist das Ihr **Wa**gen?

7 – Der hier? Eh, nein, den **ha**be ich nie gesehen. Wa**rum** denn?

8 – **Sei**en ⑦ Sie froh, für den Be**sit**zer wird das **teu**er.

9 – Ach ja? Der **Ar**me ⑧! Na dann, **gu**te Nacht!

10 – Du bist gut, und wie **fah**ren wir nach **Hau**se?

11 – Das weiß ich im **Au**genblick noch nicht.

12 **Ge**hen wir erst ⑨ mal **es**sen.

13 Mit **lee**rem ⑩ **Ma**gen kann ich nicht **nach**denken.　　　□

---

*3 ... tra**oum'haf**t 4 ... bè:rën-**hou**ñgᵃ 8 zaiën ... fro: ... 9 ... armë ... 13 ... lé:rëm ma:g'n ... nacH'dèñk'n*

Notes

④ Les participes passés de **fallen**, *tomber*, et de **gefallen**, *plaire*, sont semblables. On ne risque pas de les confondre, car les deux verbes forment leur passé composé avec des auxiliaires différents : **haben** pour **gefallen**, *plaire*, et **sein** pour **fallen**, *tomber* : **Der Film hat mir gefallen**, *Le film m'a plu* ; **Er ist aus dem Fenster gefallen**, *Il est tombé de la fenêtre*.

⑤ Dans **traumhaft**, nous trouvons **der Traum**, *le rêve*. **-haft** n'est qu'une terminaison qui sert à former des adjectifs à partir d'un nom ou d'un verbe : **das Kind ist lebhaft**, *L'enfant est turbulent* ("plein de vie"). ▶

2   Est-ce que cela t'a plu aussi ?   **53**

3 – Oui, c'était comme un rêve.

4 – Viens, j'ai une faim de loup *(d'ours)*.

5   Notre voiture est là-bas.

6 – Bonsoir, police ! C'est votre voiture ?

7 – Celle-là *(celui-là)* ? Mais non, je ne l'ai jamais vue. Pourquoi donc ?

8 – Estimez-vous heureux *(Soyez content)*, pour le propriétaire, cela va coûter cher *(devient cela cher)*.

9 – Ah oui ? Le pauvre ! Eh bien, bonne nuit !

10 – Tu es bien, et comment allons-nous rentrer à la maison ?

11 – Ça, pour le moment, je ne [le] sais pas encore.

12   Allons manger d'abord *(fois)*.

13   Je ne peux pas réfléchir avec le ventre vide.

▶ ⑥ **der Bär**, *l'ours*, et **der Hunger**, *la faim*. En Allemagne, on a une faim d'ours, et non de loup. En outre, vous aurez noté que **Hunger** est masculin en allemand.

⑦ **seien Sie!**, *soyez !*, est l'impératif de la forme de politesse de **sein**, *être*.

⑧ Dans **der Arme**, *le pauvre*, l'adjectif **arm**, *pauvre*, prend une majuscule parce qu'il est "substantivé", c'est-à-dire qu'il est devenu un nom. Les adjectifs "substantivés" se déclinent comme les adjectifs. À l'accusatif, on dirait donc **den Armen** (avec **-n**).

⑨ **erst** vient ici de **zuerst**, *d'abord*.

⑩ On dit **mit leerem Magen** parce que **der Magen**, *l'estomac*, est masculin et **mit** est suivi du datif. Rappelez-vous que si l'on met un article, c'est lui qui prend la marque du datif – et l'adjectif est "faible" : **mit einem leeren Magen**, *avec un estomac vide*.

Übung 1 – Übersetzen Sie bitte!

❶ Bist du schon in Deutschland gewesen? ❷ Er kann zu Hause nicht nachdenken. ❸ Kennen Sie diesen Mann? – Den da? Nein. ❹ Wann essen wir? Ich habe einen Bärenhunger! ❺ Hat Ihnen dieser Abend gefallen? – Ja, es war traumhaft.

Übung 2 – Ergänzen Sie bitte!

❶ Où est notre voiture ? Je ne la vois pas

.. .. unser Wagen? Ich sehe ... nicht.

❷ Je ne sais plus, il faut que je réfléchisse.

... ... mehr, ich muss ....•

❸ Le concert était *(comme)* un rêve, mais j'ai une faim de loup maintenant.

Das Konzert war ...., aber jetzt habe ich ....•

❹ Où avez-vous mis le champagne ? Je le cherche depuis *(déjà)* longtemps.

.... den Champagner........? Ich suche ihn ....•

❺ Estimez-vous heureux *(Soyez content)*, vous n'avez pas l'estomac vide.

...., Sie haben keinen ....•

Corrigé de l'exercice 1

❶ Es-tu déjà allé en Allemagne *(été)* ? ❷ Il ne peut pas réfléchir à la maison. ❸ Connaissez-vous cet homme ? – Celui-là ? Non. ❹ Quand mangeons-nous ? J'ai une faim de loup ! ❺ Est-ce que cette soirée vous a plu ? – Oui, c'était fantastique *(comme un rêve)*.

Corrigé de l'exercice 2

❶ Wo steht – ihn – ❷ Ich weiß nicht – nachdenken ❸ – traumhaft – einen Bärenhunger ❹ Wohin haben Sie – gestellt – schon lange ❺ Seien Sie froh – leeren Magen

Vous avez très bien suivi jusqu'à maintenant. Nous vous tirons notre chapeau, car les progrès que vous avez faits ne se font pas tout seuls. Surtout, ne vous laissez pas décourager par la déclinaison de l'adjectif, qui, en effet, est un peu complexe. Faites plutôt comme les Allemands qui avalent les terminaisons...

Deuxième vague : 4ᵉ leçon

54 Vierundfünfzigste Lektion

Kopf hoch!

1 **Ha**nd **auf**s ① Herz, Sie **ha**ben die **Na**se voll?
2 Man hat **Ih**nen Sand in die **Au**gen ge**streut**
   und **gol**dene **Ber**ge ver**spro**chen ②?
3 Und Sie **ha**ben den Kopf ③ ver**lo**ren ④?
4 Jetzt **schä**men Sie sich und **den**ken
   na**tür**lich, dass **al**les zu **En**de ist?
5 **Hö**ren Sie, wir **wol**len uns ja nicht in **Ih**re
   Angelegenheiten **mi**schen…

Prononciation
kopf _ho_:cH **1** _ha_'nt **a**oufs _hè_rts … **na**:zë … **2** … _za_'nt … **a**oug'n
gu**é**chtro**ï**t … **gol**dënë … fèr**chpro**cH'n **3** … fèr**lo**:rën **4** …
chè:mën … **5** _heu_:rën … _a'_nguëlég'n_ha_ïtën **mi**ch'n

Notes

① **aufs** est la contraction de **auf** + **das**. Sous-entendu, il y a le
verbe **legen**, _mettre, poser_ : **die Hand aufs Herz legen** signifie
littéralement "poser la main sur le cœur". On dit **legen**, _poser,
mettre_, pour quelqu'un ou quelque chose qui se trouvera après
"allongé" ou "couché" : **Ich lege die Hand auf das Herz**, _Je
mets la main sur le cœur_, et puis : **Die Hand liegt auf dem
Herz**, _La main est_ ("couchée") _sur le cœur_. Notez que la préposition **auf** fait partie des prépositions mixtes ; elle est suivie
de l'accusatif avec le verbe **legen**, _poser, mettre_ (directionnel),
et du datif avec le verbe **liegen**, _être couché_ (locatif). ▶

Haut les cœurs *(Tête haut)* !

1 Avouez-le *(Main sur le cœur)*, vous [en] avez marre *(le nez plein)* ?

2 On vous a jeté de la poudre *(sable)* aux yeux et [on vous a] promis monts et merveilles *(montagnes en or)* ?

3 Et vous avez perdu la tête ?

4 Maintenant vous avez honte et [vous] pensez évidemment que tout est fini *(à fin est)* ?

5 Écoutez, nous ne voulons pas nous mêler *(dans)* de vos affaires…

▶ ② **versprochen** est le participe passé de **versprechen**, *promettre*. **Gesprochen** est donc celui de **sprechen**, *parler*.

③ Avez-vous remarqué que *la tête*, **der Kopf**, et *la bouche*, **der Mund**, (leçon 53) sont masculins en allemand, que *le nez*, **die Nase**, au contraire est féminin, et *l'œil*, **das Auge** est neutre ? Leurs pluriels respectifs sont : **die Köpfe**, **die Münder**, **die Nasen**, **die Augen**.

④ **verloren** est le participe passé de **verlieren**, *perdre*.

6 Aber **Träu**me **hän**gen an ⑤ **ei**nem
   seidenen ⑥ **Fa**den, der kann leicht **rei**ßen.

7 Dann **spi**nnt man **ei**nen **neu**en!

8 Sie **mei**nen, wir **ha**ben nichts ka**piert** ⑦?

9 Sie **ir**ren sich, wir **ha**ben Sie sehr gut
   ver**stan**den, denn ⑧ auch wir sind schon
   traurig und ver**zwei**felt ge**we**sen.

10 **Ma**chen Sie also **kein** Ge**sicht** wie **drei**
   Tage **Re**genwetter, **so**ndern **gie**ßen Sie sich
   einen **hi**nter die **Bin**de ⑨.

11 Bald **lä**chelt For**tu**na ⑩ **wie**der, **a**ber
   Vorsicht, dass Sie **mor**gen **kei**nen **Ka**ter ⑪
   haben! ☐

---

6 ... troïmë hëñg'n ... zaïdënën fa:dën ... raï''ssën 7 ... chpi'nt ... 8 ... kapi:ᵃt 9 ... ir'n ... traouriçh ... fèrtsvaïfëlt ... 10 ...guëziçht ... gui:'sën ... hi'ntᵃ ... bi'ndë 11 ... lèçh'lt fortou:na ... ka:tᵃ ...

Notes

⑤ **hängen an...**, *être suspendu à...* La préposition **an** signifie *à* dans le sens de "contre" : **Das Bild hängt an der Wand**, *Le tableau est accroché au* ("contre le") *mur*. **Hängen** s'emploie également dans le sens transitif *suspendre, accrocher*. (Voir leçon 56, § 5.)

⑥ L'adjectif **seiden**, qui vient de **die Seide**, *la soie*, ne prend que la terminaison **-en**, car c'est l'article indéfini **ein** qui se met au datif masculin, **einem** nous indiquant que **der Faden** est masculin.

⑦ **kapieren** est un mot familier pour dire **verstehen**, *comprendre* : **Er kapiert sehr schnell**, *Il pige* ("comprend") *très vite*. ▶

6 Mais [les] rêves tiennent à un fil *(de soie)*,
celui-ci peut facilement [se] rompre.

7 Alors on [en] file un nouveau !

8 Vous pensez que nous n'avons rien pigé ?

9 Vous vous trompez, nous vous avons très bien
compris, car [nous] aussi nous avons *(sommes)*
déjà été tristes et désespérés.

10 Alors ne faites pas une tête d'enterrement
(visage comme trois jours pluie-temps) mais au
contraire jetez *(versez)*-vous [en] un derrière la
cravate.

11 Bientôt la fortune [vous] sourira *(sourit)* à
nouveau, mais gare à la gueule de bois demain
(prudence que vous n'avez pas de "chat") !

▶ ⑧ La conjonction **denn**, *car*, est un synonyme de **weil**, *parce que*.
Attention, contrairement à **weil**, **denn** ne rejette pas le verbe
à la fin : **Sie lächelt, denn er hat ihr goldene Berge versprochen**, *Elle sourit, car il lui a promis monts et merveilles.*

⑨ **die Binde**, *la bande, le bandage*, vient de **binden**, *attacher,
nouer, lier.* C'est un ancien mot pour la cravate que l'on appelle
aujourd'hui **die Krawatte**.

⑩ **Fortuna** est la déesse romaine du hasard. Quand elle vous
sourit, la chance vous sourit…

⑪ **der Kater**, *le chat*, est le masculin de **die Katze**, *la chatte*.
Rappelons qu'en allemand, on emploie d'habitude le fémi-
nin quand on ne connaît pas le sexe du chat en question. En
revanche, pour dire *avoir une gueule de bois*, on dit toujours
einen Kater haben ("avoir un chat").

Übung 1 – Übersetzen Sie bitte!

❶ Es ist besser, nicht den Kopf zu verlieren. ❷ Ich bin sicher, dass du nichts kapiert hast. ❸ Irren Sie sich nicht, er lächelt immer, aber er ist oft traurig. ❹ Ich finde, dass er dir zu viel Sand in die Augen streut. ❺ Hand aufs Herz, haben Sie manchmal die Nase voll von Deutsch?

Übung 2 – Ergänzen Sie bitte!

❶ Attention, le tableau ne tient qu'à un fil, il peut tomber *(vers le bas)* !

Achtung, das Bild . . . . . nur . . . . ,
es kann . . . . !

❷ Vous vous trompez, il n'a pas perdu la tête, il a toujours été comme ça !

. . . . , er hat nicht . . . .
verloren, ... immer so . . . . !

❸ Ne fais pas une tête d'enterrement, rien n'est fini !

Mach . . . . wie drei Tage
. . . . , nichts ist . . . . . . !

❹ Il lui promet monts et merveilles et elle sourit.

. . . . ihr goldene Berge und . . .
. . . .

Corrigé de l'exercice 1

❶ Il vaut mieux ne pas perdre la tête. ❷ Je suis certain que tu n'as rien pigé. ❸ Ne vous trompez pas, il sourit toujours, mais il est souvent triste. ❹ Je trouve qu'il te jette trop de poudre *(sable)* aux yeux. ❺ Parlez franchement, en avez-vous marre de l'allemand de temps à autre ?

❺ Hier il était désespéré, car il a perdu beaucoup d'argent, et aujourd'hui il a une gueule de bois.

Gestern war er . . . ., denn .. . . . .
viel Geld . . . ., und heute hat er . . . . .
. . . . . .

Corrigé de l'exercice 2

❶ – hängt – an einem Faden – runterfallen ❷ Sie irren sich – den Kopf – er ist – gewesen ❸ – kein Gesicht – Regenwetter – zu Ende ❹ Er verspricht – sie lächelt ❺ – verzweifelt – er hat – verloren – einen Kater

Deuxième vague : 5ᵉ leçon

„Der Apfel fällt nicht weit vom Stamm"

1 – Wa**rum** hast ① du dich in **mei**nen **Ses**sel
   ge**setzt**, **Da**niel?
2   Los ②! Steh auf!
3   Du weißt ge**nau**, das ist mein **Ses**sel, wenn
   wir **fern**sehen ③.
4 – Wa**rum** denn? Ich <u>sit</u>ze **heu**te hier. Dort
   steht ein **an**derer Stuhl.
5 – Mach **kei**nen Quatsch und hau ab ④!
6 – Nee, der Film fängt gleich **an**, und ich
   bleibe hier **sit**zen.

Prononciation
… **apf'l** … chta'm **1** … **ma**ïnën **zè**sl guë**zè**tzt **da:**nyèl **2** lo:s!
chté: **a**ouf **3** … **fèrn**'zé:ën **4** … a'nd'rª chtou:l **5** … kvatch …
<u>h</u>aou ap **6** né: … film …

Notes

① Nous vous rappelons que, contrairement au français, les verbes
   réfléchis forment leur passé composé avec l'auxiliaire **haben**,
   avoir : **Er hat sich gesetzt**, *Il s'est assis.*

② **los**, à lui tout seul, est une injonction qui "invite" à se dépêcher
   ou à partir (ou les deux à la fois). Sa traduction dépend donc
   du contexte : **Es ist spät, los!**, *Il est tard*, *"partons"*, *"vas-y"*,
   "allons-y", *"dépêchons-nous"*, *"dépêche-toi"*…   ▶

Les chiens ne font pas des chats
(La pomme ne tombe pas loin du tronc)

1 – Pourquoi t'es-tu assis *(as tu te)* dans mon
    fauteuil, Daniel *(assis)* ?

2   Allez ! Lève-toi !

3   Tu sais bien *(exactement)* [que] c'est mon
    fauteuil quand nous regardons la télé *(loin-*
    voyons).

4 – Pourquoi donc ? Aujourd'hui, c'est moi qui *(je)*
    suis assis ici. Là-bas, il y a une autre chaise.

5 – Arrête tes *(Ne fais pas de)* bêtises et dégage !

6 – Non, le film commence tout de suite, j'y suis, et
    j'y reste *(je reste ici assis)*.

Remarque de prononciation
6 Nee est une forme familière très répandue de **nein**. Les **ee** que
l'on peut étirer à volonté permettent d'exprimer avec emphase
tout ce qu'on veut : de l'étonnement au dégoût, en passant par un
refus catégorique. Essayez-les, c'est très pratique !

▶ ③ Dans **fernsehen**, *regarder la télé*, **fern** qui signifie *loin* est une
particule séparable : **Wir sehen heute fern**, *Aujourd'hui nous
regardons la télé*. Dans notre phrase **wenn wir fernsehen**,
la particule **fern** se recolle au verbe parce que la conjonction
wenn renvoie le verbe à la fin.

④ **abhauen**, *dégager, filer*, est évidemment du langage familier.
Hauen (sans particule) signifie *frapper, battre*. Si vous sou-
haitez dire **hau ab!** plus élégamment, dites plutôt : **Geh bitte!**,
Va-t'en ! ou **Gehen Sie bitte!**, *Allez-vous-en !*

7 – Das **wer**den wir gleich **seh**en ⑤!

8 – Spinnst ⑥ du? Hör auf mich zu **schla**gen!
Lass mich in **Frie**den!
Au, aua, **au, au**!

9 – Was ist denn hier los ⑦? Seid ihr ver**rückt**
ge**wor**den?

10 Hört so**fort** mit **eu**rem Ge**schre**i ⑧ **auf**!

11 – Oh, **hal**lo, **Pa**pa, du bist schon zu**rück**?

12 – Ja, wie ihr seht. Steh auf, **A**lex, du weißt
ge**nau**, dass das mein **Ses**sel ist! ☐

---

8 … **fri:**dën! **aou: aoua aou:** **10** … **o**ïrëm guë**chra**ï …

Notes

⑤ Vous vous étonnez de trouver un véritable futur en allemand ?
Mais oui, il existe, il est simplement très souvent remplacé par
le présent. Et pourtant, il n'y a pas plus simple que le futur :
werden + l'infinitif d'un verbe = futur. **Werden** prend la place
habituelle du verbe conjugué et l'infinitif se trouve à la fin :
Wir werden das Futur in Lektion 56 sehen, *Nous verrons le
futur en leçon 56.*

⑥ Le premier sens de **spinnen** est bien *filer* (un fil) ; le deuxième
est *être cinglé*, *fou*. Comment est-ce possible ? Si nous vous
disons que **die Spinne** est *l'araignée*, cela vous évoque-t-il
quelque chose en français ?

⑦ Ici, **los** n'a plus beaucoup à voir avec **los** de la note 2. Il s'agit
simplement d'une expression très utile : **Was ist los?**, *Qu'est-ce
qu'il y a ?*

▶

7 – C'est ce qu'on va voir *(cela verrons nous)* tout de suite !

8 – Tu es cinglé ? Arrête de me frapper ! Fiche-moi la paix !
Aïe, aïe, aïe, aïe !

9 – Mais que se passe-t-il ici ? Êtes-vous devenus fous ?

10 Arrêtez tout de suite de brailler *(avec vos criailleries)* !

11 – Oh, salut, Papa, tu es déjà rentré ?

12 – Oui, comme vous voyez. Lève-toi, Alex, tu sais bien que c'est mon fauteuil !

Daniel und Alex spinnen, sie sehen den ganzen Tag fern.

▶ ⑧ **das Geschrei**, *les criailleries*, *les cris*, s'emploie toujours au singulier en allemand comme **der Quatsch**, *la bêtise*, *les bêtises*. L'adjectif possessif **euer**, **eure**, *votre*, *vos*, n'est pas la forme de politesse. C'est le pluriel de **dein**, *ton*. La forme de politesse serait : **Hören Sie auf mit Ihrem Geschrei!**, *Arrêtez* ("avec") *vos hurlements !*

Übung 1 – Übersetzen Sie bitte!

❶ Setzt euch ins Auto! Wir müssen los! ❷ Komm! Wir müssen schnell abhauen! ❸ Die Kinder wissen genau, dass das der Sessel ihres Vaters ist. ❹ Dieses Geschrei muss sofort aufhören! ❺ Daniel und Alex spinnen, sie sehen den ganzen Tag fern.

Übung 2 – Ergänzen Sie bitte!

❶ Ne faites pas de bêtises, les enfants, vos parents seront bientôt de retour.

. . . ., Kinder, ... Eltern
. . . . . . bald . . . .

❷ Laissez-moi tranquille *(en paix)*, Alex et Daniel, je veux regarder la télé.

Lasst mich . . . ., Alex und Daniel, ich will . . . .

❸ Levez-vous, les enfants, il est déjà six heures et demie.

. . . ., Kinder, es ist schon . . . .

Nous souhaitons attirer votre attention une fois de plus sur le genre des mots au risque de vous ennuyer. Mais rassurez-vous, c'est pour votre bien. Nous voulons que vous soyez capable de définir le genre d'un nom vous-même. Dans cette leçon, il y a deux noms dont vous ne pouvez pas déterminer le genre, parce que rien ne vous l'indique : **der Frieden**, la paix, *est masculin en allemand, et* **das Geschrei**, les criailleries, *est un singulier neutre. Mais avez-vous trouvé le genre de* **Sessel, Stuhl** *et* **Quatsch** *? Voyons,* **Sessel** *est évidemment masculin :* **der Sessel**, *car Axel dit* **du hast dich in mein**en **Sessel gesetzt**, tu t'es assis dans mon*

Corrigé de l'exercice 1

① Asseyez-vous dans la voiture ! Il faut qu'on parte ! **②** Viens ! Il faut qu'on s'en aille vite ! **③** Les enfants savent bien que c'est le fauteuil de leur père. **④** Ces hurlements doivent s'arrêter immédiatement ! **⑤** Daniel et Alex sont fous, ils regardent la télé toute la journée.

④ Asseyez-vous vite, le film a déjà commencé.

. . . . sich schnell, der Film . . . schon . . . .

⑤ Que se passe-t-il là-bas ? – Vous verrez ça tout de suite.

. . . . . . dort . . . ? – Das . . . . gleich . . . . . .

Corrigé de l'exercice 2

① Macht keinen Quatsch – eure – werden – zurück sein **②** – in Frieden – fernsehen **③** Steht auf – halb sieben **④** Setzen Sie – hat – angefangen **⑤** Was ist – los – werden Sie (*ou* werdet ihr) – sehen

---

fauteuil, *et* **meinen** *est un accusatif masculin.* **Stuhl** *est masculin en allemand,* **der Stuhl***, la chaise, car Daniel dit* **ein anderer Stuhl steht dort***, il y a une autre chaise là-bas, et la terminaison* **-er** *de* **ander-** *est la terminaison du nominatif masculin. Au féminin, on aurait trouvé* **eine andere***, et au neutre* **ein anderes***. Enfin,* **Quatsch** *(prononcez bien [kvatch]) est masculin, car Axel dit* **mach keinen Quatsch***,* **keinen** *étant masculin singulier (à l'accusatif) :* **der Quatsch** *(ne s'emploie qu'au singulier). Vous voyez, c'est simple !*

Deuxième vague : 6ᵉ leçon

56 Sechsundfünfzigste Lektion

Wiederholung – Révision

1 L'adjectif épithète et ses déclinaisons

La déclinaison de l'adjectif épithète dépend de l'article qui le précède : si l'article définit le nom qui suit, en portant la marque de son genre et du cas auquel il se trouve, l'adjectif se termine simplement par **-e** ou **-en**. C'est ce que nous appelons sa terminaison "faible". Dans le cas inverse, c'est-à-dire si l'article ne porte pas les indications ou s'il n'y a pas d'article, c'est l'adjectif qui porte la marque du genre et du cas.

1.1 L'adjectif précédé de l'article défini (qui est toujours porteur de la marque)

	Masculin	Féminin
Nominatif	**der alt**e **Mann** *le vieil homme*	**die jung**e **Frau** *la jeune femme*
Accusatif	**den alt**en **Mann**	**die jung**e **Frau**
Datif	**dem alt**en **Mann**	**der jung**en **Frau**
Génitif	**des alt**en **Mann**(e)s	**der jung**en **Frau**

	Neutre	Pluriel
Nominatif	**das klein**e **Kind** *le petit enfant*	**die gut**en **Freunde** *les bons amis*
Accusatif	**das klein**e **Kind**	**die gut**en **Freunde**
Datif	**dem klein**en **Kind**	**den gut**en **Freunden**
Génitif	**des klein**en **Kind**(e)s	**der gut**en **Freunde**

Pour résumer, on peut dire : précédé de l'article défini, l'adjectif se termine toujours par **-en**, sauf au nominatif singulier des trois genres et à l'accusatif singulier féminin et neutre, où il ne prend que la terminaison **-e**.

1.2 L'adjectif précédé de l'article indéfini *ein* ou négatif *kein*

Il se décline comme s'il était précédé de l'article défini, sauf aux nominatifs singuliers des trois genres et à l'accusatif féminin et neutre du singulier, où il prend les marques de l'article défini :

	Masculin	Féminin
Nominatif	**(k)ein alter Mann**	**(k)eine junge Frau**
	(auc)un vieil homme	*(auc)une jeune femme*
Accusatif	**(k)einen alten Mann**	**(k)eine junge Frau**
Datif	**(k)einem alten Mann**	**(k)einer jungen Frau**
Génitif	**(k)eines alten Mann(e)s**	**(k)einer jungen Frau**

	Neutre	Pluriel
Nominatif	**(k)ein kleines Kind**	**keine guten Freunde**
	(auc)un petit enfant	*pas de bons amis*
Accusatif	**(k)ein kleines Kind**	**keine guten Freunde**
Datif	**(k)einem kleinen Kind**	**keinen guten Freunden**
Génitif	**(k)eines kleinen Kind(e)s**	**keiner guten Freunde**

Les terminaisons de l'article – voir tableau 1.1 – vont à l'adjectif (sauf aux génitifs masculin et neutre du singulier !) :

	Masculin	Féminin
Nominatif	**alter Mann**	**junge Frau**
	vieil homme	*jeune femme*
Accusatif	**alten Mann**	**junge Frau**
Datif	**altem Mann**	**junger Frau**
Génitif	**alten Mann**(e)s	**junger Frau**

	Neutre	Pluriel
Nominatif	**kleines Kind**	**gute Freunde**
	petit enfant	*(des) bons amis*
Accusatif	**kleines Kind**	**gute Freunde**
Datif	**kleinem Kind**	**guten Freunden**
Génitif	**kleinen Kind**(e)s	**guter Freunde**

2 Le futur

Nous avons vu que c'est souvent le présent qui exprime le futur, surtout lorsqu'il est accompagné d'un complément de temps :
Er kommt bald zurück, *Il reviendra bientôt.*
Wir fahren nächstes Jahr nach Italien, *Nous irons en Italie l'année prochaine.*

Dans les exemples précédents, on aurait pu employer le futur, mais le temps le plus usité est le présent. En revanche, au cas où le sens du futur n'est pas donné par le contexte ou par un complément temporel, on emploie souvent le futur – qui est **werden** + infinitif :
es wird regnen, *il pleuvra.*

Rappelez-vous que l'infinitif se trouve toujours à la fin de la phrase : **Sie werden das leicht schaffen**, *Vous y ("le") arriverez facilement.*

Unser Rat, *Notre conseil* : Retenez bien **werden**, qui n'est pas seulement un auxiliaire servant à former le futur, mais aussi un verbe à part entière signifiant *devenir*, et qui exprime à lui seul un changement d'état, un "devenir" et, par là, un futur :
Es wird dunkel, *Il commence à faire nuit* ("Il devient sombre").

Werden peut également former son propre futur :
Es wird bald dunkel werden, *Il fera bientôt nuit.*

Avec les prochaines leçons, vous vous habituerez à tous ces emplois différents : **Sie werden es selbst sehen**, *Vous le verrez vous-même.*

3   Comment traduire "pour" ?

• *pour* + nom ou pronom se traduit, en général, par la préposition **für** suivie de l'accusatif :
Ich habe zwei Karten für das Konzert am Samstag, kommst du mit?, *J'ai deux places pour le concert, samedi, viens-tu avec [moi] ?*
Das ist für dich, *C'est pour toi.*

• *pour* + infinitif d'un verbe (avec une valeur finale dans le sens de "afin de") se traduit par **um... zu** ; **um** introduit la subordonnée et **zu** précède l'infinitif qui est rejeté à la fin de la phrase :
Wir brauchen das Auto, um nach Hause zu fahren, *Nous avons besoin [de] la voiture pour rentrer.*
Er fährt nach Spanien, um Paella zu essen, *Il va en Espagne pour manger [de] la paella.*
Man braucht nur gute Laune, um Deutsch zu lernen, *On n'a besoin que [de] bonne humeur pour apprendre [l']allemand.*

Au paragraphe 2 de la leçon 28, nous avons vu tous les adjectifs possessifs, sauf **unser**, *notre*, et **euer**, *votre*.

Masculin : **Unser König ist nicht euer König**, *Notre roi n'est pas votre roi.*

Féminin : **Unsere Welt ist nicht eure Welt**, *Notre monde n'est pas votre monde.*

Neutre : **Aber euer Glück ist unser Glück**, *Mais votre bonheur est notre bonheur.*

Pluriel : **Und eure Freunde sind auch unsere Freunde**, *Et vos amis sont aussi nos amis.*

Les adjectifs possessifs se déclinent comme l'article indéfini au singulier et comme l'article négatif au pluriel.

5   Les verbes de "position" et les verbes "d'action" correspondants

5.1 Les verbes de "position"

On appelle "verbes de position" les verbes qui précisent la position dans laquelle se trouvent des personnes et des objets.

On distingue quatre positions :

stehen, *être debout* : **Der Mann steht auf der Straße**, *L'homme est* ("debout") *dans* ("sur") *la rue.*

sitzen, *être assis* : **Die Frau sitzt auf dem Stuhl**, *La femme est assise sur la chaise.*

liegen, *être couché* : **Der Mann liegt in seinem Bett**, *L'homme est couché dans son lit*, (**das Bett (-en)**, *le lit*).

hängen, *être suspendu* : **Das Kind hängt am Trapez**, *L'enfant est suspendu au trapèze*, (**das Trapez (-e)**, *le trapèze*).

Notez que comme il n'y a pas de changement de lieu, les prépositions des compléments de lieu sont suivies du datif !

Lorsqu'on parle des personnes, l'emploi de ces verbes ne pose normalement pas de problème. Pour certains objets, il en est de même :

Eine Tasse steht auf dem Tisch, *Il y a une tasse sur la table* ("une tasse est debout"), (**der Tisch (-e)**, *la table*).
Das Buch liegt auf dem Tisch, *Le livre est* ("couché") *sur la table.*
Der Mantel hängt an der Garderobe, *Le manteau est* ("suspendu") *dans la penderie*, (**die Garderobe (-n)**, *la garde-robe, le vestiaire, la penderie*).

Mais qu'en est-il d'une assiette, est-elle debout ou couchée sur la table ? Elle est debout parce qu'elle tient toute seule : **Der Teller steht auf dem Tisch**.
Alors pourquoi dit-on : **Das Buch liegt auf dem Tisch**, *Le livre est* ("couché") *sur la table* ? Voyons, le livre n'est pas "debout" sur la table, il est debout dans la bibliothèque : **Das Buch liegt auf dem Tisch, aber es steht in der Bibliothek…**

Encore un mot : les verbes de position sont des verbes intransitifs et irréguliers. Leurs participes passés sont **stehen → gestanden**, **sitzen → gesessen**, **liegen → gelegen** et **hängen → gehangen**. Vous allez les rencontrer dans les prochaines leçons.

5.2 Les verbes "d'action"

Comme nous venons de le voir, "les verbes de position" donnent une précision sur la position dans laquelle se trouve un objet ou une personne, sur son état, sa situation.
Les verbes d'action correspondants donnent une indication sur la position dans laquelle les objets ou les personnes se trouveront après qu'on les a posés.

Ainsi, à chaque verbe de position correspond un verbe d'action :
stellen, *poser, mettre* (quelque chose ou quelqu'un qui se trouvera "debout" après) :
Das Kind stellt die Puppe auf den Stuhl, *L'enfant met* ("debout") *la poupée sur la chaise* ;

56 **setzen**, *poser, mettre, asseoir* (quelque chose ou quelqu'un qui se trouvera "assis" après) :
Das Kind setzt die Puppe auf den Tisch, *L'enfant assoit la poupée sur la table* ;
legen, *poser, mettre* (quelque chose ou quelqu'un qui se trouvera "couché" après) :
Das Kind legt die Puppe in das Bett, *L'enfant met* ("couchée") *la poupée au lit* ;
hängen, *poser, accrocher, suspendre* (quelque chose ou quelqu'un qui se trouvera "suspendu" après) :
Das Kind hängt die Puppe über sein Bett, *L'enfant accroche la poupée au-dessus de son lit.*

Notez que comme il y a mouvement, changement de lieu, les prépositions des compléments de lieu sont suivies de l'accusatif !
Les verbes d'action que nous venons de voir sont des verbes transitifs, c'est-à-dire qu'ils sont toujours accompagnés d'un complément d'objet direct. Ce sont tous des verbes réguliers et ils forment leurs participes passés de manière régulière : **gestellt**, **gesetzt**, **gelegt** et **gehängt**.

Ouf ! **Kopf hoch!** *Terminée, la grammaire, pour aujourd'hui ! Il ne vous reste qu'à écouter le dialogue qui suit pour vous rendre compte de vos progrès !*

Traum und Wirklichkeit

1 – Hand aufs Herz, haben Sie schon eine so wunderschöne Aussicht gesehen?

2 Ich liebe diese Aussicht: blaues Meer, blauer Himmel, goldene Berge in der Sonne.

3 Was braucht man mehr?

4 Nur diese Leute überall, ich kann sie nicht mehr sehen.

5 Ich bin 1957 (neunzehnhundertsiebenund-fünfzig) geboren, da war kein Mensch hier.

6 Generationen haben hier ruhig und in Frieden gelebt.

7 Dann sind die ersten Touristen gekommen.

8 Unser traumhaftes Plätzchen ist berühmt geworden.

9 Und jetzt sind die Straßen verstopft.

10 Man muss Stunden herumfahren, um einen Parkplatz zu finden.

11 – Ja, das ist verrückt. Sie haben immer hier gewohnt?

12 – Natürlich nicht. Mit 20 bin ich abgehauen, ich hatte die Nase voll.

13 Hier war nichts los, keine Arbeit, keine Kneipe, kein Kino…

14 Ich bin 25 (fünfundzwanzig) Jahre nicht hier gewesen.

15 – Wo wohnen Sie denn jetzt?

16 – Hier. Ich bin der Besitzer dieses Hotels.

17 Ich besitze noch drei andere Hotels hier.

18 Wollen Sie etwas trinken?

19 Kommen Sie, ich lade Sie ein.

Rêve et réalité

1 Franchement, avez-vous déjà vu une vue aussi magnifique ?
2 J'adore cette vue : mer bleue, ciel bleu, montagnes dorées
par *(dans)* le soleil. **3** [De] quoi d'autre a-t-on besoin *(plus)* ?
4 Seulement ces gens partout, je ne peux plus les voir. **5** Je suis
né en 1957, à cette époque il n'y avait *(là était)* personne ici.
6 [Des] générations ont vécu ici tranquillement et en paix. **7** Puis,
les premiers touristes sont arrivés. **8** Notre petit endroit de rêve
est devenu célèbre. **9** Et maintenant, les rues sont embouteillées.
10 Il faut tourner [pendant des] heures pour trouver une place de
stationnement. **11** Oui, c'est fou. Vous avez toujours habité ici ?
12 Bien sûr [que] non. À l'âge de 20 ans je me suis "barré", j'en
avais assez. **13** Ici il ne se passait rien, pas de travail, pas de
bistrot, pas de cinéma… **14** Je n'ai *(suis été)* pas vécu ici [pendant]
25 ans. **15** Où habitez-vous donc maintenant? **16** Ici. Je suis le
propriétaire de cet hôtel. **17** Je possède encore trois autres hôtels
ici. **18** Voulez-vous boire quelque chose ? **19** Venez, c'est moi qui
(je) vous invite.

Deuxième vague : 7ᵉ leçon

57 Siebenundfünfzigste Lektion

Wer wird das alles essen?

1 – **Mögen** Sie **Mo**zartkugeln?
2 **Wis**sen Sie, **die**se **run**den **Nou**gatpralinen,
die so **hei**ßen, weil **Mo**zart sie so gern
ge**ges**sen hat?
3 **We**nigstens sagt man das, aber **lei**der kann
es nicht **stim**men.
4 **Mo**zart war **näm**lich ① schon **la**nge tot,
als ② der **Salz**burger Kon**di**tor **Pa**ul Fürst
1890 (**acht**zehn**hun**dert**neun**zig) das
„**Mo**zartbonbon" er**fun**den hat.
5 Die **größ**te ③ **Mo**zartkugel-**Schach**tel hat
einen **In**halt von 2500 (**zwei**tausend**fünf**-
hundert) Stück und al**lein** der **De**ckel wiegt
120 (**ein**hundert**zwan**zig) **Ki**logramm.

Prononciation
*1 ... mo:tsart-kougëln 2 ... roun*dën *nou:ga't-prali:nën ...
guëgèss'n 3 ... vé:nikstëns ... 4 ... to:t als ... zalsbourg[a]*

Notes

① **nämlich**, *en effet*, s'emploie dans un énoncé qui explique ce
que l'on vient de dire. Il ressemble donc à **denn**, *car*. Mais
attention ! Contrairement à la conjonction **denn**, **nämlich** n'introduit jamais la justification ; en général, il est placé après le
verbe : **Er weiß das; er war nämlich da**, *Il le sait ; en effet, il
était là.* = **Er weiß das, denn er war da**, *Il le sait, car il était
là.*

Qui mangera tout cela ?

1 – Aimez-vous les "Mozartkugeln" ?
2   Vous savez, ces bonbons ronds [au] nougat qui s'appellent ainsi parce que Mozart les mangeait volontiers *(mangé a)*.
3   [C'est] du moins ce [qu']on dit, mais malheureusement cela n'est pas possible *(peut pas être vrai)*.
4   En effet, Mozart était mort depuis *(déjà)* longtemps quand, [en] 1890, le pâtissier salzbourgeois Paul Fürst inventa le "Mozartbonbon" *(inventé a)*.
5   La plus grande boîte de "Mozartkugeln" contient *(a un contenu de)* 2 500 pièces et le couvercle seul pèse 120 kg.

---

ko'ndito:r **pa**oul furst … *-boñgboñg* èr**foun**dën … **5** …
greu:stë … **-chacH**tël … *i'n*halt … **dèck'l** vi:kt …

▸ ② La conjonction **als** traduit *quand*, *lorsque* pour un événement
   unique du passé : **Wir haben in Salzburg gewohnt, als ich
   Kind war**, *Nous avons habité à Salzbourg quand j'étais
   enfant*.

③ **größte** est le superlatif de **groß**, *grand*. En général, le superlatif se forme en ajoutant la terminaison **-ste** à l'adjectif (ex. :
   teuer, *cher*, **teuerste**), et, dans certains cas, un tréma. Comme
   groß se termine par **-ß** – qui, comme vous le savez, remplace
   deux **s** après une voyelle allongée –, on n'en ajoute pas un
   troisième.

6 Noch viel **schwer**er ④ ist **a**ber die
höchste ⑤ **Eist**orte ⑥ der Welt (sie ist drei
Meter **vier**zig hoch!).

7 Ein **Eiskon**di**t**ormeister und **sei**ne Ge**sell**en
haben sie in **sieb**en **Ta**gen bei **mi**nus 30
(**drei**ßig) Grad ⑦ ge**baut**.

8 **Den**ken Sie jetzt **a**ber nicht, dass sich in
deutschen **Lan**den ⑧ **al**les um das **Es**sen
dreht ⑨! □

6 … **chvé**:rᵃ … **heu:ç**hstë aïs-tortë … 7 … aïs-ko'**n**dito:r-**maïst**ᵃ … guë**zèl**'n … **mi**nou's … gra:t guë**ba**out 8 … **doït**ch'n la'**n**dën … dré:t

Notes

④ **schwerer** est le comparatif de supériorité de **schwer**, *lourd* (et *difficile* au sens figuré). Il se forme en ajoutant **-er** à l'adjectif, et, parfois un tréma ; ainsi, le comparatif de **groß** est **größer**, celui de **schön**, **schöner**, etc.

⑤ **höchste** est le superlatif "régulier" de **hoch**, *haut*. Mais attention ! **hoch** compte parmi les cinq adjectifs "irréguliers", car il perd le **c** au comparatif : **höher**. Si vous êtes curieux, jetez un coup d'œil aux autres dans la prochaine leçon de révision, § 2.1.

⑥ **Falls Sie das Rezept interessiert** *[rét**sèpt** i'ntèrèssi:ᵃt]*: **Sie brauchen 1 200 Liter** *[ta**ou**z'nt-**tsvaïhoun**dᵃt litᵃ]* **Milch, 155** *[**houn**dᵃt-**funf**-ount-funftsiç]* **Liter Sahne, 27** *[**zi**:bën-ount-**tsva'n**tsiç]* **Kilogramm Kakao** *[ka**ka**ou]*, **85** *[**funf**-ount-**acH**tsiç]* **kg Schokolade, über 100 kg Erdbeeren** *[**èrt**-bé:rën]* **und ungefähr 15 kg Himbeeren** *[**hi'm**bé:rën]!* *Au cas où la recette vous intéresserait ("intéresse") : Vous avez besoin de 1 200 l [de] lait, 155 l [de] crème chantilly, 27 kg [de] cacao, 85 kg [de] chocolat, plus de 100 kg [de] fraises et environ 15 kg [de] framboises !*

⑦ **der Grad**, *le degré*, reste au singulier en allemand lorsqu'il est précédé d'une mesure. Il s'agit de degré Celsius ! ▶

6 Le plus haut gâteau glacé du monde – il fait
(est) 3,40 m [de] haut ! – est pourtant encore
beaucoup plus lourd.

7 Un maître confiseur glacier et ses compagnons
l'ont construit en sept jours, par moins 30
degrés.

8 Mais ne pensez pas maintenant que *(se)* tout
tourne autour de la nourriture *(du manger)* dans
les pays germaniques !

Remarque de prononciation
6 höchste peut également se prononcer *[heu:xtë]*.

▶ ⑧ Le pluriel usité de **das Land**, *le pays*, est **die Länder**. **Lande**
est un pluriel poétique qui s'emploie surtout dans l'expression
in deutschen Landen (le **-n** final marque le datif pluriel) pour
éviter une confusion entre "les pays germaniques" et "les
Länder (*États*) d'Allemagne".

⑨ **sich drehen um…** (+ acc.), ("se") *tourner autour*, est un verbe
réfléchi qui s'emploie essentiellement dans l'expression impersonnelle **es dreht sich um…**, *il tourne autour, il s'agit de…*

Übung 1 – Übersetzen Sie bitte!

❶ Was ist schwerer? Ein Kilo Sand oder ein Kilo Papier? ❷ Mozart ist im Jahr siebzehnhunderteinundneunzig gestorben. ❸ In unserer Familie dreht sich alles um die Kinder. ❹ Es hat nicht geregnet, weil es bei minus 4 Grad nicht regnet. ❺ Der Rhein ist der größte Fluss in Deutschland.

Übung 2 – Ergänzen Sie bitte!

❶ Comment s'appellent ces bonbons ronds au nougat que vous aimez tant manger ?

... . diese ...... Nougatpralinen, die Sie so ....?

❷ Qu'est-ce que tu crois *(penses)* ? À moins 30, on ne mange pas de glace !

Was ....? ... . 30 Grad isst man ....!

❸ Savez-vous qui a inventé les "Mozartkugeln" ?

...., ... die Mozartkugeln ....?

❹ Aujourd'hui tout tourne autour de l'argent ; c'est du moins ce qu'on dit.

Heute .... alles .. das Geld; .... sagt man das.

❺ Mon grand-père était mort [depuis] longtemps quand je suis né.

Mein Großvater ... schon lange ..., ... ich ...... bin.

Corrigé de l'exercice 1

❶ Qu'est-ce qui est [le] plus lourd ? Un kilo de sable ou un kilo de papier ? ❷ Mozart est mort en 1791. ❸ Dans notre famille, tout tourne autour des enfants. ❹ Il n'a pas plu, parce qu'il ne pleut pas à moins 4 degrés. ❺ Le Rhin est le plus grand fleuve d'Allemagne.

Corrigé de l'exercice 2

❶ Wie heißen – runden – gern essen ❷ – denkst du – Bei minus – kein Eis ❸ Wissen Sie, wer – erfunden hat ❹ – dreht sich – um – wenigstens – ❺ – war – tot, als – geboren –

Deuxième vague : 8ᵉ leçon

58 Achtundfünfzigste Lektion

*En allemand, le temps de narration est normalement le prétérit.
En pensant à la peine que les frères Grimm se sont donnée pour
trouver un ton proche du peuple, nous nous sommes permis ici de*

Der Hase und der Igel
(Nach einem Märchen der Brüder Grimm)

1 An einem schönen Sonntagmorgen haben
sich der Igel und der Hase auf einem Feld
getroffen ①.

2 Der Igel hat höflich gegrüßt und den
Hasen gefragt ② :

3 „Ach, Sie gehen auch bei diesem schönen
Wetter spazieren ③?"

Prononciation
... **ha:**zë ... **i:g'l** ... (... **mè:**ªch'n ... **bru**dª gri'm) **1** ... fèlt
guë**trof**'n **2** ... guë**gru**st ... **ha:**z'n guë**fra:**kt:

Notes

① **getroffen** est le participe II de **treffen**, *rencontrer.*
Contrairement au français, les verbes réfléchis forment leur
passé composé avec l'auxiliaire **haben** : **Sie haben sich um 15
Uhr getroffen,** *Ils se sont ("ont") rencontrés à 15 h.*

② **fragen** veut dire *demander* dans le sens de "interroger",
"questionner". La personne à laquelle on demande se met à
l'accusatif : **Er fragt den Hasen,** *Il demande au ("le") lièvre.*
Attention ! **der Hase,** *le lièvre, le lapin,* fait partie des "noms
masculins faibles" (cf. leçon 47, note 2). ▶

tout écrire au passé composé, qui s'emploie le plus dans la langue parlée. D'autre part, notez que le discours direct est introduit par des guillemets en bas et fermé par des guillemets en haut !

Le lièvre et le hérisson
(D'après un conte des frères Grimm)

1 *(À)* Un beau dimanche matin, le hérisson et le lièvre se sont rencontrés dans *(sur)* un champ.

2 Le hérisson a poliment salué et a demandé au *(le)* lièvre :

3 "Ah, vous aussi vous [vous] promenez avec ce beau temps ?"

Er ist kleiner als seine Schwester, aber er läuft schneller als sie.

▶ ③ *se promener* se dit **spazieren gehen** (**spazieren** tout seul ne se dit pratiquement plus). Le premier des deux infinitifs se met à la fin de la phrase comme une particule séparable : **Wir gehen jeden Sonntagmorgen spazieren**, *Nous allons [nous] promener tous les dimanches matin.*

4 Der **Ha**se hat das sehr **lus**tig ge**fun**den
und ge**ant**wortet: „Ja, ich **ge**he spa**zie**ren,
aber was **ma**chen Sie mit **Ih**ren **krum**men
Beinen?"

5 **Die**se **Wor**te ④ haben den **I**gel tief ver**letz**t:

6 „Was **wol**len Sie **da**mit **sa**gen?", hat er
ge**ru**fen. „Ich kann **schnel**ler **lau**fen als ⑤
Sie!"

7 Da hat der **Ha**se laut ge**lach**t:

8 „Sie? **Schnel**ler **lau**fen als ich? Da **la**che
ich mich ja tot ⑥."

9 „**O**kay", hat der **I**gel ge**sag**t, „**wet**ten wir,
dass ich **schnel**ler **lau**fe als Sie!"

10 Der **Ha**se ist vor **La**chen fast er**stick**t:
„**Ein**verstanden, **ma**chen wir **ei**nen
Wettlauf, und wer ge**winnt**, be**kommt**
einen **Gold**taler und **ei**ne **Fla**sche Schnaps.

---

4 … guëa'**nt**vortët … **krou**'mën … **5** … **vor**të … ti:f fèr**lètz**t
6 … guë**rouf**'n … **chnèl**ᵃ … **9** oké: … **vèt**ën … **10** … èr**chtick**t
aïnfèrchta'nd'n … **vè**'t-laouf … guë**vi**'nt … **golt**-ta:lᵃ …

Notes

④ **das Wort**, *le mot, la parole*, a deux pluriels : **die Worte** quand
on veut dire "les mots, les paroles" : **Das sind nur schöne
Worte**, *Ce ne sont que de belles paroles*, et **die Wörter**, qui
s'emploie quand on parle des mots en tant que vocables : **Ein
Satz mit sechs Wörtern**, *Une phrase de* ("avec") *six mots.* ▸

4 Le lièvre a trouvé ça très drôle et [il a]
     répondu : "Oui, [moi] je [me] promène,
     mais [vous] que faites-vous avec vos jambes
     tordues ?"

5 Ces mots ont profondément blessé le hérisson :

6 "Que voulez-vous dire par là *(avec-ça)* ?",
     s'est-il écrié, "Je peux courir plus vite que
     vous !"

7 Alors *(Là)* le lièvre a ri [très] fort :

8 "Vous ? Courir plus vite que moi ? Là, je meurs
     de rire."

9 "Okay", a dit le hérisson, "parions que je cours
     plus vite que vous !"

10 Le lièvre [s']est presque étouffé de rire :
     "D'accord, faisons une course, et celui qui
     gagne aura *(obtient)* un louis d'or et un flacon
     d'eau-de-vie.

▸ ⑤ La conjonction **als** a plusieurs fonctions. Dans une comparaison d'inégalité, elle signifie *que* : **Ich laufe schneller als du**,
Je cours plus vite que toi ; **Er ist kleiner als ich**, *Il est plus
petit que moi*. Souvenez-vous de sa signification temporelle :
Als der Hase das gehört hat, ist er vor Lachen fast erstickt,
Quand le lièvre a entendu cela, il s'est presque étouffé de rire
(cf. note 2 leçon précédente).

⑥ **sich totlachen** veut littéralement dire "se mort-rire" : **Ich habe
mich totgelacht**, *J'étais mort de rire*.

58 **11**   **Fang**en wir gleich **an**!"

    12   „Halt, **ei**nen Mo**ment**", hat der **I**gel
           er**wi**dert, „ich muss nur schnell nach
           Hause ⑦ und **mei**ner Frau Be**scheid**
           sagen ⑧.

    13   Ich bin gleich zu**rück**."
           (Fortsetzung folgt)

---

12 ... bё**chaï**t ...

Notes

⑦ **Ich muss nach Haus(e)** suffit pour dire *Je dois [aller] à la maison*, car **nach Haus(e)** indique le déplacement, comme vous le savez désormais.

***

Übung 1 – Übersetzen Sie bitte!

❶ Sie haben sich auf der Terrasse eines Cafés getroffen. ❷ Er ist kleiner als seine Schwester, aber er läuft schneller als sie. ❸ Können Sie mir bitte Bescheid geben, wenn Sie zurück sind? ❹ Der Igel war tief verletzt, weil der Hase sich fast totgelacht hat. ❺ Dieser Mann hat mich gegrüßt, aber ich kenne ihn nicht.

11 Commençons tout de suite !”

12 “Attendez *(halte)*, un moment”, a rétorqué le
hérisson, “je dois seulement rentrer vite à la
maison pour avertir ma femme.

13 Je reviens tout de suite.”
(À suivre)

▸ ⑧ **Bescheid sagen** ou **geben**, est une expression très usitée pour
dire *informer, renseigner, avertir* : **Wenn ich zurück bin,
sage ich dir Bescheid**, *Quand je serai* (“suis”) *de retour, je
t'informe[rai]* ; **Geben Sie uns Bescheid, wenn Sie mehr wissen**, *Informez-nous quand vous en saurez plus.*

***

Corrigé de l'exercice 1

❶ Ils se sont rencontrés à *(sur)* la terrasse d'un café. ❷ Il est
plus petit que sa sœur, mais il court plus vite qu'elle. ❸ Pouvez-
vous m'avertir, s'il vous plaît, quand vous serez de retour ? ❹ Le
hérisson était profondément blessé parce que le lièvre était presque
mort de rire. ❺ Cet homme m'a saluée, mais je ne le connais pas.

❶ On parie *(Nous parions)* que je cours plus vite que toi ?

. . . ., dass ich . . . . laufe . . .
. . ?

❷ Est-ce que nous nous retrouvons *(rencontrons)* vendredi prochain au même café ? – D'accord.

. . . . nächsten Freitag in demselben Café? – . . . .

❸ Nous vous avis[er]ons quand nous commenc[er]ons.

. . . . Ihnen . . . ., wenn . . .
. . . .

❹ Nous devons rentrer vite parce que nous avons parié que nous serons les premiers à la maison.

Wir müssen schnell . . . ., weil . . .
. . . ., dass wir die ersten . .
. . . . . sind.

❺ Elle lui a demandé comment il s'appelait *(s'appelle)*, mais il n'a pas répondu.

Sie hat . . . ., wie er . . . . . , aber er hat nicht . . . .

Corrigé de l'exercice 2

❶ Wetten wir – schneller – als du ❷ Treffen wir uns – Einverstanden
❸ Wir sagen – Bescheid – wir anfangen ❹ – nach Hause – wir
gewettet haben – zu Hause – ❺ – ihn gefragt – heißt – geantwortet

Les frères Jacob et Wilhelm Grimm – tous deux brillants germa-
nistes – publièrent leur premier recueil de contes en 1812. Jacob
fut bibliothécaire du roi de Westphalie et professeur d'histoire
médiévale à Göttingen, où Wilhelm, son cadet d'un an, travailla
également en tant qu'assistant-bibliothécaire.
Enfants déjà, ils adoraient écouter les récits des gens du peuple.
Plus tard, poussés par l'intérêt des récits du Moyen Âge germa-
nique, ils commencèrent à rassembler les contes et à les transcrire
dans une langue simple et à la portée de tous, tout en respectant
les originaux le plus fidèlement possible. Pour eux, il s'agissait
d'un trésor à sauver à tout prix avant qu'il ne tombe dans l'oubli.
Contrairement à Perrault – qui avait publié quelques contes avant
eux, mais dans une langue plus littéraire –, les frères Grimm défen-
daient la poésie populaire, ce qui leur valut d'ailleurs beaucoup
de critiques de certains poètes de l'époque. En revanche, le public
était enthousiaste, et l'est resté jusqu'à nos jours.
Le grand succès de leurs contes a presque éclipsé les travaux
savants des frères Grimm sur la langue allemande et ses origines,
et on oublie facilement qu'ils ont aussi publié une grammaire alle-
mande et un dictionnaire de la langue allemande.

Deuxième vague : 9ᵉ leçon

59 Neunundfünfzigste Lektion

Der Hase und der Igel
(Fortsetzung)

1 Der Igel ist schnell nach **Hau**se ge**lauf**en ①.
2 **Sei**ne Frau war beim **Ko**chen ②, als er zu **Hau**se **an**gekommen ist.
3 Aber er hat nur ge**ru**fen: „Lass das, Frau, zieh dich an ③ und komm schnell mit!
4 Ich **ha**be mit dem **Ha**sen ge**wet**tet, dass ich **schnel**ler **lau**fen kann als er.''
5 „Oje, oje'', hat da die Frau ge**ja**mmert.

Prononciation
2 ... **ba**ïm **ko**cH'n ... **3** ... tsi: diçh a'n ... **5** o**yé**: ... gu**ë**yamᵃt

Notes

① **gelaufen** est le participe II de **laufen**, *courir*. Souvenez-vous qu'en allemand <u>tous</u> les verbes exprimant un changement de lieu forment leur passé composé avec l'auxiliaire **sein**, *être* : **Ich bin gelaufen, weil es geregnet hat**, *J'ai ("suis") couru parce qu'il a plu.*
② **kochen** a plusieurs significations : *faire bouillir/cuire*, ou *bouillir/cuire* ou *faire la cuisine*. **Der Koch** est *le cuisinier* et **die Köchin**, *la cuisinière*. **Beim** (ou **bei dem**) + un verbe ▸

Le lièvre et le hérisson
(Suite)

1 Le hérisson a *(est)* vite couru à la maison.
2 Sa femme était en train de faire la cuisine
   lorsqu'il est arrivé à la maison.
3 Mais il s'est contenté de crier *(a seulement
   crié)* : "Laisse ça, *(femme)* habille-toi et viens
   vite avec [moi] !
4 J'ai parié avec le lièvre que je peux courir plus
   vite que lui."
5 "Mon Dieu, mon Dieu *(Aïe, aïe)*", a alors *(là)*
   gémi la femme.

▸ substantivé signifie *être en train de…* : **Wir waren beim
   Essen, als Freunde angerufen haben**, *Nous étions en train
   de manger quand des amis ont appelé*. **Beim Essen** tout seul
   se traduit par *en mangeant*, **beim Laufen** par *en courant*, etc.

③ **sich anziehen**, *s'habiller* : **ich ziehe mich an**, *je m'habille*, etc.
   L'impératif de la 2ᵉ personne du singulier se forme, comme
   d'habitude, sans pronom et sans la terminaison **-st** : **Zieh dich
   an!**

6 „**Ha**be **kei**ne Angst! Wenn du mir ④ hilfst, geht **all**es ⑤ gut", hat der Igel sie be**ru**higt.

7 „**Siehst** du den **großen Acker** ⑥ dort?

8 Wir **lau**fen dort **un**ten los ⑦, der **Ha**se in **ei**ner **Fur**che und ich in **ei**ner **an**deren.

9 Du ver**steckst** dich **ob**en am **A**cker, und wenn der Hase **an**kommt, dann rufst du: Ich bin schon da!

10 Hast du ver**stan**den?"

11 Die **I**gelfrau hat nur mit dem Kopf ge**nickt** ⑧.

12 „**Gut, al**so geh schnell auf **dei**nen Platz, der **Ha**se **war**tet auf ⑨ mich."
(Fortsetzung folgt)

☐

---

6 ... a**ñ**gst ... _h_ilfst ... bë**rou**:ikt **7** zi:st ... ak^a ... **8** ... **four**çhë ... **a'nd'rën 9** ... fër**chtëckst** ... **11** ... i:guël-fraou ... guë**nickt**

Notes

④ Contrairement au français, **helfen** se construit avec le datif : on dit **jemandem helfen**, *aider* ("à") *quelqu'un* : **Sie hilft ihrer Mutter**, *Elle aide* ("à") *sa mère.*

⑤ Si l'on commence par la subordonnée, il y a inversion dans la principale qui suit : **Wenn ich gewinne, bekomme ich eine Flasche Champagner**, *Si je gagne, j'aurai* ("obtiens je") *une bouteille de champagne.* Rappelez-vous que **wenn** (conditionnel) se traduit par *si*, et **wenn** (temporel) par *quand.*

⑥ **der Acker** est *le champ labouré* ; dans un sens plus général *le champ* se dit : **das Feld**.

⑦ **los** comme adverbe isolé, ou attaché à un verbe en tant que particule séparable, exprime un détachement ou une séparation : ▶

6 "N'aie pas peur ! Si tu m'aides, tout ira *(va tout)* bien", l'a rassurée *(calmée)* le hérisson.

7 "Tu vois le grand champ là-bas ?

8 Nous partons de là-bas *(en-bas)*, le lièvre dans un sillon et moi dans un autre.

9 Tu te caches en haut du champ, et quand le lièvre arrive[ra], alors tu crie[ra]s : Je suis déjà là !

10 Tu as compris?"

11 La femme du hérisson a simplement acquiescé de la tête.

12 "Bon, alors va vite à ta place, le lièvre m'attend." *(À suivre)*

▸ **Um wie viel Uhr fahren wir los?**, *À quelle heure partons-nous ?* ; **Es ist spät, wir müssen los!**, *Il est tard, il faut que nous partions !* (Voir aussi leçon 55, note 2.)

⑧ **mit dem Kopf nicken** – ou tout simplement **nicken** – signifie *hocher la tête de haut en bas*. C'est un signe d'acquiescement, contrairement à **mit dem Kopf schütteln**, *secouer ("avec") la tête*, qui est un mouvement latéral de la tête, signe de dénégation, par lequel on exprime sa désapprobation.

⑨ On dit **warten auf** jemanden ou etwas, *attendre ("sur") quelqu'un* ou *quelque chose* : **Er wartet auf seinen Freund**, *Il attend ("sur") son ami* ; **Ich warte auf den Bus**, *J'attends ("sur") le bus*.

Übung 1 – Übersetzen Sie bitte!

❶ Wenn wir um acht Uhr losfahren, kommen wir um zwölf Uhr an. ❷ Die Kinder waren beim Fernsehen, als die Mutter sie gerufen hat. ❸ Ich muss los, meine Kollegen warten auf mich. ❹ Ich kann mich nicht allein anziehen, kannst du mir bitte helfen? ❺ Als ich sie gefragt habe: „Sprechen Sie Deutsch?", hat sie genickt.

Übung 2 – Ergänzen Sie bitte!

❶ Attends-moi ! Je ne peux pas courir si vite !

....! Ich kann nicht so ....
......!

❷ Si vous êtes d'accord, vous faites signe de (avec) la tête.

.... Sie .... sind, nicken Sie ...
... .

❸ "N'ayez pas peur, je vous aide", l'a-t-il rassurée.

„Haben Sie ...., ... Ihnen",
hat er sie ....

❹ Le chien s'est caché sous le fauteuil, ne le vois-tu pas ?

Der Hund ... . unter dem Sessel
........, ... ihn nicht?

❺ En s'habillant, elle a écouté La Petite Musique de Nuit de Mozart.

.... hat sie Die Kleine Nachtmusik
... Mozart ....

Corrigé de l'exercice 1

❶ Si nous partons à huit heures, nous arriverons *(arrivons nous)* à midi. ❷ Les enfants étaient en train de regarder la télé quand leur *(la)* mère les a appelés. ❸ Il faut que je parte, mes collègues m'attendent. ❹ Je ne peux pas m'habiller [tout] seul, peux-tu m'aider, s'il te plaît ? ❺ Quand je lui ai demandé : "Parlez-vous allemand ?", elle a acquiescé de la tête.

Corrigé de l'exercice 2

❶ Warte auf mich – schnell laufen ❷ Wenn – einverstanden – mit dem Kopf ❸ – keine Angst, ich helfe – beruhigt ❹ – hat sich – versteckt, siehst du – ❺ Beim Anziehen – von – gehört

Deuxième vague : 10ᵉ leçon

60 Sechzigste Lektion

Der Hase und der Igel
(Fortsetzung und Ende)

1 „Hier bin ich **wie**der, wir **kön**nen
   anfangen."

2 „Gut, **fan**gen wir **an**", hat der Hase ge**sagt**
   und **an**gefangen, bis drei zu **zäh**len ① :
   eins, zwei…

3 Bei drei ist er **los**gelaufen so schnell wie ②
   er **konn**te.

4 Der **I**gel da**ge**gen hat nur ein paar ③
   Schritte ge**macht**.

5 Dann ist er **si**tzen ge**blie**ben und hat **ru**hig
   ge**war**tet.

6 Als der **Ha**se **o**ben **an**gekommen ist, hat die
   Igelfrau ge**ru**fen: „Ich bin schon da!"

7 „Noch **ein**mal", hat der **Ha**se to**tal** ver**wirrt**
   ge**schrien**.

8 Aber **un**ten **an**gekommen hat der Igel
   ge**ru**fen: „Ich bin schon da!"

Prononciation
2 … **tsè:**l'n … **4** … da**gué:**g'n … **pa:**ᵃ **chri**të … **5** …
gue**bli:**bën … **7** … fèr**vit**…

Notes

① Ne confondez pas **zählen**, *compter* (avec tréma), et **zahlen**,
payer !

Le lièvre et le hérisson
(Suite et fin)

1 "Me voici de retour *(Ici suis je à-nouveau)*,
   nous pouvons commencer."
2 "Bon, commençons", a dit le lièvre et [il a]
   commencé à compter jusqu'à trois : un, deux…
3 À trois, il est parti *(en courant)* aussi vite qu'il
   pouvait.
4 Le hérisson, en revanche, n'a fait que quelques
   pas.
5 Puis il est resté assis et [il a] attendu
   calmement.
6 Quand le lièvre est arrivé en haut, *(a)* la femme
   du hérisson a crié : "Je suis déjà là !"
7 "Encore une fois", s'est écrié le lièvre
   totalement déconcerté.
8 Mais arrivé en bas, le hérisson a crié : "Je suis
   déjà là !"

▶ ② *que* dans une comparaison d'égalité se traduit par **wie : Ich bin
   so groß wie du**, *Je suis aussi grand que toi*. Rappelons que,
   dans une comparaison de supériorité ou d'infériorité, *que* se
   dit **als : Er ist viel jünger als seine Frau**, *Il est beaucoup plus
   jeune que sa femme*. (Voir aussi leçon 58, note 5.)

③ **ein paar**, *quelques*, est invariable, comme **ein bisschen** et **ein
   wenig**, *un peu de…* Attention, **das Paar** avec une majuscule
   signifie *le couple*.

9 Der **Ha**se, der **im**mer **wü**tender ④ ge**wor**den ist, ist **drei**und**sieb**zigmal ⑤ ge**lau**fen.

10 Beim **vier**und**sieb**zigsten Mal ist er vor Er**schö**pfung tot **um**gefallen ⑥.

11 Der **I**gel und **sei**ne Frau sind ver**gnügt** ⑦ nach **Haus** ge**gang**en.

12 Ja, was **nüt**zen die **läng**sten ⑧ **Bei**ne, wenn man **ei**nen **kur**zen Ver**stand** hat? ☐

---

9 … *vut*ënd*ᵃ* … *dra*ï-ount-*zi:p*tsiçh-ma:l … **10** … *fi:ᵃr*-ount-*zi:p*tsiçhstën … *fo:ᵃ* èr*cheu*pfouñg … *oum*'guëfall'n

Notes

④ **wütend** vient du verbe **wüten**, *être en fureur / en colère*, et du nom **die Wut**, *la fureur / la colère*. Comme vous le savez, **werden** indique souvent un changement d'état : **müde werden**, litt. "devenir fatigué". **Wütend werden** se traduit donc littéralement par "devenir furieux". L'expression **immer** + comparatif a le sens de *de plus en plus* : **immer wütender**, *de plus en plus furieux*, **immer kälter**, *de plus en plus froid*, etc.

⑤ Comme pour **einmal**, *une fois*, ou **fünfmal**, *cinq fois*, **mal** s'attache au nombre, même si celui-ci est très long. En revanche, on dit **ein zweites Mal**, *une deuxième fois*, **ein anderes Mal**, *une autre fois*. ▶

***

Übung 1 – Übersetzen Sie bitte!

❶ Warum läufst du immer schneller? ❷ Der Hase war ganz verwirrt, als er die Igelfrau gesehen hat. ❸ Er hat längere Beine als sie, aber einen kürzeren Verstand. ❹ Seine Freundin hat am Bahnhof auf ihn gewartet. ❺ Bei diesem schönen Wetter können wir nicht zu Hause sitzen bleiben.

9   Le lièvre qui devenait de plus en plus furieux   **60**
    (qui toujours plus-furieux devenu est), a *(est)*
    couru 73 fois.

10   À la soixante-quatorzième fois, il est tombé,
    mort d'épuisement.

11   Le hérisson et sa femme sont joyeusement
    (joyeux) rentrés à la maison.

12   *(Oui)* Alors [à] quoi servent les jambes les plus
    longues, si l'on a l'esprit court ?

---

*11 … fèr**gnukt** … guë**ga'ñg**'n **12** … nutz'n … **lèñ**gstën …*
***kourt**sën fèr**chta**'nt …*

▶ ⑥ **tot umfallen**, *tomber mort* ; **umfallen** tout seul veut dire *tomber* dans le sens de "se renverser".

  ⑦ Vous souvenez-vous de **das Vergnügen**, *le plaisir, l'amusement, la joie* ?

  ⑧ **lang**, *long*, **länger**, *plus long*, **längste**, *le plus long*. L'adjectif épithète au comparatif ou au superlatif se décline comme d'habitude : **der längste Fluss Europas**, *le fleuve le plus long d'Europe* ; **die längsten Flüsse der Welt**, *les fleuves les plus longs du monde*.

***

Corrigé de l'exercice 1

❶ Pourquoi cours-tu de plus en plus vite ? ❷ Le lièvre était tout à fait déconcerté quand il a vu la femme du hérisson. ❸ Il a de plus longues jambes qu'elle, mais un esprit plus court. ❹ Son amie l'a attendu à la gare. ❺ Par ce beau temps nous ne pouvons pas rester *(assis)* à la maison.

Übung 2 – Ergänzen Sie bitte!

❶ Je compte jusqu'à trois et puis nous partons ! Avez-vous compris ?

... . bis drei, und dann .... !
Habt ihr .... ?

❷ Cela ne sert à rien de se mettre en colère, vous avez perdu.

Es ..... nichts, ... zu ......, ihr
....

❸ Il a crié aussi fort qu'il pouvait mais personne n'est venu.

.. ... so laut .... er konnte,
aber niemand ... .

❹ Quand avez-vous commencé à apprendre l'allemand ?

Wann ...., Deutsch zu
...... ?

Malgré ce conte des frères Grimm, les Allemands considèrent le lièvre plutôt comme un animal intelligent et sympathique. Il représente par exemple l'instituteur, **Meister Lampe***, dans les livres pour enfants.*
*Par ailleurs, pendant de longs siècles, on a vénéré le lièvre pour sa capacité de reproduction. Il a été l'attribut des déesses de la fécondité et de l'amour chez les Grecs, les Romains et les Germains. Plus tard, l'Église catholique l'a condamné pour cette même raison ; il était pour elle un symbole de "fornication" et de "lubricité". Il gît souvent aux pieds de la Vierge dans les représentations du Moyen Âge, symbolisant ainsi la victoire de celle-ci sur la lascivité. Au VIII*ᵉ *siècle, un pape est même allé jusqu'à en interdire la consommation ! Puis, au XVII*ᵉ *siècle, il est réapparu en tant qu'*'**Osterhase***, lapin de Pâques. Dans certaines régions, on affirmait que* **die Ostereier***, les œufs de Pâques, étaient apportés par lui. L'idée n'était pas*

❺ Ils sont arrivés joyeusement à la maison parce que le lièvre est tombé [raide] mort.

... ... vergnügt zu Haus ....,
weil der Hase ... .

Corrigé de l'exercice 2

❶ Ich zähle – laufen wir los – verstanden ❷ – nützt – wütend – werden – habt verloren ❸ Er hat – geschrien wie – ist gekommen ❹ – haben Sie angefangen – lernen ❺ Sie sind – angekommen – tot umgefallen ist

*mauvaise : on ne le voit pratiquement jamais, il est plus rapide qu'une poule, et même les enfants savent que les poules ne pondent pas d'œufs colorés. Mais il avait des concurrents : le renard dans le Brandebourg, le coucou à Berlin, le coq en Thuringe, et dans la région d'Aix-la-Chapelle, les cloches, dont on racontait qu'elles partaient le Jeudi Saint à Rome et qu'elles revenaient à Pâques avec les œufs. Finalement, l'**Osterhase** a su évincer ses adversaires. Aujourd'hui, plus personne n'oserait contester son existence. Chaque année, on vend plus de 12 000 tonnes de **Schokoladenosterhasen**. En poids de chocolat, le lièvre a même battu le père Noël !*

Deuxième vague : 11ᵉ leçon

61   Einundsechzigste Lektion

Ein überzeugendes ① Argument

1 – Restau**rant Schloss**garten, **gu**ten Tag.
2 – **Gu**ten Tag, ich **möch**te für **Dien**stagabend **nächs**ter **Wo**che **ei**nen Tisch reser**vie**ren.
3 – Für wie **vie**le ② Per**so**nen?
4 – Für zwei Per**so**nen. Ist es **mög**lich, **drau**ßen zu **sit**zen?
5 – Selbstver**stän**dlich ③, wenn uns das **Wet**ter **kei**nen Strich ④ durch die **Rech**nung macht.
6   Um wie viel Uhr **wün**schen Sie zu ⑤ **es**sen?
7 – Um neun Uhr.

Prononciation
… u:b**ᵃtsoïg**'n**dës** argou**mènt**   **1** … **chlo's**-gartën …
2 … rézèr**vi:rën 3** … pèr**zo:**nën   **5** … zèlpst-fèr**chtènt**lich …
chtrich dourch … **rèch**nouñg …

Notes

① **überzeugend** est le participe présent de **überzeugen**, *convaincre, persuader*. En général, le participe présent se forme en ajoutant **-d** à l'infinitif. Lorsque le participe présent est utilisé comme adjectif épithète, il se décline comme tous les adjectifs. **Das Argument** étant neutre, il faut dire **ein überzeugendes Argument** (cf. leçon 56, § 1).

② Nous avons vu que **viel** est un adjectif qui se décline : **viel Zeit**, *beaucoup [de] temps* ; **viele Argumente**, *beaucoup [d']arguments*. **Wie viel**, *combien*, peut également se décliner (sans que ce soit une obligation) : **Wie viel Uhr ist es?**, *Quelle heure est-il ?* ; **Wie viele** (ou **Wie viel**) **Leute sitzen draußen?**, *Combien y a-t-il [de] personnes assises dehors ?* ▸

Un argument convaincant

1 – Restaurant Schlossgarten *(château-jardin)*, bonjour.
2 – Bonjour, j'aimerais réserver une table pour mardi soir de la semaine prochaine.
3 – Pour combien [de] personnes ?
4 – Pour deux personnes. Est-il possible d'être assis dehors ?
5 – Naturellement, si le temps ne contrarie pas nos projets.
6 À quelle heure désirez-vous *(à)* manger ?
7 – À neuf heures.

▶ ③ **selbstverständlich** se compose de **selbst**, *même, en personne*, et par extension *tout seul* (**ich mache das selbst**, *je le fais moi-même / tout seul*), et de **verständlich**, *compréhensible*. **Das ist selbstverständlich** signifie donc plus littéralement "Cela se comprend de soi-même", *Ça va de soi*.

④ **einen Strich machen**, *faire un trait*, mais **einen Strich durch die Rechnung machen**, *contrecarrer les projets*. **Die Rechnung** signifie aussi bien *la facture*, *l'addition*, que *les calculs* – du verbe **rechnen**, *calculer*, *compter*.

⑤ L'infinitif qui suit **wünschen**, *désirer, souhaiter*, est précédé de **zu** : **Wünschen Sie sofort zu essen?**, *Désirez-vous manger tout de suite ?* C'est une formule très polie, mais un peu vieillote. **Wünschen** s'emploie plus fréquemment sans infinitif : **Ich Wünsche Ihnen ein schönes Wochenende**, *Je vous souhaite un bon week-end*.

61 **8 –** Das ist **et**was ⑥ spät, die **Kü**che schließt in
der **Wo**che um 22 (**zwei**undzwanzig) Uhr
30 (**drei**ßig).

9 Und das ist **scha**de, wenn Sie **ei**nen **un**serer
köstlichen **Nach**tische ver**su**chen **wol**len.

10 – Wenn wir um 20 Uhr 30 **kom**men, ist der
Nachtisch nicht mehr in Ge**fahr**?

11 – Nein, dann **ha**ben wir ge**nug** Zeit. Auf
welchen **Na**men ⑦ darf ich reser**vie**ren?

12 – Mein **Na**me ist Ralf **Buch**holz.

13 – Gut, Herr **Buch**holz, der Tisch ist für 20
Uhr 30 reser**viert**. **Al**so bis **Dien**stag.

14 – Ich **dan**ke **Ih**nen ⑧, auf **Wie**derhören.   □

---

9 … fèr**zou**cHën … **10** … guë**fa:**ᵃ **12** … **bou:cH**<u>h</u>olts

---

Notes

⑥ **etwas** ne signifie pas seulement *quelque chose*, mais aussi *un peu*.

⑦ **der Name**, *le nom*, fait partie des noms masculins faibles.

⑧ En allemand, **danken**, *remercier*, s'emploie avec le datif (complément d'objet indirect) : **Wir danken unseren Freunden**, ▶

Übung 1 – Übersetzen Sie bitte!

❶ Deine Argumente überzeugen mich leider nicht. ❷ Das Wetter hat uns einen Strich durch die Rechnung gemacht. ❸ Ich danke dir für deine Hilfe. ❹ Selbstverständlich können Sie draußen essen, wenn Sie es wünschen. ❺ Auf welchen Namen haben Sie reserviert?

8 – C'est un peu tard, la cuisine ferme à 22 h 30 en *(dans la)* semaine.

9 Et c'est dommage si vous voulez essayer un de nos délicieux desserts.

10 – Si nous arrivons *(venons)* à 20 h 30, le dessert n'est plus en danger ?

11 – Non, *(alors)* nous aurons *(avons)* assez [de] temps. À quel nom dois-je réserver ?

12 – Mon nom est Ralf Buchholz.

13 – D'accord *(Bon)*, M. Buchholz, la table est réservée pour 20 h 30. Alors à mardi.

14 – Je vous remercie, au revoir *(re-entendre)*.

▸ *Nous remercions* ("à") *nos amis*. Et *remercier de…* se dit **danken für…** : **Ich danke Ihnen für die Auskunft**, *Je vous remercie* ("à vous") *du* ("pour le") *renseignement*.

Corrigé de l'exercice 1

❶ Tes arguments ne me convainquent malheureusement pas. ❷ Le temps a contrarié nos projets. ❸ Je te remercie de ton aide. ❹ Évidemment, vous pouvez manger dehors si vous le souhaitez. ❺ À quel nom avez-vous réservé ?

Übung 2 – Ergänzen Sie bitte!

❶ Bonsoir, pour combien de personnes avez-vous réservé ?

Guten Abend, ...
haben Sie ....?

❷ Ce n'est pas un argument convaincant, nous devons essayer d'en trouver un meilleur.

Das ist ...., wir
müssen ...., ein besseres .. ..

❸ Nous vous remercions de votre aide. – Je vous en prie, c'est bien naturel !

... . für Ihre Hilfe. – ... .
Sie, das ist doch ....!

❹ Si vous ne venez pas tout de suite, nous n'aurons *(avons)* pas assez de temps.

Wenn ... nicht sofort ......, ...
nicht ..... Zeit.

---

62 Zweiundsechzigste Lektion

Eine schlaue Verkäuferin im Reisebüro

1 – **Gu**ten Tag, ich **möch**te ei**ne Rei**se in die
Sonne **bu**chen ①.

Prononciation
... *chla*ouë fèr**ko**ïf**ë**ri'n ... **1** ... **bou**:cH'n

⑤ Apportez l'addition, s'il vous plaît, nous aimerions payer !

Bringen Sie bitte ... . , wir möchten
...... !

Corrigé de l'exercice 2

❶ – für wie viele Personen – reserviert **❷** – kein überzeugendes
Argument – versuchen – zu finden **❸** Wir danken Ihnen – Ich bitte
– selbstverständlich **❹** – Sie – kommen, haben wir – genug – **❺** –
die Rechnung – zahlen

---

*Pensez-vous à reprendre une ancienne leçon tous les jours ? À
la lire à voix haute et, surtout, à traduire en allemand le texte
français du dialogue et de l'exercice 1 – ce que nous appelons "la
phase active" ? N'oubliez pas qu'il ne suffit pas de revoir un mot
plusieurs fois pour s'en souvenir, mais qu'il faut aussi l'employer.*
Wir hoffen, dieses Argument überzeugt Sie, Nous espérons que
cet argument vous convainc !

Deuxième vague : 12ᵉ leçon

Soixante-deuxième leçon   62

Une vendeuse futée à l'agence de voyages

1 – Bonjour, je voudrais réserver un voyage au
soleil.

Note

① **buchen**, *réserver, retenir une place*, s'emploie pour un voyage,
un vol, une chambre d'hôtel. Son premier sens est *comptabili-
ser, passer écriture* dans un livre (*le livre* = **das Buch**).

2 – Oh, da kann ich **Ih**nen **ei**nige
Schnäppchen ② **an**bieten.

3 Wie **lan**ge **woll**en Sie denn **blei**ben und
wann **woll**en Sie **los**fliegen?

4 – **Flie**gen? Wer hat denn von **Flie**gen
ge**spro**chen?

5 – Ach, Sie **flie**gen nicht gern ③?

6 – Nicht gern? Ich **ha**sse es!

7 **Wis**sen Sie nicht, wie **vie**le **Flug**zeuge
letztes Jahr **ab**gestürzt ④ sind?

8 – Nein, und ich **möch**te es **lie**ber ⑤ nicht
wissen.

9 Ich **flie**ge **näm**lich **über**morgen in die
Sonne, nach **Ku**ba, zu **ei**nem fan**tas**tischen
Preis!

---

2 ... *chnèpp*ç*h'n* **a'n**'bi:tën   **4** ... guë*chprocH'n*   **6** ... *ha*ssë
... **7** ... *flou:k*-tsoïgë ... **ap**'guëchturtst ... **8** ... *li:b*ᵃ ...
9 ... *kou:ba* ...

Notes

② **das Schnäppchen** est *une offre exceptionnelle, une très bonne occasion, une offre à saisir.* C'est un néologisme issu du verbe **schnappen**, *attraper.*

③ **gern**, qui se dit aussi **gerne** avec **-e**, remplace souvent le verbe *aimer* en français : **ich reise gern(e)**, *j'aime voyager* (litt. "je voyage volontiers").

④ **abstürzen**, *tomber, s'écraser*, traduit une chute brutale d'une grande hauteur (la particule **ab** indique souvent un détachement). **Stürzen**, sans particule, veut aussi dire *faire une chute* : **Er ist von seinem Rad gestürzt**, *Il est tombé de son vélo.* ▶

2 – Oh, là je peux vous proposer quelques très
bonnes occasions *(offrir)*.

3 Combien de temps voulez-vous *(donc)* rester et
quand voulez-vous prendre l'avion *(voler)* ?

4 – L'avion *(voler)* ? [Mais] Qui a donc parlé
d'avion *(voler)* ?

5 – Ah bon, vous n'aimez pas prendre l'avion *(vous
ne volez pas volontiers)* ?

6 – Ne pas aimer *(pas volontiers)* ? Je déteste ça !

7 Ne savez-vous pas combien d'avions [se] sont
écrasés l'année dernière ?

8 – Non, et je préfère *(je voudrais plus-volontiers)*
ne pas le savoir.

9 En effet, je m'envole après-demain au soleil, à
Cuba, pour un prix fantastique !

▶ ⑤ **lieber,** *plus volontiers,* comparatif de **gern,** *volontiers,* s'emploie pour exprimer la préférence : **Ich reise lieber mit dem
Zug als mit dem Flugzeug,** *Je préfère voyager* ("Je voyage
plus volontiers avec le") *en train qu'en avion.*

10 **Stell**en Sie sich vor ⑥, **alles in**begriffen:
Flug, **Un**terkunft mit **Voll**pension, so**gar**
die Fahrt vom **Flug**hafen zum Ho**tel**.

11 – Das klingt **wirk**lich interes**sant**!

12 – Ja, das ist **un**ser **bes**tes ⑦ **An**gebot, aber
schade, für Sie kommt es nicht in **Fra**ge.

13 – **War**ten Sie mal, viel**leicht** kann ich ein**mal**
eine **Aus**nahme **ma**chen.

14 **Schließ**lich ist **Flie**gen laut Sta**tis**tik am
sichersten ⑧. □

---

10 ... i'nbëgrif'n ... ount^akounft ... fol-pañgsyo:n ... flou:k-ha:f'n ... 12 ... bèstës a'nguëbo:t ... 13 ... aous'na:më ... 14 chli:sliçh ... laou't chtatistik a'm ziçh^astën

Notes

⑥ Lorsque **sich vorstellen** s'emploie dans le sens de *s'imaginer*, *se représenter quelque chose*, le pronom réfléchi est au datif : **Stell dir vor, wir gewinnen**, *Imagine("-toi"), nous gagnons* ! En revanche, **sich vorstellen** dans le sens de *se présenter* a un complément à l'accusatif : **Darf ich mich vorstellen?**, *Puis-je me présenter ?* (cf. leçons 37, phrase 11, et 51, phrase 3). D'autre part, l'infinitif qui suit **sich vorstellen**, *s'imaginer*, est précédé de **zu** : **Sie stellen sich vor die Besten zu sein**, *Ils s'imaginent être les meilleurs.* ▶

***

Übung 1 – Übersetzen Sie bitte!

❶ Wir haben zu einem fantastischen Preis eine Reise nach Marokko gebucht. ❷ Nehmen Sie lieber den Zug oder das Auto, um in die Ferien zu fahren? ❸ Er ist gestern Nachmittag auf der Straße gestürzt. ❹ Haben Sie keine Angst, wenn Sie fliegen? ❺ Unsere Schnäppchen sind die besten, die es auf dem Markt gibt.

10 Imaginez *(vous)*, tout compris : [le] vol, [l']hébergement en pension complète, même le transfert *(trajet)* de l'aéroport à l'hôtel.

11 – Cela a l'air *(sonne)* vraiment intéressant !

12 – Oui, c'est notre meilleure offre, mais dommage, pour vous c'est hors de *(vient pas en)*question.

13 – Attendez, peut-être pourrais-je *(puis-je)* faire une exception [pour] une fois.

14 Après tout *(finalement)*, le plus sûr, d'après [les] statistique[s], c'est de prendre l'avion.

Remarque de prononciation

10 die Vollpension peut aussi se prononcer *[fol-pènsyo:n]*.

---

⑦ **gut**, *bon/bien* ; **besser**, *mieux/meilleur* ; **beste**, *le/la meilleur(e)/ le mieux*. Souvenez-vous que le superlatif s'utilise en allemand lorsqu'on compare plus de deux éléments : **das beste Angebot von allen**, *la meilleure offre de toutes*, mais **das bessere Angebot (von zwei)**, *la meilleure offre (des deux)*.

⑧ La forme **am …sten** est une forme adverbiale du superlatif qui peut également s'employer avec le verbe être : **Am sichersten ist es zu Hause zu bleiben**, *Le ("Au") plus sûr , c'est de rester à la maison*.

*** *

Corrigé de l'exercice 1

❶ Nous avons réservé un voyage au Maroc pour un prix fantastique. ❷ Préférez-vous prendre le train ou la voiture pour partir en vacances ? ❸ Il est tombé dans la rue hier après-midi. ❹ Vous n'avez pas peur en avion *(quand vous volez)* ? ❺ Nos offres spéciales sont les meilleures qu'il y ait *(a)* sur le marché.

Übung 2 – Ergänzen Sie bitte!

❶ C'est la vendeuse la plus futée qu'on puisse imaginer.

Das ist . . . . , die
man . . . . kann.

❷ Je voudrais réserver une chambre en pension complète pour le week-end.

. . . . ein Zimmer . . . .
für das Wochenende . . . .

❸ Préférez-vous boire [de] la bière ou [de l']eau-de-vie ?

. . . . Bier oder . . . . ?

❹ [Le] vol, [l']hébergement et même les boissons sont inclus dans le prix.

. . . . , ... und . . . . . die Getränke
sind im Preis . . . . •

---

63 Dreiundsechzigste Lektion

Wiederholung – Révision

1 Les verbes forts ou irréguliers et leur participe passé

Il y a plusieurs cas types de verbes forts dont la voyelle du radical change pour former le participe passé.

1.1 Les verbes forts en *a*

Le **a** se change en **ä** au présent aux 2e et 3e personnes du singulier, mais reste **a** au participe II :

schlafen, *dormir* → **schläfst**, **schläft** → **geschlafen**, *dormi* ;
fahren, *aller (en voiture/train), conduire* → **fährst**, **fährt** → **gefahren**, *allé, conduit*.

⑤ Votre offre a l'air très bien, mais malheureusement mon mari **63**
n'aime pas l'avion *(voler)*.

. . . . klingt . . . . , aber mein
Mann . . . . . . leider nicht . . . . .

Corrigé de l'exercice 2

❶ – die schlauste Verkäuferin – sich vorstellen – **❷** Ich möchte –
mit Vollpension – buchen **❸** Trinken Sie lieber – Schnaps **❹** Flug,
Unterkunft – sogar – inbegriffen **❺** Ihr Angebot – sehr gut – fliegt
– gern

Deuxième vague : 13ᵉ leçon

Soixante-troisième leçon   63

1.2 Les verbes forts en *e*

Le **e** se change en **i** ou en **ie** au présent aux 2ᵉ et 3ᵉ personnes du
singulier, mais reste **e** au participe II :
geben, *donner* → **gibst, gibt** → **gegeben**, *donné* ;
sehen, *voir* → **siehst, sieht** → **gesehen**, *vu*.

Le **e** se change en **i** au présent des 2ᵉ et 3ᵉ personnes du singulier,
et en **o** au participe II :
helfen, *aider* → **hilfst, hilft** → **geholfen**, *aidé* ;
sprechen, *parler* → **sprichst, spricht** → **gesprochen**, *parlé*.

1.3 Les verbes forts en *ei*

Le **ei** se change en **ie** au participe II ; au présent il n'y a pas de
changement :
schreien, *crier* → **geschrien**, *crié*.

63 Le **ei** se change en **i** (bref) au participe II ; au présent il n'y a pas de changement :
beißen, *mordre* → **gebissen**, *mordu*.

1.4 Les verbes forts en *i*

Le **i** se change en **u** au participe II, mais il n'y a pas de changement de voyelle au présent :
trinken, *boire* → **getrunken**, *bu* ;
finden, *trouver* → **gefunden**, *trouvé*.

Le **i** se change en **o** au participe II, mais il n'y a pas de changement de voyelle au présent :
beginnen, *commencer* → **begonnen**, *commencé*.

1.5 Les verbes forts en *ie*

Le **ie** se change en **o** au participe II, mais il n'y a pas de changement de voyelle au présent :
fliegen, *voler* → **geflogen**, *volé, allé en avion* ;
verbieten, *interdire* → **verboten**, *interdit*.

1.6 Les verbes forts "hors série"

Ce sont ceux qui ne suivent aucun des modèles précédents :
kommen, *venir* → **gekommen**, *venu* ;
sein, *être* → **gewesen**, *été* ;
liegen, *être couché* → **gelegen**, *(avoir été) couché, (être) situé* ;
sitzen, *être assis* → **gesessen**, *(avoir été) assis* ;
stehen, *être debout* → **gestanden**, *(avoir été) debout*, etc.

Comme vous pouvez le constater par vous-même, les verbes de catégorie "hors série" sont assez nombreux. Vous n'avez donc d'autre choix que de les apprendre par cœur ! Cela ne veut pas dire qu'il faut apprendre une liste de mots tous les jours – vous risqueriez de les oublier aussitôt ; bien au contraire, profitez de notre méthode de pratique quotidienne pour les apprendre un par un. Situés dans des contextes différents, vous allez les voir et les revoir, et enfin les mémoriser sans effort.

2.1 Les formes du comparatif et du superlatif

• Règle générale

Au comparatif de supériorité ou d'infériorité, on ajoute en général **-er** à l'adjectif (ou à l'adverbe), au superlatif **-ste**.

Plus exactement, il faudrait dire que l'on ajoute **st-** + la déclinaison de l'adjectif, car le comparatif et le superlatif se déclinent comme tout adjectif épithète (cf. leçon 56, § 1) : **das schnellste Auto**, *la voiture la plus rapide*, mais **die schnellsten Autos**, *les voitures les plus rapides*.

schnell, *rapide/vite* → **schneller**, *plus rapide/vite* → **schnellste**, *le plus rapide, le plus vite* ;
schön, *beau* → **schöner**, *plus beau* → **schönste**, *le plus beau* ;
klein, *petit* → **kleiner**, *plus petit* → **kleinste**, *le plus petit*.

• Cas particuliers

Quelques adjectifs/adverbes prennent un tréma :
jung, *jeune* → **jünger**, *plus jeune* → **jüngste**, *le plus jeune* ;
arm, *pauvre* → **ärmer**, *plus pauvre* → **ärmste**, *le plus pauvre*.
Même chose pour **groß**, *grand*, **dumm**, *stupide*, **stark**, *fort*, **schwach**, *faible*, **kalt**, *froid*, **warm**, *tiède, chaud*, **lang**, *long*, **kurz**, *court*, **alt**, *vieux*. (La liste n'est pas exhaustive ; nous en verrons d'autres dans les leçons à venir.)

La plupart des adjectifs terminés par **-d**, **-t**, **-s**, **-ß**, **-x**, ou **-z**, prennent un **e** devant la terminaison **-ste** du superlatif pour faciliter la prononciation :
berühmt, *célèbre* → **berühmter**, *plus célèbre* → **berühmteste**, *le plus célèbre* ;
heiß, *chaud* → **heißer**, *plus chaud* → **heißeste**, *le plus chaud*.
Après **-sch**, le **e** peut être facultatif :
frisch, *frais* → **frischer**, *plus frais* → **frisch(e)ste**, *le plus frais*, mais : **groß**, *grand* → **größer**, *plus grand* → **größte**, *le plus grand*.

• Formes irrégulières

Elles sont peu nombreuses :
gut, *bon/bien* → **besser**, *meilleur, mieux* → **beste**, *le meilleur, le mieux* ;

63 **viel**, *beaucoup* → **mehr**, *plus* → **meiste**, *le plus, la plupart* ;
gern, *volontiers* → **lieber**, *plus volontiers* → **am liebsten**, *le plus volontiers*. (Attention, **lieber** peut également être le comparatif de **lieb**, *cher, aimable*, **lieber, liebste**.)
hoch, *haut* → **höher**, *plus haut* → **höchste**, *le plus haut* ;
nah, *proche* → **näher**, *plus proche* → **nächste**, *plus proche, prochain*.

2.2 L'emploi du comparatif et du superlatif

• La comparaison d'égalité : *aussi... que* se traduit par **so** (ou **ebenso**)… **wie** :
Er ist ebenso schlau wie du, *Il est aussi malin que toi.*
Daniel ist noch nicht so groß wie sein Vater, *Daniel n'est pas encore aussi grand que son père.*

• Le comparatif de supériorité ou d'infériorité s'emploie lorsqu'on compare seulement deux choses entre elles. Après un adjectif au comparatif, *que* se traduit par **als** :
Peter ist schlauer als du, *Peter est plus malin que toi.*
Der Eiffelturm ist höher als der Turm von dem Kölner Dom, *La tour Eiffel est plus haute que la tour de la cathédrale de Cologne.*

• Le superlatif est utilisé pour comparer une chose à au moins deux autres. Après un adjectif au superlatif, *de* se traduit par **von** :
Daniel ist der Größte von allen, *Daniel est le plus grand de tous.*
Der Kölner Dom ist die größte gotische Kathedrale in deutschen Landen, *La cathédrale de Cologne est la plus grande cathédrale gothique des pays germaniques.*

Notez la particularité suivante : Il existe au superlatif une forme adverbiale **am** + adjectif + **-sten** :
Wer von uns läuft am schnellsten?, *Qui de nous court le plus vite ?*
Von allen Frauen kocht meine Mutter am besten, *De toutes les femmes, [c'est] ma mère [qui] cuisine le mieux.*
Cette forme s'utilise aussi avec **sein**, *être* :
Du bist der Beste ou am besten, *Tu es le meilleur* ("au meilleur").
Deine Augen sind die Schönsten ou **am schönsten**, *Tes yeux sont les plus beaux* ("au plus beau").

Bien que toutes les deux se traduisent en français par *quand* ou *lorsque*, la différence est notable.

• **als**, *quand, lorsque,* s'emploie pour un événement définitivement passé, qui n'a eu lieu qu'une seule fois :
Als ich am Bahnhof angekommen bin, haben meine Freunde auf mich gewartet, *Lorsque je suis arrivé à la gare, mes amis m'attendaient* ("ont attendu").
Als er jung war, hat er ein Jahr in Amerika gearbeitet, *Quand il était jeune, il a travaillé aux États-Unis [pendant] un an.*

• En revanche, **wenn**, *quand, lorsque,* s'emploie :
– soit pour un événement au passé qui s'est souvent répété (dans ce cas-là, on peut également dire **jedes Mal, wenn**, *chaque fois que*) :
Jedes Mal / Wenn sie sich getroffen haben, waren sie glücklich, *Chaque fois qu'ils se rencontraient, ils étaient heureux.*
Jedes Mal / Wenn er nach Amerika geflogen ist, haben ihn seine Freunde am Flughafen abgeholt, *Chaque fois que / Quand il est parti* ("en avion") *aux États-Unis, ses amis sont allés le chercher à l'aéroport.*
– soit pour un événement qui se situe dans le présent ou le futur :
Ruf mich an, wenn du in Köln bist!, *Appelle-moi quand tu seras* ("es") *à Cologne !*
Wenn Sie ihn sehen, grüßen Sie ihn von mir, *Quand vous le verrez* ("voyez"), *dites-lui bonjour de ma part* ("saluez-le pour moi").

Rappelez-vous que **wenn** a aussi le sens hypothétique de *si*. Ainsi cette phrase pourrait se traduire par *Si* ("au cas où") *vous le voyez, dites-lui…* C'est le contexte qui vous aidera à trouver la bonne traduction.

• N'oubliez pas que *quand,* dans le sens de "à quelle heure?", "à quel moment?" se traduit par **wann** :
Wann kommt ihr Zug an? *Quand votre train arrivera-t-il ?*
Ich frage mich, wann wir uns wiedersehen, *Je me demande quand nous nous reverrons.*

> *Ce résumé grammatical vous semble indigeste ? Rassurez-vous, il a seulement pour but de vous préciser certains points. Si vous avez des questions, vous trouverez dans l'annexe un index de tous les sujets grammaticaux abordés dans les leçons de révision. N'hésitez pas à le consulter et à relire les leçons de révision précédentes.*

À la place de notre dialogue de synthèse, nous vous proposons aujourd'hui un deuxième conte d'après les frères Grimm, qui vous permettra d'appliquer vos connaissances fraîchement acquises.

***

Dialogue de révision

Hans im Glück
(nach den Brüdern Grimm)

1. Hans hatte sieben Jahre bei einem Meister gearbeitet, als er zu ihm gesagt hat: „Ich bin gern hier, aber ich möchte meine Mutter wiedersehen, die immer älter wird."

2. Der Meister hat ihm für seine Dienste ein Goldstück gegeben, das so groß wie der Kopf von Hans war, und Hans hat sich damit so schnell wie er konnte auf den Weg gemacht.

3. Aber das Gold war so schwer, dass er vor Erschöpfung fast umgefallen ist.

4. Gott sei Dank hat er einen Mann mit einem Pferd getroffen, der ihn freundlich gegrüßt hat.

5. „Sie haben mehr Glück als ich. Sie haben nämlich ein Pferd", hat er zu ihm gesagt, „und so sind Sie viel schneller als ich und weniger müde."

6. „Ich mache dir ein Angebot", hat der Mann geantwortet, „ich gebe dir mein Pferd, wenn du mir dein Goldstück gibst."

7. „Nichts lieber als das", hat Hans erwidert und hat sich sofort auf das Pferd gesetzt.

8. „Ich bin der glücklichste Mensch auf der Welt", hat er sich gesagt und hat lustig „hopp, hopp!" geschrien.

Avant de commencer, voici quatre mots que nous n'avons pas encore vus : **das Pferd**, le cheval, **die Kuh**, la vache, **melken**, traire, *et* **das Schwein**, le cochon.

***

Traduction

Jean le chanceux *(dans la chance)* (d'après les frères Grimm)

1 Jean avait travaillé plus de sept ans chez son maître lorsqu'il lui a dit : "J'aime [bien] être ici, mais j'aimerais revoir ma mère qui vieillit de plus en plus *(devient toujours plus vieille)*." **2** Pour ses services, le maître lui a donné un lingot d'or qui était aussi gros que la tête de Jean, et Jean s'est mis en route aussi vite qu'il pouvait. **3** Mais l'or était si lourd que Jean est presque tombé d'épuisement. **4** Dieu merci, il a rencontré un homme avec un cheval, qui l'a gentiment salué. **5** "Vous avez plus de chance que moi, car vous avez un cheval", lui a-t-il dit, "et ainsi vous êtes beaucoup plus rapide que moi et moins fatigué." **6** "Je te fais une offre", a répondu l'homme, "je te donne mon cheval si tu me donnes ton lingot d'or." **7** "Rien ne me ferait plus plaisir *(rien plus-volontiers que ça)*", a rétorqué Jean, et [il] s'est immédiatement assis sur le cheval. **8** "Je suis l'homme le plus heureux du *(sur le)* monde", s'est dit Jean, et, tout heureux *(joyeux)*, il a crié "Allez, hue !".

9 Da ist das Pferd so schnell losgelaufen, dass Hans runtergefallen ist.

10 In diesem Moment ist ein Mann mit einer Kuh gekommen.

11 „Sie haben Glück", hat Hans gerufen, „eine Kuh ist ruhiger als ein Pferd und außerdem gibt sie Milch."

12 „Wenn du willst, nehme ich dein Pferd für meine Kuh", hat der Mann angeboten.

13 Hans war sofort einverstanden und beim Weitergehen hat er sich gesagt: „Ich bin wirklich der glücklichste Mensch auf der Erde."

14 Ein paar Stunden später hatte er großen Durst.

15 Also ist er mit der Kuh stehen geblieben und hat versucht, die Kuh zu melken.

16 Aber die Kuh ist immer wütender geworden und hat ihm Angst gemacht.

17 In diesem Augenblick hat Hans einen Mann gesehen, der mit seinem Schwein zum Markt gegangen ist.

18 „Schade", hat er zu ihm gesagt, „ich möchte auch lieber ein Schwein haben als eine so dumme Kuh."

19 Sie können sich sicher vorstellen, wie die Geschichte weitergeht…

20 Als Hans nach Hause gekommen ist, hatte er nichts mehr, aber er war überzeugt, der glücklichste Mensch auf der Welt zu sein.

9 Alors le cheval est parti si vite que Jean est tombé. **10** Au même moment, passait *(est venu)* un homme avec une vache. **11** "Vous avez de la chance", s'est écrié Jean, "une vache est plus calme qu'un cheval et, en plus, elle donne du lait." **12** "Si tu veux, je prends ton cheval contre *(pour)* ma vache", lui a proposé l'homme. **13** Jean fut immédiatement d'accord et en continuant son chemin il s'est dit "je suis vraiment l'homme le plus heureux sur terre". **14** Quelques heures plus tard, il avait très *(grande)* soif. **15** Alors il s'est arrêté *(debout)* avec la vache et il a essayé de la traire. **16** Mais la vache est devenue de plus en plus furieuse et [elle] lui a fait peur. **17** Au même instant, Jean a vu un homme qui allait au marché avec son cochon. **18** "Dommage", lui a-t-il dit, "moi aussi j'aimerais mieux *(plus-volontiers)* avoir un cochon qu'une vache aussi bête." **19** Vous pouvez certainement *(vous)* imaginer comment l'histoire continue… **20** Quand Jean est arrivé à la maison, il n'avait plus rien, mais il était convaincu d'être l'homme le plus heureux du monde.

Bis morgen!, À demain !

Deuxième vague : 14ᵉ leçon

64 Vierundsechzigste Lektion

Berlin,
die Hauptstadt der Bundesrepublik Deutschland

1 – Berlin**s** ① Vergan**gen**heit ist – wie Sie **wis**sen – sehr **auß**ergewöhnlich.

2 Fast **drei**ßig **Jah**re lang war **die**se Stadt durch **ei**ne **Mau**er in zwei ge**teil**t.

3 Am 9. (**neun**ten) No**vem**ber 1989 ② fiel ③ die **Mau**er.

4 **Ost**- und **West**berliner ④ **konn**ten ⑤ sich **end**lich **wie**der in **ih**rer Stadt frei be**we**gen.

Prononciation
... **boun**dës-répou**pli:k** ... **1** bè**rli:**ns fèr**ga**ñgën**ha**ït ... aouss^a-gu**éveu:**nliçh **2** ... maou^a ... gu**é**t**a**ïlt **3** ... **no**ïn'tsé:n-**houn**d^a't-**no**ïn-ount'**acH**tsiçh fi:l ... **4** ... bë**vé:**g'n

---

Notes

① Le génitif "à l'anglaise" ne s'emploie qu'avec les noms propres, ceux-ci prenant un **-s** final et se mettant à la place de l'article : **Giselas Vergangenheit**, *le passé de Gisela*. S'il y a un article, le nom propre suit le nom : **die Vergangenheit Giselas**, *le passé de Gisela*. Comme toujours, le génitif peut être remplacé par la préposition **von** (+ datif) : **die Vergangenheit von Gisela**, *le passé de Gisela*.

② Les dates : on emploie les nombres ordinaux pour le jour : **am neunten November, der dritte Oktober**. Avant 2000, l'année se disait en centaines : **neunzehnhundertneunundachtzig** (*1989*), **neunzehnhundertneunzig** (*1990*). Depuis le troisième millénaire, c'est plus simple : **zweitausendeins** (*2001*), **zweitausendsiebzehn** (*2017*). ▶

Berlin,
(la) capitale de la République fédérale d'Allemagne

1 – Le passé de Berlin est – comme vous [le] savez – très exceptionnel *(hors-habituel)*.

2 [Pendant] Presque trente ans *(long)*, cette ville a été *(était)* partagée en deux par un mur.

3 Le 9 novembre 1989, *(tombait)* le mur est tombé.

4 Les Berlinois de l'Est et de l'Ouest purent enfin circuler *(se bouger)* à nouveau librement dans leur ville.

▶ ③ **fiel** vient de **fallen**, *tomber*. Il s'agit du prétérit, qui correspond à un imparfait, à un passé composé, ou à un passé simple en français. Vous trouverez plus d'explications et toutes les conjugaisons du prétérit dans la leçon 70, § 1. Notez pour le moment que la voyelle du radical des verbes irréguliers change au prétérit et qu'il n'y a jamais de **-t** final à la 3ᵉ personne du singulier !

④ **der Berliner**, *le Berlinois*, **die Berlinerin**, *la Berlinoise*, **die Berliner**, *les Berlinois*. Dans la plupart des cas, les noms d'habitants de villes se forment en ajoutant **-er** au nom de la ville, mais pour certaines villes, on supprime le **e** de la dernière syllabe : **München → ein Münchner**, **Dresden → ein Dresdner**, ou on transforme leur terminaison **-en** en **-er** : **Bremen → ein Bremer**, **eine Bremerin**.

⑤ **konnten** est le prétérit de la 3ᵉ personne du pluriel de **können**, *pouvoir*. Comme les autres verbes de modalité, il perd son tréma tout en gardant la terminaison habituelle du prétérit des verbes réguliers.

64 **5** Ein Jahr **spä**ter, am 3. (**dri**tten) Ok**t**ober 1990 **fei**erte ⑥ man die Ver**ei**nigung von **Ost-** und **West**deutschland.

6 Seit**her** ⑦ ist der **dri**tte Ok**t**ober der **deut**sche Nati**on**alfeiertag.

7 Ber**lin wur**de ⑧ die **Haupt**stadt der **neu**en **Bun**desrepublik.

8 **Heu**te ist **die**se Stadt **gleich**zeitig ein Sym**bol** für Zer**stö**rung und **Wie**deraufbau, **Tren**nung und Ver**ei**nigung.

9 **Zö**gern Sie nicht, nach Ber**lin** zu ⑨ **kom**men.

10 Mit **je**dem Schritt er**le**ben ⑩ Sie ein Stück Ge**schich**te, **Welt**geschichte! ☐

---

5 ... noïn'tsé:n-houndᵃt-noïntsiçh faïᵃtë ... fèraïnigouñg ... 6 zaïthé:ᵃ ... natsionaːl-faïᵃ-taːk 7 ... vourdë ... 8 ... glaïçh'tsaïtiçh ... zu'mbóːl ... tsèrchteu:rouñg ... viːdᵃ'aoufbaou trènouñg ... 9 tseu:gᵃn ... 10 ... èrlé:bën ...

Notes

⑥ Au prétérit, les verbes réguliers prennent la terminaison **-te** aux 1re et 3e personnes du singulier : **ich feierte**, *je célébrais/célébrai*, **er feierte**, *il célébrait/célébra*.

⑦ **seither** est un adverbe qui équivaut à **seit dieser Zeit**, *depuis ce temps-là* (la préposition **seit** entraîne le datif).

⑧ **wurde** est la 3e – et la 1re – personne du singulier du prétérit de **werden**, *devenir*.

⑨ **zögern**, *hésiter*, fait partie des verbes qui imposent **zu** avant l'infinitif : **Er zögert (,) das Auto zu nehmen**, *Il hésite à prendre la voiture* (la virgule est optionnelle).

⑩ On dit **erleben** dans le sens de *vivre quelque chose*, *faire l'expérience de...* : **Was hast du auf deiner Reise erlebt?**, *Qu'as-tu vécu pendant ton voyage ?*

5 Un an plus tard, le 3 octobre 1990, on célébra
la [ré]unification de l'Allemagne de l'Est et de
l'Allemagne de l'Ouest.

6 Depuis, le trois *(troisième)* octobre est la fête
nationale allemande *(national-fête-jour)*.

7 Berlin devint la capitale de la nouvelle
République fédérale.

8 Aujourd'hui, cette ville est à la fois un
symbole de destruction et de reconstruction, de
séparation et d'unification.

9 N'hésitez pas à venir à Berlin.

10 À *(avec)* chaque pas, vous vivrez *(vivez)* un
peu *(un morceau)* [d']histoire, [d']histoire du
monde *(monde-histoire)* !

Remarque de prononciation
8 Le **y** – que l'on appelle **ypsilon** *[upsilo'n]* en allemand – se
prononce *[u]* : **das Symbol** *[zu'mbô:l]*.

Übung 1 – Übersetzen Sie bitte!

❶ Ich habe das noch nie gehört, das ist eine außergewöhnliche Geschichte. ❷ Meine Mutter ist mit 5 Jahren nach Westdeutschland gekommen. ❸ Wissen Sie, warum der 3. Oktober der Nationalfeiertag Deutschlands ist? ❹ Claudias Bruder fiel von einer Mauer und konnte sich nicht mehr bewegen. ❺ Berlin ist ein Symbol für die Vereinigung zwischen Ost und West.

Übung 2 – Ergänzen Sie bitte!

❶ Comme vous [le] savez, Berlin est la capitale de l'Allemagne

... ..., ist Berlin ... .
Deutschlands.

❷ Berlin-Est et Berlin-Ouest ont été séparés en deux par un mur [pendant] presque trente ans.

... - und .... waren fast dreißig Jahre
.... in zwei ....

❸ La sœur de Gisela est Berlinoise ; elle habite à Berlin depuis 1990.

.... Schwester ist ....; sie wohnt
... . in Berlin.

❹ Elle hésite à prendre *(encore)* un morceau de gâteau.

... ., noch ... . Kuchen ..
nehmen.

❺ Le passé de cet homme est exceptionnel ; il a vraiment vécu beaucoup de choses.

... . dieses Mannes ist
..............; .. ... wirklich viel
....

Corrigé de l'exercice 1

❶ Je n'ai encore jamais entendu cela, c'est une histoire extraordinaire. ❷ Ma mère est venue en Allemagne de l'Ouest à l'âge de 5 ans. ❸ Savez-vous pourquoi le 3 octobre est la fête nationale de l'Allemagne ? ❹ Le frère de Claudia est tombé d'un mur et [il] ne pouvait plus *(se)* bouger. ❺ Berlin est un symbole de l'unification entre l'Est et l'Ouest.

Corrigé de l'exercice 2

❶ Wie Sie wissen – die Hauptstadt – ❷ Ost – Westberlin – durch eine Mauer – geteilt ❸ Giselas – Berlinerin – seit neunzehnhundertneunzig – ❹ Sie zögert – ein Stück – zu – ❺ Die Vergangenheit – außergewöhnlich; er hat – erlebt

*En 1999, deux importants événements historiques pour la nation allemande ont été commémorés : le 50ᵉ anniversaire de la fondation de la République avec la ratification de la Loi Fondamentale – **das Grundgesetz**, constitution de l'Allemagne –, et le 10ᵉ anniversaire de la chute du mur, **der Mauerfall**, qui a entraîné l'unification des deux États allemands le 3 octobre 1990, après plus de 40 ans de séparation. Cinq **Länder** de l'ancienne République démocratique d'Allemagne (RDA) se sont joints ce jour-là à la République fédérale d'Allemagne (RFA) : le Brandebourg (où se trouvent Berlin et Potsdam), le Mecklembourg-Poméranie – "le pays des mille lacs" –, la Saxe avec sa capitale Dresde, la Saxe-Anhalt, berceau de Martin Luther et Otto von Bismarck, Georg Friedrich Haendel et Kurt Weill, et enfin, la Thuringe, où se situe la célèbre ville de Weimar. (Pour la carte des **Länder**, États, voir leçon 42, § 4.) Depuis la réunification, le 3 octobre est devenu fête nationale, **der Tag der deutschen Einheit**, le jour de l'unité allemande.*

65   Fünfundsechzigste Lektion

Wie wird man reich?
Loriot verrät uns das Geheimnis ①

1 – Das Ge**heim**nis, war**um** nur so **we**nige ②
reich sind, ist **ei**gentlich **kei**nes ③.

Prononciation
... loriô fè**rrè:t** *... guë**ha**ïmni's* **1** *... kaïn's*

Notes

① **ein Geheimnis verraten**, *trahir, livrer un secret.* Notez que **das Geheimnis** est aussi bien *le secret* que *le mystère* (voir phrase 1).

337 • **dreihundertsiebenunddreißig**

L'Allemagne est un État fédéral, ce qui signifie que les 16 **Länder** *sont non seulement des provinces, mais aussi des États possédant leur propre souveraineté. Le chef de la* **Bundesrepublik Deutschland**, *la République fédérale d'Allemagne, est le* **Bundespräsident**, *le président fédéral, qui exerce essentiellement des tâches représentatives. Il est élu par une "Assemblée fédérale" tous les cinq ans. Les questions de politique nationale et internationale sont traitées au* **Bundestag**, *le parlement allemand, qui est élu par le peuple pour quatre ans. Le* **Bundestag** *élit le chancelier, le* **Bundeskanzler** *qui, lui, constitue le cabinet, le gouvernement fédéral,* **die Bundesregierung**. *Depuis 2001,* **Bundestag** *et* **Bundesregierung** *ont quitté Bonn, capitale de l'Allemagne de l'Ouest à l'époque des deux Allemagnes, pour s'installer à Berlin dans le* **Reichstag**, *près de la porte de Brandebourg.*

Deuxième vague : 15ᵉ leçon

Soixante-cinquième leçon   65

Comment *(devient-on)* devenir riche ?
Loriot nous livre *(trahit)* le secret

1 – Par quel mystère n'y a-t-il que si peu de gens riches ? En fait… Il n'y a pas de mystère ! *(Le mystère pourquoi seulement si peu sont riches n'en est en fait pas un)*

Remarques de prononciation
Titre Loriot se prononce à la française.
1 Le **e** de **keines** étant muet, on ne l'entend (presque) pas ; il peut d'ailleurs s'écrire **keins** ou **keines**.

▸ ② **wenige** sous-entend **Leute/Personen** : **Nur wenige haben Glück im Leben**, *Il n'y a que peu de gens / de rares personnes qui ont de la chance dans la vie.*

③ **keines** (ou **keins**), *aucun*, est neutre puisqu'il se réfère à un nom neutre (**das Geheimnis**).

dreihundertachtunddreißig • 338

2 Jeder versteht mit ein bisschen
Überlegung, dass reich werden Geld kostet.

3 Deshalb ④ sind nämlich nur wenige reich.

4 Wenn ich einen Friseursalon eröffnen
will ⑤, brauche ich nicht nur ein Diplom,
einen Kamm und guten Willen ⑥, sondern
auch Kapital.

5 Wenn das Kapital fehlt, muss ich meine
Kunden auf dem Gehweg oder im Wald ⑦
frisieren.

6 Und das ist stressig.

7 Ich wiederhole also: Man muss reich sein,
um es zu werden.

8 Ich empfehle Ihnen deshalb, bei Ihrer
Geburt reich zu sein.

9 Jeder andere Versuch ⑧ reich zu werden,
ist sehr mühsam und kann Ihnen die Laune
und die Gesundheit verderben. □

---

*2 ... u:bªlé:gouñg ... 4 ... frizeu:r-zaloñg èrœfnën ... diplô:'m
... ka'm ... vilën ... kapita:l 5 ... fè:lt ... gué:-vé:k ... valt
frizi:rën 6 ... chtrèssiçh 7 ... vi:dªhô:lë ... 8 ... è'mpfé:lë ...
9 ... mu:za'm ... guëzounthaït fèrdè:rbën*

Notes

④ **deshalb** signifie en un seul mot *à cause de cela, pour cette
raison, c'est pourquoi*, et répond à la question **warum?** ou
weshalb?, synonymes signifiant *pourquoi ?*

⑤ Notez bien la structure des propositions commençant par
wenn, *si* : le verbe conjugué se trouve renvoyé en fin de la
phrase dans la subordonnée : **Wenn du nicht kommen
kannst...**, *Si tu ne peux pas venir...*, tandis que dans la principale qui suit, le verbe et le sujet sont inversés : **..., muss ich
allein essen**, ..., *je dois ("dois je") manger seul.* ▶

2 Tout le monde *(Chacun)* comprend, avec un peu de réflexion, que devenir riche coûte de l'argent.

3 C'est pourquoi il y a en effet *(sont seulement)* si peu de gens riches.

4 Si je veux ouvrir un salon de coiffure, j'ai besoin non seulement [d']un diplôme, [d']un peigne et [de] bonne volonté, mais aussi de capitaux *(capital)*.

5 Si les capitaux *(le capital)* manquent, je dois *(dois je)* coiffer mes clients sur le trottoir *(aller-chemin)* ou dans la forêt.

6 Et c'est stressant.

7 Donc je répète : Il faut être riche pour le devenir.

8 C'est pourquoi je vous conseille d'être riche à la *(votre)* naissance.

9 Toute *(Chaque)* autre tentative pour devenir riche est très laborieuse et risque de *(peut)* vous démoraliser et de vous détruire la santé *(vous gâter l'humeur et la santé)*.

Remarques de prononciation

4 der **Friseur** s'écrit aussi **Frisör** ; der **Salon** peut se prononcer soit à la française, soit à l'allemande : *[zaloñg]*.

⑥ der **Wille**, *la volonté*, étant un masculin faible, il prend un **-n** dans tous les cas sauf au nominatif singulier (cf. leçon 47, note 2).

⑦ der **Wald**, *la forêt*, est masculin et devient **die Wälder** au pluriel. Pensez-vous de temps à autre à vérifier le genre et le pluriel des noms ?

⑧ L'infinitif qui tient lieu de complément de nom est précédé de **zu** : **Alle Versuche, Deutsch zu sprechen, sind ausgezeichnet**, *Toute(s) tentative(s) de parler l'allemand est* ("sont") *excellente(s)*.

Übung 1 – Übersetzen Sie bitte!

❶ Wenn Sie nicht verstehen, müssen Sie es sagen.
❷ Reisen kostet Geld, deshalb bleibe ich zu Hause.
❸ Sie können sehen, dass dieses Problem eigentlich keins ist. ❹ Wir können noch kein Restaurant eröffnen: das Kapital fehlt uns. ❺ Mit dem Fahrrad darf man nicht auf dem Gehweg fahren.

Übung 2 – Ergänzen Sie bitte!

❶ Je ne peux pas vous le trahir ; c'est un secret.
Ich darf euch das nicht . . . . ; das ist . . .
. . . .

❷ Savez-vous comment on devient riche ? – Avec un peu de réflexion et [de la] bonne volonté !
Wissen Sie, ... reich wird? – . . . ein
bisschen . . . . und gutem . . . . . . !

❸ S'il manque les capitaux, toute (chaque) autre tentative ne sert à rien non plus.
. . . . das Kapital . . . . . , nützt . . . .
. . . . auch nichts.

❹ Répétez, s'il vous plaît, je crois [que] je n'ai pas bien compris.
. . . . bitte, ich glaube, ...
nicht richtig . . . .

❺ Je vous conseille de ne pas me démoraliser (gâcher mon humeur) !
. . . ., mir nicht die Laune . .
. . . . !

① Si vous ne comprenez pas, il faut le dire. **②** Voyager coûte de l'argent, c'est pourquoi je reste à la maison. **③** Vous pouvez voir qu'en fait ce problème n'en est pas un. **④** Nous ne pouvons pas encore ouvrir un restaurant : il nous manque les capitaux. **⑤** On n'a pas le droit de rouler sur le trottoir en vélo.

Corrigé de l'exercice 2

① – verraten – ein Geheimnis **②** – wie man – Mit – Überlegung – Willen **③** Wenn – fehlt – jeder andere Versuch – **④** Wiederholen Sie – ich habe – verstanden **⑤** Ich empfehle Ihnen – zu verderben

Mit dem Fahrrad darf man nicht auf dem Gehweg fahren.

Loriot est un caricaturiste et un acteur comique très connu en Allemagne, qui a choisi comme pseudonyme le nom français de l'animal héraldique de sa famille. De son vrai nom Bernhard Victor Christoph Carl von Bülow, fils d'un officier prussien, il est né le 12 novembre 1923 à Brandebourg et mort le 22 août 2011 à Ammerlan en Bavière. Loriot dit de son père – pourtant sérieux et fort distingué – qu'il pouvait rire de sa propre dignité et des échecs qui en découlaient. C'est ainsi qu'il l'a pris pour modèle de son personnage principal – un petit homme rond avec un gros nez en patate. Ceci lui a valu beaucoup de critiques dans les années 1950, car les Allemands se disaient ridiculisés par lui. Dans une série télévisée des années 1970, Loriot joue lui-même ce personnage dont il dit qu'il est l'Allemand moyen tout craché. Du coup, il reçoit des

---

66 Sechsundsechzigste Lektion

Ein perfekter Ehemann ①

1 – **Gu**ten **A**bend, Schatz! Bin ich froh, **end**lich zu **Hau**se zu sein!

2 Ich **ha**tte **ei**nen sehr **an**strengenden Tag ②. Und wie gehts dir?

Prononciation
... pèr**fèkt**ᵃ **é:ë**-ma'n **1** ... **cha**'ts ... **2** ... **a'n**chtrèñgéndën ...

Notes

① **die Ehe** signifie *le mariage*, *le ménage* pour désigner la vie conjugale : **eine gute Ehe führen**, *faire bon ménage*. En revanche **die Hochzeit** (phrase 6) désigne *la fête de mariage*, *les noces*.

② **ein anstrengender Tag**, *une journée fatigante*, est littéralement "une journée qui nous demande beaucoup d'efforts" : **die Anstrengung** est *l'effort*, **(sich) anstrengen**, *faire des efforts*.

*milliers de lettres de gens qui lui demandent comment il sait ce qui
se passe chez eux. Tous ses personnages sont sérieux, un peu naïfs,
mais de très bonne volonté... ce qui tourne forcément au désastre.
Et c'est justement ce genre – qui mèle comédie et tragédie – qui fait
beaucoup rire les Allemands. Loriot n'a jamais voulu exporter ses
films, qu'il a conçus spécifiquement pour le peuple allemand, lui
montrant un comportement bourgeois, typique, avec l'espoir qu'il
ne sera peut-être plus tout à fait le même après avoir vu ses films
ou ses caricatures.
Nous vous conseillons fortement de retenir ce nom et de regarder
tout ce qu'il a fait. Vous y apprendrez sur les Allemands beaucoup
de choses que l'on ne dit nulle part ailleurs.*

Deuxième vague : 16ᵉ leçon

<h2 align="center">Soixante-sixième leçon   66</h2>

<h3 align="center">Un mari parfait</h3>

1 – Bonsoir, [mon] trésor ! [Que] je suis content
d'être enfin à la maison !

2 J'ai eu *(avais)* une journée épuisante. Et [toi],
comment vas-tu ?

Seit Wochen hat er sehr anstrengende Tage.

3 – Och, ich **habe** die **Na**se **ziem**lich voll.

4 – Wa**rum** denn? Was ist denn los?

5 – Seit **Ta**gen versu**che** ich im Restau**rant**
Schlossgarten **an**zurufen ③, **a**ber es ist
immer be**setzt**.

6 Ich **woll**te **ei**nen Tisch für **un**seren
Hochzeitstag **über**morgen reser**vie**ren ④,

7 da**mit** ⑤ wir ihn dort **fei**ern, wo wir uns
kennen ge**lernt** ⑥ **ha**ben.

8 **Heu**te Abend ist das Restau**rant**
ge**schlos**sen und **mor**gen ist es **si**cher zu spät.

9 – Na**tür**lich bist du jetzt **fürch**terlich
ent**täuscht**, nicht wahr?

10 – Klar, ich **hat**te mich so da**rauf** ge**freut** ⑦,
mit dir **wie**der dort**hin** zu **ge**hen.

11 – Also, wenn es nur das ist, mein **Lieb**ling,
dann hast du **kei**nen Grund **trau**rig zu sein!

12 Hast du ver**ges**sen, dass du mit **ei**nem
Supermann ver**hei**ratet bist?

---

5 ... bë**zèts**t   6 ... <u>h</u>oc**H**tsaïts-ta:k   ... ré**zèrvi:rën**
9 ... **fu**r**cht**ᵃliç**h** **èn**t**toï**çht ...   10 ... gu**ëfroï**t ...   11 ... grount
traouriç ...   12 ... **zou:**pᵃ-ma'n fèr**haï**ratët ...

Notes

③ **versuchen**, *essayer*, fait partie des verbes dont l'infinitif complément est précédé de **zu**. Ici, il s'agit d'un infinitif à particule séparable : **anrufen**, *appeler* (au téléphone). Dans ce cas, **zu** se met entre la particule et le verbe de base, le tout attaché : **Er versucht anzurufen, aber niemand antwortet**, *Il essaie d'appeler, mais personne ne répond.*

④ Un infinitif dépendant d'un verbe de modalité n'est jamais précédé de **zu** : **Wollen Sie das bitte nicht vergessen?**, *Voulez-vous, s'il vous plaît, ne pas l'oublier ?*

▶

3 – Bof, j'en ai un peu marre *(j'ai le nez assez plein)*.

4 – Pourquoi donc ? Qu'est-ce qui ne va pas *(se passe)* ?

5 – Depuis [des] jours, j'essaie d'appeler le *(au)* restaurant Schlossgarten, mais c'est toujours occupé.

6 Je voulais réserver une table pour notre anniversaire *(jour)* de mariage après-demain,

7 pour que nous le fêtions *(fêtons)* là où nous nous sommes connus *(connaître appris)*.

8 Ce soir le restaurant est fermé et demain, ce sera *(est)* certainement trop tard.

9 – Évidemment tu es terriblement déçue maintenant, n'est-ce pas ?

10 – Bien sûr, je m'étais fait une telle joie *(de-cela réjouie)* d'y retourner avec toi.

11 – Eh bien, si ce n'est que ça, ma chérie, *(alors)* tu n'as aucune raison d'être triste !

12 As-tu oublié que tu es mariée à *(avec)* un "super-homme" ?

▸ ⑤ La conjonction **damit**, *pour que..., afin de...*, renvoie le verbe à la fin de la subordonnée qu'elle introduit. Notez que **damit** ne demande pas de subjonctif.

⑥ Littéralement, **kennen lernen** veut dire "connaître apprendre". On l'emploie le plus souvent pour des personnes, dans le sens de *faire connaissance*.

⑦ **sich freuen**, *être content, se réjouir*, est un verbe très usité : **Ich freue mich, Sie zu sehen**, *Je suis content de vous voir* ; **sich auf etwas/jemanden freuen** signifie *se réjouir, être content dans la perspective de* ("sur") *quelque chose/quelqu'un*. **Darauf** remplace **auf das**, *de cela* : **Ich freue mich darauf, Sie morgen zu treffen**, *Je suis content de vous rencontrer demain*.

13 Ich habe **näm**lich schon vor ⑧ **ei**ner **Wo**che ge**nau** dort **ei**nen Tisch reser**viert**… ☐

Note

⑧ Distinguez bien **vor Tagen**, *il y a [des] jours*, qui situe un événement ponctuel au passé, et **seit Tagen**, *depuis [des] jours*, qui définit le point de départ d'un événement encore en cours au moment où on parle : **Vor einer Stunde war sein Telefon** ▸

***

Übung 1 – Übersetzen Sie bitte!

❶ Sie hat ihren Freund vor drei Jahren in Berlin kennen gelernt. ❷ Die Kinder freuen sich auf die nächsten Ferien. ❸ Sie haben keinen Grund, enttäuscht zu sein. ❹ Seit Wochen hat er sehr anstrengende Tage. ❺ Wann haben Sie versucht mich anzurufen?

Übung 2 – Ergänzen Sie bitte!

❶ Je suis très content de faire votre connaissance.

. . . . mich sehr, Sie . . . . . . zu . . . .

❷ Ils se sont connus il y a six semaines, et, aujourd'hui ils fêtent déjà [leur] mariage.

Sie haben sich . . . sechs . . . . . . kennen gelernt, und heute . . . . schon . . . .

❸ Il est content d'être enfin à la maison, la journée était terriblement épuisante.

Er ist . . . . , ... zu Haus . . . . , der Tag war . . . .

13   J'ai en effet réservé une table à cet endroit
         même *(exactement là)* il y a une semaine déjà…

▶   **besetzt**, *Il y a une heure, son téléphone était occupé.* Mais :
    Seit einer Stunde ist sein Telefon besetzt, *Depuis une heure,*
    son téléphone est occupé. Les deux prépositions s'emploient
    avec un complément de temps au datif.

                              ***

Corrigé de l'exercice 1

❶ Elle a connu son [petit] ami à Berlin, il y a trois ans. ❷ Les
enfants se réjouissent [d'avance] des prochaines vacances. ❸ Vous
n'avez pas de raison d'être déçu. ❹ Depuis des semaines il a des
journées très épuisantes. ❺ Quand avez-vous essayé de m'appeler ?

❹ Pour qu'elle ne soit pas déçue ou triste, il l'appelle tous les
   soirs *(chaque soir)*.

   . . . . nicht . . . . oder . . . .
   ist, ... er sie jeden Abend . . .

❺ Si ce n'est que cela, il n'a pas de raison de ne pas parler avec
   elle depuis des jours.

   . . . . es nur das . . . , dann hat er . . . .
   . . . . nicht mit ihr . . . .

Corrigé de l'exercice 2

❶ Ich freue – kennen – lernen ❷ – vor – Wochen – feiern sie –
Hochzeit ❸ – froh, endlich – zu sein – fürchterlich anstrengend
❹ Damit sie – enttäuscht – traurig – ruft – an ❺ Wenn – ist – keinen
Grund seit Tagen – zu sprechen

                Deuxième vague : 17ᵉ leçon

67 Siebenundsechzigste Lektion

Und was ist für Sie das Paradies?

1 – **Al**so, Sie sind der ① **Mei**nung, dass es
   zwischen ② den Nationali**tä**ten **kei**ne
   Unterschiede gibt?

2   Ich ver**ste**he Sie nicht. Da ③ bin ich ganz
   anderer **Mei**nung.

3   **Ken**nen Sie nicht die Ge**schich**te vom
   Para**dies** und der **Höl**le?

4 – **Wel**che **mei**nen Sie? Er**zäh**len Sie mal!

Prononciation
… para*di:'s* **1** … *ma*ïnouñg … *natsionali*tè*:tën* … **3** … *heu*lë
4 vèl*çhë* …

Notes

① Il s'agit du génitif féminin de **die Meinung**, *l'avis, l'opinion,
   le point de vue*. **Ich bin Ihrer Meinung**, *Je suis de votre
   avis*. Comme la plupart des noms qui se terminent en **-ung**,
   Meinung est formé à partir du verbe : **meinen**, *être d'avis,
   croire, vouloir dire* (phrase 4).

② Ici **zwischen**, *entre*, qui n'est pas une préposition de lieu,
   s'emploie avec le datif : **Zwischen dir und mir gibt es einen
   großen Unterschied**, *Entre toi et moi il y a une grande
   différence*.

③ **da**, *là*, lorsqu'il s'agit du lieu (**ich bin da**, *je suis là*), est fréquemment utilisé dans le sens de "dans ce cas", "en cela", et
   peut alors se traduire tout simplement comme en français : **Da
   kann man nichts machen**, *Là, on ne peut rien y faire*.

Et qu'est-ce que le paradis pour vous ?

1 –   Alors, vous êtes d'avis qu'il n'y a pas de
      différences entre les nationalités ?
2   Je ne vous comprends pas. [Alors] là, je suis
      d'[un] tout autre avis.
3   Ne connaissez-vous pas l'histoire du paradis et
      de l'enfer ?
4 –   Laquelle voulez-vous dire ? Racontez[-la] donc
      (fois) !

Remarques de prononciation

Titre L'accent tonique de **das Paradies** porte sur la dernière
syllabe. N'oubliez pas de prononcer le **-s** final : *[paradi:'s]*.

5 – Das Para**dies** ist dort, wo der Koch
Franzose ④, der **Au**tomechaniker
Deutscher ⑤, der Ban**kier Schwei**zer,
der **Lieb**haber Itali**e**ner und der Poli**zist**
Engländer ist.

6 – Ah ja ⑥? Das ist ja sehr interes**sant**. Aber
wa**rum** denn?

7 – Warten Sie, die Ge**schich**te ist noch nicht
zu **En**de ⑦.

8 Die **Höl**le ist da**ge**gen dort, wo der Koch
Engländer, der **Au**tomechaniker Franzo**se**,
der Ban**kier** Itali**e**ner, der **Lieb**haber
Schweizer und der Poli**zist Deu**tscher ist.

9 – Ach, **wis**sen Sie, für mich ist das Para**dies**
da, wo **mei**ne **Mut**ter kocht, **un**ser **Nach**bar
Automechaniker ist, wo es **kei**ne Poli**zei**
gibt, und ich selbst Ban**kier** und **Lieb**haber
bin… □

---

5 … kocH fra'n**tsô:**zë … **aou**tomèçha:nik*ᵃ* **do**ïtch*ᵃ* … bañ**kié:**
chvaïts*ᵃ* … **li:p**_h_a:b*ᵃ* … è**ñ**glènd*ᵃ* **9** … **nacH**ba:*ᵃ* …

Notes

④ Pour dire la nationalité, on emploie le nom : **Er ist Franzose**,
Il est Français, et non l'adjectif qui est **französisch**. Les noms
d'habitants se forment de différentes façons. Ainsi on dit **der
Engländer**, *l'Anglais*, mais **der Deutsche**, *l'Allemand*. Nous
en reparlerons dans la leçon de révision.

⑤ Attention ! **Der Deutsche**, *l'Allemand*, est un nom qui se
décline comme un adjectif épithète : **ein Deutsche**r, mais **eine
Deutsche**, *une Allemande*.

⑥ **Ah ja?** exprime, selon l'accent que l'on y met, un étonnement ou un doute : *Ah oui ?, Ah bon ?* En revanche, **Ah ja!** ou ▶

5 – Le paradis [c']est là où le cuisinier est français, le garagiste *(auto-mécanicien)* allemand, le banquier suisse, l'amant italien et le policier anglais.

6 – Ah bon *(oui)* ? C'est *(oui)* très intéressant. Mais pourquoi donc ?

7 – Attendez, l'histoire n'est pas encore terminée.

8 L'enfer, au contraire, [c']est là où le cuisinier est anglais, le garagiste français, le banquier italien, l'amant suisse et le policier allemand.

9 – Ah, vous savez, pour moi le paradis [c']est là où ma mère fait la cuisine, où notre voisin est garagiste, où il n'y a pas de police, et [où] moi-même je suis banquier et amant...

Remarques de prononciation
5 Dans **der Bankier**, la première syllabe **Bank-** se prononce à l'allemande (le **a** bien ouvertement, puis le **n**, qui devient un son un peu nasal à cause du **k** qui suit *[bañk:]*) et la deuxième et dernière à la française : *[bañkié:]*.

▶ **Ach ja!** – suivi d'un point d'exclamation – exprime que l'on a (enfin) compris : *Ah oui !*, *Mais oui !* Le **ja** dans une proposition s'emploie également à deux fins différentes : soit pour renforcer une constatation, soit pour semer un doute. Ainsi, suivant la tonalité employée, l'énoncé : **Sie sind ja intelligent!** *Mais vous êtes* ("oui") *intelligent !*, peut être un vrai compliment ou pure ironie.

⑦ **das Ende**, *la fin*, **zu Ende sein**, *être terminé* ("à la fin"), mais attention : **am Ende sein**, *être au bout*. Nous ne vous le répéterons jamais assez : les prépositions sont très importantes en allemand…

Übung 1 – Übersetzen Sie bitte!

❶ Sie möchte einen Bankier heiraten, weil sie Geld liebt. ❷ Engländer und Franzosen sind oft ganz anderer Meinung. ❸ Meinen Sie, dass es zwischen den Ländern große Unterschiede gibt? ❹ Meine Mutter kochte sehr gut, meine Frau leider nicht! ❺ Man sagt, die Deutschen leben, um zu arbeiten, und die Franzosen arbeiten, um zu leben.

Übung 2 – Ergänzen Sie bitte!

❶ Elle a le choix entre un Allemand et un Italien ; mais elle voudrait un Suisse.

... ... die Wahl zwischen .... und .... ; aber sie möchte ....

❷ Attendons un peu ! Il semble [que] cette histoire n'est pas encore terminée.

.... ein bisschen! Es scheint, dass .... noch nicht .. .... ist.

❸ Je suis d'avis qu'il y a une grande différence entre l'enfer et le paradis.

Ich bin ... ., dass es .... und ... . einen großen Unterschied gibt.

❹ Qu'est-ce que tu racontes *(là)* ? *(Cela)* Je ne comprends pas.

Was .... da? Das .... nicht!

❺ Quelle langue vous plaît le plus ? [L']anglais ou [l']allemand ?

...... Sprache gefällt ..... besser? .... oder .... ?

Corrigé de l'exercice 1

❶ Elle veut épouser un banquier parce qu'elle aime l'argent.
❷ [Les] Anglais et [les] Français sont souvent [d'un] avis *(tout)*
différent. ❸ Croyez-vous qu'il y ait de grandes différences entre
les pays ? ❹ Ma mère faisait très bien la cuisine, ma femme,
malheureusement non ! ❺ On dit [que] les Allemands vivent pour
travailler, et [que] les Français travaillent pour vivre.

Corrigé de l'exercice 2

❶ Sie hat – einem Deutschen – einem Italiener – einen Schweizer
❷ Warten wir – diese Geschichte – zu Ende – ❸ – der Meinung –
zwischen der Hölle – dem Paradies – ❹ – erzählst du – verstehe
ich – ❺ Welche – Ihnen – Englisch – Deutsch

Deuxième vague : 18ᵉ leçon

Zehn Fragen zu Ihrer Allgemeinbildung ①

1 Wer er**fand** ② die Relativi**täts**theo**rie**?
   a. **New**ton
   b. **Ein**stein
   c. Gali**lei**

2 Wen **nann**te ③ man den **eisernen Kanz**ler?
   a. **O**tto von **Bis**marck
   b. **Kon**rad **A**denauer
   c. **Hel**mut Kohl

3 Wem **brach**ten ④ die **Grie**chen ein Pferd
   vor die **Stadt**tore ⑤?
   a. den Germ**a**nen
   b. den Tro**ja**nern
   c. den **Rö**mern

Prononciation
... *alguëma*ïn-*bildouñg* **1** ... *èrfa'nt* ... *rélativi***tè:ts**-*téori:*
2 ... *na'ntë* ... *aïzªnën ka'ntslª* ... **3** ... ***bracH**tën* ... ***gri:**çh'n*
... ***chtat**-tô:rë* ... *guèr***ma:**nën* ... *troya:nªn* ... ***reu:**mªn*

Remarque de prononciation
1 En allemand, on essaie de prononcer les noms propres en
respectant leur langue d'origine : Isaac Newton se prononce
donc *[iza'ak **nyou:**t'n]*.

Dix questions au [sujet de] votre culture générale

1   Qui inventa la théorie de la relativité ?
a. Newton
b. Einstein
c. Galilée

2   Qui appelait-on le *(ferreux)* chancelier de fer ?
a. Otto von Bismarck
b. Konrad Adenauer
c. Helmut Kohl

3   À qui les Grecs amenèrent-ils un cheval devant les portes de la ville ?
a. aux Germains
b. aux Troyens
c. aux Romains

Notes

① **allgemein** signifie *commun, général* et **die Bildung**, *la culture, l'éducation, la formation, l'instruction.*

② **erfand** est le prétérit de **erfinden**, *inventer*. Au lycée, on apprend les verbes irréguliers avec leurs trois formes : infinitif, prétérit, participe passé : **erfinden, erfand, erfunden.** Ce n'est pas une mauvaise idée, n'est-ce pas ?

③ **nannte** est le prétérit de **nennen**, *appeler, nommer*.

④ **brachten** est le prétérit de **bringen** ; son participe passé est aussi particulièrement irrégulier : **gebracht**, *apporté*.

⑤ **das Tor** est une grande porte, comparée à **die Tür**, *la porte* : **das Brandenburger Tor**, *la porte de Brandebourg.*

4 Wessen ⑥ Frau war die **Kaiserin „Sissi"?**
a. **Kaiser** Franz **Jo**sephs
b. **Phi**lipps des **Zwei**ten ⑦
c. **Pe**ters des **Gro**ßen

5 Wann **ka**men ⑧ die **Gar**tenzwerge nach **Deutsch**land?
a. im 18. Jahr**hun**dert
b. im 19. Jahr**hun**dert
c. im 20. Jahr**hun**dert

6 Wo saß ⑨ die Lore**lei**?
a. in **ei**nem Schiff
b. auf·**ei**nem **Fel**sen
c. am **U**fer

7 Wo**her stamm**ten die Teu**to**nen?
a. aus **Süd**deutsch**land** und der Schweiz
b. aus **Ost**deutschland und **Po**len
c. aus **Nord**deutschland und **Dä**nemark

---

*4 **vès**'n ... **kaïzëri**'n ... **kaïz**ᵃ ... **yô:**zèf̲s ... **phi**lips dès **tsva**ït'n ... **5** ... **ka:**mën ... **gart**'n-tsvèrguë ... **acHt**'tsé:ntën ya:ᵃ-**hound**ᵃt ... **6** ... **za:**s ... **lô:rëla**ï ... chif ... **fèlz**'n ... **ou:f**ᵃ 7 ... **chta**'mt'n ... **toïtô:**nën ...*

Notes

⑥ **wessen?**, *de qui ?*, est la forme interrogative au génitif. Notez que **wessen** est toujours immédiatement suivi d'un nom : **Wessen Buch ist das?**, *À qui est ce livre* (litt. "De qui livre est-ce") ?

⑦ Au nominatif, **Philipp II.** se dit **Philipp der Zweite**, litt. "le deuxième". Intégré dans une proposition, le chiffre se décline en tant qu'adjectif numéral : **Elisabeth war die Frau Philipps II. (des Zweiten)**, *Élisabeth était la femme de Philippe II*, **sie** ▸

4 De qui l'impératrice Sissi était-elle l'épouse ?
  a. de l'empereur François-Joseph
  b. de Philippe II
  c. de Pierre le Grand

5 Quand les nains de jardin arrivèrent-ils en Allemagne ?
  a. au XVIIIe siècle
  b. au XIXe siècle
  c. au XXe siècle

6 Où était assise la Lorelei ?
  a. dans un bateau
  b. sur un rocher
  c. sur la rive

7 D'où étaient originaires *(provenaient)* les Teutons ?
  a. du Sud de l'Allemagne et de la Suisse
  b. de l'Est de l'Allemagne et de la Pologne
  c. du Nord de l'Allemagne et du Danemark

Remarque de prononciation

4 Prononcez bien le s final de **Franz Joseph**, de **Philipp** et de **Peter** (génitifs "saxons").

▶ **war mit Philipp II. (dem Zweiten) verheiratet**, *elle était mariée ("avec") à Philippe II.*

⑧ **kamen** est le prétérit de **kommen**, *venir, arriver.*

⑨ **saß** est le prétérit de **sitzen**, *être assis.* Rappelez-vous que **sitzen** est un verbe "statique", c'est-à-dire qu'il n'indique pas de déplacement, et que les prépositions de lieu l'accompagnant sont suivies du datif : **sie sitzt am (= an dem) Ufer**, *elle est assise ("au bord de") sur la rive.*

8 Welche der **fol**genden **O**pern kompo**nier**te ⑩ **Beet**hoven?
  a. *Fidelio*
  b. *Die Zauberflöte*
  c. *Die Lustige Witwe*   ☐

Die Antworten finden Sie am Ende dieser Lektion.

---

8 ... ko'mpo**ni:**rtë **bé:t'**hô:f'n ... **tsa**oubª-fleu:të ... **lous**tiguë **vit**vë

***

Übung 1 – Übersetzen Sie bitte!

❶ Die Kaiserin Elisabeth lebte von achtzehnhundertsiebenunddreißig bis achtzehnhundertachtundneunzig. ❷ Wem haben Sie die Blumen gebracht? Der Frau des Kanzlers? ❸ Mozart, der aus Salzburg stammte, komponierte *Die Zauberflöte*. ❹ Die Lorelei saß auf einem Felsen und kämmte ihre langen, blonden Haare. ❺ Können Sie mir sagen, wessen Ehemann Philipp der Zweite war?

8 Lequel des opéras suivants a composé Beethoven ?
   a. *Fidelio*
   b. *La Flûte enchantée*
   c. *La Veuve joyeuse*

Vous trouv[er]ez les réponses à la fin de cette leçon.

Note

⑩ Le prétérit des verbes en **-ieren** se fait régulièrement. Par conséquent, la 3ᵉ personne du singulier se termine en **-te** : **er komponier**te, *il composait.*

***

Corrigé de l'exercice 1

❶ L'impératrice Élisabeth vécut de 1837 à 1898. ❷ À qui avez-vous apporté les fleurs ? À la femme du chancelier ? ❸ Mozart, qui était originaire de Salzbourg, composa *La Flûte enchantée*. ❹ La Lorelei était assise sur un rocher et peignait ses longs cheveux blonds. ❺ Pouvez-vous me dire de qui Philippe II était l'époux ?

Übung 2 – Ergänzen Sie bitte!

❶ Peut-être savez-vous qui inventa les nains de jardin et à *(dans)* quel siècle ?

Wissen Sie vielleicht, ... die Gartenzwerge
..... und in ...... ?

❷ D'où vos grands-parents étaient-ils originaires ? D'Allemagne ou de Suisse ?

Woher .... eure Großeltern? Aus
.... oder aus ... . ?

❸ Laquelle des symphonies de Beethoven trouvez-vous la *(au)* plus belle ? – Je préfère la cinquième.

..... der Symphonien .... finden
Sie .. .. ? – Ich mag ... .
am liebsten.

❹ Qui appelais-tu Sissi quand tu étais petit ? L'amie de Peter ou la sœur de Helmut ?

... . Sissi, ... du klein warst?
..... Freundin oder ...... Schwester?

---

69 Neunundsechzigste Lektion

Man nimmt sich niemals genug in Acht ①

1 – Ent**schul**digen Sie, ich **su**che den
Hausmeister.

Note

① **sich in Acht nehmen**, *faire attention, se méfier* ; **Acht** est ici un vieux mot germanique que nous retrouvons également dans **Achtung**, *attention*.

⑤ Les Grecs amenèrent un cheval devant les portes de la ville, ce 69
qui fit sortir les Troyens.

Die Griechen .... ein Pferd ... ...
........., damit ... . aus der
Stadt ......

Corrigé de l'exercice 2

❶ – wer – erfand – welchem Jahrhundert ❷ – stammten –
Deutschland – der Schweiz ❸ Welche – Beethovens – am schönsten
– die fünfte – ❹ Wen nanntest du – als – Peters – Helmuts – ❺ –
brachten – vor die Stadttore – die Trojaner – kamen

Antworten zu Lektion 68: 1 b. 2 a. 3 b. 4 a. 5 c. 6 b. 7 c. 8 a.

Deuxième vague : 19e leçon

Soixante-neuvième leçon   69

On ne se méfie jamais assez
(On se prend jamais assez en garde)

1 – Excusez-moi, je cherche le concierge.

69

2 – Da **ha**ben Sie Pech ②, es gibt schon **lan**ge **kei**nen ③ mehr bei uns.

3 – So was **Dum**mes ④! Ich muss **dri**ngend mit einem **Mie**ter **spre**chen.

4 – Zu wem ⑤ **wol**len Sie denn?

5 – Zu Herrn **Wör**le, **ken**nen Sie ihn?

6 – Mmm…, der **Na**me ist mir nicht ganz **un**bekannt.

7 Was **wol**len Sie denn von ihm?

8 – Das ist ver**trau**lich, das darf ich ihm nur per**sön**lich **sa**gen.

9 – Ich ver**ste**he. Ist es **et**was sehr **Schlim**mes?

10 – Schlimm? Aber nein! **G**anz im **G**egenteil!

11 **Un**ter uns – aber sagen Sie es **nie**mandem **wei**ter – er hat im **Lo**tto gewo**nn**en ⑥.

Prononciation
3 … dri*ñg'n t* … *mi:t*ᵃ … **5** … **veur**lë … **8** … *fè*r**tra**ouliçh … *pè*r**zeu:**n*liçh* … **9** … **chlim**mès **11** … **lo**tô gu*ë*vo*në*n

Notes

② Comme en français, la première signification de **das Pech** est *la poix*, et la deuxième *la malchance*.

③ **keinen**, *aucun*, est l'accusatif masculin du pronom indéfini **keiner, keine, keins**, *aucun, aucune, aucun* (neutre).

④ Dans l'exclamation **So was (etwas) Dummes!**, *C'est très embêtant !* (litt. "si quelque chose bête"), l'adjectif **dumm**, *bête, stupide*, est au neutre, et substantivé (notez la majuscule). Il en est de même en phrase 9 : **etwas Schlimmes**, *quelque chose de grave*.

⑤ Souvenez-vous que **gehen** n'est pas toujours nécessaire en allemand, car la préposition **zu** nous indique déjà à elle seule qu'il y a un déplacement. Ainsi *chez* se traduit par **zu** avec l'idée de déplacement, et par **bei** sans déplacement (phrase 2). ▸

2 – *(Là)* Vous n'avez pas de chance, il n'y en a plus
(aucun) chez nous depuis *(déjà)* longtemps.

3 – C'est très embêtant ! Je dois parler d'urgence à
(avec) un locataire.

4 – Chez qui voulez-vous donc [aller] ?

5 – Chez M. Wörle, vous le connaissez ?

6 – Hum…, le nom ne m'est pas tout à fait inconnu.

7 Qu'est-ce que vous lui voulez ?

8 – C'est confidentiel, je ne peux le dire qu'à lui,
personnellement.

9 – Je comprends. Est-ce que c'est quelque chose
[de] très grave ?

10 – Grave ? Mais non ! Bien *(Entièrement)* au
contraire !

11 Entre nous – mais ne le répétez *(dites)* à
personne *(plus loin)* – il a gagné au loto.

▶ ⑥ **gewonnen** est le participe II de **gewinnen**, *gagner*. Attention,
la particule **ge-** n'est pas la particule du passé, elle existe déjà
au présent : **Wer wagt, gewinnt!** (litt. "Celui qui ose, gagne"),
La fortune sourit aux audacieux.

12 – Was **sa**gen Sie da? **Hö**ren Sie, ich bin Herr **Wö**rle.

13 Wie viel ist es denn?

14 – **Lei**der nicht viel, Herr **Wö**rle, ver**zei**hen Sie mir **bit**te die **Lü**ge!

15 In **Wahr**heit **kom**me ich **näm**lich ⑦ vom Fi**nanz**amt ⑧ und muss mich mit **Ih**nen ein **biss**chen unter**hal**ten. □

---

14 ... fè**r**tsaï' ... **lu:**guë **15** ... **va:**ªʰaït ... fina**'**nts-a'mt ...

Notes

⑦ Vous souvenez-vous de **nämlich** qui, comme **denn**, *car*, sert à justifier ce que l'on vient de dire ? **Das darf ich nicht sagen, das ist nämlich vertraulich = denn das ist vertraulich**, *Je ne peux pas le dire, car c'est confidentiel* (cf. leçon 57, note 1). ▸

***

Übung 1 – Übersetzen Sie bitte!

❶ Was suchen Sie? Einen Zahnarzt? Hier gibt es keinen mehr. ❷ Was ich Ihnen jetzt sage, ist vertraulich! ❸ Der Name ist mir leider unbekannt. ❹ Nimm dich in Acht! Der Mann scheint vom Finanzamt zu kommen. ❺ Ich muss Sie dringend persönlich sprechen.

12 – Que dites-vous là ? Écoutez, c'est moi *(je suis)*
M. Wörle !

13 De combien s'agit-il *(Combien est-ce donc)* ?

14 – Malheureusement pas beaucoup, M. Wörle,
pardonnez-moi ce mensonge *(s'il vous plaît)* !

15 C'est qu'en vérité je viens du Trésor Public, et
[je] dois discuter *(m'entretenir)* un peu avec
vous.

▸ ⑧ **das Amt** est un bureau officiel, public, un office, une admi-
nistration : **das Arbeitsamt**, *l'agence pour l'emploi* ("le
travail-bureau"), **das Zollamt**, *le bureau de douane*, etc.

***

Corrigé de l'exercice 1

❶ Que cherchez-vous ? Un dentiste ? Ici, il n'y en a plus aucun.
❷ Ce que je vais vous dire maintenant est confidentiel ! ❸ Ce nom
m'est malheureusement inconnu. ❹ Fais attention ! Ce monsieur
semble venir du Trésor Public. ❺ Il faut d'urgence que je vous
parle personnellement.

Übung 2 – Ergänzen Sie bitte!

❶ Excusez[-nous], nous cherchons le concierge ; n'y en a-t-il pas un ici ?

. . . ., wir suchen . . .
. . . . ; gibt es hier . . . . . . ?

❷ C'est un mensonge ! Méfiez-vous, car nous connaissons tous la vérité.

Das ist . . . . ! Nehmen Sie sich . . . .,
wir kennen nämlich alle . . . .

❸ Je dois [aller] d'urgence chez M. Wörle. Vous le connaissez ?

Ich muss . . . . Wörle. . . . . . .
. . . . . . ?

---

70 Siebzigste Lektion

Wiederholung – Révision

1 Le prétérit

Avec le passé composé, le prétérit est le temps du passé le plus utilisé. Tandis que le passé composé s'impose de plus en plus dans la langue parlée au détriment du prétérit, celui-ci reste le temps préféré de la langue écrite. Au point de vue purement grammatical, le prétérit est l'équivalent de l'imparfait français. Cependant, il s'emploie également pour traduire le passé simple ou le passé composé français.

1.1 Les conjugaisons du prétérit

Notez pour toutes les conjugaisons du prétérit que la 1re personne du singulier est semblable à la 3e et que, par conséquent, celle-ci ne se termine jamais en -t, contrairement au présent.

④ Il faut que je vous parle personnellement, j'ai quelque chose de 70
très intéressant à vous dire.

Ich muss Sie . . . ., ich habe
Ihnen . . . . zu sagen.

⑤ Je sais qu'elle a gagné au loto, mais cela doit rester entre nous.
Ich weiß, dass . . . im Lotto . . . .,
aber das muss . . . . bleiben.

Corrigé de l'exercice 2

❶ Entschuldigen Sie – den Hausmeister – keinen ❷ – eine Lüge
– in Acht – die Wahrheit ❸ – dringend zu Herrn – Kennen Sie ihn
❹ – persönlich sprechen – etwas sehr Interessantes – ❺ – sie –
gewonnen hat – unter uns –

Deuxième vague : 20ᵉ leçon

Soixante-dixième leçon 70

• **Les verbes réguliers (ou faibles)**
Ils prennent les terminaisons **-te**, **-test**, **-te**, **-ten**, **-tet**, **-ten** que l'on
ajoute à leur radical. Pour les verbes dont le radical se termine en
-t, **-d**, ou en **-m** ou **-n** précédés d'une consonne, on intercale un **-e**
entre le radical et la terminaison :

	fragen, *demander, questionner*	**antworten,** *répondre*	**öffnen,** *ouvrir*
ich	**frag-te**	**antwort-e-te**	**öffn-e-te**
du	**frag-test**	**antwort-e-test**	**öffn-e-test**
er/sie/es	**frag-te**	**antwort-e-te**	**öffn-e-te**

wir	frag-ten	antwort-e-ten	öffn-e-ten
ihr	frag-tet	antwort-e-tet	öffn-e-tet
sie	frag-ten	antwort-e-ten	öffn-e-ten

• Les verbes irréguliers (ou forts)

Ils changent leur voyelle du radical de l'infinitif et prennent les terminaisons du présent <u>sauf</u> aux 1re et 3e personnes du singulier, qui sont semblables (comme pour tous les verbes au prétérit) :

	kommen, *venir*	gehen, *aller*	nehmen, *prendre*	ziehen, *tirer*
ich	kam	ging	nahm	zog
du	kamst	gingst	nahmst	zogst
er/sie/es	kam	ging	nahm	zog
wir	kamen	gingen	nahmen	zogen
ihr	kamt	gingt	nahmt	zogt
sie	kamen	gingen	nahmen	zogen

• Les verbes mixtes

Ce sont ceux qui changent la voyelle de leur radical et prennent les terminaisons des verbes réguliers. Rassurez-vous, il n'y en a que huit :

bringen, *apporter* → **ich brachte, du brachtest**, …
de même : **denken**, *penser*.
nennen, *appeler* → **ich nannte, du nanntest**, …
de même : **brennen**, *brûler*, **kennen**, *connaître*, et **rennen**, *courir*.
wenden, *tourner* → **ich wandte, du wandtest**, … (aussi **ich wendete**)
de même : **senden**, *envoyer*.

Notez que ces verbes forment leur participe passé avec le radical du prétérit et un **-t** final : **gebracht**, *apporté*, **genannt**, *appelé*, **gewandt**, *tourné*.

• Les verbes de modalité

Les verbes de modalité et le verbe **wissen** prennent au prétérit les terminaisons des verbes faibles, tout en perdant l'inflexion ; en revanche, ils prennent au présent les terminaisons des verbes forts (cf. leçon 35, § 1) :

Infinitif	1re pers. du prétérit	1re pers. du présent
können *pouvoir*	**ich konnte**	**ich kann**
müssen *falloir, être obligé*	**ich musste**	**ich muss**
sollen *devoir*	**ich sollte**	**ich soll**
dürfen *avoir la permission, devoir, pouvoir*	**ich durfte**	**ich darf**
wollen *vouloir*	**ich wollte**	**ich will**
mögen *bien aimer*	**ich mochte***	**ich mag**
wissen *savoir*	**ich wusste**	**ich weiß**

*Au prétérit, il faut bien prononcer le **o** suivi d'un **ch** guttural : *[mocHtë]*, pour ne pas le confondre avec **ich möchte**, *je voudrais*, qui est la forme du subjonctif II et se prononce *[meuçhtë]*.

1.2 Les changements de la voyelle radicale au prétérit

Dans notre dernière leçon de révision, nous avons vu plusieurs cas-types dans lesquels la voyelle du radical des verbes forts change au participe passé. Maintenant nous pouvons les compléter en y ajoutant le prétérit. C'est sous cette forme que vous trouverez les verbes irréguliers les plus importants dans l'annexe de cette méthode :

schlafen, *dormir*   **schlief**   **geschlafen**
geben, *donner*   **gab**   **gegeben**
sprechen, *parler*   **sprach**   **gesprochen**

bleiben, *rester*	**blieb**	**geblieben**
trinken, *boire*	**trank**	**getrunken**
beginnen, *commencer*	**begann**	**begonnen**
verbieten, *interdire*	**verbot**	**verboten**

Il n'existe pas de règles pour les modifications de la voyelle radicale, il semble préférable d'apprendre les verbes un par un.

2   Les pronoms interrogatifs *wer?*, *was?* et *welcher?*

• **wer?** *qui ?*, se décline comme l'article défini au masculin (à part le génitif) :

Nominatif : **wer?**, *qui ?* (sujet) → **Wer bist du? – Karl**, *Qui es-tu ? – Karl*.

Accusatif : **wen?**, *qui ?* (complément d'objet direct) → **Wen liebst du? – Sylvia**, *Qui aimes-tu ? – Sylvia*.

Datif : **wem?**, *à qui ?* → **Wem zeigst du die Stadt? – Sylvia**, *À qui montres-tu la ville ? – À Sylvia*.

Génitif : **wessen?**, *de qui ?* → **Wessen Freund bist du ? – Sylvia**s **Freund/der Freund** von **Sylvia**, *De qui es-tu l'ami ? – L'ami de Sylvia*.

Wer? appelle souvent le nom d'une personne en réponse. Un nom propre ne se décline pas, sauf au génitif saxon ("à l'anglaise"), où il prend un **-s** : **Sylvias Freund**, *l'ami de Sylvia*.

Lorsqu'il ne s'agit pas d'un nom propre, c'est l'article qui reproduit le cas du pronom interrogatif :

Wer spricht gut Deutsch? *Qui parle bien l'allemand ?*
– **der Onkel aus Amerika**

Wen treffen Sie um 15 Uhr? *Qui rencontrez-vous à 15 heures ?*
– **den Onkel aus Amerika**

Wem schreiben Sie einen Brief? *À qui écrivez-vous une lettre ?*
– **dem Onkel aus Amerika**

Wessen Auto ist das? ("De qui") *À qui est la voiture ?*
– **das Auto des Onkels* aus Amerika,** ou : **das Auto von dem Onkel aus Amerika**.

* Notez que le génitif – qui est le cas du complément de nom – s'accompagne toujours d'un nom (ici **das Auto**).

• Le neutre **was?** *qu'est-ce qui ?* / *qu'est-ce que ?* n'existe qu'au nominatif et à l'accusatif. Il désigne un animal, une chose ou une idée :
Was ist das?, *Qu'est-ce que c'est ?* – **Die Hölle**, *L'enfer.*
Was essen Sie?, *Que mangez-vous ?* – **Hasenfrikassee**, *De la fricassée [de] lièvre.*

• **welcher?**, *lequel ?* ; **welche?**, *laquelle ?* ; **welches?**, *lequel ?* (neutre) se déclinent comme l'article défini. Le génitif de **welcher** n'est plus usité.

Welcher von Beiden ist dein Freund?, *Lequel des deux est ton ami ?* – **Der Linke**, *Celui [de] gauche.*
Welche der Frauen ist deine Tante?, *Laquelle des femmes est ta tante ?* – **Die Rechte**, *Celle [de] droite.*
Welches der Bücher hast du noch nicht gelesen?, *Lequel des livres n'as-tu pas encore lu ?* – **Das Dickste**, *Le plus gros.*

Rappelez-vous que dans une phrase interrogative indirecte, le verbe conjugué se trouve à la fin de celle-ci :
Frag Papa, wen man „Sissi" nannte, *Demande [à] papa qui on appelait "Sissi".*
Wissen Sie, wessen Freundin sie ist?, *Savez-vous de qui elle est l'amie ?*
Er will wissen, welches der Bücher am interessantesten ist, *Il veut savoir lequel des livres est le plus intéressant.*

Un petit conseil pour les modifications de la voyelle radicale, pour les verbes : les copier et les coller à côté du miroir de la salle de bains… ou à tout autre endroit de votre choix, qui vous permettra de les regarder plusieurs fois par jour. Vous pourriez même les apprendre en les chantant ou "rappant" sous la douche… dans ce cas, nous vous conseillons de plastifier la liste ! Encore une fois, rassurez-vous, il s'agit d'explications à titre informatif. Nous n'attendons nullement de vous que vous reteniez tout. Nous souhaitons simplement vous faire pénétrer peu à peu dans les mystères de cette belle langue.

En général, les noms de pays et de continents sont neutres. Ils ne prennent pas d'article sauf lorsqu'ils sont déterminés par un adjectif ou par une relative, par exemple : **England**, *[l']Angleterre*, **Belgien**, *[la] Belgique*, **Preußen**, *[la] Prusse*, **Europa**, *[l']Europe*.

Österreich liegt im Süden Mitteleuropas. Es hat neun Bundesländer, *L'Autriche se trouve au sud de l'Europe centrale. Elle* (neutre) *a neuf* **Bundesländer**, *États fédéraux.*
Das Europa, das wir aufbauen, wird immer stärker, *L'Europe que nous construisons sera de plus en plus forte.*
Das alte Preußen war eine Konkurrenz für Bayern, *L'ancienne Prusse était une concurrence pour la Bavière.*

Les pays suivants font exception à cette règle :
– sont masculins : **der Libanon**, *le Liban*, **der Sudan**, *le Soudan*, **der Irak**, *l'Irak*, **der Iran**, *l'Iran*.
– sont féminins : **die Bundesrepublik**, *la République fédérale*, **die Tschechische République** (ou **Tschechien**), *la République tchèque*, **die Slowakische Republik** (ou **die Slowakei**), *la République slovaque*, **die Schweiz**, *la Suisse*, **die Türkei**, *la Turquie*, **die Antarktis**, *l'Antarctique*,
– sont neutres : **das Elsass**, *l'Alsace*, **das Engadin**, *l'Engadine*, **das Tessin**, *le Tessin*.
– prennent l'article du pluriel : **die Antillen**, *les Antilles*, **die USA** = **die Vereinigten Staaten**, *les États-Unis*, **die Niederlande**, *les Pays-Bas.*

En ce qui concerne le nom des *habitants*, **Einwohner**, les choses se compliquent un petit peu, car on y compte plusieurs catégories et encore plus d'exceptions. Voici quelques grandes lignes pour satisfaire votre curiosité – n'hésitez pas à y revenir :

• Les masculins forts se terminant en **-er** ne changent pas au pluriel : **der Italiener, der Spanier, der Äthiopier, der Engländer, der Thailänder, der Japaner, der Schweizer, der Norweger, der Österreicher, der Amerikaner, der Iraner, der Brasilianer,** etc. Leur féminin se forme en ajoutant **-in** au singulier, et **-innen** au pluriel : **die Italienerin/Italienerinnen, die Engländerin/**

Engländerinnen, die Japanerin/Japanerinnen, die Peruanerin/ Peruanerinnen, etc.

• <u>Les quelques masculins forts</u> se terminant en **-i** forment leur pluriel en **-s** : **der Israeli (-s)**, **der Pakistani (-s)** (ou **der Pakistaner**), **der Somali (-s)**.
Le féminin se forme en ajoutant seulement **-n** au singulier, et **-nnen** au pluriel : **die Israelin**, **die Israelinnen**.

• <u>Les masculins faibles</u> prennent **-n** pour tous les cas, sauf au nominatif singulier : **der Franzose**, **der Chinese**, **der Rumäne**, **der Pole**, **der Senegalese**, **der Grieche**, *le Grec*, **der Ungar**, *le Hongrois*, **der Schwede**, *le Suédois*, **der Finne**, *le Finlandais*, etc. Leur féminin se forme en supprimant le **e** final (s'il y en a un) avant d'ajouter la terminaison **-in** ou **-innen** pour le pluriel (voir plus haut "les masculins forts") : **die Französin** (attention au tréma !), **die Chinesin**, **die Polin**, **die Ungarin**, **die Finnin**, **die Russin**, etc.

• <u>L'adjectif substantivé</u> (c'est-à-dire qu'il se décline comme l'adjectif épithète) :
Il n'y a qu'un seul exemple :
der Deutsche, *l'Allemand* → **ein Deutscher**, *un Allemand*
die Deutsche, *l'Allemande* → **eine Deutsche**, *une Allemande*
die Deutschen, *les Allemands* → **Deutsche**, *[des] Allemands*

Il n'existe pas de féminin au pluriel, mais on peut toujours dire **die deutschen Frauen**, *les femmes allemandes*.

Et maintenant, pour vous récompenser de vos efforts, voici notre dialogue qui vous permettra comme d'habitude de mettre en pratique tout ce que vous venez de voir.

Woher stammen eigentlich die Germanen?

1 – Viele Deutsche fahren in den Ferien nach Italien, Frankreich, Griechenland oder Spanien.

2   Ich habe das auch fast zwanzig Jahre lang gemacht.

3   Ich dachte, man erlebt mehr, wenn man in ein anderes Land fährt.

4   Heute bin ich anderer Meinung.

5   Eigentlich habe ich es schon immer anstrengend gefunden, am Meer zu sitzen und nichts zu tun.

6   Meine Frau hat das nie verstanden, im Gegenteil!

7   Wenn sie am Meer saß, Zeitung las und Eis aß, fühlte sie sich wie im Paradies.

8   Aber als wir vor zwei Jahren nach Mallorca gefahren sind, war sie auch enttäuscht.

9   Sie sagte: „Wenn alle Nachbarn Deutsche sind, kann ich ebenso gut in Deutschland bleiben.”

10   Deshalb wollen meine Frau und ich unseren 24. Hochzeitstag nicht auf den Balearen feiern, sondern im Teutoburger Wald.

11   Dort hat nämlich der Germane Hermann – die Römer nannten ihn Arminius – mit ein bisschen Überlegung die Römer geschlagen.

12   Ja, die Römer hatten Pech.

13   Unsere Geschichte ist wirklich sehr interessant.

14   Ich kann Ihnen nur empfehlen, auch Ihre nächsten Ferien in Deutschland zu verbringen.

15   Außerdem ist es sehr gut für die Allgemeinbildung…

Au fait, d'où viennent les Germains ?

1 Beaucoup d'Allemands vont en vacances en Italie, en France, en Grèce ou en Espagne. **2** J'ai fait cela aussi [pendant] presque vingt ans. **3** Je pensais [que l']on vit plus [d'expériences] si l'on va dans un autre pays. **4** Aujourd'hui je suis d'un autre avis. **5** En fait, j'ai *(déjà)* toujours trouvé fatigant de rester assis au bord de la mer et de ne rien faire. **6** Ma femme ne l'a jamais compris, au contraire ! **7** Lorsqu'elle était assise au bord de la mer, lisant le journal *(lisait)* et mangeant une glace *(mangeait)*, elle se sentait comme au paradis. **8** Mais quand nous sommes allés à Majorque il y a deux ans, elle a été très déçue, [elle] aussi. **9** Elle disait : "Si tous nos voisins sont des Allemands, je peux aussi bien rester en Allemagne." **10** C'est pourquoi ma femme et moi n'allons pas fêter notre 24ᵉ anniversaire de mariage aux Baléares, mais dans la forêt de Teutobourg. **11** C'est là-bas, en effet, que le Germain Hermann – les Romains l'appelaient Arminius –, avec un peu de réflexion, a battu les Romains. **12** Oui, les Romains n'eurent pas de chance. **13** Notre histoire est vraiment très intéressante. **14** Je ne peux que vous recommander de passer également vos prochaines vacances en Allemagne. **15** En plus, c'est excellent *(très bien)* pour la culture générale…

Der Teutoburger Wald *est une chaîne de montagnes de hauteur moyenne (***ein Mittelgebirge***) en Westphalie, au nord-ouest de l'Allemagne, entre Kassel et Hanovre. En souvenir de la victoire des Germains sur les Romains en l'an 9 après J.-C., on y construisit* **das Hermannsdenkmal**, *la statue de Hermann, sur la Grotenburg, une petite montagne de 386 m, près de Detmold, la capitale de la*

---

71 Einundsiebzigste Lektion

„Vater werden ist nicht schwer, Vater sein dagegen sehr"

1 – Kinder, wacht auf ①!
2   Es ist halb **sie**ben ②, ihr müsst **auf**stehen.
     *Nach ei**ner Vier**telstunde.*
3   Wo bleibt ihr denn? Ich **ha**be euch vor **ei**ner **Vier**telstunde ge**weckt** ③.

Prononciation
1 ... vacHt **ao**uf *3 ... guë***vèkt**

Notes

① Contrairement au français, **aufwachen**, *[se] réveiller*, tout comme **aufstehen**, *[se] lever*, ne sont pas des verbes réfléchis en allemand : **ich wache auf**, *je [me] réveille*, **wir stehen auf**, *nous [nous] levons*.

② Pour ne pas que vous manquiez vos premiers rendez-vous en Allemagne, nous vous rappelons que **halb sieben**, littéralement "demi sept", signifie *six heures et demie* et qu'il faut se référer à l'heure qui suit : 1 h 30 = **halb zwei**, 4 h 30 = **halb fünf**, etc.

▶

principauté de Lippe. Avec ses 53,46 m de haut et son poids de plus
de 40 tonnes, Hermann, l'épée levée, domine les montagnes. La sta-
tue a été inaugurée en 1875 en présence de l'empereur Guillaume
Ier et du prince de Lippe. Depuis, elle a accueilli près de 20 millions
de visiteurs.

Deuxième vague : 21e leçon

Soixante et onzième leçon 71

"Devenir père n'est pas difficile,
être père, en revanche, [est] très [difficile]"

1 – [Les] enfants, réveillez-[vous] !
2 Il est six heures et demie, vous devez [vous]
lever.
Un quart d'heure plus tard (Après un quart
d'heure).
3 Où êtes-*(restez)* vous donc ? Je vous ai réveillés
il y a *(avant)* un quart d'heure.

▶ ③ *réveiller quelqu'un* se dit **jemanden wecken**. Ne le confondez
pas avec **aufwachen**, *se réveiller* (voir note 1). **Der Wecker**,
le réveil, (litt. "celui qui réveille"), vous aidera à vous en
souvenir.

4 Los, raus aus den **Bet**ten, sonst kann ich
euch nicht in die **Schu**le **mit**nehmen!

5 Be**eilt** euch! Ich muss **spä**testens zehn nach
sieben los ④.

6 *Zehn Minuten später.*
Hört mal! Es ist fast **sie**ben und ihr habt
euch noch nicht mal ⑤ ge**wa**schen.

7 Ich ver**ste**he nicht, was mit euch los ⑥ ist.

8 Habt ihr **kei**ne Lust **auf**zustehen oder seid
ihr **ein**fach **wie**der **ein**geschlafen ⑦?

9 – Nee, **Pa**pa, das ist es nicht.

10 – So? Was ist es denn dann?

11 – Wir **ge**hen ab **heu**te nicht mehr in die
Schule.

12 – Wie **bit**te? Wann habt ihr denn das
be**schlos**sen ⑧?

13 – **Ges**tern Abend, als du uns er**klärt** hast,
dass das **Le**ben die **bes**te **Schu**le ist.

14 Wir **fin**den das auch. □

---

4 … **bèt**ën zo'nst … **chou**:lë … *5* bë**aïlt** … **chpè**:tëstëns …
6 … gu**ëvach**'n *8* … a**ïn**'gu**ëchla**:f'n *12* … bë**chloss**'n
13 … ër**klè**:rt …

Notes

④ Avec un verbe de modalité, **los** signifie *partir* : **Wir müssen
los**, *Nous devons / Il faut partir.*

⑤ Attention ! **Nicht mal** (en langue parlée) ou **nicht einmal**
signifie *même pas*, et non "pas une seule fois", qui se dit **nicht
ein einziges Mal**.

⑥ Nous connaissons déjà l'expression **Was ist los?**, *Que se pas-
set- il ?* La voici maintenant en version "personnalisée" : **Was** ▶

4 Allez, debout *(dehors des lits)* ! Sinon je ne pourrai *(peux)* pas vous amener à l'école.

5 Dépêchez-vous ! Il faut que je parte au plus tard à sept heures dix.

6 *Dix minutes plus tard.*
Écoutez *(fois)* ! Il est presque sept [heures] et vous ne vous êtes *(avez)* même pas lavés.

7 Je ne comprends pas ce qui vous arrive.

8 N'avez-vous pas envie de vous lever ou [vous] êtes-vous simplement rendormis ?

9 – Non, ce n'est pas ça, papa.

10 – Ah bon ? Qu'est-ce que c'est alors ?

11 – À partir d'aujourd'hui, nous n'irons *(allons)* plus à l'école.

12 – Comment *(s'il vous plaît)* ? Quand avez-vous donc décidé cela ?

13 – Hier soir quand tu nous as expliqué que la vie est la meilleure *(école)* des écoles.

14 Nous sommes d'accord avec toi *(Nous trouvons cela aussi)*.

▶ **ist los mit dir (euch/ihm, …)?**, *Qu'est-ce qui ne va pas avec toi* ("vous/lui, …") *?, Qu'est-ce qui t'arrive* ("à vous/à lui, …") *?*

⑦ **einschlafen**, *[s']endormir*, n'est pas, non plus, un verbe réfléchi : **ich schlafe ein**, *je [m']endors*. En général, les verbes indiquant un changement d'état ne sont pas réfléchis en allemand, et forment leur passé composé avec l'auxiliaire **sein** : **ich bin eingeschlafen**, *je [me] suis endormi*.

⑧ **beschlossen** est le participe II de **beschließen**, *décider*. Rappelez-vous **schließen**, *fermer*, et son participe II **geschlossen**.

Übung 1 – Übersetzen Sie bitte!

❶ Er ist um halb fünf aufgewacht, aber gleich wieder eingeschlafen. ❷ Ich finde nicht, dass Deutsch schwer ist. ❸ Beeilen Sie sich bitte! Wir müssen in fünf Minuten los. ❹ Können Sie mich bitte morgen früh um Viertel vor sieben wecken? ❺ Sie haben mir nicht einmal „Guten Tag" gesagt!

Übung 2 – Ergänzen Sie bitte!

❶ À quelle heure vous êtes-vous levé aujourd'hui ?
Um wie viel Uhr .... heute
............?

❷ Dépêche-toi, sinon nous arriv[er]ons trop tard.
...., ... kommen wir zu spät.

❸ Allez, il faut que vous vous leviez, il est déjà sept heures et demie.
..., ihr müsst ...., es ist schon ....
.....

❹ Quand avez-vous décidé de ne plus aller au bureau ?
Wann ...., nicht mehr
ins Büro .. ..?

❺ Il y a trois jours, je n'arrivais pas à me réveiller, et aujourd'hui je n'arrive pas à m'endormir, tu comprends ça ?
... ... konnte ich nicht ....
und heute kann ich nicht ....,
....?

Corrigé de l'exercice 1

❶ Il s'est réveillé à 4 h 30, mais [il s'est] aussitôt rendormi. ❷ Je ne trouve pas que l'allemand soit difficile. ❸ Dépêchez-vous, s'il vous plaît ! Il faut que nous partions dans cinq minutes. ❹ Pourriez-vous *(Pouvez-vous)* me réveiller demain matin à sept heures moins le quart, s'il vous plaît ? ❺ Vous ne m'avez même pas dit bonjour !

Corrigé de l'exercice 2

❶ – sind Sie/seid ihr – aufgestanden ❷ Beeil dich, sonst – ❸ Los – aufstehen – halb acht ❹ – haben Sie beschlossen – zu gehen ❺ Vor drei Tagen – aufwachen – einschlafen, verstehst du das

Deuxième vague : 22ᵉ leçon

Dreimal dürfen Sie raten

1 Wer ist der **Schrift**steller,

2 a – der oft **ei**ne **Bas**kenmütze trug, ob**wohl** ① er **Deut**scher war?

3 b – den **kei**ne **Un**gerechtigkeit **gleich**gültig ließ ②?

4 c – dem man 1972 (**neun**zehn**hun**dert**zwei**und**sieb**zig) den **No**belpreis für Litera**tur** ver**lieh** ③?

5 d – **des**sen ④ **Kriegs**erzählungen **Tau**sende zu Pazi**fis**ten **mach**ten ⑤?

Prononciation
*1 ... chrift-chtèlᵃ 2 ... bask'n-mutsë ... opvo:l 3 ... oun*guërèçhtiçhkaït **gla**ïçh'gultiçh li:s **4** ... noïn'tsé:n'-*hound*ᵃt'**tsva**ï'ount'**zi:p**tsiçh ... no**bèl**-praï's ... lit'ra**tou**ᵃ *fèr*li: **5** dèss'n **kri:ks**-èrtsè:louñg'n ... patsi**fis**tën

Notes

① Après **obwohl**, *quoique, bien que*, on emploie l'indicatif : **Obwohl er sehr müde ist, geht er nicht ins Bett**, *Bien qu'il soit* ("est") *très fatigué, il ne va pas au lit*. Pensez à inverser le sujet et le verbe dans la principale quand vous commencez par une subordonnée introduite par une conjonction !

② **ließ** vient de **lassen**, *laisser* ; au participe passé, on retrouve la voyelle radicale de l'infinitif : **gelassen**, *laissé*.

③ L'infinitif de **verlieh** est **verleihen**, et son participe passé, **verliehen**.

Vous pouvez *(avez la permission de)* deviner trois fois

1 Qui est l'écrivain,
2 a – qui portait souvent un béret basque, bien qu'il fût Allemand *(était)* ?
3 b – qu'aucune injustice ne laissait indifférent ?
4 c – à qui on a attribué le prix Nobel de littérature en 1972 ?
5 d – dont [les] récits de guerre firent des milliers de pacifistes ?

▶ ④ Au singulier, les pronoms relatifs sont semblables aux articles définis, sauf pour le génitif : **dessen**, *dont* (masc.), **deren**, *dont* (fém.) et **dessen**, *dont* (neutre). Autre particularité du génitif : le pronom relatif est immédiatement suivi d'un nom : **Das ist ein Schriftsteller, dessen Bücher niemanden gleichgültig lassen**, *C'est un écrivain dont les livres ne laissent personne indifférent.*

⑤ **jemanden zu etwas machen**, *faire quelque chose de quelqu'un* : **Sie machte ihn zu ihrem Liebhaber**, *Elle fit de lui son amant*. Rappelez-vous que **zu** est toujours suivi du datif.

6   Wer ist die **blon**de **Schau**spielerin,
7   a – die als **Lo**la in dem Film *Der **blaue***
    Engel be**rühmt wur**de?
8   b – die nicht nur die **Män**ner, **son**dern auch
    viele **Frau**en vergötterten?
9   c – der die **größ**ten Regis**seu**re **Haupt**rollen
    anboten ⑥?
10 d – **de**ren **Stim**me noch **heu**te leicht
    zu er**ken**nen ist, weil sie ein **we**nig
    „**rau**chig ⑦" klingt?

11 Wie **hei**ßen die **bei**den ⑧ **deut**schen
    Dichter,
12 a – die sich **Hun**derte von **Brie**fen
    schrieben?
13 b – die man „die **gro**ßen **deut**schen
    Klassiker" nennt?
14 c – von **de**nen ⑨ **a**lle **Schul**kinder
    mindestens ein Werk stu**die**ren **müs**sen?
15 d – **de**ren **Sta**tue vor dem Theater in
    Weimar steht?   ☐

Die Lösungen finden Sie am Ende der Lektion.

---

6 … **cha**ou-spi:lëri'n **7** … êñg'l **8** fèr**geut**ᵃtën **9** …
régi**sseu**:rë **10 dé**:rën **cht**imë … ra**ou**cHiçh … **11 ba**ïdën
14 … **dé**:nën … **mi**'ndëstëns … vèrk **15** … **chta**:touë

Notes

⑥ **anboten** est la 3ᵉ personne du pluriel du prétérit de **anbieten**,
offrir, proposer. Dans une subordonnée introduite par une
conjonction ou un pronom relatif, la particule séparable – ici
an – se recolle au radical : **Der Kaffee, den er uns anbot, war
gut**, *Le café qu'il nous proposa était bon.*   ▶

6 Qui est l'actrice blonde,

7 a – qui devint célèbre dans le rôle de *(comme)* Lola dans le film *L'Ange bleu* ?

8 b – que non seulement les hommes, mais aussi beaucoup de femmes adoraient ?

9 c – à laquelle les plus grands metteurs en scène proposèrent un rôle principal *(principaux-rôles)* ?

10 d – dont [la] voix est facile à reconnaître aujourd'hui encore parce qu'elle est un peu "rauque" *(enfumée-sonne)* ?

11 Comment s'appellent les deux poètes allemands,

12 a – qui se sont écrit des centaines de lettres ?

13 b – que l'on appelle "les grands classiques allemands" ?

14 c – dont tous les écoliers doivent étudier une œuvre au moins ?

15 d – dont la statue se trouve devant le théâtre de Weimar ?

Vous trouv[er]ez les solutions à la fin de la leçon.

Remarque de prononciation

9 der Regisseur, comme **die Regie**, empruntés au français, se prononcent comme en français. En revanche, le **-e** final du pluriel de **die Regisseure** doit s'entendre *[régi**sseur**ë]*.

▶ ⑦ **rauchig**, litt. "enfumé", vient de **rauchen**, *fumer*.

⑧ **die beiden**, *les deux*, peut également s'utiliser sans article : **beide**.

⑨ **denen** est bien le datif pluriel du pronom relatif.

Übung 1 – Übersetzen Sie bitte!

❶ Sie erkennt sofort die Stimme des jungen Mannes, der sie anruft. ❷ Wissen Sie, wer den letzten Nobelpreis für Literatur bekommen hat? ❸ Heinrich Böll wurde durch seine Kriegserzählungen berühmt. ❹ Wie heißt der deutsche Dichter, dessen Namen alle Schulkinder kennen? ❺ Marlene Dietrich, deren Geburtsstadt Berlin ist, ist in Paris gestorben.

Übung 2 – Ergänzen Sie bitte!

❶ Qui est la femme dont la photo se trouve sur ton bureau
Wer ist ... ., ... auf deinem Schreibtisch .....?

❷ L'acteur dont j'ai oublié le nom a joué le rôle principal dans beaucoup de films.
... ., ... Namen ich vergessen habe, hat in vielen Filmen ...
....

❸ Quel *(Qui)* était l'écrivain qui a écrit *Faust* ?
... war ... ., ... *Faust* .... hat?

❹ Encore aujourd'hui, il a des amis auxquels il écrit une lettre au moins une fois par an.
Er hat .... Freunde, ... er .... einmal im Jahr ....
schreibt.

Corrigé de l'exercice 1

❶ Elle reconnaît tout de suite la voix du jeune homme qui l'appelle.
❷ Savez-vous qui a eu le dernier prix Nobel de littérature ?
❸ Heinrich Böll devint célèbre pour ses récits de guerre.
❹ Comment s'appelle le poète allemand dont tous les écoliers connaissent le nom ? ❺ Marlène Dietrich, dont la ville natale est Berlin, est morte à Paris.

❺ Bien qu'elle n'ait *(a)* jamais fumé, elle a une voix que l'on appelle "de fumeuse" *(enfumée)*.

. . . . . . sie nie . . . . , hat sie . . . .
. . . . . . , . . . man „ . . . . " nennt.

Corrigé de l'exercice 2

❶ – die Frau, deren Foto – steht ❷ Der Schauspieler, dessen – die Hauptrolle gespielt ❸ Wer – der Schriftsteller, der – geschrieben – ❹ – heute noch – denen – mindestens – einen Brief – ❺ Obwohl – geraucht hat – eine Stimme, die – rauchig –

Réponses du dialogue de la leçon : **1**. *Heinrich Böll* **2**. *Marlene Dietrich* **3**. *Johann Wolfgang von Goethe und Friedrich Schiller.*

Der Schriftsteller und Bundesbürger Heinrich Böll, l'écrivain et (fédéral) citoyen allemand Heinrich Böll *(1917-1985) est non seulement l'écrivain allemand le plus connu de la génération d'après-guerre – avec Günter Grass et Christa Wolf –, mais aussi un personnage public très important de la vie intellectuelle et politique en République fédérale. Le métier d'écrivain étant pour lui indissociable d'un engagement politique et social, il ne cessa de lutter pour la paix, la tolérance et la liberté individuelle tout en respectant le devoir civique. Il devint ainsi un symbole d'intégrité et d'incorruptibilité pour beaucoup de jeunes Allemands de l'Ouest qui, dans le monde de l'après-nazisme, en pleine période de miracle économique, cherchaient des valeurs spirituelles auxquelles se rattacher. Son premier livre* **Der Zug war pünktlich**, Le train était à l'heure, *un recueil de nouvelles de guerre, fut publié en 1949, suivi d'un deuxième recueil de nouvelles* **Wanderer, kommst du nach Spa…**, Voyageur, si tu vas à Spa… *et d'un premier roman* **Wo warst du Adam?**, Où étais-tu, Adam ?, *qui parlent de l'*absurdité *(***Sinnlosigkeit***) de mourir à la guerre, ou de la guerre tout court, et*

---

73 Dreiundsiebzigste Lektion

Ein Tierfreund ①

1 – Wenn ich **rich**tig ver**stan**den **ha**be, **spre**chen Sie **al**so zwölf **Fremd**sprachen **flie**ßend ②?

Prononciation
… *ti:ª-froïnt* **1** … *frèmt-chpra:cH'n* **fli:**s'nt

Notes

① Bien que **das Tier**, *l'animal*, soit neutre, on dit **der Tierfreund** parce que **der Freund**, *l'ami*, est masculin. Beaucoup de noms indiquant un penchant pour quelque chose se construisent ▸

de la difficulté de reconstruire une vie à laquelle on pourra croire.
Pendant toute sa vie, Heinrich Böll continua de s'occuper du destin
"des petites gens". Ce sont eux les héros (anti-héros) de ses romans
Billiard um halb zehn *(À neuf heures et demie, billard),* **Ansich-**
ten eines Clowns *(La Grimace),* **Gruppenbild mit Dame** *(Portrait*
de groupe avec dame) dont on a tiré un film avec Romy Schneider,
ou encore **Die verlorene Ehre der Katharina Blum** *(L'Honneur*
perdu de Katharina Blum).

Vous vous inquiétez de voir le vocabulaire augmenter ? Ne crai-
gnez rien ! Allez tranquillement de l'avant sans vous poser de
questions. Dans les prochaines leçons, vous retrouverez beau-
coup de ces expressions, et à force de les rencontrer, vous vous
en souviendrez tout naturellement.

Deuxième vague : 23ᵉ leçon

Soixante-treizième leçon   73

Un ami des animaux

1 – Si j'ai bien *(juste)* compris, vous parlez donc
douze langues étrangères couramment ?

▶   avec **-freund** : **der Menschenfreund**, *le philanthrope*, **der**
Musikfreund, *le mélomane*, **der Käsefreund**, *l'amateur de*
fromages, etc.

② **fließend** est le participe présent de **fließen**, *couler, s'écouler*.
Il s'emploie comme adverbe ou comme adjectif : **Sie spricht**
fließend Englisch, *Elle parle couramment l'anglais*, **Er**
antwortet mir in fließendem Deutsch, *Il me répond dans*
[un] allemand courant.

2 Darf ich Sie nach ③ **Ih**rem **Wu**ndermittel **fra**gen?

3 – **Wu**ndermittel **ha**be ich gar keins ④.

4 **Mei**ne **Me**thode ist die **ein**fachste, die man sich **vor**stellen kann ⑤:

5 Sie **spre**chen, **hö**ren, **le**sen und **den**ken – das ist sehr **wich**tig – nur in der **Spra**che, die Sie **ler**nen.

6 – Sie **mei**nen, Sie **fah**ren in das Land, **des**sen **Spra**che Sie **ler**nen?

7 – **A**ber nein! Ich **blei**be zu **Hau**se, ich bin doch nicht von **ges**tern!

8 Wo**zu le**ben wir in **ei**ner Welt, in der es **Ka**belfernsehen und **In**ternet gibt?

9 – **O**kay, **a**ber wie **ma**chen Sie das kon**kret** im **All**tag?

10 Ich **stel**le mir das **schwie**rig vor ⑥.

---

2 ... **vound**ᵃ**-mitt'l** ... **3** ... **ga:**ᵃ ... **4** ... **mé**th**ô:**dë ... **8** ... **ka:**b'l-fèrn'zé:n ... **i**'ntᵃnèt ... **9** ... koñ**kré:t** ...

Notes

③ Nous avons vu qu'avec **fragen**, *questionner, demander*, la personne à laquelle on demande est à l'accusatif : **sie fragt den Mann / die Frau**, *elle demande [à] l'homme / [à] la dame*. En revanche, l'objet de la question est précédé de la préposition **nach** + datif : **Sie fragt die Frau nach dem Weg**, (litt. "Elle demande la dame après le chemin"), *Elle demande le chemin [à] la dame*. ▶

2   Puis-je vous demander votre recette-miracle
        (miracle-moyen) ?
3 – Recette-miracle [?] Je [n'en] ai aucune.
4   Ma méthode est la plus simple que l'on puisse
        (s') imaginer *(peut)* :
5   vous parlez, écoutez, lisez et pensez – c'est très
        important – seulement dans la langue que vous
        apprenez.
6 – Vous voulez dire [que] vous allez dans le pays
        dont vous apprenez la langue ?
7 – Mais non ! Je reste chez moi, je ne suis pas [né]
        d'hier !
8   À quoi [bon] vivre *(vivons nous)* dans un
        monde où *(dans lequel)* il y a [le] câble *(télé)* et
        Internet ?
9 – D'accord, mais comment faites-vous *(cela)*
        concrètement dans la vie quotidienne ?
10 J'*(Je m')* imagine *(cela)* [que c'est] difficile.

▶ ④ **gar** renforce une négation et se traduit par *du tout*. Le pronom
      indéfini **keins** (ou **keines**), *aucun*, est ici au neutre car il se
      réfère à un nom neutre : **das Wundermittel**.

⑤ Le verbe dans une relative est à l'indicatif après un superlatif :
     Er ist der schönste Mann, den ich kenne, *C'est le plus bel
     homme que je connaisse* ("connais").

⑥ Nous vous rappelons que **sich vorstellen** signifie *se présenter*
     et *se représenter*, *s'imaginer*. **Ich stelle mich vor**, *Je me pré-
     sente*, mais **Stell dir mal sein Gesicht vor!**, *Imagine-toi son
     visage !* Dans le dernier cas, le pronom réfléchi se met au datif,
     car ce que l'on imagine se trouve à l'accusatif (cf. leçons 62,
     note 6, et 77, § 2).

11 – Da **ha**ben Sie ganz Recht ⑦!

12 **Mei**ne **ers**te Frau ist mir **weg**gelaufen, als ich Ita**lien**isch ge**lern**t **ha**be, und **mei**ne **zwei**te, als ich **an**gefangen **ha**be, Chi**ne**sisch zu **ler**nen.

13 Ich **ha**be mir dann **ei**nen Papa**gei** ge**kauft**, der be**geis**tert ist, wenn ich mit mir selbst **re**de. ☐

---

12 ... ita**lyé**:nich ... ç**hiné**:zich ... **13** ... papa**gaï** ... b**ë**ga**ïst**ᵃt

Note

⑦ **das Recht**, *le droit* ou *la raison*, **das Unrecht**, *le tort*, *l'injustice*. Comme en français, l'article disparaît dans l'expression **Recht haben**, *avoir raison*, et **Unrecht haben**, *avoir tort*.

***

Übung 1 – Übersetzen Sie bitte!

❶ Sie haben vor zehn Wochen angefangen, Deutsch zu lernen. ❷ Unser Großvater hat fünf Sprachen gelernt, als er Kind war. ❸ Es ist schwierig, sich ein Leben ohne Fernsehen und Internet vorzustellen. ❹ Sie hat sich diese Schuhe in dem Geschäft gekauft, dessen Besitzer der Vater ihres Freundes ist. ❺ Er hat mich in fließendem Chinesisch nach dem Weg gefragt.

11 – *(Là)* Vous avez tout à fait *(entièrement)* raison !

12 Ma première femme s'est sauvée *(est à moi échappée)* quand j'ai appris [l']italien, et ma deuxième, quand j'ai commencé à apprendre le chinois.

13 Puis, je me suis acheté un perroquet qui est ravi lorsque je parle tout seul *(avec moi-même)*.

Remarque de prononciation

13 der Papagei peut également se prononcer *[**pa**pagaï]*, en accentuant la première syllabe.

Er hat mich in fließendem Chinesisch nach dem Weg gefragt.

***

Corrigé de l'exercice 1

❶ Vous avez commencé à apprendre l'allemand il y a dix semaines. ❷ Notre grand-père a appris cinq langues étant enfant. ❸ Il est difficile d'*(de s')*imaginer une vie sans télévision ni *(et)* Internet. ❹ Elle s'est acheté ces chaussures dans le magasin dont le propriétaire est le père de son ami. ❺ Il m'a demandé le chemin dans [un] chinois courant.

Übung 2 – Ergänzen Sie bitte!

❶ Pour parler couramment une langue, il faut aller dans le pays dont on apprend la langue.

Um eine Sprache . . . . zu sprechen, muss man in . . . . fahren, ... man lernt.

❷ Il est [né] d'hier ; il ne connaît ni le câble ni Internet.

Er ist . . . . ; er kennt weder . . . . noch Internet.

❸ Je suis ravi d'entendre que votre mari ne s'est pas encore sauvé *(à vous échappé est).*

Ich bin . . . . zu hören, dass Ihr Mann . . . . . noch nicht . . . .

---

74 Vierundsiebzigste Lektion

„Ich bin von Kopf bis Fuß auf Liebe eingestellt"

Il s'agit de la célèbre chanson que Marlène Dietrich chante dans L'Ange bleu *dans le rôle de Lola. Elle continue :* ... **und das ist meine Welt, und sonst gar nichts!***, ...et c'est mon monde, et sinon rien du tout.*

1 – Stell doch mal ① das **Ra**dio ab und den **Fern**sehapparat an ②!

Notes

① En ajoutant **doch mal** à un impératif, on l'adoucit ; il devient plus une demande qu'un ordre. C'est pourquoi nous l'avons traduit par "veux-tu ?" : **Komm doch mal her!**, *Viens donc* ("fois") *ici !, Viens ici, veux-tu ?* ▶

④ Ne penses-tu pas que de plus en plus de gens parlent tout seuls *(avec eux-mêmes)* ? – Oui, *(là)* tu as raison.

.... nicht, dass immer mehr Leute mit sich .... ? – Ja, da ....

⑤ À quoi [bon] faire cela ? Si je vous ai bien *(juste)* compris, ce n'est pas important du tout.

.... machen Sie das? Wenn ich Sie .... verstanden habe, ist das ... nicht ....

Corrigé de l'exercice 2

❶ – fließend – das Land – dessen Sprache – ❷ – von gestern – Kabelfernsehen – ❸ – begeistert – Ihnen – weggelaufen ist ❹ Denkst du – selbst reden – hast du Recht ❺ Wozu – richtig – gar – wichtig

Deuxième vague : 24ᵉ leçon

Soixante-quatorzième leçon   74

"Je suis de [la] tête aux pieds *(jusqu'au pied)* programmée pour *(sur)* l'amour"

1 – Éteins *(donc fois)* la radio et mets la télé, [veux-tu] ?

▶ ② **an**stellen, *allumer*, et **ab**stellen, *éteindre*, s'emploient surtout pour tout ce qui est appareil ou machine, et sont respectivement synonymes de **an**machen et **aus**machen (cf. leçon 43).

2 Im **Zwei**ten ③ kommt gleich **ei**ne **Sen**dung über Marlene **Diet**rich, die ich gern **se**hen **möch**te.

3 – Hat die nicht die *Kameliendame* ge**spielt**?

4 – Nein, du ver**wech**selst sie mit **Greta Gar**bo, **ih**rer ④ **größ**ten Rivalin.

5 – Ach ja, jetzt weiß ich, wer das ist: ihr hat der **Schwa**nenfedermantel ge**hört** ⑤, den wir im **Film**museum ge**se**hen **ha**ben.

6 – Ja, ganz **rich**tig. Aber es ist er**staun**lich, dass du dich noch an den **Man**tel er**in**nerst ⑥.

Prononciation
2 ... **zèn**douñg ... 3 ... ca**mé**:lyën-da:më ... 4 ... fèr**vè**xëlst ... ri*va*:li'n 5 ... **chva**:nën-**fé**:d*ª*-**ma**'ntël ... **film**-mou**zé**:oum ... 6 ... èr**chta**ouniĉh ... è**ri'n*ª*st

---

Notes

③ On dit **im zweiten Programm** ou simplement **im Zweiten** ou **im ZDF**, qui est l'abréviation de **im Zweiten Deutschen Fernsehen**, *sur* ("dans") *la deuxième [chaîne] allemande de télévision.*

④ **ihrer** est au datif (fém.) parce qu'il dépend de la préposition **mit**, même si on ne la répète pas.

⑤ Notez que l'infinitif **gehören**, *appartenir*, a déjà un préfixe **ge-** ; son participe passé est donc le même que celui de **hören**, *entendre, écouter* : **gehört**. Aucune confusion n'est possible, ▸

2 *(Dans le)* Sur la deux*(ième)* il va y avoir *(vient tout de suite)* une émission sur Marlène Dietrich que j'aimerais *(volontiers)* voir.

3 – N'a-t-elle pas joué la *Dame aux camélias* ?

4 – Non, tu la confonds avec Greta Garbo, sa plus grande rivale.

5 – Ah oui ! Maintenant, je sais qui c'est : [c'est] à elle [qu']appartenait *(a appartenu)* le manteau en plumes de cygne que nous avons vu au musée du cinéma ?

6 – Oui, tout juste. Mais c'est étonnant que tu te souviennes encore du manteau.

Ich bin von Kopf bis Fuß auf Liebe eingestellt.

▸ car **gehören**, *appartenir*, se construit toujours avec un complément au datif : **das Buch gehört mir**, *le livre m'appartient.*

⑥ **sich an etwas/jemanden erinnern**, *se souvenir de quelque chose/quelqu'un.* Notez que **an** est ici une préposition et non une particule séparable. Bien qu'elle accompagne le verbe, une préposition ne forme jamais un seul mot avec le verbe, contrairement aux particules séparables.

7 Du warst **da**mals erst ⑦ acht **Jah**re alt.

8 – Ich eri**nn**ere mich auch an das **fleisch**farbene ⑧ Kleid, das sie **un**ter dem **Man**tel get**ra**gen hat.

9 Wenn sie **ih**ren **Man**tel **auf**gemacht ⑨ hat, hat man zu**erst** ge**dacht**, sie ist nackt da**run**ter ⑩.

10 – Ja, das war be**ein**druckend.

11 **Al**lerdings ist das, was sie in **ih**rem **Le**ben ge**leis**tet hat, noch be**ein**druckender.

12 Ich **glau**be, sie war **wirk**lich sehr **mu**tig. □

---

8 ... **èri'n'rë** ... **flaïch-fa**ª**bënë klaït** ... **9** ... nakt da**rount**ª
10 ... **bëaïndrouk'nt** **11** **all**ª**diñgs** ... **guëlaïstët** ...
bëaïndrouk'ndª **12** ... **mou:tiç**

Notes

⑦ **erst**, *ne... que*, exprime une restriction subjective : on trouve que cela ne fait pas beaucoup : **er ist erst zehn Jahre alt**, *il n'a que dix ans* ("il est jeune !"). ▸

***

Übung 1 – Übersetzen Sie bitte!

❶ Gleich kommt eine interessante Sendung über die österreichische Literatur. ❷ Er hat im Kino mit seiner Schwester *den Blauen Engel* gesehen. ❸ Er erinnert sich nicht an *die Kameliendame*, obwohl ihm dieser Film gut gefallen hat. ❹ Ich glaube, Sie verwechseln diesen Mann mit einem anderen. ❺ Wem gehörte der Mantel, der aus Schwanenfedern gemacht war?

7 Tu n'avais que huit ans à l'époque.

8 – Je me souviens également de la robe couleur chair qu'elle portait sous le manteau *(porté a)*.

9 Lorsqu'elle a ouvert son manteau, on a d'abord pensé [qu'elle] était *(est)* nue dessous.

10 – Oui, c'était impressionnant.

11 Cependant, ce qu'elle a accompli dans sa vie est encore plus impressionnant.

12 Je crois [qu']elle était vraiment très courageuse.

▸ ⑧ **das Fleisch** signifie *la viande* ou *la chair* ; **-farben**, qui n'existe que dans des mots composés, vient de **die Farbe**, *la couleur*.

⑨ **auf**machen et **zu**machen sont les synonymes respectifs de **öffnen**, *ouvrir*, et **schließen**, *fermer*, que vous avez déjà vus.

⑩ **darunter**, *en dessous*, remplace ici **unter dem Kleid**, *sous la robe*. De nombreux adverbes se forment ainsi avec la préposition précédée de **da** (+ **r** lorsque la préposition commence par une voyelle) : **Sie erinnert sich nicht daran**, *Elle ne s'en souvient pas* ("de cela").

***

Corrigé de l'exercice 1

❶ Il va y avoir une émission intéressante sur la littérature autrichienne. ❷ Il a vu *L'Ange bleu* au cinéma avec sa sœur. ❸ Il ne se souvient pas de *La Dame aux camélias*, bien que ce film lui ait beaucoup plu. ❹ Je crois que vous confondez cet homme avec un autre. ❺ À qui appartenait le manteau qui était fait de plumes de cygne ?

Übung 2 – Ergänzen Sie bitte!

❶ Pouvez-vous me dire pourquoi tant de gens confondent "à droite" et "à gauche" ?

.... sagen, warum so viele Leute „rechts" und „links" ....?

❷ À qui appartient le manteau avec les plumes de cygne ? À toi ou à ta sœur ?

Wem ...... der Mantel mit ....?
... oder ....?

❸ Pourquoi n'as-tu pas ouvert la porte ? – J'étais nu.

Warum .... .. nicht die Tür ....?
– Ich war ......

❹ Te souviens-tu de l'acteur qui a joué le rôle principal dans le film *M le maudit (meurtrier)* ?

.... den Schauspieler, ...
die Hauptrolle in dem Film *M der Mörder*
....?

❺ Puis-je allumer la télévision ? J'aimerais regarder une émission sur Heinrich Böll.

Darf ich ... .?
Ich möchte .... über Heinrich Böll
......

❶ Können Sie mir – verwechseln ❷ – gehört – den Schwanenfedern – Dir – deiner Schwester ❸ – hast du – aufgemacht – nackt ❹ Erinnerst du dich an – der – gespielt hat ❺ – den Fernsehapparat anstellen – eine Sendung – sehen

Marlène Dietrich est encore aujourd'hui la plus grande star allemande internationale. On la compare à Marylin Monroe pour sa blondeur et sa beauté, mais surtout pour son charme très particulier, auquel succombèrent aussi bien des hommes que des femmes. Marlène, de son vrai nom Marie, est née en 1901 à Berlin. En 1930, Josef von Sternberg lui proposa le rôle principal dans son film L'Ange bleu, *qui la rendit célèbre pour toujours. Après la première de* L'Ange bleu *à Berlin, elle suivit immédiatement Josef von Sternberg aux États-Unis, d'où elle ne revint plus, malgré les nombreuses tentatives des nazis pour la faire revenir en Allemagne. En 1939, elle se fit naturaliser Américaine. En 1943/44, elle chanta devant les soldats américains la célèbre chanson de Lale Anderson* Lili Marlen. *Après la guerre, elle reçut la plus haute distinction militaire des États-Unis, "The Medal of Freedom", et devint chevalier, puis officier de la Légion d'honneur en France. En 1960, sa tournée en Europe l'amena pour la dernière fois en Allemagne. En 1976, elle s'installa à Paris dans son appartement de l'avenue Foch. Durant toute sa vie, elle veilla soigneusement à son image. À l'âge de 77 ans, elle décida de ne plus quitter son appartement et ordonna que l'on ne prenne plus aucune photo d'elle. Elle mourut en 1992 à Paris, et fut enterrée à Berlin-Friedenau. C'est aussi à Berlin – dans le "Filmmuseum" – que se trouve la plus grande partie de son héritage, la collection la plus complète d'une artiste du* XXe *siècle, qui inclut des costumes de films, mais aussi des lettres personnelles de ses collègues, amants et amantes. Si vous avez l'occasion de voir un de ses films, ne la manquez pas !*

Deuxième vague : 25ᵉ leçon

75   Fünfundsiebzigste Lektion

„Was der Bauer nicht kennt, isst er nicht"

1 – Sie **kom**men auch aus **Nord**deutschland,
   nicht wahr? Ich **hö**re es an ① **Ih**rem
   Ak**zent**.
2 – Ja, ich **kom**me aus Kiel, **a**ber ich **woh**ne
   schon ② zehn **Jah**re hier in **Mün**chen.
3 – Ach, schon so **lan**ge? Ich bin erst zwei
   Jahre hier.
4   Ich bin **mei**nem Mann ③ ge**folgt**, als er die
   Firma ge**wech**selt hat.
5 – Sie **schei**nen da**rü**ber nicht **glück**lich zu sein,
   haben Sie sich hier nicht gut **ein**gelebt ④?

Prononciation
… *baou*ᵃ … **1** … ak**tsènt 2** … *ki:l* … **4** … *fir*ma *guë***vèks'***lt*
… **5** … *gluk*liçh … *aï*nguëlé:*pt*

Notes
① **hören an** + datif, *entendre à…* : **ich höre es an deiner
   Stimme**, *je l'entends à ta voix.*
② **schon**, *déjà*, est le contraire de **erst**, *ne… que* : **Er wohnt schon
   zwanzig Jahre in Kiel, aber sie wohnt erst fünf Jahre dort**,
   *Il habite déjà [depuis] vingt ans à Kiel, mais elle n'y habite que
   [depuis] cinq ans.*
③ **folgen** se construit avec le datif : **er folgt dem Mann**, *il suit*
   ("à") *l'homme.*

"Ce que le paysan ne connaît pas, il ne le mange pas"

1 – Vous venez aussi d'Allemagne du Nord, n'est-ce pas ? Je l'entends à votre accent.

2 – Oui, je viens de Kiel, mais j'habite déjà [depuis] dix ans ici, à Munich.

3 – Ah, déjà [depuis] si longtemps ? [Moi] Je ne suis ici que [depuis] deux ans.

4   J'ai suivi mon mari quand il a changé [d'] entreprise.

5 – Vous ne semblez pas en être heureuse, ne vous êtes-vous pas bien adaptée ici ?

Was der Bauer nicht kennt, isst er nicht.

▶ ④ **sich einleben** veut dire *s'adapter*, *s'acclimater* à un endroit où l'on vit : **Er hat sich schnell in dem neuen Land eingelebt**, *Il s'est vite habitué au nouveau pays.*

6 – Na ja, wie Sie **wis**sen ist es für
Norddeutsche nicht leicht **un**ter ⑤ **Ba**yern
zu **le**ben.

7 – Oh, ich **ha**be mich schnell an die **bay**erische
Lebensart ge**wöhnt** ⑥.

8 Ich **tra**ge zwar **im**mer noch **kei**ne **kur**zen
Lederhosen ⑦, **a**ber zum **Bei**spiel auf
Weißwürste oder **Schweins**haxen **möch**te
ich nicht mehr ver**zich**ten.

9 – Was? Sie **es**sen **die**se „Schweine**rei**en" ⑧?
Das ist ja **ek**lig!

10 – **Ha**ben Sie schon **ein**mal **ei**ne **Weiß**wurst
pro**biert**? Nein? Das **ha**be ich mir ge**dacht**.

11 **Kom**men Sie, wir **ge**hen in den
Biergarten ⑨ hier. Ich **la**de Sie ein.

12 Wir **trin**ken **ein** oder, **bes**ser noch, zwei
Weißbier da**zu**.

13 Und ich garan**tie**re Ihnen, Sie **wer**den die
Bayern mit **an**deren **Au**gen **se**hen. ☐

---

*6 … **bay**ªn … 7 … **lé:**b'ns-art guë**veu:nt** 8 … tsva:ª … **lé:**dª-
hô:z'n … tsoum **baï'chpi:l** … **vaï's**-vurstë … **chva**ïns-<u>h</u>ax'n …
fè**rtsiçh**tën 9 … chvaïnë**raï'**n … **é:k**liç 13 … gara'**nti:**rë …*

Notes

⑤ La préposition **unter** signifie *sous, au-dessous de*, mais aussi
parmi, entre. Dans ce dernier cas, elle est toujours suivie du
datif : **Wir waren unter Freunden**, *Nous étions entre amis.*

⑥ **sich an etwas** (acc.) **gewöhnen**, *s'habituer à quelque chose* :
Sie kann sich nicht an die deutsche Küche gewöhnen, *Elle
n'arrive pas à s'habituer à la cuisine allemande.* ▸

6 – Bof, comme vous [le] savez, ce n'est pas facile pour [des] Allemands du Nord de vivre parmi les Bavarois.

7 – Oh, [moi] je me suis vite habitué à la manière de vivre *(vie-manière)* bavaroise.

8 Certes, je ne porte toujours *(encore)* pas de culottes courtes en cuir *(cuir-pantalons)*, mais, par exemple, je n'aimerais pas *(plus)* renoncer aux boudins blancs ni *(ou)* aux jarrets de porc.

9 – Quoi ? Vous mangez ces cochonnailles *(litt. "cochonneries")* ? Mais c'est dégoûtant !

10 – Avez-vous déjà goûté *(une fois)* un boudin blanc ? Non ? C'est bien ce que je pensais *(Cela ai je à moi pensé)* !

11 Venez, allons au "Biergarten" ici. Je vous invite.

12 Nous allons boire *(buvons)* une ou, mieux encore, deux bière[s] blanche[s] *(avec cela)*.

13 Et je vous [l']assure *(garantis)*, vous verrez les Bavarois d'un autre œil *(avec autres yeux)*.

▸ ⑦ **die Lederhose**, *la culotte de cuir* est le costume traditionnel que les hommes portent en Bavière et au Tyrol, avec le chapeau orné d'une touffe de poils de chamois, tandis que les femmes portent le **Dirndl**, la robe typique de ces régions.

⑧ Ici, on joue sur les mots. En effet, **die Schweinerei**, *la cochonnerie*, n'a rien à voir avec la cochonnaille, qui se dit **alles vom Schwein**.

⑨ **der Biergarten** (litt. "bière-jardin") est une sorte de bistrot très sympathique en plein air, où l'on mange et boit dès que le temps le permet.

Übung 1 – Übersetzen Sie bitte!

❶ Mein Mann war sehr glücklich über die Lederhosen, die ich ihm mitgebracht habe. ❷ Sie war die einzige Süddeutsche unter den Leuten, die eingeladen waren. ❸ Erinnerst du dich an den Biergarten, wo wir unsere erste Weißwurst gegessen haben? ❹ Er wohnt zwar schon zehn Jahre hier, aber er scheint die Stadt nicht gut zu kennen. ❺ Es ist nicht immer leicht, sich an andere Lebensarten zu gewöhnen.

Übung 2 – Ergänzen Sie bitte!

❶ Je vous assure [qu']il est d'Allemagne du Sud ; cela s'entend à son accent.

Ich garantiere . . . . . , er ist . . . . ;

das . . . . seinem Akzent.

❷ À Munich, vous devez essayer la bière blanche et manger *(avec)* un boudin blanc.

. . . . müssen Sie das Weißbier . . . .

und dazu . . . . essen.

❸ Quand j'ai changé d'entreprise, ma femme m'a suivi en Allemagne du Nord.

. . . ich die Firma . . . ., ist . . . meine Frau nach Norddeutschland . . . .

Corrigé de l'exercice 1

❶ Mon mari était très content des pantalons de cuir que je lui ai rapportés. ❷ Elle était la seule Allemande du Sud parmi les gens qui étaient invités. ❸ Te souviens-tu du "Biergarten" où nous avons mangé notre premier boudin blanc ? ❹ Il habite ici depuis dix ans, mais il ne semble pas bien connaître la ville. ❺ Ce n'est pas toujours facile de s'habituer à d'autres manières de vivre.

❹ Elle s'est vite habituée à la manière de vivre allemande, bien qu'elle vienne d'Europe du Sud.

... ... schnell .. die deutsche
Lebensart ...., obwohl sie ...
.... kommt.

❺ Ils ne vivent que depuis six mois ici, mais ils se sont déjà bien adaptés.

Sie leben .... sechs Monate ...., aber ...
.... schon gut ....

Corrigé de l'exercice 2

❶ – Ihnen – aus Süddeutschland – hört man an – ❷ In München – probieren – eine Weißwurst – ❸ Als – gewechselt habe – mir – gefolgt ❹ Sie hat sich – an – gewöhnt – aus Südeuropa – ❺ – erst – hier – sie haben sich – eingelebt

Deuxième vague : 26ᵉ leçon

Im Dunkeln ① geschehen komische Dinge

1 – Na, wie ② hat dir der Film gefallen?

2 – Ich **habe** ihn **ziem**lich lang gefunden, um nicht zu **sa**gen **lang**weilig ③.

3 – Ich gar nicht! Das ist der **span**nendste **Kri**mi ④, den ich seit **lang**em gesehen **habe**.

4 Bis zur **letzt**en Mi**nu**te **habe** ich mich gefragt, ob ⑤ es **wirk**lich **Selbst**mord war.

5 Das **En**de hat mich to**tal** über**ra**scht, auch wenn es mir jetzt ganz **logisch** er**scheint**.

6 – Ich **glau**be, ich muss mir den Film ein **zwei**tes Mal **an**sehen.

7 Ich **habe** von dem, was pas**siert** ⑥ ist, nicht viel **mit**gekriegt ⑦.

Prononciation
… *douñk'ln güëché:n ko:michë diñgë* **2** … *tsi:mliçh* … *la'ñgvaïliçh* **3** … *chpa'nëntstë kri*mi … **4** … *zèlpst-mort* … **5** … *u:b*ª*racht* … *lô:gich èrchaïnt* **7** … *mi't'güëkri:kt*.

Notes

① **das Dunkel**, est l'adjectif **dunkel**, *obscur*, *sombre*, substantivé : *l'obscur*. **Im Dunkeln** prend la terminaison **-n** parce que, même substantivé, l'adjectif se décline ! On dit aussi **die Dunkelheit**, *l'obscurité*.

② **Wie gefällt dir…?** est synonyme de **Wie findest du…?**, *Comment trouves-tu… ?*

③ **langweilig**, *ennuyeux, fatigant*, vient du verbe **sich langweilen**, *s'ennuyer* : **Er hat sich den ganzen Abend gelangweilt**, *Il s'est ennuyé toute la soirée*.

▶

Dans l'obscurité, il se passe *(arrivent)* des choses bizarres

1 – Eh bien, comment as-tu trouvé le film *(a à toi le film plu)* ?

2 – Je l'ai trouvé assez long, pour ne pas dire ennuyeux.

3 – Moi *(Je)* pas du tout ! C'est le policier le plus captivant que j'aie vu depuis longtemps *(ai)*.

4 Je me suis demandée jusqu'à la dernière minute si c'était vraiment [un] suicide *(auto-meurtre)*.

5 La fin m'a totalement surprise, même si elle me paraît tout à fait logique maintenant.

6 – Je crois [que] je dois *(à moi)* voir le film une deuxième fois.

7 Je n'ai pas saisi grand-chose *(beaucoup)* de ce qui s'est passé.

▶ ④ **der Krimi** est une abréviation pour **der Kriminalfilm**, *le film policier*, ou de **der Kriminalroman**, *le roman policier*.

⑤ Dans une interrogation indirecte, *si* se traduit par **ob** : **ich frage mich, ob…**, *je me demande si…* ; **ich weiß nicht, ob…**, *je ne sais pas si…* ; **ich will wissen, ob…**, *je veux savoir si…*

⑥ **passieren**, *[se] passer*, est un synonyme de **geschehen** (voir le titre) : **Was ist denn passiert/geschehen?** *Qu'est-ce qui [s']est passé ?*

⑦ **mitkriegen**, (litt. "avec-recevoir"), s'emploie surtout dans un sens figuré familier : *saisir, comprendre, entendre, "piger"*.

8   **Je**des Mal, wenn du mich ge**weckt** hast,
        waren **ir**gendwelche ⑧ Schläge**rei**en im
        Gang.

9   Sag mal, hast du mich nicht **schla**fen
        lassen ⑨, weil du Angst **hat**test?

10 – Quatsch! Ich **ha**be nicht ein**mal** ge**merkt**,
        dass du ge**schla**fen hast.

11 – Was sagst du da? Wer hat mich denn dann
        jedes Mal am Ohr ge**kit**zelt?

12 – Ich wars ⑩ auf **alle Fäl**le nicht.   □

---

8 … *irg'nt've̩lçhë chlè:gëraï'n* … *ga'ñg*   **10** … *guëmèrkt* …
11 … *guëkits'lt*   **12** … *fèlë* …

Notes

⑧ **irgend-** placé devant l'article indéfini ou devant certains pronoms (**einer, eine, welche, wer, was, jemand,** etc.), ajoute du
"flou" (*quelconque, n'importe…*) : **Ich habe gestern irgendeinen Krimi gesehen,** *J'ai vu un film policier quelconque, hier.*

⑨ Le participe passé de **lassen** se remet à l'infinitif lorsqu'il est
précédé d'un autre infinitif : **er hat sich gehen lassen** (et non
gelassen), *il s'est laissé aller.* Il en est de même pour les verbes
de modalité : **er hat nicht kommen können** (et non **gekonnt**),
il n'a pas pu venir. On appelle cette règle "le double infinitif". ▸

***

Übung 1 – Übersetzen Sie bitte!

❶ Jedes Mal, wenn man mich kitzelt, glaube ich
zu sterben. ❷ Es ist schon dunkel und ich habe das
nicht einmal gemerkt. ❸ Alle haben sich gefragt,
ob es Mord oder Selbstmord war. ❹ Welchen
Film willst du sehen? – Irgendeinen Krimi, der
spannend ist. ❺ Warum haben Sie mich so lange
schlafen lassen?

8 Chaque fois que *(quand)* tu m'as réveillé il y avait *(étaient)* toutes sortes de bagarres *(en cours)*.

9 Dis *(fois)* donc, tu ne m'as pas laissé dormir parce que tu avais peur ?

10 – N'importe quoi *(sottises)* ! Je ne me suis même pas rendu compte *(ai pas une fois remarqué)* que tu dormais *(dormi as)*.

11 – Qu'est-ce que tu dis *(là)* ? Alors, qui m'a chatouillé *(à)* l'oreille à chaque fois ?

12 – Ce n'était pas moi en tout cas.

▶ ⑩ **wars**, qui s'écrit aussi avec apostrophe **war's**, est une contraction de **war es** : ich war es, ("j'étais ce") *c'était moi*. Nous avons déjà vu d'autres cas similaires, comme **wie geht es?**, *comment ça va* ("va ce") *?*, qui s'écrit aussi **wie geht's?**, ou **wie gehts?**

> Welchen Film willst du sehen ?

***

Corrigé de l'exercice 1

❶ Chaque fois qu'on me chatouille, je crois mourir. ❷ Il fait déjà nuit, et je ne m'en suis même pas rendu compte. ❸ Tous se sont demandé si c'était un meurtre ou un suicide. ❹ Quel film veux-tu voir ? – N'importe quel policier qui soit captivant. ❺ Pourquoi m'avez-vous laissé dormir si longtemps ?

Übung 2 – Ergänzen Sie bitte!

❶ *(À)* Moi, le film [m']a bien plu. Et [vous], comment *(il a plu à vous)* l'avez-vous trouvé ?

Mir hat ... ... sehr gut .... Und ... hat er .... ?

❷ Je t'ai demandé trois fois si tu voulais voir ce film-là ou n'importe quel autre.

Ich habe .... dreimal ...., .. du diesen Film sehen wolltest oder .... anderen.

❸ En tout cas, je préfère voir *(vois plus volontiers)* des films sans bagarres.

... ... sehe ich lieber Filme ohne .... •

---

77 Siebenundsiebzigste Lektion

Wiederholung – Révision

1 Le pronom relatif : *der, die, das, die* (pluriel)

Le pronom relatif est semblable à l'article défini, à l'exception du datif pluriel et de toutes les formes du génitif :

	Masculin	Féminin	Neutre	Pluriel
Nominatif	der	die	das	die
Accusatif	den	die	das	die
Datif	dem	der	dem	denen
Génitif	dessen	deren	dessen	deren

❹ Cela fait *(Depuis)* longtemps [que] je n'ai plus vu des choses aussi bizarres, je n'en ai même pas saisi la moitié.

.... habe ich nicht mehr so ....
.... gesehen, ... nicht mal die Hälfte
....

❺ C'est le film le plus ennuyeux que j'aie vu *(pendant)* ces dernières années.

Das ist ... ., den ...
in den letzten Jahren ....

Corrigé de l'exercice 2

❶ – der Film – gefallen – wie – Ihnen gefallen ❷ – dich – gefragt, ob – irgendeinen – ❸ Auf alle Fälle – Schlägereien ❹ Seit langem – komische Dinge – ich habe – mitgekriegt ❺ – der langweiligste Film – ich – gesehen habe

Deuxième vague : 27ᵉ leçon

Soixante-dix-septième leçon   77

1.1 Choix du pronom relatif

Pour choisir le pronom relatif, il faut faire attention à deux choses :

• D'une part, le pronom relatif prend le genre et le nombre du mot avec lequel il établit une relation :

Der Schriftsteller, der die Blechtrommel schrieb, war Günter Grass, *L'écrivain qui a écrit* Le Tambour *est Günter Grass.*
Die Schauspielerin, die so gut spielt, heißt Hildegard Knef, *L'actrice qui joue si bien s'appelle Hildegard Knef.*
Das Mädchen, das einen roten Pullover trägt, ist meine Schwester, *La fille qui porte un pull-over rouge est ma sœur.*
Die meisten Leute, die in München leben, sprechen fließend bayrisch, *La plupart des gens qui habitent à Munich parlent couramment le bavarois.*

• D'autre part, le pronom relatif se met au cas exigé par sa fonction dans la relative (il est peut-être sujet, COD, COI, complément de nom…) :
Der Film, den (acc. masc.) **wir gesehen haben, hat uns gut gefallen**, *Le film que nous avons vu nous a bien plu.*
Die Frau, der (datif fém.) **ich gerade Guten Tag gesagt habe, ist unsere Hausmeisterin**, *La femme à laquelle je viens de dire bonjour est notre concierge.*
Der Schriftsteller, dessen (génitif masc.) **Namen* ich immer vergesse, ist in Köln geboren**, *L'écrivain dont j'oublie toujours le nom est né à Cologne.*

*Au génitif, le pronom relatif est immédiatement suivi du nom dont il est complément. Celui-ci ne prend pas d'article : **dessen Namen**. En revanche, il peut être précédé d'un adjectif :
Sonja, deren kleiner Bruder in München wohnt, fährt oft in die bayrische Hauptstadt, *Sonja dont [le] petit frère habite à Munich, va souvent dans la capitale bavaroise.*

1.2 Particularités de l'emploi du pronom relatif

• Le pronom relatif peut être précédé d'une préposition :
Ist das nicht der Mann, mit dem Claudia gestern im Kino war?
N'est-ce pas l'homme avec lequel Claudia était au cinéma hier ?
Ich kenne die Leute nicht, von denen Sie sprechen, *Je ne connais pas les gens dont* (desquels) *vous parlez.*

• Les pronoms relatifs **wer**, *celui qui*, et **was**, *ce que* :
Wer nicht pünktlich kommt, kriegt nichts mehr, *Celui qui n'arrive pas à l'heure n'aura plus rien.*
Ich habe leider nicht verstanden, was Sie gesagt haben, *Je n'ai malheureusement pas compris ce que vous avez dit.*

Was s'emploie également après **alles**, *tout*, **etwas**, *quelque chose*, **nichts**, *rien*, **vieles**, *beaucoup de*, et après un superlatif neutre indéfini :
Das Beste, was ich in den Ferien gegessen habe, war die Schweinshaxe, *La meilleure chose ("le mieux/neutre") que j'aie ("ai") mangée pendant ("dans") les vacances était le jarret de porc.*

Mais : **Ich habe die schönsten Ferien erlebt, die man sich vorstellen kann**, *J'ai passé ("vécu") les meilleures vacances qu'on puisse s'imaginer ("peut").*

Notez qu'en allemand, le pronom relatif est <u>toujours</u> précédé d'une virgule et que le verbe dans une relative est généralement à l'indicatif.

2 Le pronom réfléchi

2.1 La déclinaison du pronom réfléchi

Le pronom réfléchi s'emploie à l'accusatif et au datif. Ses formes sont identiques à celles du pronom personnel sauf aux 3es personnes où le pronom réfléchi a une forme propre : **sich**, *se*.

	Singulier			Pluriel		
Accusatif	**mich**	**dich**	**sich**	**uns**	**euch**	**sich**
Datif	**mir**	**dir**	**sich**	**uns**	**euch**	**sich**

Regardez bien les deux conjugaisons du verbe **sich waschen**, *se laver*. Le pronom réfléchi est à l'accusatif quand il est complément direct et au datif lorsque le verbe est accompagné d'un autre complément direct :

sich waschen, *se laver* (pronom réfléchi à l'accusatif) :
ich wasche mich, *je me lave*
du wäschst dich, *tu te laves*
Claudia wäscht sich, *Claudia se lave*
wir waschen uns, *nous nous lavons*
ihr wascht euch, *vous vous lavez*
sie waschen sich, *ils/elles se lavent*

sich etwas waschen, *se laver quelque chose* (pronom réfléchi au datif) :
ich wasche mir die Augen, *je me lave les yeux*
du wäschst dir die Haare, *tu te laves les cheveux*
Claudia wäscht sich das Gesicht, *Claudia se lave le visage*
wir waschen uns die Hände, *nous nous lavons les mains*
ihr wascht euch die Füße, *vous vous lavez les pieds*
sie waschen sich die Ohren, *ils/elles se lavent les oreilles*

Notez que les verbes accompagnés d'un pronom réfléchi construisent leurs temps composés avec **haben** (et non avec **sein** comme en français !) :

Igitt, du hast dich seit drei Tagen nicht gewaschen? *Beurk, tu ne t'es ("as") pas lavé depuis trois jours ?*

2.2 La place du pronom réfléchi

Dans une proposition principale, il se place après le verbe, tout en respectant la place du sujet lorsqu'il y a inversion :
Er erinnert sich gut an seine erste Freundin, *Il se souvient bien de sa première petite amie.*
Nach vielen Jahren erinnert er sich noch an seine erste Freundin, *Après de nombreuses années, il se souvient encore de sa première petite amie.*

Voici encore un dernier point important :

2.3 Les verbes avec ou sans pronom réfléchi

Certains verbes sont accompagnés d'un pronom réfléchi en allemand, alors qu'ils ne le sont pas en français :
sich ändern, *changer* : **die Zeiten haben sich geändert,** *les temps ont changé.*
sich bewegen, *bouger* : **Hat er sich bewegt?,** *A-t-il bougé ?*

Inversement, il y a des verbes qui s'emploient avec pronom réfléchi en français, mais qui ne prennent pas de pronom en allemand :
- **aufstehen,** *se lever* : **Wir sind um 8 Uhr aufgestanden,** *Nous [nous] sommes levés à 8 heures.*
- **aufwachen,** *se réveiller* : **Um wie viel Uhr bist du aufgewacht?,** *À quelle heure [t']es-tu réveillé ?*
- **spazieren gehen,** *se promener* : **Sie sind im Wald spazieren gegangen,** *Ils [se] sont promenés dans la forêt.*
- **geschehen** ou **passieren,** *se passer* : **Was ist denn geschehen/ passiert?,** *Que [s']est[-il] donc passé ?*
- **weggehen,** *s'en aller* : **Warum ist sie so früh weggegangen?,** *Pourquoi [s'en] est-elle allée si tôt ?*

Vous voyez, ce n'est pas très compliqué. Il faut simplement bien regarder les phrases et les répéter aussi souvent que possible.

3   La traduction de "si" : *wenn* ou *ob* ?

• *si* au sens conditionnel se traduit par **wenn** :
Wenn du um zwölf Uhr nicht da bist, esse ich allein, *Si tu n'es pas là à midi, je mange[rai] seul.*
Ich gehe mit Ihnen, wenn Sie wollen, *Je vais avec vous si vous voulez.*

• *si* dans une question indirecte se traduit par **ob**. (Pour vérifier qu'il s'agit d'une question indirecte, vous pouvez ajouter **oder nicht**, *ou pas.*) :
Wissen Sie, ob der Goetheplatz rechts oder links von uns liegt?, *Savez-vous si la Goetheplatz se trouve sur notre droite ou sur notre gauche ?*
Sie fragt sich, ob er verheiratet ist (oder nicht), *Elle se demande s'il est marié (ou pas).*
Er zögert, ob es besser ist, den Zug zu nehmen oder das Flugzeug, *Il se demande* ("hésite") *s'il vaut mieux prendre le train ou l'avion.*

> *Cette fois-ci, nous vous proposons d'écouter (ou de lire à voix haute) une petite histoire "de rêve" qui vous montrera la quantité de choses que vous avez apprises cette semaine.*

Manchmal können noch Wunder geschehen

1   Als Klaus um halb fünf am Morgen aufwachte, wusste er nicht mehr, wo er war.

2   Er konnte sich weder an das Zimmer noch an die Person, die neben ihm schlief, erinnern.

3   Langsam gewöhnten sich seine Augen an die Dunkelheit.

4   Aber alles, was er sah, war ihm fremd.

5   Nein! Nicht alles! Dort an der Tür hing der Schwanenfedermantel von Marlene Dietrich.

6   In diesem Moment erinnerte er sich wieder an das Wunder, das ihm passiert war.

7   Er war gestern Abend allein im Biergarten gewesen.

8   An einem anderen Tisch saßen ein paar Männer, die schon ziemlich viel getrunken hatten.

9   Unter ihnen war eine einzige Frau, die sich zu langweilen schien.

10   Sie war wunderschön und sehr blond.

11   Er glaubte zu träumen, aber als er den Schwanenfedermantel sah, den sie trug, war er sicher:

12   Es war die Schauspielerin Marlene Dietrich, die er vergötterte!

13   Eine Verwechslung war unmöglich.

14   Er hatte zwar schon zwei Bier getrunken, aber sein Kopf war immer noch klar.

15   Und dann… ist die Frau aufgestanden und zu ihm gekommen!

16   „Guten Abend", hat sie mit ihrer rauchigen Stimme gesagt, „darf ich mich zu Ihnen setzen?"

De temps à autre, des miracles peuvent encore se produire

1 Quand Klaus s'est réveillé à quatre heures et demie du matin, il ne savait plus où il était. **2** Il ne pouvait se souvenir ni de la chambre ni de la personne qui dormait à côté de lui. **3** Lentement ses yeux s'habituaient à l'obscurité. **4** Mais tout ce qu'il voyait lui était étranger. **5** Non ! Pas tout ! Là-bas, à la porte, était accroché le manteau en plumes de cygne de Marlène Dietrich. **6** À ce moment-là, il se souvint à nouveau du miracle qui lui était arrivé. **7** Il était hier soir, seul, au "Biergarten" *("bistrot")*. **8** Quelques hommes qui avaient déjà pas mal *(assez beaucoup)* bu étaient assis à une autre table. **9** Parmi eux se trouvait une femme seule qui semblait s'ennuyer. **10** Elle était très belle et très blonde. **11** Il croyait rêver, mais lorsqu'il vit le manteau en plumes de cygne qu'elle portait, il [en] fut certain : **12** C'était l'actrice Marlène Dietrich qu'il adorait ! **13** Aucune confusion n'était possible. **14** Certes, il avait déjà bu deux bières, mais il avait toujours les idées claires *(sa tête était encore claire)*. **15** Et puis… la femme s'est levée et est venue vers lui ! **16** "Bonsoir", a-t-elle dit de *(avec)* sa voix rauque, "puis-je m'asseoir à votre table *(chez vous)* ?"

17 „Aber natürlich, gern", hat er überrascht und glücklich geantwortet.

18 Sie sprach fließend Deutsch, aber mit leichtem amerikanischen Akzent.

19 Sie haben eine Viertelstunde geredet und am Ende hat sie einfach gesagt: „Kommen Sie! Ich nehme sie mit zu mir."

20 Und er hat sich nicht lang gefragt, ob er ihr folgen sollte…

21 Alles war also ganz logisch.

22 Vorsichtig bewegte er sich im Bett und sagte zu der Frau, deren blonde Haare ihn an der Nase kitzelten: „Marlene, Liebling!"

23 „Wach auf, Klaus! Es ist halb sieben.

24 Du musst die Kinder in die Schule mitnehmen."

---

78 Achtundsiebzigste Lektion

Der Vorteil flexibler Arbeitszeiten

1 – **Mahl**zeit ① und bis **spä**ter.

2 – Was? Du machst schon **Mit**tagspause?

3 Wie spät ② ist es denn?

Prononciation
... *for*taïl flè*ksi:*bl*ª* **ar**baïts-tsaïtën **1** *ma:*l-tsaït ...

Notes

① **die Mahlzeit** (litt. "le temps où l'on mange"), *le repas* ; **das Mahl** est un ancien mot pour le repas : **Das war eine ausgezeichnete Mahlzeit**, *C'était un excellent repas*. On peut ▸

17 "Mais bien sûr, volontiers", a-t-il répondu surpris et heureux. **18** Elle parlait couramment l'allemand, mais avec [un] léger accent américain. **19** Ils ont parlé [pendant] un quart d'heure et, à la fin, elle a simplement dit : "Venez ! Je vous emmène chez moi." **20** Et il ne s'est pas demandé [pendant] longtemps s'il devait la suivre… **21** Tout était donc tout à fait logique. **22** Avec précaution, il bougea dans le lit et dit à la femme dont les cheveux blonds lui chatouillaient le *(au)* nez : "Marlène, chérie !" **23** "Réveille-toi, Klaus. Il est six heures et demie. **24** Il faut que tu emmènes les enfants à l'école."

Vous rendez-vous compte du chemin parcouru depuis vos débuts ? Nous ne pouvons que vous en féliciter !

Schönen Tag und bis morgen! Bonne journée et à demain !

Deuxième vague : 28ᵉ leçon

Soixante-dix-huitième leçon   78

L'avantage [des] horaires de travail flexibles

1 – Bon appétit *(repas)* et à plus tard.
2 – Comment *(Quoi)* ? Tu fais déjà [la] pause de midi ?
3 Quelle heure *(Comment tard)* est-il donc ?

▸ dire aussi **Mahlzeit!** quand on se met à table, ou quand on se lève de table.

② La question **Wie spät ist es?** (litt. "Comment tard est-il ?") est synonyme de **Wie viel Uhr ist es?**, *Quelle heure est-il ?*

4 – Es ist fünf vor halb zwölf ③, **a**ber ich **habe**
schon um **sie**ben **an**gefangen.

5 Nach **vier**einhalb ④ **Stun**den **Ar**beit tut mir
der Kopf weh und **außer**dem knurrt ⑤ mein
Magen.

6 Ich **brau**che **drin**gend **fri**sche Luft und
was ⑥ zu **es**sen.

7 – **Fri**sche Luft? **Da**von gibt es **drau**ßen
ge**nug** bei der **Käl**te!

8 Ich **ge**he bei dem **Sau**wetter ⑦ nicht raus:
mir ist hier **drin**nen schon kalt.

9 – Auch nicht, wenn ich dir **sa**ge, dass ich zu
Henkels ⑧ in die „**Al**te **Mü**hle" **ge**he, und
dass es bei **de**nen ⑨ **heu**te **haus**gemachte
Kar**tof**felknödel ge**füllt** mit **Le**berwurst
gibt?

5 fi:ᵃ'aïn<u>h</u>alp … knourt … **ma**:g'n **6** … frichë louft … **7** …
kèltë **8** … zaou-vètᵃ … **9** … <u>h</u>èñk'ls … **mu**:lë … kartof'l-
kneu:dël gue**fult** … lé:bᵃ-vourst …

Notes

③ **fünf Minuten vor halb zwölf** – ou simplement **fünf vor halb
zwölf** – (litt. "cinq minutes avant demi douze"), signifie *11
heures 25*, car **halb zwölf** ("demi douze") veut dire *11 h 30*, et
cinq minutes avant, il est… 11 h 25. C'est logique, non ? C'est
en tout cas plus courant que **fünfundzwanzig nach elf**…

④ **viereinhalb**, *quatre et demi*, s'écrit en un mot. Rappelez-vous
que **die Stunde** correspond à une durée de 60 minutes, alors
que **die Uhr** est l'heure qui indique un temps précis, ponctuel : **Es ist ein Uhr dreißig**, *Il est une heure et demie* ("trente
minutes"), mais **Sie wartet schon eineinhalb Stunden**, *Elle
attend déjà [depuis] une heure et demie*.

⑤ Le premier sens de **knurren** est *gronder*, comme font les
chiens quand on essaie de leur enlever un os. ▸

4 – Il est onze heures vingt-cinq, mais j'ai *(déjà)*
commencé à sept [heures].

5 Après quatre heures et demie [de] travail, j'ai
mal à la tête *(fait à moi la tête mal)* et, en plus,
mon estomac gargouille.

6 J'ai besoin d'urgence d'air frais et [de] quelque
chose à manger.

7 – D'air frais ? *(De cela)* Il y en a assez dehors
avec ce*(tte)* froid !

8 Moi, je ne sors pas avec ce temps de cochon *(de
truie)* : j'ai déjà froid ici, à l'intérieur.

9 – Même pas *(aussi pas)* si je te dis que je vais
chez [les] Henkel au "Vieux Moulin", et qu'il
y a chez eux aujourd'hui des quenelles de
pommes de terre faites maison, fourrées de pâté
de foie ?

▶ ⑥ Familièrement, on dit souvent **was** à la place de **etwas**, *quelque
chose*. Vous le trouvez aussi phrase 10 : **was anderes** ou **etwas
anderes**, *quelque chose [d']autre, autre chose*.

⑦ **das Sauwetter** se compose de **das Wetter**, *le temps* (qu'il fait)
et de **die Sau**, *la truie*. C'est à cause de sa taille impression-
nante qu'elle se prête aux expressions figuratives.

⑧ Notez le **-s** que l'on ajoute au nom propre pour dire "la famille
Henkel" ou "Monsieur et Madame Henkel" : **Henkels sind
gute Freunde von uns**, *[Les] Henkel sont de bons amis à
nous*.

⑨ **bei denen**, *chez eux, chez "ceux-ci"*. **Denen** est ici un pronom
démonstratif. Vous avez dû remarquer que *chez* se traduit par
bei (+ datif) parce qu'il n'y a pas de déplacement, et par **zu** (+
datif), parce qu'il y a un déplacement. **Er geht zu Henkels**, *Il
va chez [les] Henkel*, mais **Er isst bei Henkels**, *Il mange chez
[les] Henkel*.

10 – Das ist natürlich was anderes.
11 Warum hast du das nicht gleich gesagt?
12 Halt mir einen Platz frei! Ich komme in
zehn Minuten nach.   □

***

Übung 1 – Übersetzen Sie bitte!

❶ Um wie viel Uhr haben Sie angefangen zu arbeiten? ❷ Sie haben eineinhalb Stunden Mittagspause, von zwölf bis halb zwei. ❸ Seit Tagen tut ihr der Kopf weh, sie braucht dringend Ruhe. ❹ Ich muss was essen; mein Magen hört nicht auf zu knurren. ❺ Ist Ihnen kalt? Soll ich das Fenster schließen?

Übung 2 – Ergänzen Sie bitte!

❶ Qu'y a-t-il à manger aujourd'hui ? Mon estomac gargouille déjà.

. . . . heute . . . . ? Mein Magen
. . . .

❷ Restons à l'intérieur, dehors il fait terriblement froid *(truie-froid)*.

Lass uns . . . . bleiben, ... ist es
. . . .

❸ Pourriez-vous me garder une place *(libre)*, s'il vous plaît ?
Können Sie . . . bitte . . . .
. . . . ?

❹ Pourquoi n'avez-vous pas dit tout de suite que vous n'aimez pas les quenelles ?

. . . . nicht gleich . . . . . . , dass
Sie . . . . . . nicht mögen?

10 – *(C'est)* Naturellement, ça change tout *(quelque chose autre)*. 78

11 Pourquoi ne l'as-tu pas dit tout de suite ?

12 Garde-moi *(Tiens moi)* une place *(libre)* ! *(Je viens)* Je te rejoins dans dix minutes *(après)*.

***

Corrigé de l'exercice 1

❶ À quelle heure avez-vous commencé à travailler ? ❷ Ils ont une heure et demie de pause à midi, de midi à une heure et demie. ❸ Depuis [des] jours elle a mal à la tête, elle a besoin de calme d'urgence. ❹ Je dois manger quelque chose ; mon estomac n'arrête pas de gargouiller. ❺ Vous avez froid ? Voulez-vous *(Dois-je)* que je ferme la fenêtre *(fermer)* ?

❺ Avec ce froid je ne sors pas. – Même pas, si je viens avec toi ?

Bei dieser Kälte . . . . nicht . . . . .

– . . . . ich mitkomme ?

Ich muss was essen; mein Magen hört nicht auf zu knurren.

Corrigé de l'exercice 2

❶ Was gibt es – zu essen – knurrt schon ❷ – drinnen – draußen – saukalt ❸ – mir – einen Platz freihalten ❹ Warum haben Sie – gesagt – Knödel – ❺ – gehe ich – raus – Auch nicht wenn –

Die Kartoffel, la pomme de terre *est pour l'Allemagne ce que le riz est pour l'Asie ou les spaghettis pour l'Italie. Il est difficile d'imaginer la cuisine allemande sans elle. Importée en Europe au milieu du XVIᵉ siècle par les conquérants espagnols – qui l'avaient découverte chez les Indiens des Andes –, la pomme de terre avait d'abord suscité l'intérêt des botanistes pour ses jolies fleurs blanches ou violettes, dont on décorait les jardins princiers. Au milieu du XVIIIᵉ siècle, Frédéric le Grand donna l'ordre de la cultiver partout en Prusse, pour lutter contre la famine qui régnait dans son royaume. Depuis, la pomme de terre est devenue le symbole de la sécurité contre la famine. Elle est toujours la nourriture de base que ne peuvent remplacer que le riz ou les pâtes. Si vous commandez*

79 Neunundsiebzigste Lektion

Auf der Autobahn

1 – Bis jetzt **ha**ben wir Glück ge**habt**, **Kin**der.
2 Drückt die **Dau**men ①, dass ② es so **wei**ter geht.
3 Wenn kein Stau ③ kommt, sind wir in fünf **Stun**den am Strand.

Prononciation
… **a**outô-ba:n **2** drukt … **da**oumën … **3** … **chta**ou … chtra'nt

Notes

① **die Daumen drücken** (litt. "serrer les pouces"), *croiser les doigts* : **ich drücke dir die Daumen** se dit souvent à la place de **ich wünsche dir viel Glück**, *je te souhaite bonne chance*.

② **dass** s'emploie également au sens de **damit**, *pour que, afin que* : **Beeilen wir uns, damit/dass wir nicht zu spät kommen**, *Dépêchons-nous pour ne pas arriver en retard* ("que nous pas trop tard arrivons").

▶

un plat en Allemagne, on vous sert des pommes de terre en plus des "légumes" comme les haricots verts, les choux, les carottes, etc. Même si la consommation individuelle des pommes de terre "simples" – c'est-à-dire "vapeur" ou "sautées" – a baissé dans nos sociétés de prospérité, la consommation générale semble rester stable, car on mange de plus en plus de frites, de chips et d'autres "fantaisies", ainsi que des produits industriels faits de pommes de terre déshydratées. Et puis, rassurez-vous, les pommes de terre ne font pas grossir ; au contraire, elles apportent des vitamines précieuses comme la vitamine C, mais méfiez-vous de tout ce que l'on mange avec !

Deuxième vague : 29ᵉ leçon

Soixante-dix-neuvième leçon   79

Sur l'autoroute

1 – Jusqu'à maintenant, nous avons eu de la chance, [les] enfants.
2   Croisez les doigts *(Serrez les pouces)* pour que ça continue comme ça.
3   S'il n'y a pas de bouchon, nous serons *(sommes)* à la plage dans cinq heures.

▸ ③ **der Stau**, *le bouchon*, forme son pluriel en **-s**, comme beaucoup de noms qui se terminent par une voyelle (sauf les noms en **-e**) : **die Staus**, *les bouchons*, **die Autos**, *les voitures*, mais **die Toiletten**, *les toilettes*.

4 – Du, Karl, ich weiß, es ist nicht der
Mo**ment**, aber kannst du **bit**te an der
nächsten **Rast**stätte ④ kurz **an**halten?

5 Ich muss **drin**gend auf Toilette.

6 – Ist das **wirk**lich **nö**tig? Seit wir auf der
Autobahn sind, **fah**re ich im Schnitt ⑤
hundert**fünf**zig ⑥.

7 Kannst du nicht **war**ten, bis wir an der
Grenze sind?

8 – Papa, wir **müs**sen aber auch mal ⑦!

9 – Es ist zum Ver**rückt**werden ⑧! So**bald** wir
auf die **Au**tobahn **kom**men, muss **al**le Welt
aufs Klo.

10 Könnt ihr nicht ein **ein**ziges Mal zu **Hau**se
daran ⑨ **den**ken?

---

*4 … **rast**-chtètë … 5 … toïlètë 6 … **neu**:tiç … chni't …
7 … grèntsë … 9 … fèr**rukt**-vé:ªd'n! zo**balt** … 10 …
aïntsiguës*

Notes

④ **die Raststätte** est une aire de repos sur l'autoroute avec restauration et station-service, un "*restoroute*". Il se compose de
die Rast, *le repos*, et de **die Stätte**, *le lieu*. Sans restauration,
on dit **der Rastplatz** ou **der Parkplatz**.

⑤ **im Schnitt** est une forme abrégée de **im Durchschnitt** :
der Durchschnitt, *la moyenne*. Attention, il y a bien cinq
consonnes qui se suivent : le **-ch** de **durch**, *de travers*, puis le
-sch de **schnitt** – qui vient de **schneiden** (**schnitt**, **geschnitten**), *couper*.

⑥ En Allemagne, la vitesse n'est pas limitée sur l'autoroute. Le
mot *limitation de vitesse* est d'ailleurs impressionant en allemand : **die Geschwindigkeitsbegrenzung** (composé de **die
Begrenzung**, *la limitation*, et de **die Geschwindigkeit**, *la
vitesse*). ▶

4 – *(Toi,)* Karl, je sais [que] ce n'est pas le moment, mais peux-tu *(s'il te plaît)* [t']arrêter à la prochaine aire de repos deux minutes *(brièvement)* ?

5   Il faut que j'aille d'urgence au[x] toilette[s].

6 – C'est vraiment nécessaire ? Depuis que nous sommes sur l'autoroute, je roule à une moyenne de 150.

7   Tu *(peux)* ne pourrais pas attendre *(jusqu'à ce)* que nous soyons *(sommes)* à la frontière ?

8 – Mais papa, nous aussi, nous *(devons)* avons envie *(fois)* !

9 – C'est à devenir fou ! Dès que nous arrivons sur l'autoroute, tout le monde doit [aller] aux toilettes.

10   Ne pouvez-vous pas pour une *(seule)* fois y penser *(à cela)* à la maison ?

▸ ⑦ **Ich muss mal** est un "raccourci" de **ich muss mal auf (die) Toilette/aufs Klo (gehen)**. Nous vous avions bien dit que **müssen** exprime une obligation incontournable !

⑧ **das Verrücktwerden** est l'infinitif substantivé de **verrückt werden**, *devenir fou*. Notez qu'un infinitif employé comme nom est neutre et que l'on y attache son complément : **das Fahrradfahren**, *le [fait de] faire du vélo*, **das Autowaschen**, *le [fait de] laver la voiture*, ou même **das Insbettgehen**, *le [fait d']aller au lit*, etc. C'est une formulation très pratique, vous verrez !

⑨ **daran** traduit ici "à cela" car on dit **denken an**, *penser à* : **ich denke daran (an das)**, *j'y pense* ("à cela").

11 – Reg dich doch nicht auf ⑩, **Pa**pa! Wir **kom**men **des**halb nicht **spä**ter an.

12 Lass **Ma**ma **da**nach **fah**ren, die holt die ver**lo**rene Zeit schnell **wie**der auf. ☐

---

11 ré:k … aouf … **12** … fèr**lo**:r'në …

Note

⑩ La signification de **sich aufregen** va de *se fâcher, s'énerver, s'exciter* jusqu'à *s'inquiéter*. C'est le contexte qui nous indique le sens exact. En tout cas : **Regen Sie sich nicht auf, das ist schlecht für das Herz**, *Ne vous énervez pas, c'est mauvais pour le cœur.*

***

Übung 1 – Übersetzen Sie bitte!

❶ An vielen Grenzen in Europa muss man nicht mehr anhalten. ❷ Ich habe dir den ganzen Morgen die Daumen gedrückt. ❸ Die Deutschen fahren auf der Autobahn so schnell sie können. ❹ Regen Sie sich nicht auf! Der Stau ist nicht lang. ❺ Sobald Papa vor dem Fernsehapparat sitzt, schläft er ein.

11 – Mais ne t'énerve pas, papa ! Nous n'arriv[er]ons pas plus tard pour ça.

12 Laisse maman conduire après, elle *(celle-ci)* rattrapera vite le temps perdu.

Die Deutschen fahren auf der Autobahn so schnell sie können.

***

Corrigé de l'exercice 1

❶ On n'est plus obligé de s'arrêter à de nombreuses frontières en Europe. ❷ J'ai croisé les doigts [pour] toi [pendant] toute la matinée. ❸ Les Allemands roulent sur l'autoroute aussi vite qu'ils peuvent. ❹ Ne vous énervez pas ! Le bouchon n'est pas long. ❺ Dès que papa est assis devant la télévision, il s'endort.

Übung 2 – Ergänzen Sie bitte!

❶ Ne t'énerve pas ! Nous avons encore *(une fois)* eu de la chance.
... ... nicht ...! ... . noch einmal
Glück ....

❷ Nous nous arrêtons à la prochaine aire de repos pour que tout le monde puisse aller aux toilettes.
Wir halten .. ... nächsten .... an,
..... alle ... ... /.... ...
gehen können.

❸ Si ça continue comme ça, nous ne pourrons jamais rattraper le temps perdu.
.... das so ...., können wir ...
.... nie wieder ....

❹ Dès que nous serons rentrés de vacances, je vous appellerai.
...... wir ... ... zurück sind,
.... ich Sie ...

---

80 **Achtzigste Lektion**

Eine positive oder negative Antwort?

1 **Mann**heim, den 8. (**ach**ten) Sep**tem**ber 2010. ①

2 *Ihre Bewerbung* ②

Prononciation
...**po:**ziti:vë ...**né:**gati:vë ... **1 ma**'n-<u>h</u>aïm ...**tsva**ï'ta'ouz'ntt**sé:n**
2 ... bë**vèr**bounğ

Notes

① En tête de lettre, la date du jour suit le nom de la localité après une virgule. En général, elle est à l'accusatif avec l'article **den**. ▶

⑤ Jusqu'à la frontière, tout allait bien ; après il y a eu bouchon sur bouchon *(venait un bouchon après l'autre)*.

. . . . ging . . . . ; . . . . . . kam . . . . nach dem anderen.

Corrigé de l'exercice 2

① Reg dich – auf – Wir haben – gehabt ② – an der – Raststätte – damit – auf die Toilette/aufs Klo – ③ Wenn – weiter geht – die verlorene Zeit – aufholen ④ Sobald – aus den Ferien – rufe – an ⑤ Bis zur Grenze – alles gut; danach – ein Stau –

Cela fait plusieurs leçons que nous ne vous avons plus fait de compliments, et pourtant, vous le méritez ! Vous poursuivez vos études à un rythme rigoureux, à savoir au moins 30 minutes par jour, et, en plus, vous reprenez à chaque fois une des anciennes leçons que vous traduisez du français en allemand. À ce rythme, votre succès est désormais assuré !

Deuxième vague : 30ᵉ leçon

Quatre-vingtième leçon   80

Une réponse positive ou négative ?

1   Mannheim, le 8 septembre 2010.
2   *Votre candidature*

Le jour et le mois sont suivis d'un point : **Berlin, den 1. 1. 2005** qui se lit **Berlin, den ersten ersten zweitausendfünf** (nous vous encourageons à réviser les dates en leçon 28).

② **die Bewerbung**, *la candidature*, est un nom formé à partir du verbe **sich bewerben für/um** + acc., *poser sa candidature pour...*(phrase 5) : **Sie bewirbt sich für/um diese Stelle**, *Elle pose sa candidature pour ce poste.*

3 Sehr geehrte ③ Frau **Spren**ger,

4 wir **freu**en uns, dass Sie sich für ④ **eine Mit**arbeit in **un**serem Unter**neh**men interes**sie**ren.

5 **Lei**der ist je**doch** die Ste**lle** ⑤, für die Sie sich be**wor**ben **ha**ben, inzwischen schon be**setzt**.

6 Da ⑥ wir aber in **na**her **Zu**kunft **wei**tere **Mit**arbeiter für **ähn**liche **Auf**gaben **su**chen, **möch**ten wir Sie **trotz**dem gern **ken**nen **ler**nen.

7 **Könn**ten Sie uns am **Mitt**woch, dem 15. (**fünf**zehnten) Sep**tem**ber, um 10 (zehn) Uhr zu **ei**nem per**sön**lichen **G**espräch be**su**chen ⑦?

*3 … guë'**é:**ᵃtë … **chprè**ñgᵃ   4 … ountᵃ**né:**mën …
5 … yé**docH** … bë**vor**bën … i'n**ts**vich'n …   6 … **tsou:**kounft
… **è:n**liçhë **a**ouf'ga:b'n …*

Notes

③ **geehrt** est le participe passé de **ehren**, *honorer, respecter.* Si l'on s'adresse à un homme, on écrit **Sehr geehrter Herr Sprenger!** (À la place du point d'exclamation, on peut mettre, comme ici, une simple virgule, la lettre commençant par une minuscule.) Quand on s'adresse oralement à un public, on dit **verehrt** à la place de **geehrt**, le sens restant le même.

④ Attention aux prépositions qui accompagnent certains verbes. Elles sont obligatoires. Ainsi, on dit **sich interessieren für…**, *s'intéresser à…* : **Er interessiert sich für Politik**, *Il s'intéresse à la politique.*

⑤ **die Stelle(-n)** a plusieurs significations : *l'endroit, la place, le lieu,* etc. Ici, on sous-entend **die Arbeitsstelle**, *le "poste de travail", l'emploi.* Souvenez-vous aussi de **die Tankstelle**, *le "poste d'essence"* (= *la station-service,* cf. leçon 19). ▶

3 Madame *(très honorée Madame Sprenger)*, **80**

4 Nous nous réjouissons [d'apprendre] que vous seriez intéressée par *(vous intéressez pour)* une collaboration dans notre entreprise.

5 Malheureusement *(pourtant)* le poste pour lequel vous avez postulé est *(entre-temps)* déjà occupé.

6 Mais comme nous cherchons d'autres collaborateurs dans [un] avenir proche pour des postes *(tâches)* semblables, nous aimerions cependant *(malgré cela)* faire votre connaissance *(volontiers connaître apprendre)*.

7 Pourriez-vous venir nous voir pour un entretien personnel le mercredi 15 septembre à 10 heures ?

⑥ **da** est ici une conjonction qui exprime la cause : *comme, parce que* (semblable à **weil**). À ne pas confondre avec l'adverbe **da**, *là*.

⑦ **besuchen** signifie *rendre visite, venir voir*.

8 Herr Dr. ⑧ Schulz, der **Lei**ter der Ab**tei**lung
Infor**ma**tik, hat **die**sen Ter**min** ⑨ für Sie
reser**viert**.

9 Bitte infor**mie**ren Sie uns kurz, ob **Ih**nen
dieser Ter**min** passt ⑩ **o**der ob Sie **ei**nen
anderen **vor**ziehen.

10 Selbstver**ständ**lich über**neh**men wir **Ih**re
Auslagen ⑪ für die **Rei**se.

11 Mit **freund**lichen **Grü**ßen ⑫

12 *Ihre Katrin Ziegler*
(Perso**nal**leiterin)   □

---

8 … **dok**to:ᵃ **chou**lts … **laï**tᵃ … aptaïlouñg … tèr**mi:n** …
9 … i'nfor**mi:**rën … **fo:**ᵃ'tsi:n   **10** … aous'la:g'n …
12 … katri'n **tsi:g**lᵃ (pèrzo**na**:l'laïtëri'n)

Notes

⑧ Attention ! M. Schulz n'est pas médecin… Il s'agit du titre
Doktor qui s'ajoute volontiers au nom de famille.   ▶

***

Übung 1 – Übersetzen Sie bitte!

❶ Sie haben eine positive Antwort bekommen? Das
freut mich! ❷ Bitte informieren Sie mich, ob die
Stelle des Mechanikers schon besetzt ist. ❸ Wenn
Sie uns besuchen möchten, können wir Ihnen am
Donnerstag einen Termin reservieren. ❹ Sehr
geehrte Frau Ziegler, da ich eine Reise ins Ausland
machen muss, passt mir leider der 15. September
nicht. ❺ Ich habe mir jedoch den Freitag reserviert,
um Herrn Dr. Schulz zu treffen.

8	Monsieur *(docteur)* Schulz, le directeur du service informatique, a retenu *(réservé)* cette date pour vous.	80

8 Monsieur *(docteur)* Schulz, le directeur du service informatique, a retenu *(réservé)* cette date pour vous.

9 Veuillez nous indiquer *(svp indiquez-nous)* rapidement *(bref)* si ce rendez-vous vous convient ou si vous [en] préférez un autre.

10 Il va de soi [que] nous nous chargeons [de] vos frais de déplacement *(pour le voyage)*.

11 Recevez, Madame, nos meilleures salutations.

12 *Katrin Ziegler*
(chef du personnel)

⑨ **der Termin**, *le terme, la date, le rendez-vous officiel* : **ein Termin beim Arzt**, *un rendez-vous chez le médecin.*

⑩ **das passt mir**, *cela me convient*, se dit aussi d'un vêtement quand il est à la bonne taille : **Meine Hosen passen mir nicht mehr**, *Mes pantalons ne me vont plus.*

⑪ **die Auslagen**, *les dépenses* (les frais que l'on peut se faire rembourser).

⑫ **mit freundlichen Grüßen** (litt. "avec gentilles salutations"), est la formule utilisée pour finir une lettre officielle. Ne la confondez pas avec l'expression amicale **viele Grüße!** Les deux se ressemblent beaucoup, mais il s'agit d'une convention respectée par tous.

***

Corrigé de l'exercice 1

❶ Vous avez reçu une réponse positive ? Cela me fait plaisir ! ❷ Veuillez m'indiquer si le poste de mécanicien est déjà occupé. ❸ Si vous voulez venir nous voir, nous pouvons prendre *(vous réserver un)* rendez-vous pour jeudi. ❹ Chère Mme Ziegler, comme je dois faire un voyage à l'étranger, la date du 15 septembre ne me convient pas. ❺ J'ai cependant réservé le vendredi pour rencontrer M. Schulz.

Übung 2 – Ergänzen Sie bitte!

❶ Pourquoi ne posez-vous pas votre candidature pour le poste de chef de service ?

Warum . . . . nicht . . . . . .
. . . . . . des Abteilungsleiters?

❷ Indiquez-moi vite, s'il vous plaît, si cette date vous convient.

. . . . mich bitte schnell, ...
dieser Termin . . . . . .

❸ Le directeur du personnel aimerait faire votre connaissance.

. . . . möchte Sie gern . . . . . .
. . . .

❹ Notre entreprise se charge[ra] volontiers de vos dépenses si vous venez nous voir.

. . . . übernimmt gern . . . .
. . . ., wenn Sie uns . . . .

Ein nicht ganz alltägliches ① Vorstellungsgespräch

1 – **Gu**ten Tag, Herr **Dok**tor Schulz.
2 – **Gu**ten Tag, Frau **Spren**ger. Ich **freu**e mich, Sie **ken**nen zu **ler**nen ②.

Prononciation
*... ga'nts al'**tè:k**liçhës **fo:ª**chtëlouñgs-guëchprè:çh*

Notes

① **alltäglich** (litt. "de tous les jours"), signifie par extension *banal*, *ordinaire*. **Der Alltag** est *le quotidien* ou *la vie courante*, *la routine*.

▶

❺ Bien que le poste soit déjà occupé, M. Schulz aimerait vous rencontrer pour un entretien personnel. 81

Obwohl ... . schon ...... ist,
möchte Herr Schulz Sie .. ..
.... treffen.

Corrigé de l'exercice 2

❶ – bewerben Sie sich – für die Stelle – **❷** Informieren Sie – ob Ihnen – passt **❸** Der Personalleiter – kennen lernen **❹** Unser Unternehmen – Ihre Auslagen – besuchen **❺** – die Stelle – besetzt – zu einem persönlichen Gespräch –

Deuxième vague : 31ᵉ leçon

Quatre-vingt-unième leçon   81

Un entretien d'embauche pas tout à fait comme les autres
(Une présentation-entretien pas tout à fait ordinaire)

1 – Bonjour, Monsieur *(docteur)* Schulz.
2 – Bonjour, Madame Sprenger. Je suis heureux de faire votre connaissance *(vous connaître à apprendre)*.

▶ ② **kennen**, *connaître* – premier infinitif du couple **kennen lernen** (litt. "connaître apprendre"), *faire connaissance* – prend la place d'une particule séparable de **lernen** sans pour autant y être attaché : **Wir lernen heute den neuen Chef kennen**, *Nous allons faire la connaissance du nouveau chef aujourd'hui.*

3 Setzen Sie sich bitte!

4 Sie haben also Elektrotechnik studiert und sich auf Informatik spezialisiert ③?

5 – Ja, nach Abschluss meines Studiums habe ich mich bei dem größten deutschen IT-Unternehmen ④ beworben.

6 Dort war ich fast fünf Jahre angestellt ⑤, genauer gesagt bis zur Geburt meiner Tochter.

7 Nach der Geburt habe ich dann als Selbstständige ⑥ gearbeitet, was mir erlaubte, mich um meine Tochter zu kümmern.

8 Aber jetzt fällt mir langsam ⑦ die Decke auf den Kopf, und außerdem fehlt mir der Austausch mit den Kollegen immer mehr…

---

*4 … élèktro-tèçhnik … i'nforma:tik chpétsialisiert 5 …
ap'chlou's … chtoudioums … 6 … a'n'guèchtèlt … 7 …*

Notes

③ Rappelez-vous que les verbes qui se terminent en **-ieren** ne prennent pas de préfixe **ge-** au participe passé et que l'on dit **sich auf etwas spezialisieren**, *se spécialiser en quelque chose*.

④ **das Unternehmen**, *l'entreprise*, est neutre car il s'agit de l'infinitif **unternehmen**, *entreprendre* (substantivé). **IT** est l'abréviation anglaise de "*Information Technology*". Pas de problème avec les mots anglais en allemand !

⑤ **angestellt sein**, *être employé*, **der (die) Angestellte**, *l'employé(e).* ▶

3   Asseyez-vous, je vous prie !

4   Vous avez donc fait des études
d'électrotechnique et vous vous êtes spécialisée
en *(sur)* informatique ?

5 – Oui, à la fin de mes études *(après clôture
de mon étude)*, j'ai posé ma candidature
auprès de la plus grande entreprise allemande
d'informatique.

6   *(Là-bas)* J'y ai été employée [pendant] presque
cinq ans, plus exactement *(dit)* jusqu'à la
naissance de ma fille.

7   Après la naissance, j'ai *(alors)* travaillé comme
[travailleur] indépendant, ce qui me permettait
de m'occuper de ma fille.

8   Mais maintenant, je commence à étouffer
entre mes quatre murs *(le plafond me tombe
lentement sur la tête)* et, en outre, les relations
(l'échange) avec les collègues me manquent de
plus en plus *(toujours plus)*…

zèlpst-*chtèndiguë* … **ku'm**ª**n** **8** … *fèlt* … *dèkë* … *fé:lt* …
aous'*taouch* …

▸ ⑥ **selbstständig**, *indépendant*, est ici le contraire de **angestellt**,
employé, mais il signifie aussi *autonome* dans un sens plus
large : **Die Kinder sind selbstständig; man braucht sich
nicht mehr um sie zu kümmern**, *Les enfants sont autonomes/
indépendants ; on n'a plus besoin de s'occuper d'eux*. (Et en
prime, nous vous offrons une deuxième chance de noter que
sich kümmern est accompagné de la préposition **um** !)

⑦ **langsam**, *lent(ement)*, s'emploie aussi pour exprimer que
quelque chose arrive lentement… : **ich habe langsam Hunger**,
je commence à avoir faim ; **Es wird langsam dunkel**, *Il commence à faire nuit*, etc.

9 – Ich hab's ⑧! **Lau**ra Busch!
10 – Ver**zei**hung ⑨, was **mei**nen Sie?
11 – Sie sind **Lau**ra Busch, nicht wahr?
12 – Ja, in der Tat, mein **Vor**name ⑩ ist **Lau**ra
und Busch ist mein **Mäd**chenname. Aber
woher **wi**ssen Sie das?
(Fortsetzung folgt)

---

9 … *laoura bouch* **10** *fèr***tsa**ï*ouñg* … **12** … *ta:t* … *fo:ᵃ'na:*
më …

Notes

⑧ **ich hab's** ou **ich habe es**, *je l'ai*, est une tournure abrégée de
ich hab's gefunden, *je* ("l'")*ai trouvé, j'y suis.*

⑨ **Verzeihung**, *pardon*, s'emploie souvent comme synonyme de
Entschuldigung, *pardon*, *excuses*, bien que **verzeihen** signifie *pardonner*, et **(sich) entschuldigen**, *(s')excuser*.

⑩ Si **der Vorname** signifie *le prénom*, comment dit-on *le nom
de famille* ? Eh bien oui, **der Nachname** "l'après-nom". On dit
également **der Familienname**.

***

Übung 1 – Übersetzen Sie bitte!

❶ Verzeihung, ich bin ein bisschen nervös. ❷ Er
arbeitet als Selbstständiger, um keinen Chef zu
haben. ❸ Nach der Geburt ihres dritten Kindes
hat sie eine Frau angestellt. ❹ Unser Personalleiter
hat seine Frau bei einem Vorstellungsgespräch
kennen gelernt. ❺ Da er Elektrotechnik studiert
hat, bewirbt er sich bei einem IT-Unternehmen.

9 – [Ah], j'y suis *(je l'ai)* ! Laura Busch !
10 – Pardon, que voulez-vous dire ?
11 – Vous êtes Laura Busch, n'est-ce pas ?
12 – Oui, en effet, mon prénom est Laura et Busch
est mon nom de jeune fille. Mais comment
(d'où) le savez-vous ?
(À suivre)

***

Corrigé de l'exercice 1

❶ Pardon, je suis un peu nerveux. ❷ Il travaille comme [travailleur] indépendant pour ne pas avoir de patron. ❸ Après la naissance de son troisième enfant, elle a employé une femme. ❹ Notre chef du personnel a connu sa femme au cours d'un entretien d'embauche. ❺ Comme il a fait des études d'électrotechnique, il sollicite un poste dans une entreprise informatique.

Übung 2 – Ergänzen Sie bitte!

❶ Comme elle a fait des études d'informatique, elle est employée dans une entreprise d'informatique.

.. sie Informatik ...., ist sie in einem IT-Unternehmen ....

❷ Pardon ! J'ai oublié ton prénom. Ah non, j'y suis ! Tu t'appelles Julia !

.... ! Ich habe .... vergessen. Ach nein, ...' . ! Du heißt Julia!

❸ À la fin de ses études, il a posé sa candidature auprès de cinq entreprises.

Nach .... hat er sich ... . beworben.

❹ Quand il a quelque chose à boire après le travail, [il] ne lui manque presque rien.

Wenn er .... etwas zu trinken hat, ... ihm .... nichts.

---

82 Zweiundachtzigste Lektion

Ein nicht ganz alltägliches Vorstellungsgespräch (Fortsetzung)

1 – Er**kennst** du mich nicht? Ich bin Jo**ha**nnes.

Prononciation
1 ... yohanës

⑤ Ne vous occupez pas de ses affaires ! Elle s'en occupe elle- **82**
même.

. . . . nicht .. ihre Sachen! . . .
. . . . selbst darum.

Corrigé de l'exercice 2

❶ Da – studiert hat – angestellt **❷** Verzeihung – deinen Vornamen – ich hab's – **❸** – Abschluss seines Studiums – bei fünf Unternehmen – **❹** – nach der Arbeit – fehlt – fast – **❺** Kümmern Sie sich – um – Sie kümmert sich –

Verzeihen Sie uns bitte die Frage, aber vergessen Sie auch nicht, jeden Tag eine Lektion zu übersetzen? Heute ist die Lektion 32 dran... Excusez-nous de vous poser la question, mais n'oubliez-vous pas de traduire chaque jour une leçon ? Aujourd'hui, c'est la leçon 32...

Deuxième vague : 32ᵉ leçon

Quatre-vingt-deuxième leçon 82

Un entretien d'embauche pas tout à fait comme les autres (Suite)

1 – Tu ne me reconnais pas ? Je suis Johannes.

2 – Johannes Schulz. Na**tür**lich! Wa**rum ha**be ich dich nicht gleich **wie**der er**kann**t ①?

3 – Wir sind **äl**ter ge**wor**den ② und **ha**ben uns ver**än**dert.

4 – In der Tat! Du scheinst mit **dei**ner Kar**rie**re ③ zu**frie**den zu sein?

5 – Er**in**nerst du dich noch an das **Mär**chen von **Ber**tolt Brecht?

6 – Du meinst die Ge**schich**te von dem **Prin**zen ④, der es **lieb**te, auf einer **Wie**se **na**he dem Schloss zu **lie**gen und von **wei**ßen, sehr **wei**ßen **Schlös**sern mit **ho**hen **Spie**gelfenstern ⑤ zu **träu**men?

7 – Ja, … denn auf **die**ser **Wie**se **blüh**ten die **Blu**men **grö**ßer und **schö**ner als sonst **ir**gendwo.

---

2 … è**rka**'nt **3** … fèr'**èn**dᵃt **4** … karié:rë … **5** … **bèr**tolt brèçht **6** … **pri**'nts'n … **vi**:zë **na**:ë … **va**ïss'n **chleu**ssᵃn … **chpi**:g'l-fènstᵃn … **7** … **blu**:tën … **blou**:mën … **ir**g'nt'vo

---

Notes

① *reconnaître* se dit **erkennen** quand il s'agit d'identifier quelqu'un ou quelque chose : **ich habe dich auf dem Foto nicht erkannt**, *je ne t'ai pas reconnu* ("identifié") *sur la photo.* En revanche, **wieder erkennen** s'applique lorsque l'on revoit quelqu'un qui a beaucoup changé : **Sie haben sich gleich wieder erkannt, obwohl sie sich 5 Jahre nicht gesehen hatten**, *Ils se sont tout de suite reconnus, bien qu'il ne se soient pas vus [depuis] cinq ans.*

② **älter werden** ou **alt werden** (litt. "plus vieux devenir / vieux devenir"), *vieillir.* De nombreux verbes se construisent ainsi avec un adjectif + **werden** : on dit **dick/dicker werden**, *grossir*, **groß/größer werden**, *grandir*, **jünger werden**, *rajeunir*, etc. (cf. leçon 60, note 4).

▶

2 – Johannes Schulz ! Bien sûr ! Pourquoi ne t'ai-je pas reconnu tout de suite ?

3 – Nous avons vieilli et [nous] avons changé.

4 – En effet ! Tu as l'air content de ta carrière *(être)* ?

5 – Te souviens-tu encore du conte de Bertolt Brecht ?

6 – Tu veux dire l'histoire du prince qui aimait *(cela)* s'étendre sur une prairie près du château et y rêver de châteaux blancs, très blancs, avec de hautes fenêtres en miroir ?

7 – Oui, … car dans cette prairie les fleurs étaient *(fleurissaient)* plus grandes et plus belles que partout ailleurs *(autrement quelque part)*.

▶ ③ En allemand, **die Karriere** implique automatiquement qu'il s'agit d'une belle et brillante carrière.

④ **der Prinz**, *le prince*, est un masculin faible, c'est-à-dire que le nom prend la terminaison **-en** dans tous les cas sauf au nominatif.

⑤ **der Spiegel**, *le miroir*, **das Fenster**, *la fenêtre*.

8 – Dann starb **plötz**lich der **alte König** und der Prinz **wur**de sein **Nach**folger.

9 – Und der **jun**ge **König** stand ⑥ nun oft auf den Ter**ras**sen von **weiß**en, sehr **weiß**en **Schlöss**ern mit **ho**hen **Spie**gelfenstern…

10 – und **träum**te von **ei**ner **kleinen Wie**se, auf der die **Blu**men **größ**er und **schön**er **blüh**ten als **sons**two ⑦.

11 – **Siehst** du, ich **ha**be **da**mals auf **mei**nem **al**ten, **gel**ben **Fahr**rad da**von** ⑧ ge**träumt**, die **spie**gelblanken **Fens**ter der **dick**en Limou**si**nen von **in**nen zu **se**hen.

12 Und **heu**te **träu**me ich **hin**ter den **Fens**tern der Limou**si**ne von **mei**nem **gel**ben **Fahr**rad, auf dem ich die **Vö**gel **sin**gen **hör**te.
☐

---

8 … *chta:rp* … ***nacH'folg**ᵃ* **11** … *limouzi:nën* … **12** … ***feu:g'l zi'ñg'n*** …

***

Übung 1 – Übersetzen Sie bitte!

❶ Träumen Sie auch davon, in der Sonne zu liegen, da, wo die Apfelbäume blühen? ❷ Jeden Samstag wäscht er seine Limousine, bis sie spiegelblank ist. ❸ Irgendwo auf der Welt gibt's ein kleines bisschen Glück für jeden. ❹ Er hat sich gar nicht verändert, obwohl er heute Direktor eines großen Unternehmens ist. ❺ Erinnert ihr euch noch an das weiße Schloss, das wir besichtigt haben?

8 – Puis le vieux roi mourut soudainement et le prince devint son successeur.

9 – Et le jeune roi se tint alors souvent sur les terrasses de châteaux blancs, très blancs, avec de hautes fenêtres en miroir…

10 – rêvant *(et rêvait)* d'une petite prairie où les fleurs étaient plus grandes et plus belles que partout ailleurs.

11 – Tu vois, autrefois sur mon vieux vélo jaune, je rêvais de voir, de l'intérieur, les vitres polies comme des miroirs *(miroir-reluisantes)* des grosses berlines.

12 Et aujourd'hui, derrière les vitres de la berline, je rêve de mon vélo jaune sur lequel j'entendais les oiseaux chanter.

Notes

⑥ Nous profitons de cette leçon pour vous rappeler les verbes de position : **stehen**, *être debout*, **liegen**, *être allongé*, et **sitzen**, *être assis*. Ces trois verbes forment leur prétérit en **-a** : **ich stand**, **ich lag**, **ich saß**.

⑦ **sonstwo** est une contraction de **sonst irgendwo**, *où que ce soit, partout / nulle part ailleurs*. L'adverbe **sonst** en tant que tel signifie *autrement*, et **irgendwo**, *quelque part, n'importe où*.

⑧ Ici, il faut ajouter **davon** car on dit **träumen von**, *rêver de* : **Ich träume davon, fließend Deutsch zu sprechen**, *Je rêve ("de cela") de parler couramment l'allemand*.

***

Corrigé de l'exercice 1

❶ Rêvez-vous aussi d'être allongé au soleil, là où les pommiers fleurissent ? ❷ Tous les samedis, il lave sa berline jusqu'à ce qu'elle brille comme un miroir. ❸ Quelque part dans *(sur)* le monde, il y a un petit peu de bonheur pour chacun. ❹ Il n'a pas du tout changé, bien qu'il soit aujourd'hui directeur d'une grande entreprise. ❺ Vous souvenez-vous encore du château blanc que nous avons visité ?

Übung 2 – Ergänzen Sie bitte!

❶ Je cherche mon petit miroir ; il est encore quelque part.

Ich suche . . . . ; der ist
mal wieder . . . .

❷ En effet, je l'ai tout de suite reconnue car elle n'a pas changé du tout.

. . . ., ... sie sofort wieder
. . . ., denn . . . . gar nicht
. . . .

❸ Elle semble très contente de son nouveau poste (être).

. . . . mit ihrer neuen Stelle sehr
. . . .

❹ Il aime s'étendre sur une prairie et y rêver de pays lointains.

Er liebt es, ... zu liegen und
dort . . . fernen Ländern . . . .

---

83 Dreiundachtzigste Lektion

Genial oder verrückt?

1 – Zu dumm! Es **blei**ben ① uns nur zwei **Ta**ge
für **Süd**deutschland, be**vor** ② wir nach
Bra**si**lien zu**rück**fliegen.

Prononciation
guénia:l … 1 bëfo:ª … brazi:lyën

Notes
① **bleiben** est au pluriel parce que le "véritable" sujet est **zwei
Tage**, et non **es**. Rappelons que le **es** en tant que "faux" sujet
n'apparaît que pour introduire une phrase : **Es fehlen fünf** ▶

⑤ Depuis qu'il se promène tous les jours en *(avec son)* vélo, il a **83** beaucoup maigri.

Seit er jeden Tag ... . spazieren fährt, ... viel dünner ....

Corrigé de l'exercice 2

❶ – meinen kleinen Spiegel – sonstwo ❷ In der Tat, ich habe – erkannt – sie hat sich – verändert ❸ Sie scheint – zufrieden zu sein ❹ – auf einer Wiese – von – zu träumen ❺ – mit seinem Fahrrad – ist er – geworden

---

N'oubliez pas que la liste des verbes forts est à votre disposi-tion en fin de méthode. Au cas où vous ne vous rappelleriez pas l'infinitif d'un verbe allemand, vous le retrouverez facilement en regardant les mots commençant par les mêmes consonnes, car il n'y a que la voyelle du radical qui change... En outre, il est toujours utile de relire les verbes irréguliers. Par cette seule pratique, vous augmentez considérablement vos chances de vous en souvenir un jour définitivement !

Deuxième vague : 33ᵉ leçon

Quatre-vingt-troisième leçon   83

Génial ou fou ?

1 – [C'est] trop bête ! Il ne nous reste*(nt)* que deux jours pour [voir] le Sud de l'Allemagne avant de rentrer au Brésil.

▶ **Personen**, *Il manque* ("manquent") *cinq personnes* = **fünf Personen fehlen**, *cinq personnes manquent*.

② **bevor**, *avant que*, ne s'emploie jamais avec l'infinitif ni avec le subjonctif : **Bevor wir nach Hause fahren, müssen wir einkaufen**, (litt. "Avant que nous à la maison allons, devons nous…"), *Avant de rentrer à la maison, nous devons faire des courses.*

2 – Das **nächs**te Mal **müs**sen wir uns mehr Zeit **neh**men.

3 – Wo**hin sol**len wir **fah**ren? Was **ra**ten ③ Sie uns?

4 – Oh, da muss ich **ei**nen Mo**ment** laut **nach**denken, bevor ich **ant**worten kann: der **Schwarz**wald, der **Bo**densee, **Mün**chen, die **Al**pen, das **Do**nautal… **al**les ist **se**henswert.

5 Aber halt! Na**tür**lich! Falls Sie noch nicht die **Schlö**sser von **Lud**wig dem **Zwei**ten be**sich**tigt **ha**ben, dann **müs**sen Sie **un**bedingt **dort**hin ④ **fah**ren.

6 – Sind das nicht die **Schlö**sser von dem **Kö**nig, der **geis**teskrank war?

7 – Das steht ⑤ in den **Schul**büchern, **a**ber da**rü**ber ⑥ **stre**iten sich die Histo**ri**ker.

---

4 … *nacH-dèñk'n* … *chvarts-valt* … *bô:dën-zé:* … *dô:naou-ta:l* … *zé:ns-vé:ªt* **5** … *lou:t*viçh *dé:m tsva*ïtën … **6** … *gaïstëskrañk* … **7** … *choul-buçhªn* … *histô:rikª*

Notes

③ **raten** veut dire à la fois *deviner* et *conseiller*.

④ Rappelez-vous que l'on dit **dorthin**, *là-bas*, pour parler d'un lieu où l'on va : **Er fährt dorthin**, *Il va là-bas*, et simplement **dort**, *là-bas*, pour un lieu où l'on est : **Er wohnt dort**, *Il habite là-bas*.

⑤ **stehen**, *être debout*, *se tenir*, s'emploie également pour dire "être écrit" : **Das steht in der Zeitung**, *C'est dans le journal*.

⑥ **darüber** (**über** + acc.), *de cela*, accompagne ici le verbe **sich streiten**, dans le sens de "se disputer au sujet de" ; accompagné de **um** (+ acc.), le sens changerait : **Die Kinder streiten sich um die Schokolade**, *Les enfants se disputent le chocolat*.

2 – La prochaine fois nous devons prévoir *(nous prendre)* plus [de] temps.

3 – Où devons-nous aller ? Que nous conseillez-vous ?

4 – Oh, *(là)* je dois réfléchir un moment à voix haute avant de pouvoir [vous] répondre *(que je répondre peux)* : la Forêt-Noire, le lac de Constance *(sol-lac)*, Munich, les Alpes, la vallée du Danube… tout mérite d'être vu *(voir-digne)*.

5 Mais attendez *(stop)* ! Bien sûr ! Au cas où vous n'auriez *(avez)* pas encore visité les châteaux de Louis II, *(alors)* vous devez absolument y aller.

6 – N'est-ce *(sont ce)* pas les châteaux du roi qui était fou *(esprit-malade)* ?

7 – [C'est] ce [qui] est écrit dans les manuels scolaires, mais les historiens ne sont pas d'accord sur ce point *(se disputent de cela)*.

8 – Nach**dem** ⑦ Ludwig II. **ho**he **Schul**den ge**macht ha**tte, um **sei**ne **Schlö**sser zu finan**zie**ren, **ha**tte er **vie**le **Fein**de un**ter sei**nen Mi**nis**tern.

9 – **Si**cher ist, dass die **Ba**yern **die**sem „ver**rückt**en" **Kö**nig **ih**re **schöns**ten **Schlös**ser ver**dan**ken ⑧…

10 – … und wahr**schein**lich auch **ei**nige **O**pern von **Ri**chard **Wag**ner, **des**sen Mä**zen** er war. ☐

---

8 nac**H**dé:**m** lou:**t**vi**ç**h **dé:**ᵃ tsva**ï**të … **chould**ën … fina'n**tsi:**rën … **faï**ndë … mini**st**ᵃn **9** … fèr**dañk**'n **10** … va:r**cha**ïnli**ç**h … **ri**çhart **va:g**nᵃ … mè**tsé:n** …

Notes

⑦ Comme **bevor**, *avant que*, **nachdem**, *après que*, ne peut pas se construire avec un infinitif : **Nachdem wir das Schloß besichtigt hatten, gingen wir essen**, *Après* ("que nous avions visité") *avoir visité le château, nous sommes allés* ("allions") *manger*. Notez aussi qu'en allemand classique, il existe deux temps différents – le plus-que-parfait et le prétérit – car il s'agit de deux actions au passé dont une précède l'autre. Mais rassurez-vous, car dans la langue parlée, on utilise de plus en ▸

***

Übung 1 – Übersetzen Sie bitte!

❶ Nach dem Tod seines Vaters wurde Ludwig der Zweite mit 18 Jahren König von Bayern. ❷ In der Zeitung steht, dass sich die Minister über die Arbeitszeiten streiten. ❸ Nachdem sie das Schloss besichtigt hatten, gingen sie im Schlosspark spazieren. ❹ Was können wir für Sie tun? Wir verdanken Ihnen so viel! ❺ Ich rate Ihnen, nicht um Mitternacht in dieses Schloss zu gehen.

8 – Après avoir fait d'énormes *(hautes)* dettes pour financer ses châteaux, Louis II eut beaucoup d'ennemis parmi ses ministres.

9 – [Ce qui est] Sûr, [c']est que les Bavarois doivent à ce roi "fou" leurs plus beaux châteaux…

10 – … et vraisemblablement aussi quelques opéras de Richard Wagner, dont il était le mécène.

▶ plus le passé composé dans les deux cas : **Nachdem wir das Schloss besichtigt haben, sind wir essen gegangen**.

⑧ **jemandem etwas verdanken**, *être redevable de quelque chose à quelqu'un* : **er verdankt ihm viel**, *il lui doit beaucoup*. Rappelons que **danken**, *remercier*, se construit avec le datif : **jemandem für etwas danken**, *remercier quelqu'un de quelque chose* ; **Ich danke Ihnen für Ihre Hilfe**, *Je vous remercie de votre aide*.

***

Corrigé de l'exercice 1

❶ Après la mort de son père, Louis II devint roi de Bavière à l'âge de *(avec)* 18 ans. ❷ [Il] est écrit dans le journal que les ministres sont en désaccord au sujet des horaires de travail. ❸ Après avoir visité le château, ils se promenèrent dans le parc *(du château)*. ❹ Que pouvons-nous faire pour vous ? Nous vous devons tant ! ❺ Je vous conseille de ne pas aller dans ce château à minuit.

83   Übung 2 – Ergänzen Sie bitte!

❶ Réfléchissez un moment avant de répondre ; prenez *(vous)* [votre] temps.

.... einen Moment ...., ... Sie antworten; .... Zeit.

❷ Il nous a conseillé d'aller visiter les châteaux de Louis II.

Er hat ... geraten, ... von Ludwig dem Zweiten .. ..•

❸ Il nous reste trois heures avant que notre train ne parte.

.. .. uns drei Stunden .... unser Zug abfährt.

Louis II de Bavière, le roi des châteaux de contes de fées devint roi à l'âge de 18 ans, après la mort soudaine de son père Maximilien II. Il règna pendant 22 ans, jusqu'en juin 1886, où il mourut mystérieusement noyé avec son médecin psychiatre, deux jours après avoir été déclaré fou et destitué du pouvoir au profit de son oncle Léopold. Bien peu de rois ont autant que lui enflammé les imaginations et suscité de controverses. Sa personnalité singulière offusquait les conservateurs de son entourage. On lui reprochait, entre autres, de ne s'être jamais marié, de préférer vivre la nuit, de détester les cérémonies officielles, aimant l'art plus que tout, mais surtout d'avoir contracté d'énormes dettes pour construire ses châteaux – c'est du moins ce que l'on disait. En vérité, il n'avait pas plus de dettes que d'autres souverains ou que les gouvernements d'aujourd'hui...
Le premier château qu'il fit construire mais qui n'a jamais été terminé, est Neuschwanstein. Seules 15 des quelques 200 pièces

④ Je te conseille absolument d'y aller, au cas où tu t'intéresses à l'Histoire.

… …… … unbedingt …… zu gehen,
… … du dich für Geschichte …………

⑤ Après avoir fait beaucoup de dettes, Richard Wagner eut la grande chance de faire la connaissance de Louis II.

Nachdem er …… gemacht hatte,
hatte Richard Wagner … …… ……,
Ludwig den Zweiten …… zu ……

Corrigé de l'exercice 2

❶ Denken Sie – nach, bevor – nehmen Sie sich – **❷** – uns – die Schlösser – zu besichtigen **❸** Es bleiben – bevor – **❹** Ich rate dir – dorthin – falls – interessierst **❺** – viele Schulden – das große Glück – kennen – lernen

prévues ont été aménagées ! Les travaux de Neuschwanstein à peine commencés, Louis II décida, après une visite à Versailles, de construire son propre Versailles. Cette réplique fut réalisée avec le château Herrenchiemsee – sur le lac de Chiemsee, le plus grand lac de Bavière. En tout, Louis II y séjourna à peine une semaine ! Il rêva ensuite d'un palais byzantin, mais fit construire à la place une "villa royale", nommée Linderhof. C'est le seul château qui a été achevé de son vivant, et où il ait réellement habité. Si lui-même n'a pas vraiment profité de ses châteaux, des dizaines de millions de visiteurs s'en émerveillent aujourd'hui. Nous vous souhaitons de vous trouver parmi eux bientôt !

Deuxième vague : 34ᵉ leçon

Wiederholung – Révision

1   Les prépositions avec l'accusatif ou/et le datif

Il y a des prépositions qui régissent toujours le même cas, de sorte que l'on n'a aucune question à se poser :

• entraînent toujours l'accusatif :
bis, *jusqu'à*, **durch**, *à travers*, **für**, *pour*, **gegen**, *contre*, **ohne**, *sans*, **um**, *autour* ;

• entraînent toujours le datif : **aus**, *de*, **bei**, *chez*, **mit**, *avec*, **nach**, *après/à*, **seit**, *depuis*, **von**, *de/par*, **zu**, *vers/chez*.

Malheureusement, c'est un peu plus compliqué pour toutes les autres prépositions, qui entraînent soit l'accusatif soit le datif suivant leur emploi :

– employées comme prépositions de lieu **an**, *contre/au bord de*, **auf**, *sur*, **hinter**, *derrière*, **in**, *dans*, **neben**, *à côté*, **über**, *au-dessus*, **unter**, *en dessous*, **vor**, *devant*, **zwischen**, *entre*, régissent l'accusatif, pour indiquer un endroit où l'on va, et le datif pour un endroit où l'on est (leçon 49, § 4).
Die Fliege fliegt auf den Apfel, *La mouche va se poser* (vole) *sur la pomme* (elle va *vers* la pomme),
Die Fliege sitzt auf dem Apfel, *La mouche est posée* (assise) *sur la pomme* (elle y *est* déjà).

Notez bien que la question n'est pas de savoir s'il y a mouvement ou non. On emploie l'accusatif pour préciser un endroit à atteindre en répondant à la question **Wohin?** (Vers) *où ?*, et le datif pour un endroit déjà atteint, en répondant à la question **Wo?** *Où ?* :
Die Fliege geht auf dem Apfel spazieren, *La mouche se promène sur la pomme*. (Elle se déplace mais elle est déjà sur la pomme. La question sera donc **Wo geht sie spazieren?**, et non **Wohin?**).

– Employées avec un sens temporel (répondant à la question **Wann?** *Quand ?*) **an**, *à*, **vor**, *avant*, **in**, *dans/pendant* et **zwischen**, *entre*, entraînent le datif :
An deinem Geburtstag machen wir ein großes Fest, *À ton anniversaire, nous allons faire une grande fête.*
Vor den Ferien ist kein Termin mehr frei, *Avant les vacances il n'y a plus de rendez-vous* (libre).
Im Oktober fahren wir nach Berlin, *En octobre nous irons à Berlin.*
Zwischen den Osterferien und Pfingsten liegen viele Feiertage, *Entre les vacances de Pâques et la Pentecôte, il y a beaucoup de jours fériés.*

– Accompagnant un verbe, **vor** s'emploie toujours avec le datif, et **über** toujours avec l'accusatif, mais **an, auf, in**, entraînent l'accusatif ou le datif. Faites donc bien attention à la préposition exigée par un verbe, ainsi qu'au cas qui la suit :
Erinnerst du dich an ihn? (accusatif), *Te souviens-tu de lui ?*
Natürlich, ich hänge an ihm (datif), *Bien sûr, je tiens à lui.*

Le paragraphe suivant vous aidera à enregistrer certains verbes avec leurs prépositions et le cas qu'elles régissent… !

2   Les verbes avec prépositions

Voici les verbes que nous avons rencontrés jusqu'ici. Attention, l'utilisation de la préposition et du cas qui l'accompagne sont impératifs :
attendre, **warten auf** (+ acc.) : **Warten Sie auf mich!** *Attendez-(sur) moi !*
rêver de, **träumen von** (+ dat.) : **Sie träumen von dem Meer**, *Ils rêvent de la mer.*

se souvenir de, **sich erinnern an** (+ acc.) : **Erinnern Sie sich an Herrn Schwab?** *Vous souvenez-vous de M. Schwab ?*

s'occuper de, **sich kümmern um** (+ acc.) : **Er kümmert sich um alles,** *Il s'occupe de tout.*

s'intéresser à, **sich interessieren für** (+ acc.) : **Interessieren Sie sich für Musik?** *Vous intéressez-vous à [la] musique ?*

arrêter / en finir ("avec"), **aufhören mit** (+ dat.) : **Hört mit eurem Quatsch auf!** *Arrêtez* ("avec") *vos bêtises !*

poser sa candidature, **sich bewerben um** ou **für** (+ acc.) : **Er hat sich um/für eine neue Stelle beworben,** *Il a posé sa candidature pour un nouveau poste.*

parler de, **sprechen von** (+ dat.) ou **über** (+ acc.) : **Sie sprechen immer von der/über die Arbeit,** *Ils parlent toujours du travail.*

penser à, **denken an** (+ acc.) : **Denken Sie an uns!,** *Pensez à nous !*

demander qqch., **fragen nach** (+ dat.) : **Fragen wir jemanden* nach der Adresse!,** *Demandons* ("après") *l'adresse [à] quelqu'un !*

* Rappelez-vous que la personne à laquelle on demande est à <u>l'accusatif</u> en allemand !

Mais nous avons également rencontré le pronom adverbial formé avec **da** (ou **dar** avant une voyelle) + la préposition exigée par le verbe qui remplace une chose :
Du träumst vom Meer? Ich träume auch davon, *Tu rêves de la mer ? J'en rêve aussi* ("de cela").
Ich erinnere mich gut an den Garten der Großeltern. Erinnerst du dich auch daran?, *Je me souviens bien du jardin des grands-parents. Tu t'en souviens aussi ?*
Er interessiert sich für Autos. Dafür interessiere ich mich gar nicht, *Il s'intéresse aux voitures.* ("À cela") *Je ne m'y intéresse pas du tout.*

En revanche, le pronom adverbial ne peut se substituer à une personne :
Sie kümmert sich nicht allein um ihren Sohn, ihre Mutter kümmert sich auch um ihn, *Elle ne s'occupe pas seule de son fils, sa mère s'en occupe aussi* ("de lui").

Assez des prépositions ! Il nous reste encore un point à aborder.

Rappelez-vous d'abord que les conjonctions de subordination introduisent une subordonnée et renvoient en général le verbe conjugué à la fin de la subordonnée. En revanche, avec une conjonction de coordination (**und**, *et*, **aber**, *mais*, **oder**, *ou*, **denn**, *car*), le verbe conjugué garde sa deuxième position.

3.1 Quelques conjonctions de temps

• **Bevor**, *avant que*, et **nachdem**, *après que*, s'emploient avec un verbe conjugué ; ils ne peuvent en aucun cas se construire avec un infinitif, comme le français "après" et "avant de" :
Bevor wir das Schloss besichtigen, können wir einen Spaziergang im Park machen, *Avant de visiter le château, nous pouvons faire une promenade dans le parc.*
Nachdem sie das Schloss besichtigt hatten*, gingen sie essen, *Après avoir visité le château, ils allèrent manger.*

* Voici le plus-que-parfait. Comme en français, il se fait avec les auxiliaires **haben**, *avoir*, ou **sein**, *être*, au prétérit + le participe II. Avec **nachdem**, on emploie souvent le plus-que-parfait dans la subordonnée, et le prétérit dans la principale, car il s'agit de deux actions au passé, dont l'une précède l'autre.

• **Bis**, *jusqu'à ce que*, et **seit** (ou **seitdem**), *depuis que*, sont des conjonctions, mais **bis** (+ acc.), **bis zu** (+ dat.) et **seit** (+ dat.) s'emploient également comme prépositions : *jusqu'à* et *depuis*.
Wir warten hier, bis der Regen aufhört, *Nous attendons ici* ("jusqu'à ce") *que la pluie s'arrête.*
Sie müssen bis nächstes Jahr warten, *Vous devez attendre jusqu'à l'année prochaine.*
Bis zur Raststätte sind es noch 10 km, *Jusqu'à l'aire de repos il y a encore 10 km.*
Seit(dem) sie mit ihm zusammen ist, hat sie sich sehr verändert, *Depuis qu'elle est avec lui* ("ensemble"), *elle a beaucoup changé.*

84   **Seit wann arbeiten Sie in diesem Unternehmen?**, *Depuis quand travaillez-vous dans cette entreprise ?*
Seit dem 1. Januar, *Depuis le 1er janvier.*

• **Sobald**, *dès que*, s'emploie volontiers avec le présent, car, comme nous l'avons déjà constaté plus d'une fois, le présent peut souvent remplacer le futur en allemand :
Sobald eine Stelle in unserem Unternehmen frei ist, stellen wir Sie ein, *Dès qu'un poste sera ("est") libre dans notre entreprise, nous vous emploierons.*

3.2 Quelques conjonctions exprimant la cause

• **weil**, *parce que*, et **da**, *puisque, comme*
Weil répond, en général, à la question **warum?**, *pourquoi ?* alors que **da** traduit une explication assez évidente :
Warum bleibt ihr zu Hause? – Weil draußen ein Sauwetter ist, *Pourquoi restez-vous à la maison ? – Parce qu'il fait ("est") un temps de cochon dehors.*
Da ein Sauwetter ist, bleiben wir zu Hause, *Comme il fait un temps de cochon, nous restons à la maison.*

• **denn**, *car*, n'implique pas le rejet du verbe conjugué :
Ludwig II. war der Mäzen von Richard Wagner, denn er liebte seine Opern, *Louis II était le mécène de Richard Wagner, car il adorait ses opéras.*
Notez que **denn** introduit une explication apportée à une proposition faite auparavant, et qu'il peut être remplacé par l'adverbe **nämlich**. Mais attention, **nämlich** ne se trouve jamais en première position :
Ludwig II. war der Mäzen von Richard Wagner. Er liebte nämlich seine Opern, *Louis II était le mécène de Richard Wagner, car il adorait ses opéras* ("Il aimait, en effet, ses opéras").

Notez que **obwohl** et **damit** s'emploient avec l'indicatif en allemand !

Obwohl er Karriere gemacht hat, scheint er nicht zufrieden zu sein, *Bien qu'il ait* ("a") *fait carrière, il n'a pas l'air* ("d'être") *satisfait*.

Damit wir uns besser kennen lernen, möchte ich Sie ins Restaurant einladen, *Pour que nous nous connaissions* ("apprenons connaître") *mieux, je voudrais vous inviter au restaurant*.

• **damit** peut être remplacé par **dass** (ou **so dass**) dans une subordonnée finale : *de façon* ("à ce") *que, de sorte que* :
Fahren Sie schneller, (so) dass wir ankommen, bevor es dunkel wird, *Conduisez plus vite, pour que nous arrivions* ("de manière que nous arrivons") *avant la tombée de la nuit* ("il ne fait sombre").

Lorsque le sujet est le même dans la proposition et la subordonnée, on peut remplacer **damit** par **um... zu** :
Was kann man tun, <u>damit man schnell Deutsch lernt?</u> = ..., **um schnell Deutsch zu lernen?**, *Que peut-on faire pour vite apprendre l'allemand ?*

Que penseriez-vous, pour joindre l'utile à l'agréable, de mettre à profit vos nouvelles connaissances dans le dialogue de révision qui suit ?

Mittagspause

1 – Mahlzeit! Ist hier noch ein Platz frei?

2 – Sicher, setz dich, Johannes! Ich freue mich, dich wieder zu sehen.

3 – Nicht möglich, Thomas, du bists! Ich habe dich nicht wieder erkannt.

4 – Das ist verständlich, seit Abschluss des Studiums haben wir uns nicht mehr gesehen!

5 – Ja, seit mehr als fünfzehn Jahren! Mensch, erzähl mal, was machst du?

6 – Ich arbeite immer noch für das Unternehmen, bei dem ich schon damals während des Studiums angestellt war, und du?

7 – Ich habe mich selbstständig gemacht.

8   Sag mal, ist das dein Magen oder meiner, der so knurrt?

9 – Das ist deiner, der knurrte damals schon immer, wenn du Hunger hattest.

10 – Ja, ich muss unbedingt was essen.

11   Aber erzähl mal weiter, was machen die anderen Studienkollegen? Bachmann, Busch, Schwab?

12 – Bachmann ist noch ganz der Alte, man weiß nie, ob er genial oder einfach verrückt ist,

13   von Busch und Schwab habe ich leider schon lange nichts mehr gehört.

14 – Und Katrin? Erinnerst du dich an sie? Wie war doch ihr Nachname?

15 – Ziegler.

16 – Natürlich, Ziegler, du warst der einzige unter uns, der sich nicht für sie interessierte.

17   Ich dagegen habe oft an sie gedacht.

[La] pause de midi

1 Bon appétit *(repas)* ! Est-ce qu'il y a encore une place libre ici ?
2 Certainement, assieds-toi, Johannes ! Je suis content de te
revoir. **3** C'est pas vrai *(pas possible)*, Thomas, c'est toi ! Je ne
t'avais pas reconnu. **4** Ça se comprend, nous ne nous sommes plus
vus depuis la fin de [nos] études. **5** Oui, depuis plus de quinze
ans ! *(Homme)* Alors raconte, que fais-tu ? **6** Je travaille toujours
pour l'entreprise dans *(chez)* laquelle j'ai été employé pendant les
études, et toi ? **7** Je me suis mis à mon compte *(fait indépendant)*.
8 Mais dis[-moi], est-ce ton estomac ou le mien qui fait ces bruits ?
9 C'est le tien, déjà autrefois il gargouillait toujours quand tu avais
faim. **10** Oui, il faut absolument que je mange quelque chose.
11 Mais continue à raconter, que font nos autres copains d'études ?
Bachmann, Busch, Schwab ? **12** Bachmann est toujours *(encore)*
le même *(l'ancien)*, on ne sait jamais s'il est génial ou simplement
fou, **13** de Busch et de Schwab, je n'ai malheureusement plus de
nouvelles depuis longtemps *(plus rien entendu)*. **14** Et Katrin? Tu
te souviens d'elle ? Comment [c']était, déjà, son nom de famille ?
15 Ziegler. **16** [Mais oui], bien sûr, Ziegler, tu étais le seul d'entre
nous à ne pas t'intéresser à elle. **17** Moi, en revanche, j'ai souvent
pensé à elle.

18 Schade, die verlorene Zeit kann man nicht aufholen.

19 Na ja, sie hat sich sicher inzwischen verändert, ist dicker geworden...

20 – Das finde ich eigentlich nicht.

21 – Warum? Siehst du sie noch?

22 – Jeden Tag... Katrin und ich sind verheiratet und haben eine Tochter.

23 Komm uns doch mal besuchen, wenn du Zeit hast.

24 Katrin wird sich freuen, dich wieder zu sehen.

---

85 Fünfundachtzigste Lektion

Wie wird das Frühstücksei gegessen ①? (Benimmregeln ② zum Köpfen eines weichen Eies)

1 Das Problem mag Ihnen lächerlich erscheinen, aber – glauben Sie uns – es ist todernst.

Prononciation
... *fru:-chtuks-aï* ... *bëni'm-ré:g'ln* ... *keupf'n* ... *vaïçh'n aï's*
1 ... *to:t-èrnst*

Notes

① Voici enfin le passif ! Et notamment le passif d'action, qui se forme avec le participe II d'un verbe accompagné de l'auxiliaire **werden** – contrairement au passif d'état, où le verbe est accompagné de l'auxiliaire **sein**. **Das Ei wird gegessen** (litt. ▶

18 Dommage, on ne peut pas rattraper le temps perdu. **19** Bah, entre-temps, elle a sûrement changé, grossi… **20** En fait, je ne trouve pas. **21** Pourquoi ? Tu la vois encore ? **22** Tous les jours… Katrin et moi sommes mariés, et nous avons une fille. **23** Mais viens nous rendre visite quand tu auras le temps. **24** Katrin sera ravie de te revoir.

Wir werden uns freuen, Sie morgen wieder zu treffen!
Nous serons ravis de vous retrouver demain !

Deuxième vague : 35ᵉ leçon

Quatre-vingt-cinquième leçon 85

Comment mange-t-on *(devient)* l'œuf du petit-déjeuner *(mangé)* ?
(Règles de savoir-vivre pour la "décapitation" d'un œuf à la coque)

1 Le problème peut vous paraître ridicule, mais – détrompez-vous *(croyez-nous)* – il est très sérieux *(mort-sérieux)*.

▸ "L'œuf *devient* mangé") exprime donc une action en train de se faire : "l'œuf est en train d'être mangé". Le français préfère généralement traduire ce passif d'action par la voix active avec "on" : *on mange l'œuf*.

② Dans **der Benimm**, synonyme de **die (guten) Manieren**, *le savoir-vivre*, *les (bonnes) manières*, nous retrouvons l'impératif singulier du verbe **sich benehmen**, *se comporter*, *se tenir [bien]* : **Benimm dich!** *Tiens-toi [bien]* !

2 Durch **schlech**te Mani**e**ren kann **näm**lich e**i**ne Karri**e**re bru**tal** bee**n**det **wer**den ③ – **o**der das **Ge**genteil!

3 **Stel**len Sie sich zum **Bei**spiel vor, Sie be**glei**ten **Ih**ren **neu**en Chef auf **ei**ner Ge**schäfts**reise.

4 Am **Mor**gen **kom**men Sie na**tür**lich **pünkt**lich zum **Früh**stück, wie es sich ge**hört** ④,

5 und da steht es di**rekt** vor **Ih**nen: das **Früh**stücksei!

6 Für **ei**nen **Au**genblick **se**hen Sie das **strah**lende Ge**sicht** **Ih**res **Soh**nes vor sich, als er das **let**zte Mal beim „**Ei**eraufschlagen" ⑤ ge**won**nen hat.

7 Die **Spiel**regeln sind **ein**fach: die **Ei**er **wer**den gegen**ei**nander ge**schla**gen ⑥,

8 und **der**jenige ⑦, **des**sen Ei zu**erst** ka**putt** geht ⑧, hat ver**lo**ren.

---

*2 … ma**ni**:rën … brou**ta:l** bë'**èn**dët … 6 … **chtra:**lëndë … **zo:**n's … **aï**ª-aoufchlag'n … 8 … **dé:**ª-yé:niguë … ka**pout** …*

Notes

③ **beendet werden**, *être terminé*, est l'infinitif passif du passif d'action.

④ Il s'agit de l'expression **das gehört sich**, *cela se fait*, *c'est convenable*, qui s'est beaucoup éloignée du verbe **gehören**, *appartenir*.

⑤ Le pluriel de **das Ei** est **die Eier**, *les œufs*. **Eier aufschlagen**, *casser des œufs*, pris substantivement, s'écrit en un seul mot : **das Eieraufschlagen** (litt. "l'ouverture des œufs"). Il s'agit ▶

2 En effet, par manque de savoir-vivre *(mauvaises manières)* une carrière peut être brutalement interrompue *(arrêtée)* – ou l'inverse *(le contraire)* !

3 Imaginez par exemple [que] vous accompagnez votre nouveau patron en voyage d'affaires.

4 Le matin, vous arrivez naturellement à l'heure au petit-déjeuner, comme il se doit,

5 et le voici *(là est il)*, juste devant vous : l'œuf du petit-déjeuner !

6 Pendant *(pour)* un instant, vous vous représentez *(voyez)* le visage rayonnant de votre fils *(devant vous)* lorsqu'il a gagné au [jeu de] cassage des œufs la dernière fois.

7 Les règles du jeu sont simples : on frappe les œufs l'un contre l'autre,

8 et celui dont l'œuf se casse en premier a perdu.

en fait d'une ouverture peu tendre : en effet, **aufschlagen** se compose du verbe **schlagen**, *frapper*, *battre*, précédé de la particule **auf**, qui indique l'ouverture (cf. **aufmachen**, *ouvrir*).

⑥ Voici un passif au pluriel : **die Eier werden gegeneinander geschlagen**, (litt. "les œufs deviennent frappés l'un contre l'autre").

⑦ Le pronom **derjenige**, *celui*, ne s'emploie que lorsqu'il est suivi par un pronom relatif : **derjenige, der…**, *celui qui…* Les pronoms **der**, **die**, **das** remplacent souvent **derjenige**, **diejenige**, **dasjenige**.

⑧ **kaputt gehen**, *se casser*, exprime l'action. Pour décrire l'état, on dit **kaputt sein**, *être cassé*. Même d'un homme, on peut dire **er geht kaputt** / **er ist kaputt**, *il s'épuise* / *il est épuisé*.

9 Doch, **Him**mel, wie wird das **wei**che Ei **an**ständig ge**ges**sen?
(Fortsetzung folgt) □

9 ... a'nchtèndiçh ...

***

Übung 1 – Übersetzen Sie bitte!

❶ Es mag dir lächerlich erscheinen, aber so sind die Regeln. ❷ Er wird nicht eingeladen, er hat wirklich keine Manieren. ❸ Stellen Sie sich vor, Sie haben im Lotto gewonnen! ❹ Wie werden Krabben gegessen, wissen Sie das vielleicht? ❺ Das Problem mit Eiern ist, dass sie leicht kaputt gehen.

Übung 2 – Ergänzen Sie bitte!

❶ Voulez-vous un œuf à la coque pour le petit-déjeuner ?
– Volontiers, mais pas trop mollet, s'il vous plaît.
Möchten Sie . . . . zum Frühstück?
– Gern, ... nicht zu . . . . . , bitte.

❷ Je trouve [les] règles de savoir-vivre ridicules, mais beaucoup de gens croient aux bonnes manières.
Ich finde . . . . lächerlich, aber viele
Leute . . . . an . . . .

❸ Quand je suis en voyage d'affaires avec mes collègues, on rigole beaucoup *(devient beaucoup rigolé)*.
Wenn ich mit meinen Kollegen . . .
. . . . bin, ... viel . . . .

9   Mais, mon Dieu *(ciel)*, comment mange-t-on   85
l'œuf à la coque convenablement ?
(À suivre)

***

Corrigé de l'exercice 1

❶ Cela peut te paraître ridicule, mais les règles sont ainsi. ❷ On ne l'invite pas, il n'a vraiment aucun savoir-vivre. ❸ Imaginez [que] vous avez gagné au loto ! ❹ Comment mange-t-on les crabes, peut-être le savez-vous ? ❺ Le problème avec les œufs, [c'est] *(est)* qu'ils se cassent facilement.

❹ Ceux qui n'arrivent pas à l'heure n'auront *(ont)* rien à manger.

. . . . , . . . nicht . . . . kommen,
kriegen nichts . . . .

❺ Les règles du jeu sont toutes simples : toutes les cartes doivent être jouées.

. . . . sind ganz . . . . : alle
Karten müssen . . . .

Corrigé de l'exercice 2

❶ – ein weiches Ei – aber – weich – ❷ – Benimmregeln – glauben – gute Manieren ❸ – auf Geschäftsreise – wird – gelacht ❹ Diejenigen, die – pünktlich – zu essen ❺ Die Spielregeln – einfach – gespielt werden

La cuisson de l'œuf du petit-déjeuner est à prendre au sérieux en Allemagne : **das weiche Ei** *ou* **das weichgekochte Ei**, *l'œuf à la coque (litt. "œuf mou" ou "œuf mollement cuit"), s'oppose à l'œuf dur qui se dit* **hartes Ei** *ou* **hartgekochtes Ei**. *À chacun sa cuisson idéale ! En famille comme dans les bons hôtels, on vous demande votre préférence de cuisson : trois minutes, trois minutes et demie ou quatre minutes... Mais non, détrompez-vous,* **das ist wirklich nicht lächerlich,** *c'est loin d'être ridicule ! Vous a-t-on déjà servi un filet bien cuit lorsque vous l'aviez demandé à point ?*

Deuxième vague : 36ᵉ leçon

---

86 Sechsundachtzigste Lektion

Wie wird das Frühstücksei gegessen? (Fortsetzung)

1 Zehn Mi**nu**ten **spä**ter zeigt Ihr Chef **im**mer noch **kei**nerlei ① **Ab**sicht, sein Ei **es**sen zu **wol**len.

2 Er scheint **kei**ne **Ei**er zu **mö**gen, **scha**de!

3 Sie ent**schei**den, auch auf Ihr Ei zu ver**zich**ten.

4 Doch **plötz**lich fällt Ihr Blick auf die **vor**nehme **Da**me am **Nach**bartisch, die ge**ra**de ② ihr Ei isst!

Prononciation
1 ... *kaïnërlaï* **ap**zi*çht* ... **3** ... *fèr***tsich**tën **4** ... **fo:**ᵃné:më ...
nacHba:ᵃ-tich ...

Quatre-vingt-sixième leçon 86

Comment mange-t-on l'œuf du petit-déjeuner ? (Suite)

1 Dix minutes plus tard, votre patron ne montre toujours pas la moindre intention de vouloir manger son œuf.

2 Il semble ne pas aimer les œufs, dommage !

3 Vous décidez de renoncer également à *(sur)* votre œuf.

4 Mais soudain votre regard tombe sur la dame distinguée à la table à côté *(voisine)* qui est justement en train de manger son œuf !

Notes

① **keinerlei**, *pas la* (*le, le/*neutre) *moindre*, est invariable.

② **gerade**, *juste, justement*, avec un verbe au présent traduit "être en train de" : **das Auto wird gerade repariert**, (litt. "la voiture devient juste réparée"), *on est en train de réparer la voiture*.

5   **Zuerst** wird von ihr ③ die **Scha**le mit dem **Ei**erlöffel **rund**herum **auf**geschlagen,

6   dann wird **vor**sichtig das **Ei**hütchen **ab**gehoben ④,

7   es ⑤ wird ein **biss**chen Salz da**rauf** ge**streut** und…

8   Das **Was**ser läuft **Ih**nen im Mund zu**sam**men, **gie**rig **grei**fen ⑥ Sie nach **Ih**rem Ei…

9   **A**ber da hält Sie im **letz**ten Mo**ment** Ihr Chef zu**rück**, in**dem** ⑦ er sagt:

10   „**War**ten Sie, Herr **Schnei**der! **Las**sen Sie ⑧ uns „**Ei**eraufschlagen" **spie**len!

11   **Wis**sen Sie, ich **pfei**fe ⑨ auf **Knig**ge und **sei**ne Be**nimm**regeln.

12   Ich **lie**be **die**ses Spiel und ich **war**ne Sie, ich ge**win**ne **i**mmer!"   ☐

---

*5 … cha:lë … aï*ª*-leuf'l … 6 … fo*ª*ziçtiçh … aï-<u>h</u>utçh'n ap'gue<u>h</u>o:bën 7 … zalts … guëchtro*ï*t … 8 … vass*ª *lo*ï*ft …*

Notes

③ Au passif, le complément d'agent par qui l'action est faite, est introduit par la préposition **von** (+ datif) : **Von wem wird die Schokolade gegessen?** (litt. "Par qui…"), *Qui mange le chocolat ?* ; **Die Schokolade wird von den Kindern gegessen**, *Les enfants mangent le chocolat* (litt. "le chocolat *(devient)* est mangé par les enfants").

④ La particule **ab** indique souvent un détachement. Ainsi **heben**, tout seul, signifie *lever, soulever* : **er hebt den Arm**, *il lève le bras*, alors que **abheben** signifie *ôter, enlever*.

⑤ Toutes les formes passives peuvent être introduites par **es**. Il ne s'agit pas d'un sujet, le vrai sujet étant **ein bisschen Salz**, *un peu de sel* ; on aurait pu dire **ein bisschen Salz wird daraufgestreut**, *un peu de sel y est saupoudré*.

5 D'abord, elle casse la coquille *("devient" par elle cassée...)* avec la [petite] cuillère *(à œuf)* tout autour,

6 puis elle enlève avec précaution *("devient" enlevé)* le *(petit)* chapeau de l'œuf,

7 elle y met *(il "devient" saupoudré)* un peu de sel et…

8 L'eau vous monte *(se rassemble dans)* à la bouche, avidement vous voulez saisir *(saisissez d'après)* votre œuf…

9 Mais là, au dernier moment, votre patron vous retient en disant :

10 "Attendez, Monsieur Schneider ! Jouons *(laissez nous)* à 'casser les œufs' *(jouer)* !

11 Vous savez, je me moque de Knigge et de ses règles de savoir-vivre.

12 J'adore ce jeu, et je vous préviens, je gagne toujours !"

*gui:*riç *gra*ïf'n … **11** … *pfa*ïfë … *kni*guë … **12** … *var*në …

⑥ **etwas greifen**, *saisir quelque chose*, mais **nach etwas greifen** se traduit par *chercher à / vouloir saisir quelque chose*, car **nach** indique, comme d'habitude, un mouvement vers quelque chose. Ce qu'illustre bien l'expression **nach den Sternen greifen**, *chercher à saisir les étoiles*, c'est-à-dire "viser haut".

⑦ **indem** est une conjonction exprimant une simultanéité ou un moyen, qui se traduit souvent par le participe présent en français : **Er warnt seinen Freund, indem er dreimal pfeift**, *Il prévient son ami en sifflant trois fois*.

⑧ L'impératif de la 1ʳᵉ personne du pluriel se fait soit en inversant le sujet et le verbe : **Essen wir!**, *Mangeons !*, soit avec l'impératif de **lassen** : **Lass uns essen!** (litt. "Laisse-nous manger !"), ou, en s'adressant à plusieurs personnes : **Lasst uns essen!** (tutoyé) et **Lassen Sie uns essen!** (politesse).

⑨ **pfeifen, pfiff, gepfiffen**, *siffler*, mais **auf etwas pfeifen**, *s'en ficher, s'en moquer* : **ich pfeife darauf**, *je m'en moque*.

vierhundertsechsundsiebzig • 476

Übung 1 – Übersetzen Sie bitte!

❶ Entschuldigen Sie bitte, ich hatte keinerlei Absicht zu gewinnen. ❷ Gierig greift er noch einmal nach der Flasche, aber er wird von seinen Freunden zurückgehalten. ❸ Wenn man die Absicht hat, ein paar Worte zu sagen, wird mit dem Löffel an ein Glas geschlagen. ❹ Zuerst werden die Spaghettis genommen, dann die Tomatensoße, und zuletzt wird Käse daraufgestreut. ❺ Mach das nicht noch einmal oder ich vergesse meine guten Manieren.

Übung 2 – Ergänzen Sie bitte!

❶ Je n'avais pas la moindre intention d'acheter quelque chose, lorsque soudain, j'ai vu ce pull-over.

Ich hatte . . . . etwas zu

kaufen, als ich . . . . diesen Pullover

. . . .

❷ Mon voisin semble ne pas aimer ses chiens, ils se font souvent frapper *(par lui)*.

Mein Nachbar . . . . seine Hunde nicht . .

. . . . . , sie werden oft . . . . . . geschlagen.

❸ Soudain, la police est arrivée, mais Thomas nous a avertis en sifflant [très] fort.

. . . . ist die Polizei gekommen, aber

Thomas . . . uns . . . ., ... er laut

. . . .

❹ Avec précaution, elle regarde vers la table voisine où est assise la dame distinguée.

. . . . sieht sie . . . . ,

wo . . . . sitzt.

❶ Excusez-[moi], je n'avais pas la moindre intention de gagner.
❷ Avidement, il cherche encore une fois à saisir la bouteille,
mais il est retenu par ses amis. ❸ Quand on a l'intention de dire
quelques mots, on frappe avec la cuiller sur un verre. ❹ D'abord
on prend les spaghettis, puis la sauce tomate, et enfin on y met du
fromage. ❺ Ne le fais pas *(encore)* une fois de plus, ou j'oublie mes
bonnes manières.

❺ L'eau m'est montée à la bouche, mais j'ai décidé de renoncer au
chocolat.

... . ist mir .. .... zusammengelaufen,
aber ich habe entschieden, ... die Schokolade
.. ..

Corrigé de l'exercice 2

❶ – keinerlei Absicht – plötzlich – gesehen habe ❷ – scheint – zu
mögen – von ihm – ❸ Plötzlich – hat – gewarnt, indem – gepfiffen
hat ❹ Vorsichtig – nach dem Nachbartisch – die vornehme Dame –
❺ Das Wasser – im Mund – auf – zu verzichten

Freiherr Adolf (von) Knigge, die Referenz für gute Manieren, Baron Adolf (de) Knigge, la référence du savoir-vivre. *Lorsque les manières de quelqu'un laissent à désirer, on dit simplement :* **er hat Knigge nicht gelesen** – *il n'a pas lu Knigge –, et tout le monde comprend que cela veut dire "il est mal élevé". Cependant, le pauvre baron Knigge (1751-1796) se retournerait dans sa tombe s'il savait que son nom est devenu une sorte de référence, un synonyme de "la bible des bonnes manières", car contrairement à ce que beaucoup d'Allemands croient, il ne s'est jamais intéressé aux questions d'étiquette et de savoir-vivre. Certes, le livre qui a fait sa réputation s'intitule* **Über den Umgang mit dem Menschen** *(*Du commerce des hommes*), mais on n'y apprend nullement comment il faut manger correctement, ni si l'on doit porter des chaussettes blanches avec son costume... Knigge donnait en fait des conseils concernant les relations entre les hommes, souhaitant ainsi aider les gens du peuple à mieux tenir tête aux aristocrates qu'il critiquait fortement (il avait d'ailleurs supprimé la particule de noblesse* **von**, de, *de son nom de famille).*

87 Siebenundachtzigste Lektion

Willkommen auf der Wies'n ①!

1 – Sieh da! Hier in der **Zei**tung steht **ei**n Be**rich**t **ü**ber das Ok**t**oberfest.
2 Das **We**tter soll ② schon **lan**ge nicht mehr so schön ge**we**sen sein.

Prononciation
… *vi:z'n* **1** … *bĕri**ç**ht* …

Notes

① **die Wies'n** est l'abréviation munichoise de **die Theresienwiese**, *la prairie de Thérèse*. Il s'agit de l'endroit où se déroule la fête de la bière tous les ans en octobre depuis 1810, date du mariage ▶

Comment une telle confusion a-t-elle pu se produire ? La réponse **87**
est simple. Son livre – qui avait remporté un grand succès dès sa
parution en 1788 – a été réécrit au XIXe siècle par un pasteur, dont
l'intention était de dicter aux gens des règles de bonnes conduites…
et ça a marché ! Ce n'est qu'en 1999, lors de la réédition de la pre-
mière version, l'authentique, que l'on a pu découvrir la "tricherie".
Mais c'était trop tard ! Depuis longtemps on trouve des "Knigge"
sur tout : si vous voulez partir en vacances, on vous conseille de
*consulter l'***Urlaubsknigge** *("guide de vacances") ; pour bien*
écrire vos lettres de motivation, le **Bewerbungsknigge** *("b.a.-ba*
des candidatures"), le **Flirtknigge** *("l'art du flirt") – qui augmen-*
tera peut-être vos chances auprès de la personne choisie –, etc.

Deuxième vague : 37e leçon

Quatre-vingt-septième leçon   87

Bienvenue dans la "prairie" !

1 – Tiens ! Dans le journal il y a *(est debout)* un
article *(rapport)* sur la fête de la bière *(octobre-
fête)*.
2   On dit qu'il n'avait *(plus)* pas fait aussi beau
depuis des années *(déjà longtemps)*.

du prince héritier Louis – grand-père de Louis II – avec la
princesse Thérèse de Saxe-Hildbourghausen. Le titre aurait pu
être **Willkommen beim Oktoberfest**, *Bienvenue à la fête de
la bière* ("octobre-fête").

② **sollen**, *devoir*, s'emploie aussi pour rapporter ce que l'on a
entendu dire : **Es soll morgen regnen**, *J'ai entendu dire qu'il
va pleuvoir demain.*

3 „**Gäs**te und **Schau**steller **wur**den ③ beim Ok**to**berfest durch ein **traum**haftes **We**tter ver**wöhnt**", steht hier.

4 – **Da**von habe ich nichts ge**merkt**; als ich dort war, hat es **Bind**fäden ge**regnet** ④.

5 – Man kann nicht **im**mer Glück **ha**ben, aber **ra**te mal, wie **vie**le Per**so**nen da **wa**ren.

6 – **Kei**ne **Ah**nung ⑤, **meh**rere Milli**o**nen ver**mu**tlich.

7 – Ja, mehr als 6,5 (sechs **Ko**mma fünf) Milli**o**nen Be**su**cher sind aus der **gan**zen Welt ge**kom**men.

8 **Ins**gesamt **wur**den fast 6 Milli**o**nen Maß ⑥ Bier ge**trun**ken, und 350 000 (**drei**hundert**fünf**zig**tau**send) **Brat**hähnchen, 80 000 (**acht**zigtau**send**) **Schweins**haxen und 80 **O**chsen ge**ges**sen ⑦.

---

*3 guèstë … cha*ou-chtèl*ª … fèrveu:nt … 4 … guëmèrkt … bi'nt-fè:d'n … 6 … â:nouñg … milyô:nën fèrmou:tliç 7 … zèks koma fu'nf … 8 … bra:t-ḫè:nçh'n … oks'n …*

Notes

③ Comme le passif se fait avec **werden**, le prétérit du passif se fait avec le prétérit de **werden** ; c'est logique, n'est-ce pas ? **Er wird verwöhnt**, *il est gâté* ; **er wurde von seiner Mutter sehr verwöhnt**, *il était très gâté par sa mère*. (Remarquez que l'on dit **von seiner Mutter**, *par sa mère*, car il s'agit d'une personne, mais **durch das Wetter**, *par le temps*.)

④ **es regnet Bindfäden**, *il pleut des cordes*. **Der Faden**, *le fil*, et **der Bindfaden**, *la ficelle*.

⑤ **keine Ahnung** veut littéralement dire "aucune vague idée", **die Ahnung** étant *le pressentiment*, *la vague idée*, qui vient de **ahnen**, *pressentir*, *se douter de*.

3 "[Les] visiteurs *(hôtes)* et [les] exposants ont été gâtés par un temps de rêve pendant la fête de la bière", écrit-on *(ici)*.

4 – *(De cela)* Je n'ai rien remarqué de tel ; quand j'y suis allé *(étais)*, il pleuvait des cordes.

5 – On ne peut pas toujours avoir de la chance, mais devine combien de personnes y sont allées *(étaient)*.

6 – Aucune idée, plusieurs millions, vraisemblablement.

7 – Oui, plus de 6,5 millions de visiteurs sont venus du monde entier.

8 En tout, on a bu près de 6 millions de chopes de bière, et on a mangé 350 000 poulets rôtis, 80 000 jarrets de porc et 80 bœufs.

Willkommen auf der Wies'n!

⑥ Dans le sud de l'Allemagne, on dit **die Maß** pour une *chope de bière d'un litre*, mais en fait, **das Maß** signifie partout *la mesure, la dimension* : **Trinken Sie mit Maßen!**, *Buvez avec modération* ("avec mesure") !

⑦ Il s'agit des formes passives au prétérit : **... wurden... getrunken**, ... *ont été* ("devinrent") *bus*, et **... wurden ... gegessen**, ... *ont été* ("devinrent") *mangés*.

9 Und – na **so** was! – 168 000 (**hun**dert**acht**-
und**sech**zig**tau**send) Be**su**cher **ha**ben
ver**sucht** ⑧, **ei**nen **Bier**krug als Souve**nir**
mitgehen zu **la**ssen.

10 **A**ber der Krug **wur**de **ih**nen am **Bier**zelt-
Ausgang **ab**genommen.

11 Sag mal, wo**her** kommt **ei**gentlich der
Bierkrug, aus dem ich **trin**ke?

12 – Tja, wie du selbst ge**ra**de ⑨ ge**sagt** hast,
man kann nicht **im**mer Glück **ha**ben, **a**ber
manchmal… ☐

---

*9 … bë**zouc**Hᵃ … **bi:**ᵃ-krou:k … zou**vë**ni:ᵃ … 10 … **bi:**ᵃ-tsèlt-
aousgañg … 12 … ma'nçhma:l*

Notes

⑧ Attention aux particules ! **Der Besucher** vient du verbe
besuchen, *rendre visite*, mais **versuchen** signifie *essayer*, et
suchen, tout court, *chercher*. ▸

***

Übung 1 – Übersetzen Sie bitte!

❶ In den Ferien wurde ich von meinen Großeltern
immer sehr verwöhnt. ❷ Raten Sie mal, wie viel
Liter Bier auf dem letzten Oktoberfest getrunken
wurden? ❸ Mehrere Millionen Besucher kommen
jedes Jahr zum Oktoberfest nach München. ❹ In
der Zeitung stand, dass viele Besucher versuchten,
einen Bierkrug mitzunehmen. ❺ Nur einen
Nachmittag hat es Bindfäden geregnet; an den
anderen Tagen ist das Wetter sehr schön gewesen.

9 Et – ça alors ! – 168 000 visiteurs ont essayé d'emporter *(laisser aller avec)* une chope de bière comme souvenir.

10 Mais la chope leur a été reprise à la sortie de la tente *(à bière)*.

11 Au fait, dis-moi, d'où vient la chope de bière dans laquelle je bois ?

12 – Eh bien, comme tu viens de le dire toi-même, on ne peut pas toujours avoir de la chance, mais de temps à autre…

⑨ Rappelez-vous que **gerade**, *juste*, *justement*, accompagné d'un verbe au passé, exprime un passé récent : **Ich habe gerade mit ihm gesprochen**, *Je viens de lui parler*.

***

Corrigé de l'exercice 1

❶ Pendant les vacances j'ai toujours été très gâté par mes grands-parents. ❷ Devinez combien de litres de bières ont été bus pendant la dernière fête de la bière ? ❸ Plusieurs millions de visiteurs viennent à Munich chaque année pour la fête de la bière. ❹ Dans le journal, [il] était écrit que beaucoup de visiteurs ont essayé d'emporter une chope de bière. ❺ Il n'a plu des cordes qu'un seul après-midi ; les autres jours, il a fait très beau.

Übung 2 – Ergänzen Sie bitte!

❶ Combien de personnes sont venues à Munich pour participer à la fête de la bière ?

... . Leute .... nach München
........, um ... . zu feiern?

❷ 80 bœufs et plusieurs centaines de milliers de poulets rôtis ont été mangés pendant la fête. – Ça alors !

80 Ochsen und .... hunderttausend
Brathähnchen ...... auf dem Fest ....
– .. ..!

❸ Savez-vous pourquoi on ne peut pas toujours avoir de la chance ? – Aucune idée.

Wissen Sie, ... man ..... immer .....
..... kann? – Keine ....

---

88 Achtundachtzigste Lektion

Unsere Vorfahren, die Affen

1 – Jetzt ist mir **end**lich klar, wa**rum** wir **Män**ner so **viel ar**beiten **müs**sen ①.

Prononciation
... *fo:ᵃfa:r'n* ... *af'n*

④ Bienvenue à Munich ! Vous êtes gâtés avec ce beau temps, hier encore il pleuvait des cordes.

.... in München! ... . durch
das schöne Wetter ...., gestern hat es
noch ....

⑤ Cette fois-ci, plus de 6 millions de litres de bière ont été bus par les visiteurs qui venaient du monde entier.

Dieses Mal ...... mehr als 6 Millionen Liter
Bier ... ..., die ... ...
.... kamen, ...

Corrigé de l'exercice 2

❶ Wie viele – sind – gekommen – das Oktoberfest – ❷ – mehrere – wurden – gegessen – Na so was ❸ – warum – nicht – Glück haben – Ahnung ❹ Willkommen – Sie werden – verwöhnt – Bindfäden geregnet ❺ – wurden – von den Besuchern – aus der ganzen Welt – getrunken

Deuxième vague : 38ᵉ leçon

Quatre-vingt-huitième leçon   88

Nos ancêtres, les singes

1 – Maintenant, je comprends enfin *(est clair à moi)* pourquoi nous, les hommes, devons autant travailler.

Note

① La règle qui dit que le verbe conjugué d'une subordonnée est renvoyé à la fin de celle-ci, s'applique aussi pour une question indirecte : **Mir ist nicht klar, warum du so viel arbeiten musst**, *Je ne comprends pas pourquoi tu dois travailler autant.*

2 Hier steht es schwarz auf weiß:

3 Unser genetisches Erbgut ② ist zu fast 100 Prozent mit dem der Schimpansen identisch.

4 – Ja und? Ich verstehe dich nicht. Wo ist der Zusammenhang?

5 – Hast du das Experiment mit den Affen vergessen, das in Amerika ③ durchgeführt worden ist?

6 Bei diesem Experiment konnten sich die Affen Rosinen verdienen ④.

7 – Ach ja, jetzt erinnere ich mich wieder, du warst entsetzlich schockiert,

8 weil die Affenmännchen wie die Dummen ⑤ gearbeitet haben, während die Weibchen den ganzen Tag geschlafen haben.

---

3 ... *guéné:tichës* **èrp**-*gou:t* ... *pro***tsènt** ... *chi'm***pa'n***ts'n* i**dèn**tich **4** ... *tsou***za**mën-*ḥaͬ̃g* **5** ... *expéri***mènt** ...

Notes

② **das Erbgut**, *le bien héréditaire/familial*, qui se compose de **das Erbe**, *l'héritage*, et **das Gut**, *le bien*, a aussi un sens biologique : *le patrimoine génétique*.

③ **Amerika** signifie en général *les États-Unis*. Quand on dit : **Ich bin nach Amerika geflogen**, tout le monde comprend *Je suis allé aux États-Unis*. Lorsqu'il ne s'agit pas des États-Unis, on précise : **Südamerika**, *Amérique du Sud*, **Mittelamerika**, *Amérique centrale*, **Canada**…

④ **etwas verdienen** signifie *mériter quelque chose* ou *gagner quelque chose* (en le méritant). **Geld verdienen** signifie donc ▶

2 *(Ici)* C'est écrit noir sur blanc :

3 Notre patrimoine génétique est à presque 100 % identique à *(avec)* celui des chimpanzés.

4 – Et alors ? Je ne *(te)* comprends pas. Où est le rapport ?

5 – As-tu oublié l'étude sur *(avec)* les singes que l'on a menée aux États-Unis ?

6 Au cours de cette étude, les singes pouvaient *(se)* gagner des raisins secs.

7 – Mais oui, maintenant je me souviens *(à nouveau)*, tu étais terriblement choqué,

8 parce que les singes mâles travaillaient comme des *(les)* imbéciles, tandis que les femelles dormaient toute la journée.

---

6 … rozi:nën fèrdi:nën 8 … af'n-mènçh'n … vaïpçh'n …

▶ *gagner de l'argent* – en travaillant –, contrairement à **Geld gewinnen** qui veut dire *gagner de l'argent* – à la loterie, par exemple. Comme beaucoup d'autres verbes, **verdienen** est volontiers employé avec un pronom réfléchi, bien qu'il ne soit pas indispensable : **Er hat (sich) mit diesem Geschäft Millionen verdient**, *Il a gagné des millions avec cette affaire.*

⑤ L'adjectif substantivé se décline ! **Der Dumme**, *l'[homme] stupide*, **ein Dummer**, *un imbécile*, **die Dummen**, *les imbéciles*, etc.

9 – Genau! Und jetzt **wiss**en wir, wa**rum** es **e**wig so **weit**er gehen wird.

10 – Nicht so schnell! Die Ge**schich**te war **damit** noch nicht zu **En**de!

11 Zwei **For**scherinnen **ka**men auf die Idee ⑥, die **Aff**en nachts zu be**o**bachten und…

12 sie ent**deck**ten, dass die **Männ**chen so viel **ar**beiteten, **um** bei den **Weib**chen **bess**ere **Chan**cen zu **ha**ben!

13 Die **ließ**en ⑦ sich **näm**lich **ihre Lie**besdienste von den **Männ**chen be**zah**len…!

14 – Das ist es ja! Seit **An**fang der **Mensch**heit hat sich nichts ge**än**dert, und es ⑧ wird sich nichts **än**dern. ☐

---

9 … **é:**vi*ç* … **11** … **for**ch*ª*rinën … bëô:bacHt'n …
14 … **mènch**_h_aït …

Notes

⑥ **auf eine Idee kommen** (litt. "arriver à une idée") est synonyme de **eine Idee haben** : **Wie bist du denn auf die Idee gekommen?**, *Comment as-tu eu cette idée ?*

⑦ **machen lassen** signifie *laisser faire* et *faire faire* : **Lass ihn schlafen!**, *Laisse-le dormir !*, mais **Lass die Eier nicht länger als drei Minuten kochen!**, *Ne fais pas cuire les œufs plus de trois minutes !* ▸

9 – [C'est] Exact ! Et maintenant, nous savons pourquoi il en sera toujours *(éternellement)* ainsi.

10 – Pas si vite ! L'histoire ne s'est pas terminée là-dessus *(n'était pas encore à la fin avec cela)* !

11 Deux femmes chercheurs ont eu l'idée d'observer les singes pendant la nuit, et…

12 elles ont découvert que les mâles travaillaient autant pour avoir de meilleures chances chez les femelles !

13 En effet, celles-ci se faisaient payer leurs complaisances *(services d'amour)* par les mâles…

14 – Eh bien voilà *(Mais c'est ça)* ! Depuis le début de l'humanité, rien n'a changé, et rien ne changera.

Unsere Vorfahren, die Affen.

▸ ⑧ **es**, *il*, est ici un "faux" sujet, le véritable sujet étant **nichts**, *rien*. On aurait pu dire comme en français **nichts wird sich ändern**, *rien ne changera*. Vous trouverez une explication plus détaillée en leçon de révision, § 4.

Übung 1 – Übersetzen Sie bitte!

❶ Seit Anfang der Menschheit hat sich nichts geändert. ❷ Für dieses Experiment sind zwanzig Affen drei Jahre lang von zehn Forschern beobachtet worden. ❸ Die Affenweibchen haben den ganzen Tag geschlafen, aber in der Nacht haben sie hart gearbeitet. ❹ Eines Tages hat er entdeckt, dass man nicht wie ein Dummer zu arbeiten braucht, um viel Geld zu verdienen. ❺ Stimmt es, dass unser genetisches Erbgut fast dasselbe wie das der Schimpansen ist?

Übung 2 – Ergänzen Sie bitte!

❶ D'où viennent vos ancêtres ? – Oh, c'est une longue histoire que personne ne comprend.

Woher kommen . . . . ? – Oh, das ist . . . . , die niemand . . . .

❷ La semaine dernière nous avons travaillé *(a été travaillé par nous)* jour et nuit, il faut que cela change !

Letzte Woche ist . . . . . . Tag und Nacht . . . . , das muss sich . . . . . . !

❸ Pas si vite ! Où est le rapport ? Je ne comprends pas la dernière conclusion *(ne m'est pas claire)*.

Nicht so . . . . ! Wo ist . . . . ? Der . . . . . . Schluss . . . . . . nicht . . . . .

Corrigé de l'exercice 1

❶ Rien n'a changé depuis le début de l'humanité. ❷ Pour cette étude, vingt singes ont été observés pendant trois ans par dix chercheurs. ❸ Les *(singes)* femelles ont dormi toute la journée, mais la nuit, elles ont travaillé dur. ❹ Un jour, il a découvert que l'on n'a pas besoin de travailler comme un imbécile pour gagner beaucoup d'argent. ❺ Est-il vrai que notre patrimoine génétique est presque le même que celui des chimpanzés ?

❹ Par qui a-t-il été découvert qu'il n'y a que deux pour cent de différence entre les singes et les hommes ?

Von wem . . . . , dass es zwischen . . . . und . . . . nur . . . . Unterschied gibt?

❺ Pourquoi voulez-vous gagner plus ? Quand avez-vous eu cette idée ?

Warum wollen Sie . . . . ? Wann sind Sie . . . . gekommen?

Corrigé de l'exercice 2

❶ – Ihre Vorfahren – eine lange Geschichte – versteht ❷ – von uns – gearbeitet worden – ändern ❸ – schnell – der Zusammenhang – letzte – ist mir – klar ❹ – ist entdeckt worden – den Affen – den Menschen – zwei Prozent – ❺ – mehr verdienen – auf diese Idee –

Deuxième vague : 39ᵉ leçon

89   Neunundachtzigste Lektion

Ein Interview im Radio mit Herrn „Stöffche", dem Apfelwein-König

1 – Zuerst einmal „herzliche Glückwünsche zum Geburtstag", Herr Raeder ①.
2   Sie sind nämlich gestern 75 (fünfundsiebzig) Jahre alt geworden ②, nicht wahr?
3 – Ja, danke schön, das ist sehr nett von Ihnen.
4 – Sagen Sie mal, woran ③ denkt man an so einem Tag?
5 – Tja, an nichts Besonderes, außer dass man dem Leben dankbar ist, dass man trotz des Alters immer noch eine der größten und ältesten Keltereien in Hessen leiten kann.

Prononciation
... *i'nt^avyou* ... *ra:dyo* ... *chteufçhë* ... *apf'l-vaïn* ...
1 ... **hèrts**liçhë **gluk**-vunchë ... **rè:d**^a   4 ... *vora'n* ...
5 ... *kèltëraï'n* ... **hès'n** ...

Notes

① Les doubles lettres **ae**, **oe**, **ue** équivalent à **ä**, **ö**, **ü**, et se prononcent comme elles. À l'origine de ces deux formes d'écriture, se trouve la machine à écrire qui, lors de son invention, ne possédait pas de lettres avec inflexion ; il fallait donc les remplacer par autre chose.

② **geworden** est le participe II de **werden** dans tous les cas, sauf au passif, où l'on supprime la particule **ge-** ! (Voir note 5.)

③ **denken**, *penser*, entraîne la préposition **an** (+ acc.). L'interrogatif d'un verbe à préposition se forme avec **wo** (+ **r** si la préposition ▶

Une interview à la radio avec Monsieur "Stöffche", le roi du cidre *(pomme-vin)*

1 – D'abord *(une fois)* "bon anniversaire *(cordiales félicitations pour l'anniversaire)*" Monsieur Raeder !

2 En effet, vous *(êtes)* avez eu 75 ans hier *(vieux devenu)*, n'est-ce pas ?

3 – Oui, merci beaucoup, c'est très gentil de votre part.

4 – Dites-[moi], à quoi pense-t-on un jour comme celui-ci *(à un tel jour)* ?

5 – Eh bien, à rien de spécial, sauf qu'on est reconnaissant à la vie *(qu'on malgré l'âge toujours encore)* de pouvoir encore diriger un des plus grands et des plus anciens pressoirs de la Hesse *(diriger peut)*, malgré un âge [avancé].

qui suit commence par une voyelle) + la préposition adéquate : **Woran denkst du?**, *À quoi penses-tu ?* Attention ! Lorsque la question porte sur une personne, on dit **An wen?**, *À qui ?*

6   **Se**hen Sie, **un**ser Unter**neh**men ist 1799 (**sieb**zehn**hun**dert**neun**und**neun**zig) von **mei**nem **Ur-ur-ur**großvater ④ ge**grün**det **wor**den ⑤.

7   Heute **wer**den von uns **et**wa 25 Milli**o**nen **Li**ter **Ap**felwein und **Ap**felsaft pro Jahr produ**ziert** ⑥.

8   **Da**rauf ⑦ darf man stolz sein, **mei**nen Sie nicht?

9 – Ge**wiss**! Wenn ich **rich**tig ver**ste**he, **den**ken Sie nicht da**ran** ⑧, in **Ren**te zu **ge**hen?

10 – Nein, ich **wer**de ⑨ erst **auf**hören zu **ar**beiten, wenn ich mich alt **füh**le.

11   **Heu**te ist das – **to**i, **to**i, **to**i ⑩ – noch nicht der Fall.

---

6 ... ou:ᵃ-ou:ᵃ-ou:ᵃ-gro:s-fa:tᵃ guëgru'ndët vord'n 7 ... prodoutsi:ᵃt 8 ... chtolts ... 9 ... rèntë ... 11 ... toï toï toï ...

Notes

④ La particule **ur** renvoie aux origines : **die Urzeit(en)**, *les temps primitifs/préhistoriques*, **uralt**, *très vieux* (plus que **alt**, *vieux*). Ne confondez pas **ur-** (sans h) avec **die Uhr**, *la montre*, *l'horloge*, et **die Uhrzeit(en)** qui signifient *l'heure* ou *les horaires* : **Zu Urzeiten kannte man keine Uhrzeiten**, *Dans les temps primitifs, on n'avait* ("connaissait") *pas d'horaires.*

⑤ **worden** est donc le participe II de **werden**, mais seulement pour former le passé composé du passif : **Die Firma ist 2002 gegründet worden**, *L'entreprise a été* ("est") *fondée* ("devenue") *en 2002.*

⑥ **produziert** est ici le participe II de **produzieren**, car nous avons affaire à la voie passive : **Wie viel wird von Ihnen pro Jahr produziert?** *Combien produisez-vous par an* ("devient par vous produit") *?* ▸

6 Voyez-vous, notre entreprise a été fondée [en] **89**
1799 par mon arrière-arrière-arrière-grand-père.

7 Aujourd'hui, nous produisons à peu près 25
millions de litres de cidre et de jus de pommes
chaque année.

8 On peut *(a le droit d')* en être fier, vous ne
croyez pas ?

9 – Certainement ! Si je comprends bien *(juste)*,
vous n'envisagez pas de prendre votre retraite
(d'aller en retraite) ?

10 – Non, je ne [m']arrêterai de travailler que quand
je me sentirai vieux.

11 Aujourd'hui – touchons du bois – ce n'est pas
encore le cas.

▶ ⑦ Quelques adjectifs – tout comme certains verbes – sont obligatoirement suivis d'une préposition : **stolz sein auf...** (+ acc.),
être fier de... : **Worauf sind Sie stolz?**, *De quoi êtes-vous
fier ?* (voir note 3) – **Auf unsern Fußballclub**, *De notre club
de foot.* – **Ich bin auch stolz darauf**, *[Moi aussi,] j'en suis fier.*

⑧ Dans l'expression **ich denke nicht daran**, *je n'envisage pas*
(litt. "je n'y pense pas"), **daran**, *à cela*, est indispensable,
même si le verbe est suivi d'un infinitif : **Die Kinder denken
nicht daran, ins Bett zu gehen**, *Les enfants ne pensent pas
("à cela") à aller au lit.*

⑨ Avez-vous remarqué que **werden** est ici accompagné d'un
infinitif ? Il s'agit donc du futur ! Rappelez-vous la formule
werden + infinitif = futur !

⑩ **toi, toi, toi**, se dit pour souhaiter du courage et de la chance en
même temps... Attention de bien prononcer d'abord **to**, puis un
i bref : *[toï, toï, toï].*

12 – Eine letzte Frage, Herr Raeder: warum werden Sie Herr „Stöffche" genannt?

13 – Ach, die Antwort ist ganz einfach, hier in Hessen sagen wir nicht „Apfelwein" wie auf Hochdeutsch, sondern „Äppelwoi" oder „Stöffche"…

14 – Herr Stöffche, ich danke Ihnen ⑪, dass Sie gekommen sind.

$\square$

13 … *èp'l-voï* …

Note

⑪ Rappelez-vous que **danken**, *remercier*, est accompagné du datif en allemand : **ich danke dir/Ihnen**, *je te/vous remercie* ("à toi/à vous"). Il ne se construit jamais avec un infinitif, mais ▸

***

Übung 1 – Übersetzen Sie bitte!

❶ Woran denken Sie? – An nichts Besonderes. ❷ Am Ende des Jahres werde ich aufhören zu arbeiten. ❸ Meine Urgroßmutter hat nicht daran gedacht, Hochdeutsch zu sprechen. ❹ Wenn Hessisch gesprochen worden ist, habe ich nicht viel verstanden. ❺ Mein Vorname ist Hans, aber früher bin ich von allen Hänschen genannt worden.

12 – Une dernière question, Monsieur Raeder :
      Pourquoi vous appelle-t-on Monsieur
      "Stöffche" ?

13 – Ah, la réponse est très simple, ici en Hesse,
      nous ne disons pas "Apfelwein", comme on dit
      en "Hochdeutsch" *("haut-allemand")*, mais
      "Äppelwoi" ou "Stöffche"…

14 – Monsieur Stöffche, je vous remercie *(que vous
      êtes)* d'être venu.

▶   avec une subordonnée introduite par **dass**, *que* : **Ich danke
     Ihnen, dass Sie mir geholfen haben**, *Je vous remercie de
     m'avoir aidé* ("que vous m'avez aidé").

***

Corrigé de l'exercice 1

❶ À quoi pensez-vous ? – À rien de spécial. ❷ À la fin de l'année,
j[e m]'arrêterai de travailler. ❸ Mon arrière-grand-mère n'a jamais
(pas) pensé à parler "Hochdeutsch". ❹ Quand on a parlé *(a été
parlé)* "hessois", je n'ai pas compris grand-chose *(beaucoup)*.
❺ Mon prénom est Hans, mais avant, tout le monde m'appelait
Hänschen.

Übung 2 – Ergänzen Sie bitte!

❶ Par qui l'entreprise a-t-elle été fondée ? – Par mon arrière-grand-père.

Von wem ... das Unternehmen ....
...... ? – ... .

❷ *(Cordiales félicitations pour)* Bon anniversaire ! Au fait, quel âge as-tu eu ?

.... zum Geburtstag!
Wie alt .... .. eigentlich .... ?

❸ Ai-je bien compris que vous donne[re]z une interview à la radio demain ?

Habe ich .... verstanden, dass Sie morgen
.. .. ein Interview ..... ?

Sprechen Sie Hochdeutsch?, Parlez-vous le Hochdeutsch ? *Mais oui ! L'allemand que l'on apprend – à l'étranger comme à l'école – dans tous les pays où l'allemand est la langue officielle (en Allemagne, en Autriche, au Liechtenstein et en Suisse allemande) s'appelle* **das Hochdeutsch**, *le "haut allemand" ou "l'allemand standard". Cependant entre eux, les gens préfèrent parler leur dialecte, leur patois, qui se dit* **Dialekt** *ou* **Mundart**, *ce dernier signifiant littéralement "bouche-manière". Il s'agit donc d'une langue que l'on parle, mais qui n'a pas d'écriture officielle.*
Les **Mundarten** *se différencient avant tout par leur accent :* **ich**, *par exemple, se dit* **ick** *en berlinois,* **isch** *en Saxon, et en Bavarois, simplement* **i** *; elles diffèrent également en vocabulaire, notamment dans le champ lexical de la nourriture et de la boisson. Ainsi, le petit pain qui, en Hochdeutsch, se dit* **das Brötchen**, *s'appelle* **die**

❹ J'ai encore une dernière question : combien de litres de cidre sont produits par vous chaque année ?

Ich habe noch ....: wie viele
Liter Apfelwein ...... von Ihnen jedes Jahr
.... ?

❺ Je vous suis très reconnaissant que vous n'envisag[i]ez pas de partir à la retraite.

... ... Ihnen sehr ...., dass ... nicht
...., in Rente .. ..

Corrigé de l'exercice 2

❶ – ist – gegründet worden – Von meinem Urgroßvater ❷ Herzliche Glückwünsche – bist du – geworden ❸ – richtig – im Radio – geben ❹ – eine letzte Frage – werden – produziert ❺ Ich bin – dankbar – Sie – daran denken – zu gehen

Semmel *en Bavière et en Autriche,* **der Wecken** *dans le Sud de l'Allemagne – et au Nord de la Bavière –, et* **die Schrippe** *à Berlin. Mais ne craignez rien ! Ce vocabulaire s'apprend tout seul quand on est sur place, et comme tout le monde a appris le* **Hochdeutsch** *à l'école, il est parlé partout. Si vous ne comprenez pas, vous n'avez qu'à dire* **Entschuldigen Sie, ich bin nicht von hier!**, *Excusez-moi je ne suis pas d'ici !, et votre interlocuteur comprendra qu'il faut parler* **Hochdeutsch**, *le dialecte ne se parlant qu'en "famille".*

Deuxième vague : 40ᵉ leçon

90 Neunzigste Lektion

Ein perfekter Plan

1 – **Ach**tung, Jungs ①, in ein paar Mi**nu**ten ist es so**weit** ②.

2 Unser **Kön**nen wird **die**ses Mal auf **ei**ne **har**te **Pro**be ge**stellt wer**den ③.

3 – Nur **kei**ne **Pa**nik, Boss! Wir sind **schließ**lich **kei**ne **An**fänger!

4 – Ich weiß schon ④, **a**ber **heu**te **ha**ben wir es zum **ers**ten Mal mit so **ho**hen **Tie**ren zu tun.

5 Es **han**delt sich ⑤ **im**merhin um **ei**nige der **wich**tigsten und **reichs**ten Ver**tre**ter aus Poli**tik** und **Wirt**schaft, die im **ers**ten Stock ⑥ ver**sam**melt sind.

Prononciation
… pla:n **1** … youñg's … **3** … **pa:**nik bo's … **5** … poli**tik** … **virt**chaft … chtok fèr**zam**'lt

Notes

① **die Jungs** est une forme abrégée de **die Jungen**, *les garçons*, exactement comme en français "les gars".

② **soweit** signifie litt. "si loin", mais ici il s'agit d'une locution bien pratique : **Es ist soweit**, *Ça y est* ; **Ich bin soweit**, *J'y suis*. **Wie weit bist du?**, *Où en es-tu ?*

③ Voici un passif au futur, pour lequel on emploie deux fois l'auxiliaire **werden** : l'une pour construire le passif, et l'autre comme auxiliaire du futur : **es wird gesungen werden**, *il sera chanté / on chantera*. Cette répétition n'étant pas très heureuse – surtout dans les subordonnées où le verbe se trouve à la fin – **Sie fragt, wann gesungen werden wird**, *Elle demande quand* ▸

Un plan parfait

1 – Attention, [les] gars, c'est dans quelques minutes *(ça y est)*.

2 Cette fois-ci, notre savoir-faire va être mis à rude épreuve *(sur une dure épreuve)*.

3 – Surtout *(Seulement)* pas de panique, boss ! Enfin, nous ne sommes pas des débutants !

4 – Je sais bien *(déjà)*, mais [c'est] la première fois aujourd'hui [que] nous *(l')* avons affaire à de si grosses légumes *(avec si élevés animaux à faire)*.

5 Ce sont tout de même *(Après tout, il s'agit de)* quelques-uns des représentants les plus importants et les plus riches de[s milieux] politique[s] et économique[s] qui sont réunis au premier étage.

▸ *on chantera*, n'hésitez pas à employer le présent à la place du futur.

④ Notez que l'on dit **ich weiß schon**, *déjà*, et non **gut**, *bien*, pour dire *je sais bien*.

⑤ Voici un nouveau verbe accompagné d'une préposition : **sich handeln um** (+ acc.), *s'agir de…* : **Worum handelt es sich bitte?**, *De quoi s'agit-il, je vous prie ?* Rappelez-vous que la question se construit avec **wo** + la préposition entraînée par le verbe (cf. leçon 89, note 3).

⑥ **der Stock**, *l'étage*, dont le pluriel est **die Stockwerke**, se dit aussi **die Etage**, prononcé à la française.

6 Es muss höchst professio**nnel vor**gegangen **wer**den, wenn **alles kla**ppen soll, wie ge**plant**.

7 – Wird schon **alles** schief **ge**hen ⑦!

8 – Mal nicht den **Teu**fel an die Wand!

9 **Also**, zu**erst** wird 20 Se**kun**den vor **Mit**ternacht von Karl der Strom **ab**gestellt.

10 Von den **anderen wer**den die **Tü**ren be**wacht** und die **Gäs**te ⑧ in Schach ge**hal**ten.

11 Erst auf mein **Zei**chen **wer**den die **Ker**zen **an**gezündet ⑨.

12 Dann wird schnell **hin**tereinander ⑩ mit der **Tor**te in den Saal ge**lau**fen,

---

6 ... *profèsyonèl* ... **7** ... *chi:f* ... **8** ... *toïf'l* ... *va'nt*
9 ... *chtro:m* ... **10** ... *bëvacHt* ... *guèstë* ... *chacH* ...

Notes

⑦ **schief gehen**, *aller de travers*, *rater*, est le contraire de **klappen**, *aller*, *marcher bien*. **Wird schon schief gehen** ou **Es wird schon schief gehen** se dit pour attirer la chance tout en conjurant le malheur. Dans la langue parlée, on laisse souvent tomber le **es** initial : **(Es) ist nicht so schlimm**, *[Ce] n'est pas si grave*.

⑧ Le singulier de **die Gäste** est **der Gast**, *l'invité*, *l'hôte*.

▸

6 On doit procéder *(Il doit être procédé le plus haut)* hyper-professionnellement si l'on veut que tout marche *(doit marcher)* comme prévu.

7 – Tout ira sûrement *(déjà)* de travers !

8 – Ne nous porte pas malheur *(Ne peins pas le diable sur le mur)* !

9 Alors, d'abord, Karl coupera le courant *(devient coupé par Karl)*, vingt secondes avant minuit.

10 Les autres surveilleront *(Par les autres)* les portes *(seront surveillées)* et tiendront les invités *(en échec tenus)* en respect.

11 Ce n'est qu'à mon signal que les bougies seront allumées.

12 Puis, tout le monde se précipitera *(il est vite couru)* en file indienne *(l'un derrière l'autre)* avec le gâteau dans la salle,

---

11 … **tsaï**ç̱h'n … **kèr**ts'n **a'n**'guëtsu'ndët **12** … **hi**'ntª-aïna'ndª … **za:l** …

▶ ⑨ La forme passive est volontiers utilisée pour exprimer des ordres : **Kinder, jetzt werden endlich die Hausaufgaben gemacht!**, *Les enfants, maintenant on fait / vous faites enfin les devoirs* ("seront faits") !

⑩ Suivant l'exemple **hintereinander**, *l'un derrière l'autre*, on peut former d'autres adverbes en ajoutant **-einander** à une préposition : **miteinander**, *l'un avec l'autre*, **gegeneinander**, *l'un contre l'autre* (voir leçon 85).

13   und **da**bei wird von **al**len aus **vol**lem
Hals ⑪ „Zum Ge**burt**stag viel Glück ⑫,
Herr Gene**ral**direktor ⑬" ge**su**ngen!

14   **A**lles klar?   ☐

*13 … ̱hals … guéné**ra:l**direkto*ᵃ *guë**zou**ñgën*

Notes

⑪ **der Hals** est aussi bien *la gorge* que *le cou*.

⑫ La chanson d'anniversaire, **das Geburtstagslied**, est la même
partout : sur l'air de "*Happy birthday to you*", on chante **„Zum
Geburtstag viel Glück, zum Geburtstag viel Glück, alles
Gute zum Geburtstag, zum Geburtstag viel Glück"**.

⑬ Dans l'industrie, **Generaldirektor** correspond au *président-
directeur-général*, en français.

* * *

Übung 1 – Übersetzen Sie bitte!

❶ Es wird sicher klappen, ihr seid schließlich keine
Anfänger! ❷ Seit heute Morgen wird das Hotel
von der Polizei bewacht. ❸ Von wem wird „Zum
Geburtstag viel Glück" gesungen? Von allen?
❹ Wenn professionnel vorgegangen wird, kann
nichts schief gehen. ❺ Achtung, keine Panik! Der
Strom wird in ein paar Minuten wieder angestellt
werden.

13 *(en quoi est chanté par tous)* en chantant à
   pleine voix *(gorge)* "Joyeux anniversaire,
   Monsieur le Président *(directeur général)* !".

14 C'est clair *(Tout clair)* ?

***

Corrigé de l'exercice 1

❶ Ça va sûrement aller, vous n'êtes pas des débutants, enfin !
❷ Depuis ce matin, l'hôtel est surveillé par la police. ❸ Qui *(par qui sera chanté)* chantera "Joyeux anniversaire" ? Tout le monde ?
❹ Si l'on procède professionnellement, rien ne peut aller de travers. ❺ Attention, pas de panique ! Le courant sera rétabli dans quelques minutes.

Übung 2 – Ergänzen Sie bitte!

❶ Pour la première fois, son savoir-faire a été mis à rude épreuve !

... . wurde .... auf
eine ..... Probe .... !

❷ À quel étage habitez-vous ? Au neuvième ? Alors, nous vivons l'un au-dessus de l'autre !

.. .. wohnen Sie? Im neunten?
Dann wohnen wir .... !

❸ Nous y sommes, toute la famille est rassemblée : on peut chanter.

Wir sind ......, die ganze Familie ist
.........: es kann ....

❹ Si on coupe le courant, tout ira de travers.

Wenn der Strom ...., wird
alles ....

---

91 Einundneunzigste Lektion

Wiederholung – Révision

1 La voix passive

En allemand, on distingue deux formes de passif : le passif d'état et le passif d'action. Tous les deux se construisent avec le participe passé, mais les auxiliaires employés sont respectivement **sein** et **werden** :

• La forme passive exprimant un état, une situation donnée – et figée –, le résultat d'une action, se construit avec l'auxiliaire **sein** + participe II.
Au présent : **Die Kerzen sind angezündet**, *Les bougies sont allumées.*

⑤ Bon, les gars, il faut qu'on parle *(l'un avec l'autre)*, vous savez bien de quoi il s'agit, n'est-ce pas ?

Also ....., wir müssen .... sprechen, ... schon, worum .. .., nicht wahr?

Corrigé de l'exercice 2

❶ Zum ersten Mal – sein Können – harte – gestellt ❷ In welchem Stock – übereinander ❸ – soweit – versammelt – gesungen werden ❹ – abgestellt wird – schief gehen ❺ – Jungs – miteinander – ihr wisst – es sich handelt –

Nous vous félicitons pour votre ténacité : vous venez d'être confronté à l'un des plus gros problèmes de la langue allemande. Si la forme passive vous semble aujourd'hui encore un peu opaque, elle s'éclairera au fur et à mesure que vous la rencontrerez, et, soyez rassuré, les occasions ne manqueront pas.

Deuxième vague : 41ᵉ leçon

Quatre-vingt-onzième leçon   91

Au passé : **Die Kerzen waren schon angezündet, als ich in das Zimmer gekommen bin**, *Les bougies étaient déjà allumées quand je suis entré ("venu") dans la pièce.*

• Le passif exprimant une action en cours ou sur le point de s'accomplir, se forme avec l'auxiliaire werden + participe II.
Au présent : **Die Kerzen werden um Mitternacht angezündet**, *Les bougies seront ("deviennent") allumées à minuit*, ou *On* allume("ra") les bougies à minuit.*
Au passé : **Die Kerzen wurden angezündet, als ich in das Zimmer gekommen bin**, *Les bougies ont été ("devenaient") allumées au moment où je suis entré dans la pièce*, ou *On* a allumé les bougies au moment où je suis entré…*

*Rappelons que le français préfère en général exprimer le passif d'action par la forme active, en prenant "on" comme sujet. Au contraire, *on* (**man**) s'utilise très rarement en allemand, en tout cas jamais à la place de **wir** ; on ne l'emploie que pour désigner "tout le monde". C'est une des raisons de l'emploi fréquent du passif en allemand.

Wie werden Bratäpfel gemacht? *Comment fait-on des pommes au four* ("rôties-pommes") *?*
Zuerst werden die Äpfel gewaschen, *D'abord on lave les pommes.*
Dann wird in die Mitte ein bisschen Zucker und Butter gesteckt, *Puis on met un peu de sucre et de beurre au milieu.*
Und schließlich werden sie eine halbe Stunde gebacken, *Et enfin, on les fait cuire au four pendant une demi-heure.*

2   La conjugaison et les temps du passif d'action

C'est simple, il faut juste se rappeler que **werden** est un verbe irrégulier, qu'il se conjugue aux temps composés avec **sein** et que son participe passé **geworden** perd sa particule **ge-** pour devenir **worden** :

Ich werde von meinem Vater verwöhnt, *Je suis* ("deviens") *gâté par mon père / Mon père me gâte.*
Ich wurde von meinem Vater verwöhnt, *J'étais* ("devenais") *gâté par mon père / Mon père me gâtait.*
Ich bin von meinem Vater verwöhnt worden, *J'ai été* ("suis devenu") *gâté par mon père / Mon père m'a gâté.*
Ich war von meinem Vater verwöhnt worden, *J'avais été* ("étais devenu") *gâté par mon père / Mon père m'avais gâté.*
Ich werde von meinem Vater immer verwöhnt werden, *Je serai* ("deviendrai") *toujours gâté par mon père / Mon père me gâtera toujours.*

Notez qu'en général le complément d'agent est introduit par la préposition **von** (+ datif) : **von meinem Vater**, par mon père. Il est introduit par **durch** (+ acc.) – qui traduirait plutôt *au moyen de*, *grâce à* – lorsque l'agent n'est pas l'auteur proprement dit, mais un

intermédiaire ou un moyen :
Er ist durch eine Mail informiert worden, *Il a été informé par un e-mail.*

3   L'emploi du passif

Il dépend des habitudes, mais aussi du contexte : sur quoi porte l'intérêt de l'information ?
Par exemple, à la question : **Was macht der Kellner ?**, on répond : **Der Kellner bringt den Kaffee.**
En revanche, à la question : **Wo bleibt denn der Kaffee?**, *Où est* ("reste") *donc le café ?*, on répond plutôt : **Der Kaffee wird gerade gebracht**. (litt. "Le café sera tout de suite apporté.")

En outre, le passif est très apprécié pour ses côtés pratiques (mais oui !) :
On n'a pas besoin de dire "par qui" quelque chose a été fait :
Machen Sie sich keine Sorgen, die Arbeit wird gemacht, *Ne vous faites pas de soucis, le travail sera fait.*
Die Rechnungen müssen bezahlt werden, *Les factures doivent être payées.*

Il est idéal pour donner des informations brèves en supprimant même l'auxiliaire :
10 Millionen Euro (wurden) gestohlen, *10 millions d'euros* ("ont été") *volés.*
Affen (wurden) von Forschern getestet, *Des singes* ("ont été") *testés par des chercheurs.*

Enfin, c'est aussi une manière "gentille" d'exprimer un ordre :
Es* wird in zehn Minuten gegessen!, *On mange dans dix minutes !*
Es werden keine Dummheiten gemacht, Kinder!, *Vous ne faites pas de bêtises, les enfants !*

*Attention ! Le **es** qui introduit une phrase passive disparaît lorsqu'on commence cette phrase par un autre élément. Autrement dit, ce **es** – que l'on appelle "explétif" (voir paragraphe suivant) n'apparaît qu'au début d'une proposition, ou bien il est supprimé.

Il s'agit d'un **es** dont la seule fonction est d'occuper la première place dans une phrase ; il ne peut jamais être remplacé par **das**. Il s'emploie :

• pour introduire une proposition à la place du sujet manquant (ce qui est souvent le cas au passif) :
Es wird am Sonntag nicht gearbeitet = Am Sonntag wird nicht gearbeitet, *Le dimanche, on ne travaille pas.*
Es wurde nicht geraucht, *On n'a pas fumé*, ou *Personne n'a fumé.*
Dans ce dernier exemple, il n'y a pas d'autre possibilité que de commencer par **es** ;

• pour introduire une proposition avec sujet, ce qui souligne l'importance du sujet :
Es kommen viele Leute zum Oktoberfest nach München = Viele Leute kommen zum Oktoberfest nach München.
En effet, les deux phrases ont le même sens, mais la première permet d'accentuer le sujet. C'est un peu comme en français : *Il y a beaucoup de gens qui viennent à Munich pour la fête de la bière*, au lieu de *Beaucoup de gens viennent à Munich pour la fête de la bière.*

5 Emploi de *erst* et *nur*

Contrairement à **nur**, *seulement*, qui est définitif, **erst**, *ne... que*, *seulement*, s'inscrit dans le temps :

Sie haben nur zwei Kinder, *Ils ont seulement deux enfants.*
Sie haben erst zwei Kinder, *Ils n'ont que deux enfants* (et en auront peut-être d'autres).

Nur wenn du kommst, gehe ich auf das Fest, *Je vais à la fête seulement si tu viens.*
Erst wenn du kommst, essen wir, *[C'est] seulement quand tu arriveras [que] nous mangerons.*

Ich weiß nicht, warum ich so müde bin, ich habe beim Essen nur zwei Maß getrunken!, *Je ne sais pas pourquoi je suis si fatigué, je n'ai bu que deux chopes de bière au repas !*

Ich habe erst zwei Maß getrunken, ich brauche dringend noch ein drittes!, *Je n'ai bu que deux chopes de bière, il m'en faut absolument une troisième !*

Comme nous le montre le dernier exemple, **erst** est souvent employé subjectivement ; son contraire est alors **schon** :
Was, du hast schon zwei Maß getrunken? Das ist mehr als genug!, *Quoi, tu as déjà bu deux chopes ? C'est largement suffisant* ("plus qu'assez") *!*

Pour vous détendre, nous vous invitons maintenant à célébrer la fête d'anniversaire de M. Schulz avec nous !

Die Rede von Generaldirektor Schulz

1 – Verehrte Gäste, liebe Freunde!

2 Seien Sie herzlich willkommen!

3 Ich danke Ihnen, dass Sie trotz des entsetzlichen Wetters gekommen sind.

4 Wie Sie wissen, sind wir hier versammelt, um meinen Geburtstag zu feiern, der in ein paar Minuten beginnt.

5 Ich wurde nämlich vor sechzig Jahren in dieser Stadt geboren.

6 Es war an einem Sonntag, und außerdem war das Wetter traumhaft.

7 Von meiner Mutter wurde mir erzählt, dass meine Urgroßmutter sofort gesagt hat:

8 „Dieses Kind ist ein Sonntagskind, es wird viel Glück haben."

9 Und wirklich, ich bin vom Leben sehr verwöhnt worden.

10 Ich hatte zum Beispiel keinerlei Absicht, Karriere zu machen.

11 Im Gegenteil, ich habe auf Geld und Titel gepfiffen.

12 Und heute stehe ich hier vor Ihnen als einer der wichtigsten und reichsten Männer dieser Stadt.

13 Eigentlich verstehe ich selbst nicht, wie ich Generaldirektor geworden bin.

14 Für die Zukunft kann ich nur hoffen, dass mich das Glück weiter auf meinem Weg begleitet – toi toi toi!

15 In einer Minute ist Mitternacht.

Le discours du président-directeur-général Schulz

1 Chers *(Honorés)* invités, chers amis ! **2** Soyez *(Chaleureusement)* les bienvenus ! **3** Je vous remercie d'être venus malgré ce temps épouvantable. **4** Comme vous [le] savez, nous [nous] sommes réunis ici pour fêter mon anniversaire, [fête] qui commencera dans quelques minutes. **5** En effet, je suis *(ai été)* né dans cette ville il y a soixante ans. **6** C'était *(à)* un dimanche et, en plus, il faisait un temps de rêve. **7** Ma mère m'a raconté que mon arrière-grand-mère avait dit immédiatement : **8** "Cet enfant est un 'enfant du dimanche', il aura beaucoup de chance." **9** Et effectivement, j'ai été très gâté par la vie. **10** Par exemple, je n'avais aucune intention de faire carrière. **11** Au contraire, je me fichais pas mal *(j'ai sifflé sur)* de l'argent ou des honneurs *(titres)*. **12** Et, aujourd'hui, je me trouve *(suis debout)* ici, devant vous, comme l'un des hommes les plus importants et les plus riches de cette ville. **13** En fait, je ne comprends pas moi-même comment je suis devenu président-directeur-général. **14** Pour l'avenir, je ne peux qu'espérer que la chance continue à m'accompagner sur mon chemin – touchons du bois ! **15** Dans une minute, il sera minuit.

16 Lassen Sie uns die Gläser heben und auf unser Glück trinken!

17 Himmel, was ist denn los? Warum ist der Strom abgestellt worden?

18 Machen Sie bitte sofort das Licht wieder an!

19 – Johannes, Liebling, ich habe Angst! Wo bist du denn?

20 – Bitte, bleiben Sie ruhig! Keine Panik! Alles ist in Ordnung!

***

21 – Wir wünschen viel Glück zum Geburtstag, Herr Generaldirektor!

---

92 Zweiundneunzigste Lektion

Der verständnisvolle ① Blumenhändler

1 – Ent**schul**digen Sie, **hät**ten ② Sie schnell mal **ei**ne Marge**ri**te für mich?

2 – Ja, wir **ha**ben Marge**ri**ten, **wei**ße und **gel**be, aber nur in **Sträu**ßen.

3 – Wie viel **kos**ten die denn?

Prononciation
… fèr**chtènt**nis-folë **blou**mën-*hè*ntlᵃ **1** … *hè*t'n … marguëri:të …
2 … **chtro**ïs'n

Notes

① **verständnisvoll**, *compréhensif*, est composé de **das Verständnis**, *la compréhension*, et **voll**, *plein*. N'oubliez pas que l'adjectif épithète précède toujours le nom qu'il accompagne et qu'il se décline en prenant au moins un **-e** final : **der verständnisvolle Freund**, *l'ami compréhensif* (cf. leçon 56, § 1). ▶

515 • **fünfhundertfünfzehn**

16 Levons nos verres et buvons à notre chance ! **17** Ciel, que se **92** passe-t-il ? Pourquoi le courant a-t-il été coupé ? **18** Rallumez immédiatement la lumière, s'il vous plaît ! **19** Johannes, chéri, j'ai peur ! Mais où es-tu ? **20** Restez calmes, s'il vous plaît ! Pas de panique ! Tout va bien *(est en ordre)* ! **21** Nous [vous] souhaitons un joyeux anniversaire, Monsieur le Président !

Deuxième vague : 42ᵉ leçon

Quatre-vingt-douzième leçon   92

Le marchand de fleurs compréhensif

1 – Excusez-moi, auriez-vous [là], tout de suite,
    (vite) une marguerite pour moi ?

2 – Oui, nous avons des marguerites, [des] blanches
    et jaunes, mais seulement en bouquets.

3 – [À] Combien sont-ils *(coûtent ceux-ci donc)* ?

▸ ② **hätten** est le subjonctif II de **haben**, *avoir*. Il se forme à partir du radical du prétérit en ajoutant un **-e** final (s'il n'y en a pas déjà un) et, pour les verbes irréguliers seulement, une inflexion (sur les voyelles **a**, **o**, **u**). **Sie hatten Lust, ins Kino zu gehen** (prétérit), *Ils avaient envie d'aller au cinéma* ; **Sie hätten Lust, ins Kino zu gehen** (subjonctif II), *Ils auraient envie d'aller au cinéma*.

4 – **Sieben Eu**ro **ach**tzig.

5 – **Könn**te ③ ich nicht nur **eine ein**zige **ha**ben, **bit**te? Ich **ha**be nicht **ge**nug Geld.

6 – Das kann ich **lei**der nicht **ma**chen, dann **wä**ren in **ei**nem Strauß nur noch neun.

7 – **Könn**ten Sie mir dann viel**leicht ei**ne Marge**ri**te **lei**hen?

8 – Das **wä**re ④ echt nett von **Ih**nen.

9 – **Ih**nen **ei**ne **lei**hen? Wie **mei**nen Sie das? **Blu**men kann man nicht ver**lei**hen ⑤.

10 – Ich **brau**che aber ganz **drin**gend **ei**ne, ich **bit**te Sie!

11 – Na ja, **mei**netwegen ⑥ **neh**men Sie sich **ei**ne.

12 – Ich **dan**ke **Ih**nen **viel**mals: Sie liebt mich, von **Her**zen, mit **Schmer**zen, ein **biss**chen, viel, gar nicht…

---

5 keuntë … **6** … vè:r'n … chtraou's … **7** … laïën **8** … èçht … **11** … maïnët-vé:g'n …

Notes

③ Au subjonctif II, les verbes de modalité prennent une inflexion sur la voyelle du radical du prétérit : **Sie konnten**, *vous pouviez* ; **Sie könnten**, *vous pourriez* (seule exception : **sollen**, *devoir*, ne prend pas d'inflexion). C'est cette inflexion qui vous permet de distinguer un prétérit d'un subjonctif.

④ **das wäre**, *cela serait*, est formé à partir de **das war**, *c'était*, en ajoutant l'inflexion et un **-e** final (voir note 2).

▶

4 – 7,80 euros.

5 – Ne pourrais-je [en] avoir qu'une seule, s'il vous plaît ? Je n'ai pas assez d'argent.

6 – Malheureusement, je ne peux pas faire ça, car *(alors)* il n'en resterait *(seraient)* que neuf dans un bouquet.

7 – Alors peut-être pourriez-vous me prêter une marguerite ?

8 Ce serait vraiment sympa de votre part.

9 – Vous [en] prêter une ? *(Comment)* Que voulez-vous dire *(cela)* par là ? On ne peut pas prêter des fleurs.

10 – Mais j'[en] ai besoin [d']une de toute urgence, je vous [en] supplie !

11 – Eh bien, d'accord, prenez-en une.

12 – Je vous remercie beaucoup *(bien des fois)* [monsieur] : Elle m'aime, *(du cœur, avec douleurs)* un peu, beaucoup [passionnément, à la folie], pas du tout…

⑤ **etwas verleihen** veut dire *prêter quelque chose*. En revanche, **leihen** peut vouloir dire *prêter* ou *emprunter* : **Ich leihe dir Geld**, *Je te prête de l'argent* ("à toi"), **Ich leihe von dir Geld**, *Je t'emprunte de l'argent* ("de toi").

⑥ **meinetwegen**, **deinetwegen**, **seinetwegen**, **ihretwegen**, **unsretwegen**, **euretwegen**, **u.s.w.**, *à cause de / par égard pour moi/toi, lui, elle, nous, vous*, etc., sont des adverbes, dont seul **meinetwegen** est aussi employé comme une réponse positive (mais pas très enthousiaste) : *ça m'est égal / soit / d'accord*. **Gehen wir einen trinken?**, *Allons-nous boire un [verre] ?* – **Meinetwegen**, *D'accord, si tu veux.*

13 Ach, **s**ehen Sie, das **ha**be ich be**fürch**tet: sie liebt mich nicht **wirk**lich.

14 Ich **ho**ffe, Sie sind mir nicht **bö**se ⑦?

15 – Ist schon gut, mein **Jun**ge, ich **wünsch**te ⑧ nur, ich **hä**tte das**sel**be ge**macht**, als ich so jung war wie du! ☐

---

13 … bë**fu**r**ç**ht**ë**t … **15** … **vunch**të …

Notes

⑦ **jemandem böse sein**, *être fâché contre / en vouloir à quelqu'un* : **Seien Sie mir bitte nicht böse!**, *Ne soyez pas fâché contre moi, je vous en prie !* Mais attention ! L'adjectif **böse** signifie aussi *méchant, mauvais* : **ein böser Mensch**, *un méchant homme.*

⑧ **ich wünschte**, *je souhaiterais*, est ici la forme du subjonctif II de **wünschen**, *souhaiter, désirer.* Notez que le subjonctif II des verbes faibles est identique au prétérit : **ich wünschte** signifie donc à la fois *je souhaitais* et *je souhaiterais.* Pour éviter toute confusion, on a en général recours à une autre forme du subjonctif II avec **würde** + infinitif, que nous rencontrerons dans la leçon suivante. Notez également que le temps employé en allemand ne correspond pas toujours au temps en français. En ▶

***

Übung 1 – Übersetzen Sie bitte!

❶ Hättest du ein bisschen Zeit? Wir könnten auf der Wiese Margeriten suchen. ❷ Ich hätte niemals von ihm Geld leihen sollen. ❸ Sie wäre eine sehr gute Händlerin, sie hat noch nie einen Euro zu viel bezahlt. ❹ Könnten Sie mir bitte morgen Ihr Auto leihen? ❺ Ich wünschte, ich hätte auch einen so freundlichen Blumenhändler getroffen.

13 Ah ! Regardez, [c'est] ce [que] je craignais *(ai-je craint)* : elle ne m'aime pas vraiment.

14 J'espère [que] vous ne m'en voulez pas *(vous n'êtes pas fâché)* ?

15 – Il n'y a pas de mal *(est déjà bien)*, mon garçon, j'aurais seulement souhaité *(souhaiterais que j'aurais)* avoir fait la même chose quand j'avais ton âge *(étais aussi jeune que toi)* !

▶ allemand, on dit ici : **ich wünschte** ou **ich würde wünschen**, *je souhaiterais*, et non **ich hätte gewünscht**, *j'aurais souhaité*.

***

Corrigé de l'exercice 1

❶ *(Aurais)* As-tu un peu de temps ? Nous pourrions [aller] chercher des marguerites dans la prairie. ❷ Je n'aurais jamais dû lui emprunter de l'argent. ❸ Elle serait une très bonne marchande, jamais encore elle n'a payé un euro de trop. ❹ Pourriez-vous, s'il vous plaît, me prêter votre voiture demain ? ❺ J'aurais souhaité *(souhaiterais)* avoir rencontré moi aussi un marchand de fleurs aussi gentil.

Übung 2 – Ergänzen Sie bitte!

❶ Ne sois pas fâché contre moi *(s'il te plaît)*, mais, malheureusement, je dois te dire que je ne t'aime plus.
– Pas de mal.

Sei mir bitte nicht . . . . , aber . . . . . . muss ich
dir sagen, dass . . . dich nicht mehr . . . . . .
– Ist schon . . . .

❷ N'auriez-vous pas envie de m'offrir un gros bouquet de fleurs, M. Schulz ?

. . . . nicht Lust, mir . . . . . großen
. . . . zu schenken, Herr Schulz?

❸ Cela coûte soixante-huit euros, j'espère que nous avons assez d'argent.

. . . . achtundsechzig Euro, ... ,
wir haben . . . . . Geld.

Er liebt mich, er liebt mich nicht…, Il m'aime, il ne m'aime pas… *Vous connaissez certainement ce jeu avec les marguerites, mais connaissez-vous le personnage littéraire le plus célèbre qui ait joué à "effeuiller la marguerite" ? Il s'agit de la jeune Margarete (Marguerite) dans* Faust *de Goethe, plus connue sous son diminutif Gretchen. Un dimanche, en allant à l'église avec sa mère, la jeune et pieuse Margarete croisa Faust, ce vieux savant séduisant ; un bref regard fut échangé et Faust eut le coup de foudre pour elle. Gretchen tomba également amoureuse de lui, conséquence du pacte conclu entre Faust et le diable (cf. leçon 51). Et c'est au cours de leur première promenade qu'en effeuillant la marguerite, Gretchen eut la malchance de tomber sur le dernier pétale :* **er liebt mich,** *il m'aime. Ainsi rassurée, elle se donna à lui, et dès lors s'ensuivit pour elle une série de malheurs : elle empoisonna sa mère, enterra son frère assassiné par son amant, puis étrangla l'enfant*

❹ Pourrais-tu me prêter cent euros ? – Je souhaiterais les avoir
(je les aurais).

.... mir hundert Euro ...... ?
– ... ., ich hätte sie.

❺ Vous avez été très compréhensive, je vous remercie beaucoup,
[Madame].

... . sehr .... gewesen,
ich .... vielmals.

Corrigé de l'exercice 2

❶ – böse – leider – ich – liebe – gut **❷** Hätten Sie – einen –
Blumenstrauß – **❸** Das kostet – ich hoffe – genug – **❹** Könntest
du – leihen – Ich wünschte – **❺** Sie sind – verständnisvoll – danke
Ihnen –

*issu de sa relation avec Faust, qui l'avait lâchement abandonnée.
Enfermée et condamnée à mort, Gretchen devint folle. Elle renvoya
Faust qui essayait de la sortir de prison. Mais comme finalement
elle avait retrouvé le chemin de la vertu, le ciel eut pitié d'elle.
Depuis, Gretchen représente l'image de la jeune Allemande natu-
relle et innocente, parfois un peu naïve... même si elle ne porte que
rarement une* **Gretchenfrisur** *(la coiffure de Gretchen), – c'est-à-
dire deux belles tresses –, et ne croit plus aveuglément au jeu de la
marguerite.*

Deuxième vague : 43ᵉ leçon

93 Dreiundneunzigste Lektion

Bewahren Sie die Ruhe, wenn möglich!

1 – Was **wür**den ① Sie **ma**chen, wenn…
2   wenn Sie **ei**nen **Nach**barn **hät**ten ②, mit
     dem Sie sich nicht ver**ste**hen **wür**den ③?
3   Wenn **die**ser **Nach**bar ④ die **un**möglichsten
     Dinge machen **wür**de, um Sie zu **är**gern?
4   Wenn er zum **Bei**spiel **sei**nem **Pa**pagei
     beibringen ⑤ **wür**de, **hun**dertmal pro Tag
     Ihren **Na**men zu **schrei**en?
5   Sie **den**ken, so **et**was ⑥ **könn**te nie
     pas**sie**ren? Falsch!
6   **Ei**nem **eng**lischen Ge**schäfts**mann ⑦ ist
     diese Ge**schich**te **wirk**lich pas**siert**.

Prononciation
bë**va:**rën … **1** … **vur**dën … **3** … **èrg**ᵃn

Notes

① Voici la forme la plus répandue du subjonctif II des verbes
   faibles : **würden** + infinitif : **ich würde das nicht machen,**
   du würdest das nicht machen, u.s.w., *je ne le ferais pas, tu*
   ne le ferais pas, etc. Grammaticalement parlant, **würden** est le
   subjonctif II de **werden**.

② Au conditionnel, le verbe est également au subjonctif II dans
   la subordonnée introduite par **wenn,** *si* : **Wenn ich Zeit hätte,**
   würde ich dich besuchen, *Si j'avais* ("aurais") *le temps, je te*
   rendrais visite. ▶

Gardez votre *(le)* calme, si possible !

1 – Que feriez-vous si…
2　si vous aviez *(auriez)* un voisin avec lequel vous ne vous entendiez *(comprendriez)* pas ?
3　Si ce voisin faisait les choses les plus inimaginables *(impossibles)* pour vous embêter ?
4　Si, par exemple, il apprenait à son perroquet à crier votre nom cent fois par jour ?
5　Vous pensez [qu']une telle chose ne pourrait jamais arriver ? Faux !
6　Cette histoire est réellement arrivée à un homme d'affaires anglais.

▶ ③ Sa facilité d'emploi fait que la forme **würde** + infinitif s'applique même avec les verbes forts : **Sie würden verstehen**, *vous comprendriez*, est synonyme de la forme classique **Sie verständen** (formée à partir du prétérit **Sie verstanden**, *vous compreniez*, + inflexion).

④ Notez que **Nachbar** prend un **-n** à tous les cas sauf au nominatif singulier, car c'est un "masculin faible" (cf. leçon 47, note 2).

⑤ **jemandem etwas beibringen**, *apprendre quelque chose à quelqu'un* : **Wer hat Ihnen Deutsch beigebracht?**, *Qui vous a appris l'allemand ?*

⑥ **so etwas**, *une telle chose* : **Ich habe so etwas noch nie gehört**, *Je n'ai jamais entendu un truc pareil* ("une telle chose").

⑦ Il arrive qu'on ne commence pas par le sujet : **einem Geschäftsmann**, est bien un datif : *à un homme d'affaires…*

7   Und da er ein **Gen**tleman war, ist ihm der
Kragen erst nach vier **Jah**ren ge**platzt** ⑧.

8   Nach **ei**ner **schlaf**losen Nacht ist er beim
Nachbarn **ein**gebrochen ⑨, **während die**ser
bei der **Ar**beit war,

9   und **ohne** viel **Fe**derlesen zu **ma**chen, hat
er dem **ar**men **Vo**gel, der ihn mit **sei**nem
Namen be**grüß**te, … den Hals **um**gedreht.

10   Da**nach hat**te er zwar ⑩ **sei**ne **Ru**he, **a**ber
die **Ru**he war **teu**er be**zahlt**.

11   Er ist **näm**lich vom Ge**richt** zu einer **Stra**fe
von 1 500 **Eu**ro ver**ur**teilt **wor**den.   ☐

---

*7 … djèntl*mën … **kra:**g'n … guë**platst 8** … aïn-guëbrocH'n
… *9* … *fé:d^a-lé:z'n* … bë**gru:s**të … **oum**-guëdré:t

Notes

⑧ **es platzt mir der Kragen**, ou **mir platzt der Kragen**, ("à
moi, le col m'éclate") est une tournure pour dire "je n'y tiens
plus", "j'éclate", "je ne peux plus me contenir".

⑨ **eingebrochen** est le participe II de **einbrechen**, qui signifie
à la fois *cambrioler* et *pénétrer par effraction* : **Sie sind bei** ▸

***

Übung 1 – Übersetzen Sie bitte!

❶ Mein Vater hat mir das Radfahren beigebracht,
und was hat Ihnen Ihr Vater beigebracht? ❷ Wenn
ich viel Geld hätte, würde ich mir ein Haus am
Meer kaufen. ❸ Wenn dieser verflixte Papagei
nicht sofort aufhört zu schreien, drehe ich ihm den
Hals um. ❹ Nach einer schlaflosen Nacht platzt
vielen Leuten leicht der Kragen. ❺ Du denkst, es
ist leicht, in dieses Haus einzubrechen? Falsch!

7 Et comme *(il)* c'était un gentleman, c'est au bout de *(après)* quatre ans seulement qu'il n'y tint plus *(le col lui a éclaté)*.

8 Après une nuit blanche *(sans sommeil)*, il pénétra par effraction chez le voisin alors que celui-ci était au travail,

9 et, sans prendre de gants *(sans trier les plumes)*, il tordit le cou au pauvre oiseau qui le saluait par *(avec)* son nom…

10 Certes, après il eut la paix *(sa tranquillité)*, mais [ce fut] une paix [bien] cher payée.

11 En effet, le tribunal le comdamna à une peine de 1 500 euros.

---

11 … guë**richt** … **chtra:**fë … **t**aouz'nt-**fu'nf**-_h_ound^a t **o**ïro fè**rour**taïlt …

▶ **den Nachbarn eingebrochen**, *Ils ont cambriolé les voisins.* Le verbe de base est **brechen**, **brach**, **gebrochen**, *casser*.

⑩ Vous souvenez-vous de **zwar…, aber…**, *certes…, mais…* ? **Deutsch ist zwar nicht leicht, aber man kann es lernen**, *Certes, l'allemand n'est pas facile, mais on peut l'apprendre.*

***

Corrigé de l'exercice 1

❶ Mon père m'a appris à faire du vélo, et *(à)* vous, qu'est-ce que votre père vous a appris ? ❷ Si j'avais beaucoup d'argent, je m'achèterais une maison au bord de la mer. ❸ Si ce maudit perroquet n'arrête pas tout de suite de crier, je lui tords le cou. ❹ Après une nuit blanche, beaucoup de gens s'emportent facilement. ❺ Tu penses qu'il est facile de pénétrer par effraction dans cette maison ? Faux !

❶ S'ils gardaient leur calme, ce serait mieux, mais malheureusement, ils s'emportent facilement.

Wenn ... die Ruhe .... , ...
... besser, aber leider ...... ihnen leicht
... .

❷ Vous pensez peut-être [que] je ne le ferais pas ? Faux ! Je l'ai déjà fait souvent.

... . vielleicht, ... das nicht
......? ......! Ich habe das ....
gemacht.

❸ Ma mère m'a appris le savoir-vivre, et mon père, comment on tord le bras à un mauvais garçon.

Meine Mutter ... mir gute Manieren
.........., und mein Vater, wie man .....
.... den Arm ....

Wenn ich viel Geld hätte, würde ich mir ein Haus am Meer kaufen.

④ Mon voisin est très sympathique, c'est un gentleman qui garde   93
toujours son *(le)* calme.

.... ist sehr sympathisch, ...
ein Gentleman, der immer ... .

⑤ Si quelqu'un me cambriolait, je crierais si fort que personne ne
pourrait plus dormir.

Wenn jemand bei mir ....,
.... so laut ...., dass niemand
mehr ....

Corrigé de l'exercice 2

❶ – sie – bewahren würden, wäre das – platzt – der Kragen ❷ Sie
denken – ich würde – machen – Falsch – schon oft – ❸ – hat –
beigebracht – einem bösen Jungen – umdreht ❹ Mein Nachbar – er
ist – die Ruhe bewahrt ❺ – einbrechen würde, würde ich – schreien
– schlafen könnte

Le conditionnel ne vous semble pas aller de soi ? **Bewahren Sie
bitte die Ruhe!**, *Gardez votre calme, s'il vous plaît ! N'oubliez
jamais qu'il faut revoir plusieurs fois les mêmes structures avant
d'être à l'aise. Avec les prochaines leçons, tout s'éclaircira ! Si
vous avez envie de vous entraîner entre-temps, nous vous proposons de commencer par vous dire au moins une fois par jour :*
Wie wäre es, wenn…, *Comment serait-ce si... :* **Wie wäre es,
wenn ich heute ein bisschen Deutsch lernen würde?**, [Et] si
j'apprenais *(apprendrais)* un peu d'allemand aujourd'hui ?
*Il s'agit d'une locution qui peut également vous servir dans
d'autres circonstances, par exemple :* **Wie wäre es, wenn wir
ein Bier trinken würden?**, *Et si nous buvions une bière ?*

Deuxième vague : 44ᵉ leçon

94 Vierundneunzigste Lektion

Noch einmal Glück gehabt!

1 – **War**ten Sie, wir **dür**fen noch nicht **ü**ber die **Stra**ße **ge**hen ①, es ist rot!
2 – Ich **ge**he ja ② gar nicht, ich **war**te ja.
3 – Ja, **a**ber ich **wet**te, wenn ich nichts ge**sagt hät**te ③, **wä**ren Sie ge**gan**gen.
4 – Na und? Was **wä**re ④ **da**ran schlimm ge**we**sen, es ist kein Auto ge**kom**men.
5 – **Da**rum geht es nicht ⑤.
6 – **Wo**rum geht es denn dann?
7 – Bei Rot darf ⑥ man nicht **ge**hen.

Notes

① **über die Straße gehen**, *traverser la rue*, est plus usité que **die Straße überqueren** *[u:bªkvé:ªn]*. On dit aussi **über eine Brücke / einen Platz gehen**, *traverser un pont / une place*, etc.

② **ja** se traduit ici par *mais* dans le sens "mais vous voyez bien" (cf. leçon 98, § 3.2).

③ Pour exprimer une condition qui ne peut plus se réaliser, on emploie le subjonctif II des auxiliaires **sein** ou **haben** + participe passé : **Wenn ich nichts gesagt hätte, hätten Sie die Straße überquert**, *Si je n'avais rien dit, vous auriez traversé la rue*. Rappelez-vous que le subjonctif II s'utilise dans les deux propositions, la principale <u>et</u> la subordonnée commençant par **wenn** !

④ **sein**, *être*, s'emploie au passé composé avec l'auxiliaire **sein**, et non avec **haben** contrairement au français : **ich war gewesen**, *j'avais ("étais") été*. Le subjonctif II est donc : **ich wäre gewesen**, *j'aurais ("serais") été*. ▶

De la chance, une fois encore
(Encore une fois eu de la chance) !

1 – Attendez, nous n'avons pas encore le droit de traverser *(aller au-dessus la rue)*, c'est rouge !

2 – Mais je ne traverse *(vais)* pas *(du tout)*, j'attends.

3 – Oui, mais je parie [que] si je n'avais rien dit, vous l'auriez fait *(seriez vous allé)*.

4 – Et alors ? En quoi *(Que serait de cela)* aurait-ce été grave, aucune voiture n'est passée *(venue)*.

5 – Il ne s'agit pas de cela.

6 – De quoi s'agit-il alors ?

7 – On n'a pas le droit de traverser au rouge.

Erst wenn die Ampel für die fußgänger grün ist, dürfen wir über die Straße gehen.

⑤ **es geht um…** est synonyme de **es handelt sich um…**, *il s'agit de…* ; **darum geht es nicht**, *il ne s'agit pas de cela*, s'emploie dans le sens de "ce n'est pas ça", "là n'est pas la question".

⑥ Rappelez-vous que **dürfen** évoque toujours la permission (ou l'interdiction), et qu'il se traduit selon les circonstances par *avoir le droit*, *devoir* ou *pouvoir*.

8 Gesetz ⑦ ist Ge**setz**, und Ver**kehrs**regeln sind Ge**setz**e, sie **müssen** be**ach**tet **wer**den.

9 **Se**hen Sie, jetzt **dürfen** wir **ge**hen, jetzt ist die **Fuß**gängerampel grün.

10 – Halt! **Vor**sicht! Mann, Sie **wä**ren fast über**fah**ren ⑧ **wor**den!

11 **Ha**ben Sie mir **ei**nen **Schre**cken **ein**gejagt ⑨!

12 Wie **konn**ten Sie denn den **Last**wagen nicht **se**hen?

13 – Der muss bei Rot **durch**gefahren sein!

14 – Scheint so, **a**ber Gott sei Dank hat **we**nigstens Ihr **Schutz**engel die **Au**gen **of**fen ge**hal**ten.

15 An **Ih**rer **Stel**le **wür**de ich ihm ein **herz**liches **Dan**keschön **sa**gen. ☐

Prononciation
*8 guë**zèts** … fèr**ké:rs**-ré:g'ln … bë**acH**tët … 9 … fou:'s-
gëñgª-a'mp'l gru:n 10 … u:bªfa:ªn … 11 … chrèk'n*

Notes

⑦ **Gesetz** est un nom neutre.

⑧ La particule **über** peut être séparable ou inséparable. Qu'en est-il dans **überfahren** (litt. "passer dessus") ? Vous avez deux indices infaillibles pour reconnaître une particule inséparable : son participe passé se construit sans **ge-**, et **über** ne porte pas l'accent. En comparaison, regardez **durchgefahren** (phrase 13), dont **durch** est séparable : **Sieh mal, der fährt bei Rot durch!**, *Regarde, celui-là passe au rouge !* Mais : ▶

8 [La] loi est [la] loi, et [le] code de la route *(circulation-instructions sont)* est une loi *(lois)*, il doit *(elles doivent)* être respecté.

9 Vous voyez, maintenant nous pouvons [y] aller, maintenant le feu est vert.

10 – Arrêtez ! Attention ! *(Homme)* Oh là là ! Vous avez failli vous faire écraser *(vous auriez presque été écrasé)* !

11 Vous m'avez fait [une de ces] peurs !

12 Comment *(pouviez-vous)* se fait-il que vous n'ayez pas vu le camion *(ne pas voir)* ?

13 – Il a dû griller le feu *(doit être passé au rouge)*.

14 – [Il] Semble bien *(ainsi)*, mais, Dieu *(soit)* merci, au moins votre ange gardien *(protection-ange)* a gardé les yeux ouverts.

15 À votre place, je lui dirais un grand *(cordial)* merci.

---

aïn'güëya:kt **12** ... *last-va:g'n* ... **13** ... *dourçh'güëfa:ªn* ... **14** ... *choutsèñg'l* ...

▸ **Vorsicht! Überfahr nicht die Katze!**, *Attention ! N'écrase pas* ("roule pas dessus") *le chat !*

⑨ **jemandem einen Schrecken einjagen**, *faire peur à quelqu'un.* **der Schrecken**, par rapport à **die Angst**, peut être une peur soudaine ("un coup au cœur"), ou une peur épouvantable ("la frayeur") – ou les deux à la fois ! Notez également que l'on aime commencer par le verbe pour souligner une exclamation : **Hab' ich Angst gehabt!**, *[Ce que] j'ai eu peur !*

Übung 1 – Übersetzen Sie bitte!

❶ Erst wenn die Ampel für die Fußgänger grün ist, dürfen wir über die Straße gehen. ❷ Wenn sie nicht geschrien hätte, hätte er nicht den Lastwagen gesehen. ❸ Die Gesetze sind gemacht worden, damit man sie achtet. ❹ An deiner Stelle würde ich nicht bei Rot durchfahren, das ist verboten. ❺ Halten Sie die Augen offen, wenn Sie über die Straße gehen!

Übung 2 – Ergänzen Sie bitte!

❶ Attends, nous ne pouvons pas traverser, le feu est rouge !

. . . . ., ... nicht . . . . gehen, die Ampel ist . . . !

❷ Si j'étais à votre place, je ne ferais pas ça.

Wenn ich . . . . wäre, ... ich das nicht . . . .

❸ Si son ange gardien n'avait pas fait attention, il aurait été écrasé par le camion.

Wenn . . . . nicht aufgepasst hätte, ... von dem Lastwagen . . . .

❹ Il ne respecte plus aucune loi ! Il a dû devenir fou !

. . . . kein Gesetz mehr! . . . . . . verrückt geworden . . . . !

Corrigé de l'exercice 1

❶ C'est seulement quand le feu est vert pour les piétons que nous pouvons traverser la rue. ❷ Si elle n'avait pas crié, il n'aurait pas vu le camion. ❸ Les lois sont *(ont été)* faites pour être respectées *(qu'on les respecte)*. ❹ À ta place, je ne grillerais pas les feux, c'est interdit. ❺ Gardez les yeux ouverts quand vous traversez la rue !

❺ De quoi s'agit-il, s'il vous plaît ? – Vous avez grillé un feu rouge. – C'est grave ?

. . . ., bitte? – Sie sind . . . . . .
. . . . – Ist das . . . . ?

Corrigé de l'exercice 2

❶ Warte, wir dürfen – über die Straße – rot ❷ – an Ihrer Stelle – würde – machen ❸ – sein Schutzengel – wäre er – überfahren worden ❹ Er achtet – Er muss – sein ❺ Worum geht es – bei Rot durchgefahren – schlimm

Deuxième vague : 45ᵉ leçon

Wenn sie das gewusst hätte…

1 – Herr **Ober** ①, wir **wür**den gern ② **zahl**en!
2 – Selbstver**ständ**lich, **zahl**en Sie ge**trennt**
     oder zu**sam**men?
3 – Zu**sam**men.
4 – Gut, ich **brin**ge **Ih**nen die **Rech**nung so**fort**.
5 – Hör mal, es kommt **über**haupt ③ nicht in
     Frage, dass du schon **wie**der be**zahlst**.
6   **Heu**te bin ich dran ④, das war so **un**ter uns
     ausgemacht ⑤.
7 – Das ist mir neu.

Prononciation
1 … o:bᵃ … 5 … u:bᵃ͟haoupt … 6 … dra'n …

Notes

① **Herr Ober** s'utilise pour interpeller le garçon dans un grand
restaurant. Attention, **Frau Ober** ou **Oberin** n'existe pas ! Si
c'est une femme qui sert, dites **hallo** ou **bitte**, et captez simplement son attention par un petit signe de la main… C'est
tout aussi valable pour *un bistrot*, **eine Kneipe**, où *le garçon*
s'appelle **der Kellner** et *la serveuse*, **die Kellnerin**.

② Comme vous le savez, **gern** (ou **gern**e), *volontiers*, ajouté à
un verbe, remplace "aimer faire" : **ich esse gern**, *j'aime manger* ; au conditionnel, cela devient : **ich würde gern essen**,
j'aimerais manger. **Lieber**, le comparatif de **gern**, exprime la
préférence : **Ich würde lieber zu Hause bleiben**, *Je préfèrerais rester à la maison* (phrase 13).

Si elle avait su…

1 – Monsieur, nous aimerions payer *(payerions volontiers)* !

2 – Bien sûr, payez-vous séparément ou ensemble ?

3 – Ensemble.

4 – Bien, je vous apporte l'addition tout de suite.

5 – Écoute *(fois)*, il est hors de question *(il ne vient pas du tout en question)* que tu paies encore *(déjà à nouveau)*.

6 C'est mon tour aujourd'hui, c'était convenu ainsi entre nous.

7 – Ça, c'est nouveau *(à moi)* !

▶ ③ **überhaupt**, suivi d'une négation, la renforce (comme **gar**) : **ich mag ihn nicht**, *je ne l'aime pas*, **ich mag ihn überhaupt** (ou **gar**) **nicht**, *je ne l'aime pas du tout*.

④ L'expression **ich bin dran** est une formule raccourcie de **ich bin an der Reihe**, (litt. "je suis au rang"), *c'est mon tour*.

⑤ **etwas ausmachen** (ou **abmachen**), *convenir de quelque chose, arranger quelque chose* ; **einen Termin ausmachen**, *convenir d'un rendez-vous*, mais **das Licht ausmachen**, *éteindre la lumière*. Vous constatez qu'un verbe peut changer de signification en fonction du complément qui l'accompagne.

95

8 – **Tue** nicht so ⑥, als ob du das ver**ges**sen **hät**test, du hast doch sonst ein so **gut**es Ge**däch**tnis!

9 – Ich sch**wö**re dir, ich kann mich an nichts er**in**nern.

10 – **Hätte** ⑦ ich das ge**wusst**, dann **hät**te ich nichts ge**ges**sen und schon gar **kei**nen Cham**pag**ner ge**trun**ken!

11 – Das **wä**re **scha**de ge**we**sen, umso mehr als ⑧ das **Es**sen **wirk**lich ausge**zeich**net war, **fin**dest du nicht?

12 – Hol' ⑨ dich der **Teu**fel!

13 – **Lie**ber nicht, sonst ⑩ **müss**test du al**lein** zu Fuß nach **Hau**se **geh**en! □

---

*8 … tou:' … **hè**tëst … guë**dèch**tni's **13** … **muss**tëst …*

Notes

⑥ Après **(so) tun, als ob**, *faire comme si*, le verbe est au subjonctif, car il s'agit d'une hypothèse que l'on avance : **Er tut (so), als ob er krank wäre,** *Il fait comme s'il était ("serait") malade.* À la place de **als ob**, on peut simplement dire **als.** Dans ce cas-là, le verbe n'est plus placé à la fin, mais en 2ᵉ position après **als : Er tut (so), als wäre er krank,** *Il fait comme s'il était ("serait") malade.*

⑦ Dans une phrase au conditionnel, on peut supprimer **wenn** en commençant par le verbe : **Wenn es nicht so spät wäre, könnten wir noch spazieren gehen. = Wäre es nicht so spät, könnten wir noch spazieren gehen,** *S'il n'était ("serait") pas si tard, nous pourrions aller nous promener.*

⑧ Retenez **umso mehr als…**, *d'autant plus que…* ; **umso weniger als…**, *d'autant moins que…*

⑨ **hol'**, abréviation de **hole**, est ici la 3ᵉ personne singulier du subjonctif I au présent : **der Teufel hole dich!** Aux 1ʳᵉ et 3ᵉ ▶

8 – Ne fais pas comme si tu avais oublié *(cela)*, tu as une si bonne mémoire, d'habitude !

9 – Je te jure, je ne me souviens de rien *(ne peux de rien me souvenir)*.

10 – [Si] j'avais su, *(alors)* je n'aurais rien mangé, et, encore moins bu *(déjà pas du tout)* du champagne.

11 – Ça aurait été dommage, d'autant plus que le repas était vraiment excellent, tu ne trouves pas ?

12 – [Que] le diable t'emporte !

13 – [Il ne vaut] mieux pas, sinon tu devras *(devrais)* rentrer seule [et] à pied *(à la maison)* !

> personnes, le subjonctif I est formé sur le radical de l'infinitif + **e**, à l'exception de **sei**, subjonctif I du verbe **sein** (cf. leçon 94, phrase 14). Le subjonctif I s'emploie, entre autres, pour exprimer un souhait ou une prière.

⑩ **sonst** signifie aussi bien *d'habitude, d'ordinaire* (phrase 8) que *autrement, faute de quoi, sinon* : **Komisch, die Rechnung ist sonst nicht so teuer**, *Bizarre, l'addition n'est pas aussi chère d'habitude* ; **Ich trinke keinen Champagner mehr, sonst habe ich morgen einen Kater**, *Je ne bois plus de champagne, sinon j'aurai ("ai") une gueule de bois demain* ; **Was wünschen Sie sonst?**, *Que voulez-vous d'autre ?*

Übung 1 – Übersetzen Sie bitte!

❶ Sie geht gern mit ihm aus, umso mehr als er immer Champagner bestellt. ❷ Es wäre wirklich schade, wenn dich der Teufel holen würde. ❸ Könnten wir für nächste Woche einen Termin ausmachen? ❹ Warum bin ich immer dran, wenn bezahlt werden muss? ❺ Bitte tun Sie nicht so, als ob Sie sich nicht erinnern würden!

Übung 2 – Ergänzen Sie bitte!

❶ Nous étions convenus d'un rendez-vous pour aujourd'hui à 15 heures, mais je préfèrerais venir demain.

... . für heute 15 Uhr einen Termin ...., aber ... . morgen ......

❷ Elle a une excellente mémoire, elle se souvient de tout.

Sie hat ... ., ... sich .. alles.

❸ Elle jure avoir vu *(qu'elle aurait vu)* le diable en personne hier à minuit.

... ., dass sie gestern um Mitternacht ... . in Person ....

Corrigé de l'exercice 1

❶ Elle aime [bien] sortir avec lui, d'autant plus qu'il commande toujours du champagne. ❷ Ce serait vraiment dommage que le diable t'emporte. ❸ Pourrions-nous convenir d'un rendez-vous pour la semaine prochaine ? ❹ Pourquoi est-ce toujours mon tour lorsqu'il faut payer ? ❺ S'il vous plaît, ne faites pas comme si vous ne vous souveniez pas !

❹ Il fait comme si c'était nouveau pour lui, mais il le savait *(l'a su)* depuis longtemps !

.. .., als ob ihm das ... ., aber .. ... das seit langem ....

❺ Il est hors de question que vous payiez encore l'addition, d'autant plus que vous n'avez presque rien mangé.

.. .. nicht .. .., dass Sie schon wieder ... . bezahlen, ... Sie fast nichts ....

Corrigé de l'exercice 2

❶ Wir hatten – ausgemacht – ich würde lieber – kommen ❷ – ein ausgezeichnetes Gedächtnis, sie erinnert – an – ❸ Sie schwört – den Teufel – gesehen hätte ❹ Er tut so – neu wäre – er hat – gewusst ❺ Es kommt – in Frage – die Rechnung – umso mehr als – gegessen haben

Deuxième vague : 46ᵉ leçon

Auf Regen folgt Sonnenschein ①

1 – Du, ich **ha**be **ei**ne **gu**te und **ei**ne **schlech**te **Nach**richt, mit **wel**cher soll ich **an**fangen?

2 – **Lie**ber mit der **schlech**ten.

3 – Gut, wie **aus**gemacht **ha**be ich **heu**te **Mor**gen im Ho**tel Ad**lon **an**gerufen, um für Sil**ves**ter und **Neu**jahr ein **Zim**mer zu reser**vie**ren.

4 **Lei**der **wur**de mir ge**sagt**, dass **al**le **Do**ppelzimmer schon be**legt sei**en ②.

5 – Das kann nicht sein! **Pe**tra und Max **ha**ben er**zählt**, sie **hät**ten ③ erst Ende des **Jah**res reser**viert**.

6 – Ja, **a**ber der Herr am Em**pfang** hat mir er**klärt**, dass das Ho**tel die**ses Jahr schon seit **lan**gem für Sil**ves**ter **aus**gebucht sei,

---

Prononciation
*3 ... **a:dlo**'n ... zil**vèst**ᵃ ... 4 ... bë**lé:kt za**ïën ...*

Notes

① **der Schein**, *le rayon*, vient du verbe **scheinen** qui signifie à la fois *paraître/sembler* et *rayonner/briller* : **die Sonne scheint**, *le soleil brille*.

② **sie seien** est le subjonctif I (irrégulier) de **sie sind**, *ils sont*. En allemand classique, on doit employer le subjonctif I ou II pour le discours indirect, c'est-à-dire pour rapporter les paroles de quelqu'un d'autre : **er sagt, dass er müde sei**, *il dit qu'il* ▸

Après la pluie le beau temps
(Sur pluie suit rayon de soleil)

1 – J'ai une bonne et une mauvaise nouvelle
pour toi, par *(avec)* laquelle veux-tu que je
commence *(dois je commencer)* ?

2 – *(Plus volontiers)* Plutôt par la mauvaise.

3 – Bon, comme convenu, j'ai appelé *(dans)* l'hôtel
Adlon ce matin pour réserver une chambre pour
la Saint-Sylvestre et le Nouvel An.

4 Malheureusement, on m'a dit que toutes les
chambres doubles étaient *(soient)* déjà prises.

5 – Ce n'est pas possible *(peut pas être)* ! Petra
et Max [m']ont raconté [qu']ils n'avaient
(auraient) réservé qu'à la fin de l'année.

6 – Oui, mais le monsieur à la réception *(l'accueil)*
m'a expliqué que cette année l'hôtel est *(soit)*
déjà complet depuis long[temps] pour la Saint-
Sylvestre,

▸ *est* ("soit") *fatigué*. Mais réjouissez-vous, car cette règle est
de moins en moins respectée, et l'indicatif fait bien souvent
l'affaire : **Er sagt, er ist krank**, *Il dit qu'il est malade*.

③ Ici aussi le verbe est au subjonctif parce qu'il s'agit d'un
discours rapporté. À la 3ᵉ personne du pluriel, on préfère le
subjonctif II, car le subjonctif I est semblable à l'indicatif
(excepté pour le verbe **sein**, *être*).

7 und dass man das nie im **Vor**aus **wi**ssen
könne ④.

8 – Das ist **wirk**lich **scha**de, ich **ha**be mich so
da**rauf** ⑤ ge**freut**, ein paar **Ta**ge im **Lu**xus
zu **schwi**mmen.

9 Weißt du, im **Ad**lon **ste**hen ein
Schwimmbad und ein **Fit**ness-**Stu**dio
kostenlos zur Ver**fü**gung ⑥.

10 Ich **hät**te ein **biss**chen **Hin**tern ⑦ ver**lie**ren
können ⑧ und du ein **biss**chen Bauch…

11 Na ja, was soll's! **A**ber sag mal: was ist die
gute **Nach**richt?

12 – **Al**les ist nicht ver**lo**ren: ich **ha**be **um**gehend
eine Pau**schal**reise nach Gran Ca**na**ria
ge**bucht**.

13 Du wirst **se**hen, wir **wer**den in Top-Form
ins **neu**e Jahr **rut**schen ⑨! ☐

---

7 … **for**aou's *…* **keu**në *8 …* **lou**xou's *…* **9** *…* **fit**nès-**chtou:**dyo
… fèr**fu:**gouñg *10 …* **hi'nt**ªn *…* **ba**oucH *12 …* **oum**gué:ënt
… paou**cha:l**-raïzë *… 13 …* **top**-form *…* **rou**tch'n

Notes

④ Voici un subjonctif I (régulier) à la 3ᵉ personne du singulier,
formé sur le radical de l'infinitif + **e** : **er/sie/es kön**ne, *il/elle/
il* (neutre) *puisse*. Mais attention ! L'emploi du subjonctif I ne
correspond que rarement à son emploi en français. Ici, il est
employé parce qu'il s'agit du discours rapporté (voir les deux
notes précédentes).

⑤ **sich freuen auf** (+ acc.), *être content* (à la perspective de
quelque chose) : **Ich freue mich auf Ihren Besuch** signifie
Je me réjouis à l'avance de votre visite ou *Je suis content [de
savoir] que vous allez venir*. La joie et l'événement qui la provoque ▸

7 et qu'on ne peut *(puisse)* jamais le savoir à
l'avance.

8 – C'est vraiment dommage, j'étais si contente [à la perspective] de nager dans le luxe [pendant] quelques jours.

9 Tu sais, à l'hôtel Adlon il y a une piscine et un centre de remise en forme gratuits *(sans frais)* à ta *(la)* disposition.

10 [Moi] J'aurais pu perdre un peu [de] fesses et toi un peu [de] ventre.

11 Eh bien, tant pis *(que doit-il)* ! Mais dis-moi : quelle est la bonne nouvelle ?

12 – Tout n'est pas perdu : j'ai immédiatement réservé un voyage tout compris pour la Grande-Canarie.

13 Tu verras, nous commencerons *(glisserons dans)* la nouvelle année en pleine forme !

▶ sont donc décalés. En revanche, si l'on est content de quelque chose qui se passe en même temps, on dit **sich freuen über** (+ acc.) : **Ich freue mich über Ihren Besuch**, *Je suis content de votre visite* (actuellement).

⑥ **zur Verfügung stehen**, *être à la disposition* : **Haben Sie noch Fragen? Wir stehen Ihnen gern zur Verfügung**, *Avez-vous ("encore") d'autres questions ? Nous nous tenons volontiers à votre disposition.*

⑦ **der Hintern**, *le derrière, le postérieur, les fesses.*

⑧ Vous souvenez-vous du "double infinitif" (cf. leçon 76, note 9) ? Rappelons que, précédé d'un infinitif, le participe II d'un verbe de modalité se met, lui aussi, à l'infinitif : **er hat nicht schlafen können** (et non **gekonnt** !), *il n'a pas pu dormir.*

⑨ Pour souhaiter la bonne année, on dit soit **Gutes, neues Jahr**, *Bonne nouvelle année*, soit **Guten Rutsch ins neue Jahr** (litt. "Bonne glissade dans la nouvelle année").

Übung 1 – Übersetzen Sie bitte!

❶ Leider kann man nie im Voraus wissen, was passiert. ❷ Für Neujahr sind alle Einzelzimmer belegt, aber wir haben noch ein Doppelzimmer frei. ❸ Er hat mir erzählt, dass er ins Fitness-Studio geht, um ein bisschen Bauch zu verlieren. ❹ Wie am Telefon ausgemacht, steht Ihnen unser Haus für Silvester zur Verfügung. ❺ Sie schreiben, sie würden uns einen „Guten Rutsch ins Neue Jahr" wünschen.

Übung 2 – Ergänzen Sie bitte!

❶ Nous avons une mauvaise nouvelle pour vous, voulez-vous qu'on vous la dise tout de suite ? – Je préfère plus tard.

Wir haben . . . . für
Sie, sollen wir sie . . . . . sofort . . . . . ?
– . . . . . . später.

❷ Non, nous ne payons pas pour la piscine, vous m'avez dit au téléphone [qu']elle est gratuite.

Nein, wir bezahlen für . . . . nicht,
Sie haben mir am Telefon gesagt, es sei
. . . .

❸ Pourquoi n'as-tu pas, comme convenu, réservé une chambre à l'hôtel pour moi ?

Warum . . . . . . nicht, ... , ein
Zimmer im Hotel für mich . . . . ?

❹ Ils ont dit qu'ils étaient très contents de bientôt partir en avion pour la Grande-Canarie.

. . . . , dass . . . sich sehr darauf
. . . . , bald nach Gran Canaria . .
. . . .

Corrigé de l'exercice 1

❶ Malheureusement on ne peut jamais savoir à l'avance ce qui se passe[ra]. ❷ Toutes les chambres simples sont déjà prises pour le Nouvel An, mais il nous reste une chambre pour deux. ❸ Il m'a raconté qu'il allait au centre de remise en forme pour perdre un peu de ventre. ❹ Comme convenu au téléphone, notre maison est à votre disposition pour le Nouvel An. ❺ Ils écrivent [qu'] ils nous souhaitent une "bonne année".

❺ Si vous avez [d'autres] questions, nous sommes à votre disposition !
.... Sie noch ...., ...
Ihnen gern ... .!

Corrigé de l'exercice 2

❶ – eine schlechte Nachricht – Ihnen – sagen – Lieber – ❷ – das Schwimmbad – kostenlos ❸ – hast du – wie ausgemacht – reserviert ❹ Sie haben gesagt – sie – freuen würden – zu fliegen ❺ Wenn – Fragen haben, stehen wir – zur Verfügung

*L'hôtel Adlon est situé à Berlin, en face de la porte de Brandebourg, sur la **Pariser Platz**. Fondé au début du XXᵉ siècle avec l'aide de l'empereur Guillaume II par Lorenz Adlon, il devint vite l'adresse la plus prestigieuse de Berlin (**Unter den Linden 1**, Sous les Tilleuls). Il faut savoir que toutes les chambres avaient "l'électricité et l'eau chaude" dès son inauguration en 1907. Il paraît que certains clients préféraient même l'hôtel à leur palais ! Tous les "grands" du monde entier y résidèrent : rois, tsars et maharadjahs, politiciens, artistes, scientifiques, etc. En 1929, on pouvait lire dans un*

97 Siebenundneunzigste Lektion

Wenn es doch nur ① schneien würde!

1 – Im **Wet**terbericht **ha**ben sie vo**raus**gesagt, dass es noch **wär**mer **wer**den wird ②.

2 **Scha**de, **Weih**nachten **oh**ne Schnee ist kein **rich**tiges **Weih**nachten!

3 – Tja ③, das **Kli**ma ist nicht mehr so wie es **ein**mal war.

Prononciation
… *chna*ï'n … **2** … *vaï:-nacHtën* … **3** *tya* … *kli:ma* …

Notes

① **doch nur** sert à exprimer un vœu ! Mais on aurait pu n'employer qu'un des deux éléments : **Wenn es doch schneien würde!** ou, comme en français : **Wenn es nur schneien würde!**, *Si seulement il neigeait !*

② Dans la leçon précédente, nous avons appris que l'on emploie le subjonctif pour un discours indirect, mais aussi que cette règle n'est plus tellement appliquée dans le langage parlé. En ▸

des journaux de Berlin : "Dans le hall de l'hôtel Adlon, on entend pêle-mêle toutes les langues des nations riches".

Utilisé comme hôpital militaire pendant la Seconde Guerre mondiale, il redevint hôtel après sa restauration, puis foyer pour apprentis dans les années 70, avant de retrouver – en 1997 – son luxe d'origine. Il mérite donc une visite, tant pour sa glorieuse histoire que pour ses escaliers de marbre, son jardin d'hiver, son restaurant "Gourmet"... et bien sûr, pour y côtoyer des clients aussi renommés que ceux d'autrefois.

Deuxième vague : 47ᵉ leçon

Quatre-vingt-dix-septième leçon   97

[Si] seulement il neigeait *(neigerait)* !

1 – Dans le bulletin météo, ils ont annoncé *(prédit)* qu'il va faire *(deviendra)* encore plus chaud.
2   Dommage, un Noël sans neige n'est pas un vrai Noël !
3 – Eh oui, le climat n'est plus *(ainsi)* comme *(il)* autrefois *(était)*.

▶ voici la preuve ! En allemand classique, on aurait dit : **..., dass es wärmer werden würde** (et non **wird**).

③ **tja** sert à exprimer une certaine réserve, ou de la résignation : *Eh oui*, ou même *Tant pis* : **Tja, ich gehe nicht nach draußen, es schneit!**, *Tant pis, je ne vais pas dehors, il neige !* En allemand, il n'y a malheureusement pas d'autre équivalent de *tant pis*.

4 Hast du be**merkt**, dass die **Blau**meisen, die **ei**gentlich **Zug**vögel sind, **die**sen **Win**ter hier ge**blie**ben sind?

5 – Ja, und es wird da**mit** ge**rech**net ④, dass die Er**wär**mung der **Er**de **wei**ter zu**nimmt**.

6 In ein paar **Jah**ren **fei**ern wir **drau**ßen im **Ba**deanzug Heili**ga**bend!

7 – Umso **bes**ser, das Meer ist dann viel**leicht** auch schon **nä**her, wo doch ⑤ das **Was**ser in den **O**zeanen steigt…

8 – Ja, **un**sere **Zu**kunft sieht **ro**sig aus.

9 Aber wie dem auch sei ⑥, wir **las**sen uns nicht die **Lau**ne ver**der**ben!

10 Wir **wi**ssen ja, der Mensch passt sich **al**lem ⑦ an.

---

*4 … bla**ou**-maïzën … 5 … èr**vèr**mouñg … 6 … **ha**ïliçh-**a:b**'nt 7 … **o:**tséa:nën **chta**ïkt 8 … **ro:**ziçh …*

Notes

④ **rechnen mit** (litt. "compter avec"), se traduit la plupart du temps par *s'attendre à* : **Am Sonntag muss auf der Autobahn mit Stau gerechnet werden**, *Dimanche il faut s'attendre à des bouchons sur l'autoroute.*

⑤ **wo… doch…** a tantôt une signification proche de **da**, *comme*, *puisque* : **Hören wir auf zu tanzen, wo du doch keine Lust mehr hast**, *Arrêtons de danser, puisque tu n'[en] as plus envie*, tantôt une signification proche de *bien que*, *alors que* : **Warum ziehst du den dicken Pullover an, wo es doch heute so warm ist?**, *Pourquoi mets-tu ce gros pull-over alors qu'il fait si chaud aujourd'hui ?*

⑥ Attention, **auch**, *aussi*, est indispensable dans cette tournure, ainsi que dans d'autres du même genre : **wer es auch sei**, *qui que ce soit*, **was es auch sei**, *quoi que ce soit*… ▶

4 As-tu remarqué que les mésanges bleues, qui sont en réalité des oiseaux migrateurs, sont restées ici cet hiver ?

5 – Oui, et on s'attend à ce *(il est avec ce compté)* que le réchauffement de la terre augmente encore *(plus loin)*.

6 Dans quelques années, nous fêterons *(fêtons)* Noël *("Saint-Soir")* dehors, en maillot de bain.

7 – Tant mieux ! Du coup, la mer sera *(est)* peut-être aussi *(déjà)* plus proche, puisque l'eau des océans monte *(augmente)*…

8 – Oui, notre avenir s'annonce [vraiment] rose !

9 Mais, quoi qu'il en soit, ne nous laissons pas abattre *(notre humeur [se] gâter)* !

10 Nous savons bien que l'être humain s'adapte à tout.

▸ ⑦ **sich anpassen** s'utilise soit simplement avec un datif : **Er passt sich nie den anderen an**, *Il ne s'adapte jamais aux autres*, soit avec la préposition **an** (+ acc.), auquel cas la phrase comporte deux **an** – la particule et la préposition ! **Wir müssen uns an das neue Klima anpassen**, *Nous devons nous adapter au nouveau climat*.

11 Die Entwicklung der **Mensch**heit hat es ge**zeig**t: je weniger ⑧ der Mensch **kle**tterte, **des**to **kür**zer wur**den sei**ne **Ar**me!

12 **O**der **an**dersrum ge**sag**t: Je mehr er **lauf**en **muss**te, **um**so länger wur**den sei**ne **Bei**ne.

13 Die Na**tur fin**det im**mer ei**ne Strate**gie**, die dem **Men**schen das Überleben er**mög**licht.

14 – Na ja, ich weiß nicht recht ⑨, ich **wür**de ja gern **dei**nen Opti**mis**mus **tei**len, **a**ber stell dir mal den **Weih**nachtsmann in der **Ba**dehose vor! ☐

11 … **èntvik**louñg … **yé**: … **klèt**ᵃ**të dès**to … **13** … **chtraté***gui*: … **14** … opti**mis**mou's …

Notes

⑧ **je** (+ comparatif)… **desto/umso** (+ comparatif), *plus… plus… / moins… moins….* : **Je mehr ich denke, desto/umso weniger weiß ich,** *Plus je pense, moins je sais.* Notez qu'après **je** *[yé:],* ▸

***

Übung 1 – Übersetzen Sie bitte!

❶ Je wärmer die Erde wird, desto höher steigt das Wasser in den Ozeanen. ❷ Wenn ich Sie recht verstehe, müssen wir damit rechnen, dass das Klima sich in den nächsten Jahren ändert? ❸ Wer sich nicht anpassen kann, hat keine rosige Zukunft. ❹ Warum bist du schlechter Laune, wo doch das Wetter so schön ist? ❺ Tja, wenn es weiter schneit, dann wird der Weihnachtsmann nicht pünktlich kommen.

11   L'évolution de l'humanité l'a [bien] prouvé :
         moins l'homme grimpait, plus ses bras
         raccourcissaient !
12   Ou à l'inverse *(dit)* : plus il devait courir, plus
         ses jambes allongeaient.
13   La nature trouve toujours une stratégie qui
         permet à l'homme de survivre.
14 – Eh bien, je ne sais pas [au] juste, j'aimerais bien
         partager ton optimisme, mais imagine *(toi)* le
         père Noël en maillot *(pantalon)* de bain !

▶   le verbe est à la fin, et qu'il y a une inversion après **desto** ou
    umso.

⑨   **recht** s'utilise souvent à la place de **richtig**, *juste, vrai, bon*. En
    revanche, **die rechte Hand** est *la main droite* (de **rechts**, *[à]
    droite*), et rappelez-vous aussi **Recht haben**, *avoir raison*.

***

Corrigé de l'exercice 1

❶ Plus notre terre se réchauffe, plus l'eau *(dans les)* des océans
monte. ❷ Si je vous comprends bien, il faut s'attendre à ce que le
climat change dans les prochaines années ? ❸ Celui qui n'arrive
pas à s'adapter n'a pas un avenir rose. ❹ Pourquoi es-tu de
mauvaise humeur alors qu'il fait si beau ? ❺ Eh bien, s'il continue
à neiger, le père Noël ne pourra pas arriver à l'heure.

❶ Pourquoi ne partages-tu pas mon optimisme ? Je te jure,
l'avenir sera beau !

Warum . . . . nicht . . . . ?
Ich schwöre dir, ... wird schön sein!

❷ Les enfants, vous devriez vite changer de *(votre)* stratégie, car
le père Noël va venir dans quelques jours !

Kinder, ihr solltet schnell . . . .
wechseln, ... der Weihnachtsmann . . . . . .
. . . . kommt!

❸ Quoi qu'il en soit, qu'il *(s'il)* neige ou qu'il fasse *(s'il fait)*
chaud, nous nous adaptons à tous les climats *(chaque climat)*.

. . . ., ob . . . . oder . . . .
ist, ... uns . . jedes Klima . . .

❹ La mésange bleue fait partie des oiseaux migrateurs, elle ne
reste pas ici en hiver.

Die Blaumeise gehört zu . . . ., sie
bleibt . . . . nicht . . . . .

❺ Plus les hommes mangent de légumes, moins ils grossissent,
l'avez-vous déjà remarqué ?

. . . . . . die Menschen Gemüse essen, ...
. . . . nehmen sie zu, ... das schon
. . . . ?

Corrigé de l'exercice 2

❶ – teilst du – meinen Optimismus – die Zukunft – **❷** – eure Strategie – wo doch – in ein paar Tagen – **❸** Wie dem auch sei – es schneit – warm – wir passen – an – an **❹** – den Zugvögeln – im Winter – hier **❺** Je mehr – desto weniger – haben Sie – bemerkt

Der Heiligabend *(litt. "le saint-soir")* est la veille de Noël. *Le 24 décembre, une fois la nuit tombée, c'est-à-dire à partir de 17 heures environ, les familles se rassemblent autour de l'arbre de Noël, on offre les cadeaux, on chante et on commence à manger tous les bons petits gâteaux préparés pendant* le temps de l'Avent, **die Adventszeit** *(les quatre semaines précédant Noël).*

Deuxième vague : 48ᵉ leçon

Wiederholung – Révision

1   Le subjonctif

Le subjonctif allemand est le mode par lequel on exprime l'hypothèse, le souhait, la possibilité ou l'injonction.
Pour les enfants à l'école primaire, le subjonctif est appelé **die
Möglichkeitsform**, la "forme de possibilité", par rapport à l'indicatif, qui est **die Wirklichkeitsform**, "la forme de réalité". On
comprend mieux pourquoi les subjonctifs I ou II sont exigés par
exemple dans le discours indirect (au moins d'après les règles classiques de la grammaire), car qui peut être sûr de ce qu'il a entendu
d'une tierce personne ? Et il devient également logique d'utiliser le
subjonctif II pour le conditionnel : tant qu'une condition n'est pas
remplie, elle fait partie de "l'hypothétique".

1.1 La formation des deux subjonctifs

• Le subjonctif I se forme à partir du radical de l'infinitif en y ajoutant les terminaisons **-e, -est, e, en, et, en** :
gehen, *aller* : **ich geh**e, **du geh**est, **er geh**e, **wir gehen**, **ihr geh**et,
sie gehen.

Comme d'habitude **sein**, *être*, fait exception : **ich sei, du sei(e)st,
er sei, wir seien, ihr seiet, sie seien**.

Notez qu'à l'exception de **sein**, les 1re et 3e personnes du pluriel
sont identiques à l'indicatif présent, mais que la 3e personne du
singulier se termine en **-e** comme la 1re.

• Le subjonctif II se forme différemment selon qu'il s'agit d'un
verbe fort ou d'un verbe faible.

• Le subjonctif II des verbes forts se forme à partir du radical du
prétérit en ajoutant les mêmes terminaisons (**-e, -est, -e, -en, -et**,

-en) que celles ajoutées au radical de l'infinitif pour former le subjonctif I :
gehen, *aller* → radical du prétérit **ging** → subjonctif II : **ich ginge,
du gingest, er ginge, wir gingen, ihr ginget, sie gingen.**

Lorsque le radical du prétérit contient une voyelle qui peut être
infléchie sur **a, o, u**, on ajoute cette inflexion (sauf pour **sollen**,
devoir, et **wollen**, *vouloir*) :
sein, *être* → radical du prétérit **war** → subjonctif II : **ich wäre, du
wärest, er wäre, wir wären, ihr wäret, sie wären.**

• Le subjonctif II des verbes faibles est identique au prétérit :
kaufen, *acheter* : **ich kaufte, du kauftest, er kaufte, wir kauften, ihr kauftet, sie kauften.**

Il existe une autre forme avec **würde** + infinitif :
**ich würde kaufen, du würdest kaufen, er würde kaufen, wir
würden kaufen, ihr würdet kaufen, sie würden kaufen.**

Cette formule se révèle en fait tellement pratique qu'elle risque
se substituer entièrement aux formes fortes. Déjà aujourd'hui, on
n'entend plus personne dire : **Wenn ich Zeit hätte, flöge ich nach
Teneriffa...** mais : **würde ich... fliegen**, *Si j'avais le temps je*
("volerais") *prendrais l'avion pour Ténériffe.*
En revanche, on emploie encore volontiers les formes du subjonctif
II des auxiliaires **wäre** et **hätte**, bien qu'elles puissent également
être remplacées par **würde sein** et **würde haben.**

1.2 L'emploi des subjonctifs I et II

Traditionnellement le subjonctif I s'utilise pour les souhaits, les
ordres, les buts, et surtout dans le discours indirect. Cependant on
préfère le remplacer par d'autres moyens d'expressions, au point
qu'il risque de disparaître – au moins de la langue parlée.

Il ne subsiste plus que :

• dans quelques formules courantes de concession, comme **es sei denn, dass...**, *à moins que...* ou **wie dem auch sei**, *quoi qu'il en soit*,

• dans des souhaits devenus des tournures comme :
Gott sei Dank! *Dieu* ("soit") *merci !* ou **Hol' ihn der Teufel!** *[Que] le diable l'emporte !*

• dans des injonctions avec un côté volontairement "vieillot" :
Man nehme ein leeres Glas, eine große Serviette, sage „hokus-pokus fidipus, dreimal schwarzer Kater", und... das Glas ist voll! *Prenez* ("on prenne") *un verre vide, une grande serviette, dites* ("on dise") *"abracadabra"* ("trois fois chat noir") *et voilà... le verre* ("est") *rempli* ("plein") *!*

• très rarement, dans un style littéraire, après une conjonction finale (*pour que, afin que*) :
Noch ein bisschen Schlangenei, damit die Hexensuppe besser schmecke!, *Encore un peu d'œuf de serpent pour que la soupe de sorcière soit* ("goûte") *meilleure !*

Vous avez vu qu'il ne s'agit pas de formules que l'on utilise tous les jours, et de plus, tous les exemples que nous venons de voir peuvent aussi s'exprimer sans le subjonctif I : les souhaits, à l'aide du verbe de modalité **sollen** : **Soll ihn der Teufel holen!**, (litt. "Le diable doit l'emporter !"), les injonctions, en utilisant l'impératif : **Nehmen Sie...!** *Prenez... !* et, dans les autres cas, en faisant simplement appel à l'indicatif... autant dire qu'on pourrait tout à fait l'abandonner !

Mais attention ! **Wie dem auch ist**, *Quoi qu'il en soit* ("est"*!*), avant de renoncer définitivement au subjonctif I, nous vous conseillons de lire attentivement le § 1.3) sur le discours indirect !

Le subjonctif II s'utilise avant tout pour exprimer la condition, tant dans la principale que dans une subordonnée commençant par **wenn**, *si*.
Wenn er viel Geld hätte, würde er aufhören zu arbeiten. *S'il avait* ("aurait") *beaucoup d'argent, il s'arrêterait de travailler.*

Wenn du früher gekommen wärest, hättest du mich gesehen. *Si*
tu étais ("serais") *venu plus tôt, tu m'aurais vu.*

Puisque le verbe au subjonctif II nous indique à lui seul qu'il
s'agit d'une condition hypothétique et non réelle, la conjonction
wenn peut être supprimée, le verbe se trouvant alors en première
position :
Würde die Sonne scheinen, wäre ich glücklich. *[Si] le soleil
brillait* ("brillerait") *je serais heureux.*

Le subjonctif II s'utilise également pour exprimer :

• un souhait, souvent accompagné de **gern** ou **lieber** ou **am
liebsten** :
Ich würde jetzt gern ein Eis essen, und du? *Je mangerais bien
une glace, et toi ?*
Ich möchte* lieber ein Bier trinken, *Je préférerais boire une
bière.*

*Nous avons vu il y a longtemps **ich möchte**, *je voudrais, j'aimerais.* Nous pouvons enfin analyser sa forme grammaticale : il
s'agit bien du subjonctif II de **mögen**, *aimer* ("bien") dont le prétérit est **ich mochte**, *j'aimais bien,* et le subjonctif II **ich möchte**
(avec inflexion). Faites donc bien attention à la prononciation des
inflexions !

• un regret que l'on souligne souvent par **doch** ou **nur** (ou les
deux) :
Hätte ich doch nur mehr Geld! *[Si] seulement j'avais plus
d'argent !*
Wäre ich doch zu Hause geblieben! *[Si seulement] j'étais resté
à la maison !*

• une possibilité :
Wir könnten nach Dresden fahren, *Nous pourrions aller à
Dresde.*

• une politesse :
Würden Sie mir bitte das Salz reichen?, *Pourriez-vous me passer le sel, s'il vous plaît ?*

Le subjonctif II est donc loin de disparaître. En outre, il joue un rôle important dans le discours indirect, comme nous le montre le paragraphe suivant.

1.3 Le discours indirect

D'après les règles classiques de grammaire, il faut employer le subjonctif (I ou II) lorsqu'on rapporte les paroles prononcées par autrui ou par soi-même. En français, le subjonctif du discours indirect est généralement rendu par l'indicatif ; il faut donc être spécialement vigilant.

On utilise le subjonctif présent (I ou II) pour rapporter des paroles prononcées au présent (indépendamment de la principale qui, elle, peut être au présent ou au passé) :
– style direct : **Max sagt: „Ich bin in Berlin.",** *Max dit : "Je suis à Berlin."*
– rapporté : **Max sagt, dass* er in Berlin sei/wäre,** *Max dit qu'il est à Berlin.*

– style direct : **Gisela hat gesagt : „Ich habe keine Zeit.",** *Gisela a dit : "Je n'ai pas le temps."*
– rapporté : **Gisela hat gesagt, dass* sie keine Zeit habe/hätte,** *Gisela a dit qu'elle n'avait pas le temps.*

et le subjonctif passé (I ou II) pour rapporter les paroles prononcées au passé :
– style direct : **Max sagt : „Ich bin in Berlin gewesen.",** *Max dit : "J'ai été à Berlin."*
– rapporté : **Max sagt, dass* er in Berlin gewesen sei/wäre,** *Max dit qu'il a été à Berlin.*

– style direct : **Gisela hat gesagt: „Ich habe keine Zeit gehabt.",** *Gisela a dit : "Je n'ai pas eu le temps."*
– rapporté : **Gisela hat gesagt, dass* sie keine Zeit gehabt habe/hätte,** *Gisela a dit qu'elle n'avait pas eu le temps.*

*Rappelez-vous que l'on aime supprimer la conjonction **dass** – considérée comme un peu lourde – et que, dans ce cas, le verbe retrouve sa place habituelle (près du sujet) : **Max sagt, er sei in Form.**

Les subjonctifs I et II sont interchangeables dans le discours indirect. Que l'on dise **Peter sagt, er sei müde**, ou **Peter sagt, er wäre müde**, cela revient au même : dans tous les cas, on comprend que Peter a dit : "**Ich bin müde**", *Je suis fatigué*. Vous avez même maintenant le droit de dire : **Peter sagt, er ist müde**. Une fois de plus, la langue courante a réussi à simplifier les règles traditionnelles !

1.4 *Als ob*

Il n'y a qu'une conjonction qui exige toujours le subjonctif : **als ob**, *comme si*.

En général, il s'agit du subjonctif II ; en effet, on rencontre très rarement – et plutôt à l'écrit – le subjonctif I :

Er benimmt sich, als ob er der Chef sei/wäre, *Il se comporte comme s'il était le patron.*

Als ob peut être remplacé par **als** tout seul, en plaçant le verbe directement après :

Er benimmt sich, als sei/wäre er der Chef, *Il fait comme s'il était le patron.*

Une expression à retenir absolument est **(so) tun, als ob**, *faire comme si...* :

Er tut so, als ob er das zum ersten Mal hören würde, *Il fait comme s'il l'entendait pour la première fois.*

2 Une comparaison particulière

Vous souvenez-vous de **je..., desto/umso...**, *plus... plus...* , ou *moins... moins...* ?

La construction est simple : **je** + comparatif + verbe à la fin, **desto** ou **umso** + comparatif + inversion :

Je schneller ihr lauft, desto früher kommt ihr an, *Plus vite vous courez, plus vite vous arriverez.*

Je kälter der Winter ist, desto schöner scheint der Sommer, *Plus l'hiver est froid, plus l'été semble beau.*

Lorsqu'il n'y a pas d'autre adjectif, "plus" se traduit par **mehr** et "moins" par **weniger** :

Je mehr ich trinke, desto weniger Durst habe ich, *Plus je bois, moins j'ai soif.*

Voilà une bonne occasion de revoir le comparatif (cf. leçon 63, § 2.2) !

3   Les "petits mots"

Parlons un peu des "petits mots" à l'exemple de **schon**, *déjà*, et de **ja**, *oui*. Tous ont une première signification concrète qui ne pose pas de problème, mais qui, le plus souvent, n'est pas la seule :

3.1 *Schon*

Es ist schon vier Uhr!, *Il est déjà quatre heures !*
Wir haben schon gegessen, *Nous avons déjà mangé.*

Mais **schon** s'emploie fréquemment à la place (ou en plus) de **seit**, *depuis* :
Ich lerne schon zwei Monate Deutsch, *J'apprends l'allemand depuis* ("déjà") *deux mois* (sous-entendu : je trouve que c'est beaucoup) ;
et dans certaines locutions :
Ist schon gut, *Cela ne fait rien* (litt. : "C'est déjà bien").
Ich trinke keinen Alkohol und schon gar keinen Whisky, *Je ne bois pas d'alcool, et encore moins du whisky.*
Hast du schon wieder Hunger? *As-tu* ("déjà à nouveau") *encore faim ?*

3.2 *Ja*

Comme vous le savez, **ja** (accentué) tout seul ou en première position, veut dire "oui" ; on l'utilise de même à la fin d'un énoncé suivi d'un point d'interrogation pour s'assurer que l'autre approuve :
Kommst du mit? – Ja, natürlich! *Viens-tu avec [nous] ? – Oui, bien sûr !*
Du kommst mit, ja? *– Tu viens avec [nous], d'accord ?*

En revanche, le même **ja** – intégré dans une réponse – a le sens de "vous voyez/tu vois bien", "tu sais/vous savez bien", ou encore renforce un étonnement ou une injonction. Dans ces cas-là, on le traduit par "mais", par une périphrase, ou pas du tout :
Es ist rot, du musst warten! – Ich warte ja!, *C'est rouge, il faut que tu attendes ! – Mais [tu vois bien que] j'attends !*

Wir haben ja keine Zeit! *[Vous savez bien que] nous n'avons pas le temps !*
Es schneit ja! *Mais il neige !*
Mach das ja nicht noch einmal! *Ne le fais pas encore une fois !* (sous-entendu : je te préviens !)

Et n'oublions pas **Na ja!** et **Tja!** dont le sens dépend de la phrase. Ils se traduisent tous les deux par *eh bien*, *ben* ou *tant pis*, le ton faisant la chanson :
Könnte ich bitte eine einzige Margerite haben? – Na ja, nimm dir eine! *Pourrais-je avoir une seule marguerite, s'il vous plaît ? – Eh bien, prends-en une !*
Ich sage Ihnen, das ist kein Problem! – Tja, wenn Sie meinen. *Je vous [le] dis, ce n'est pas un problème ! – Bon, si vous [le] dites !*
Die Alte Mühle ist geschlossen! – Tja, dann essen wir eine Pizza beim Italiener! *Le "Vieux Moulin" est fermé ! – Tant pis ! Allons manger ("alors mangeons") une pizza chez l'Italien !*

N'ayez crainte : la plupart des significations particulières se comprennent toutes seules grâce au ton et aux gestes. Par exemple : **ist schon gut** ou **schon gut** se dit comme **das ist nicht schlimm**, *ce n'est pas grave*, d'un ton apaisant, consolant, peut-être accompagné d'un haussement d'épaules ; **schon wieder**, d'un ton énervé en fronçant les sourcils pour montrer sa désapprobation : **Es regnet schon wieder!**, *Il pleut encore !* En revanche **es regnet ja!** est dit avec les yeux écarquillés… Quand vous entendez **schon gar nicht**, vous ne pouvez pas douter qu'il n'en est pas question : **Ich am Sonntag arbeiten? Das schon gar nicht!**, *Moi, travailler le dimanche ? Sûrement pas ("cela") !*

Mettons en pratique ce que nous venons de dire ! Voici le dialogue qui vous permet, encore une fois, de revoir des points importants des six dernières leçons.

Sie denken, es gibt keine verständnisvollen Polizisten? Falsch!

1 – Du, die Ampel war rot!
2 – Welche Ampel? Ich habe keine Ampel gesehen.
3 – Das habe ich bemerkt, Liebling!
4 – Ich wünschte nur, die Polizei wäre nicht direkt hinter uns!
5 – Oh nein! Hol sie der Teufel!
6 – Ich bin sicher, wenn ich angehalten hätte, wären sie nicht da gewesen!
7 – Mit „hätte" und „wäre" kommen wir nicht weiter, mein Schatz, jetzt brauchen wir dringend unsere gute, alte Strategie!
8 – Guten Tag! Polizei! Könnte ich mal Ihre Papiere sehen?
9 – Selbstverständlich! Hier bitte! Ich hoffe, es ist nichts Schlimmes?
10 – Na ja, Sie sind bei Rot durchgefahren!
11 – Das kann nicht sein! Ich schwöre Ihnen, das ist mir noch nie passiert!
12 – Wie dem auch sei, Sie müssen mit einer hohen Strafe rechnen.
13 – Was heißt das?
14 – Das kostet Sie wenigstens 250 Euro!
15 – Also dieses Mal platzt mir endgültig der Kragen!
16 Hundertmal habe ich dir gesagt, dass Verkehrsregeln genau beachtet werden müssen.
17 Es kommt überhaupt nicht in Frage, dass ich schon wieder für dich bezahle!
18 Außerdem kannst du zu Fuß nach Hause gehen und am besten schnell, bevor ich dir den Hals umdrehe!

Vous pensez [qu'] il n'y a pas de policiers compréhensifs ? Faux !

1 *(Toi)* Le feu était rouge ! **2** Quel feu ? Je n'ai pas vu de feu ! **3** [C'est bien ce que] j'ai remarqué, chérie ! **4** *(Je souhaiterais)* J'aurais seulement souhaité que la police ne soit *(serait)* pas derrière nous ! **5** Oh non ! Que le diable les emporte ! **6** Je suis certaine [que] si je m'étais *(serais)* arrêtée, ils n'auraient pas été là. **7** Avec des "aurait" et des "serait", nous ne nous en sortirons pas *(n'allons pas plus loin)*, mon trésor, maintenant nous avons besoin d'urgence [de] notre bonne vieille stratégie ! **8** Bonjour ! Police ! Pourrais-je voir vos papiers ? **9** Bien sûr ! Les voici *(Ici s'il vous plaît)* ! J'espère qu'il n'y a rien de grave ? **10** Eh bien, vous avez grillé le feu rouge ! **11** Ce n'est pas possible ! Je vous jure [que] cela ne m'est jamais arrivé ! **12** Quoi qu'il en soit, attendez-vous à une amende élevée. **13** Ce qui veut dire ? **14** Cela vous coûtera au moins 250 euros ! **15** Alors cette fois-ci j'explose pour de bon *(le col définitivement m'éclate)* ! **16** Je t'ai dit cent fois que l'on doit strictement observer le code de la route ! **17** Il est hors de question que je paie encore pour toi ! **18** D'ailleurs, tu peux rentrer à pied *(à la maison)* et vite fait, de préférence, avant que je ne te torde le cou !

19 – Hören Sie mal, so schlimm ist es nun auch nicht, bewahren Sie die Ruhe!
20 Ein Gentleman sind Sie ja nicht gerade!
21 Und Sie, hören Sie auf zu weinen: die Ampel war ja vielleicht noch gelb!
22 Also auf Wiedersehen und passen Sie in Zukunft besser auf!
23 – Oh, ich danke Ihnen vielmals! Das ist wirklich sehr nett von Ihnen!

***

24 – Na, wie war ich?
25 – Ich würde sagen, fast zu perfekt!
26 Du hast mir wirklich einen Schrecken eingejagt, als du gesagt hast, du würdest mir gern den Hals umdrehen!

---

99 Neunundneunzigste Lektion

Ohne Fleiß kein Preis

1 – Sei es in **ei**nem Jahr **o**der in zwei, ich **wer**de es **scha**ffen!
2 – Klar doch, so **flei**ßig ① und **tüch**tig wie Sie sind!
3 – Na ja, ich weiß nicht, ob ich be**son**ders **tüch**tig bin, **a**ber ich **wer**de nicht **auf**geben, das ist **si**cher!

Prononciation
… *flaï's* … **2** … *flaïssich* … **tuçh**tich …

19 Écoutez [Monsieur], ce n'est pas si grave que ça, gardez votre **99** calme ! **20** Vous ne vous comportez pas en vrai gentleman ! **21** Et vous [Madame], arrêtez de pleurer : le feu était peut-être bien encore à l'orange *(jaune)* ! **22** Alors au revoir, et faites plus *(mieux)* attention à l'avenir ! **23** Oh, je vous remercie beaucoup ! C'est vraiment très gentil de votre part ! **24** Alors comment j'étais ? **25** Je dirais presque trop parfait ! **26** Tu m'as vraiment fait peur quand tu as dit [que] tu me tordrais volontiers le cou !

Vous voici arrivé à la fin de votre dernière leçon de révision. Pourtant, tout n'est pas fini, deux nouvelles leçons vous attendent encore ! **Also, bis morgen!**

Deuxième vague : 49ᵉ leçon

Quatre-vingt-dix-neuvième leçon   99

On n'a rien sans peine
(Sans application pas de récompense)

1 – [Que] ce soit dans un an ou deux, j'y arriverai !
2 – Mais bien sûr, *(si)* studieux et assidu comme vous [l']êtes !
3 – Eh bien, je ne sais pas si je suis spécialement studieux, mais je n'abandonnerai pas, ça c'est sûr.

Note

① **fleißig** et **tüchtig** sont à peu près synonymes. Quand une personne est **fleißig** ou **tüchtig** (ou les deux), elle est *travailleuse*, *assidue*, *studieuse*, *appliquée*, bref tout ce que l'on peut souhaiter…

4 – Wa**rum soll**ten ② Sie? Es **wäre wirk**lich dumm jetzt **auf**zugeben, wo ③ das **Schwer**ste **hin**ter Ihnen liegt.

5 – Wo**her wi**ssen Sie das?

6 – Es ist ein **o**ffenes Ge**heim**nis, dass der **An**fang das **Schwer**ste ist.

7   Am **An**fang braucht man viel Mut und **Aus**dauer, weil man auf so **vie**le **Di**nge **gleich**zeitig **auf**passen ④ muss.

8 – **Ko**misch ⑤, das ist mir gar nicht **auf**gefallen ⑥.

9 – **Um**so **be**sser! Die **Haupt**sache ist, am Ball zu **blei**ben und nicht die Ge**duld** zu ver**lie**ren.

10 – Ja, mit der Zeit klärt sich **al**les auf.

11   Mir hat es **je**denfalls **gro**ßen Spaß ge**macht**.

12   Und **des**halb **wer**de ich auch **wei**termachen, **e**gal was ⑦ kommt!

13   **Min**destens **ei**ne **hal**be **Stun**de pro Tag…, so**lang**e bis ich **flie**ßend Deutsch **spre**che! □

---

7 … di**ñ**güe gla**i**çh-tsa**ï**tiçh … **13** … zola'nge … fli:s'nt …

Notes

② **sollen**, *devoir*, ne prenant pas d'inflexion sur la voyelle du radical au subjonctif II, les formes du prétérit et du subjonctif II sont identiques (cf. leçon 92, note 3).

③ **wo** est ici employé comme conjonction identique à **wo doch**, *alors que*, *comme* (cf. leçon 97, note 5).

④ Du fait que **aufpassen**, *faire attention*, s'accompagne de la préposition **auf**, nous avons deux fois **auf** : **Passen Sie auf Ihr Geld auf!**, *Faites attention à votre argent !* ▶

4 – Pourquoi *(devriez-vous)* le feriez-vous ? Ce
serait vraiment bête d'abandonner maintenant,
alors que le plus dur est derrière vous.

5 – D'où *(savez)* tenez-vous ça ?

6 – Que le début soit le plus dur, c'est un *(ouvert)*
secret de Polichinelle.

7 Au début on a besoin [de] beaucoup de courage
et de persévérance, parce que l'on doit faire
attention à tant de choses en même temps !

8 – [C'est] drôle, je ne l'ai pas du tout constaté.

9 – Tant mieux ! Le principal est de ne pas lâcher
(rester près du ballon et) ni de perdre *(la)*
patience .

10 – Oui, avec le temps, tout s'éclaire.

11 [À] Moi, en tout cas, j'y ai pris *(a cela fait)*
grand plaisir.

12 Du coup *(Et pour cela)* je vais continuer, quoi
qu'il arrive !

13 Au moins une demi-heure par jour… jusqu'à ce
que je parle couramment l'allemand !

▶ ⑤ **komisch** s'emploie fréquemment dans le sens de "bizarre",
"étrange" pour exprimer un étonnement, bien que sa première
signification soit *drôle, comique.*

⑥ L'expression est **es fällt mir auf, dass…** (litt. "il me frappe"),
je remarque que…

⑦ **egal was…** remplace dans le langage parlé l'expression **was
auch…**, *quoi que…* On aurait pu dire **Ich mache weiter, was
auch kommt** (cf. leçon 97, note 6).

Übung 1 – Übersetzen Sie bitte!

❶ Die Hauptsache ist, nicht den Mut zu verlieren und weiterzumachen! ❷ Vielen Dank, allein hätte ich das nie geschafft! ❸ Es ist ein offenes Geheimnis, dass ihr Mann nicht besonders tüchtig ist. ❹ Haben Sie bitte ein wenig Geduld, morgen wird sich alles aufklären. ❺ Sie sollten fleißig jeden Tag eine Lektion lesen und übersetzen!

Übung 2 – Ergänzen Sie bitte!

❶ Quoi qu'il arrive, je n'abandonnerai pas, ça c'est sûr !

Egal . . . . , ich werde nicht . . . . , das ist . . . . . . !

❷ Au début, il faut faire attention à tant de choses, ce n'est vraiment pas simple.

. . . . muss man . . . so viele Dinge . . . . , das ist . . . . nicht leicht.

❸ On a besoin de beaucoup de courage et de persévérance pour ne pas lâcher *(rester près du ballon)*.

Man braucht . . . . . . und . . . . , um . . . . . . zu . . . .

❹ Ce serait dommage de ne pas continuer, alors que cela fait un grand plaisir.

. . . . . . schade nicht . . . . , wo es doch . . . . macht.

❺ Il n'a pas remarqué qu'il est spécialement difficile d'apprendre l'allemand.

Es ist ihm nicht . . . . , dass es . . . . ist, ... zu lernen.

Corrigé de l'exercice 1

❶ Le principal est de ne pas perdre courage et de continuer! ❷ Merci beaucoup, seul je n'y serais jamais arrivé ! ❸ Que son mari ne soit pas [un travailleur] assidu, c'est un secret de Polichinelle. ❹ Soyez un peu patient, s'il vous plaît, demain tout s'expliquera. ❺ Vous devriez lire et traduire tous les jours assidûment une leçon !

Corrigé de l'exercice 2

❶ – was kommt – aufgeben – sicher ❷ Am Anfang – auf – aufpassen – wirklich – ❸ – viel Mut – Ausdauer – am Ball – bleiben ❹ Es wäre – weiterzumachen – großen Spaß – ❺ – aufgefallen – besonders schwer – Deutsch –

Pour soutenir vos efforts, vous trouverez dans la dernière leçon un pot-pourri des points délicats de grammaire : la structure d'une subordonnée, le superlatif, le passif, les prépositions, les particules, les différents temps, et, évidemment, beaucoup de déclinaisons et de conjugaisons... ! N'hésitez pas à revoir tout ce qui ne vous semble pas encore tout à fait clair dans les leçons de révision précédentes. L'index grammatical vous aidera à retrouver la bonne page.

Deuxième vague : 50ᵉ leçon

100 Hundertste Lektion

Als letzte Lektion erzählen wir Ihnen eine wahre Geschichte!

Ende gut, alles gut

1 – **Ha**llo **An**ne,
seit mehr als zwei **Jah**ren **ha**ben wir nichts
vonei**nan**der ge**hört** – **hof**fentlich hat sich
deine E-Mail-A**dres**se in**zwi**schen nicht
ge**än**dert!

2 Wie geht es dir und **dei**nem Mann ①?
Lebt ihr **im**mer noch in der Stadt mit dem
höchsten **Kirch**turm der Welt?

3 Die **schö**ne Zeit, die ich mit euch vor
drei **Jah**ren ver**bracht ha**be, ist mir
unvergesslich ge**blie**ben.

4 **Um**so mehr als ich **eu**retwegen be**gon**nen
habe, Deutsch zu **ler**nen.

5 Da**für möch**te ich mich bei euch **heu**te
herzlich be**dan**ken, denn, **oh**ne es
zu **wis**sen, wart ihr **mei**nes **Glü**ckes
Schmied ②!

Prononciation
1 ... i̲:-mè:il ... 5 ... glu̲kës chmi̲:t

Pour cette dernière leçon, nous vous racontons une histoire vraie !

Tout est bien qui finit bien
(Fin bonne, tout bon)

1 – Bonjour Anne,
cela fait plus de deux ans que nous ne nous
sommes pas donnés de nouvelles *(depuis plus
de deux ans nous n'avons plus rien entendu
l'une de l'autre)* – j'espère que ton adresse
e-mail n'a pas changé entre-temps !

2 Comment allez-vous, toi et ton mari ? Est-ce
que vous vivez toujours dans la ville *(avec la
plus haute tour d'église)* où l'église a le plus
haut clocher du monde ?

3 Le temps merveilleux que j'ai passé avec
vous il y a trois ans *(m')* est resté pour moi
inoubliable.

4 D'autant plus que [c'est] grâce à vous [que] j'ai
commencé à apprendre l'allemand.

5 Aujourd'hui je voudrais vous en remercier
(pour cela) sincèrement, car, sans le savoir,
vous avez été les artisans de mon bonheur !

Notes

① Souvenez-vous que **es geht** est invariable dans cette expression, et que la personne dont il s'agit se trouve au datif : **Wie geht es Ihrer Frau, Herr Schneider?**, *Comment va votre femme, Monsieur Schneider ?*

② Le véritable proverbe est **Jeder ist seines Glückes Schmied**, *Chacun est l'artisan* ("forgeron") *de son bonheur.*

6 Und das kam so: im Mai **letz**ten **Jah**res **hab**e ich am **A**bend schnell noch Brot **ho**len **wo**llen, be**vor** die Ge**schäf**te **schließ**en.

7 Ich **hab**e vor der **Bäck**erei ge**parkt** und beim ③ **Aus**steigen ist es pas**siert**!

8 Ein **ar**mer **Rad**fahrer, der ge**ra**de in **die**sem Mo**ment** vorbeifuhr ④, **mach**te **ei**nen **Sal**to über sein **Lenk**rad!

9 Ich bin **fürch**terlich er**schro**cken und zu dem auf der **Straß**e **lieg**enden ⑤ Mann ge**lauf**en.

10 Und stell dir vor! Ich **wur**de von **ei**nem Schwall **deut**scher **Schimpf**wörter emp**fang**en! (**Glück**licherweise ver**stand** ich nur „Mist" und „Idi**ot**in"!)

11 To**tal** über**rascht** fiel mir nichts **an**deres ein ⑥ als „Noch **ein**mal Glück ge**habt**!" zu **sag**en (das war der **Ti**tel einer **Lek**tion in **mei**nem **Deutsch**buch…).

Notes

③ Comme presque toutes les prépositions, **bei** a plusieurs significations. Ici, il a un sens temporel *au cours de*, *pendant*, qui se traduit souvent par un gérondif en français : **Beim Radfahren muss man vorsichtig sein**, *En faisant du vélo, il faut être prudent.*

④ **vorbeifahren**, *passer devant* – en voiture, en vélo ou en train… Le verbe sous-entend que l'on disparaît rapidement, ce qui explique que **vorbei** en tant qu'adverbe signifie *passé*, *fini* : **Alles ist vorbei**, *Tout est fini.*

6   Voilà comment c'est arrivé *(Et cela arriva*
ainsi) : un soir de mai, l'année dernière, j'ai
voulu vite *(encore)* aller chercher du pain avant
(que les magasins ferment) la fermeture des
magasins.

7   Je me suis garée devant la boulangerie et [c'est]
en descendant [de la voiture] que ça s'est
produit !

8   Un malheureux cycliste, qui passait juste à
ce moment-là, a fait un salto par-dessus son
guidon !

9   J'ai eu très peur *(étais horriblement effrayée)* et
j'ai couru vers l'homme allongé *(étant allongé)*
dans la rue.

10   Et figure-toi [que] j'ai été accueillie par
un torrent d'injures *("rouspéter"-mots)* en
allemand – je n'ai compris que "zut" et "idiote",
fort heureusement !

11   Totalement sidérée, je n'ai rien trouvé d'autre
à dire que "On a eu de la chance !" *(La chance
encore une fois...)* – c'était le titre d'une leçon
dans mon livre d'allemand…

⑤   **liegend** est le participe présent de **liegen**, *être allongé*. Il
s'emploie volontiers, comme beaucoup de participes présents
allemands, comme adjectif.

⑥   Retenez **einfallen**, *venir à l'esprit* : **Was fällt Ihnen ein, wenn
Sie das Wort „Glück" hören?** *À quoi pensez-vous quand vous
entendez le mot "bonheur" ?* Mais attention à l'expression
Was fällt Ihnen ein! – dite sur un ton de reproche –, qui signifie *Qu'est-ce qui vous prend ?*

12 Er **muss**te da**raufhin herz**haft **la**chen
und das war der **An**fang von **un**serer
Liebesgeschichte.

13 Für **un**seren **näch**sten Urlaub haben
wir vor, die „**Roman**tische **Stra**ße"
von **Würz**burg nach **Füss**en ent**lang** zu
radeln ⑦ – 350 **Kil**ometer!

14 **Augs**burg ist **an**scheinend nicht weit von
Ulm ent**fernt**, wir **könn**ten **ei**nen **Ab**stecher
machen und euch be**su**chen.

15 Ich **wür**de mich sehr **freu**en, euch
wiederzusehen.

16 Lass schnell von dir **hö**ren!

Liebe **Grü**ße an euch **bei**de!

Deine **Mi**riam ☐

---

13 … *vurts*-*bourk* … **14 a***ouksbourk* … *oulm* …

***

Übung 1 – Übersetzen Sie bitte!

❶ Weißt du noch, wo der höchste Kirchturm der
Welt steht? ❷ Wenn man genug Zeit hat, kann man
die ganze „Romantische Straße" entlang radeln.
❸ Warum kommen Sie nicht zu einem Glas Wein
vorbei? ❹ Glücklicherweise geht es ihm heute viel
besser als gestern. ❺ Die wunderschönen Tage, die
wir hier verbracht haben, werden uns unvergesslich
bleiben.

12 Ça l'a fait *(Là il a dû)* rire de bon cœur, et ça a été le début de notre histoire d'amour.

13 Pour nos prochaines vacances, nous avons prévu de faire *(un tour)* en vélo *(le long de)* la "Route Romantique" de Würzburg jusqu'à Füssen – 350 kilomètres !

14 Apparemment, Augsburg n'est pas très loin d'Ulm, nous pourrions faire un crochet et vous rendre visite.

15 Je serais très heureuse *(me réjouirais)* de vous revoir.

16 Envoie vite de tes nouvelles !

Amitiés *(tendres salutations)* à vous deux !

(Ta) Miriam

Note

⑦ **radeln** se dit à la place de **Rad fahren**, *faire du vélo* ; **entlang** est ici une particule séparable : **Wir fahren mit dem Rad den Rhein entlang**, *Nous longeons le Rhin en vélo*, mais elle s'emploie aussi comme préposition : **Entlang des Rheins** ou **dem/ den Rhein entlang gibt es viele Burgen**, *Le long du Rhin, il y a beaucoup de châteaux forts.*

***

Corrigé de l'exercice 1

❶ Te rappelles-tu *(Sais-tu encore)* où se trouve le plus haut clocher du monde ? ❷ Si l'on a assez de temps, on peut faire toute la "Route Romantique" en vélo. ❸ Pourquoi ne passeriez-vous pas prendre *(pour)* un verre [de] vin ? ❹ Heureusement, aujourd'hui il va beaucoup mieux qu'hier. ❺ Les merveilleux jours que nous avons passés ici resteront inoubliables pour nous.

1 Ils ont prévu de rendre visite à leurs amis à Ulm avant de continuer pour Würzburg.

... ., ihre Freunde in Ulm ..
........., ... sie nach Würzburg
weiterfahren.

2 Si vous faites la "Route Romantique" en vélo, vous passez devant le château de Neuschwanstein.

Wenn Sie die „Romantische Straße" ....
......, fahren Sie am Schloss Neuschwanstein
....

3 Cela fait longtemps que je n'ai plus eu de nouvelles de Miriam ; j'espère qu'elle va bien.

... ... schon lange nichts mehr ... Miriam
...... ; ich hoffe, ... ihr ....

4 En descendant du train, il a fait un salto par-dessus sa valise, mais heureusement il n'a rien eu *(rien ne lui est arrivé)*.

.... aus dem Zug machte er
.... über seinen Koffer, aber
.... ist ... nichts passiert.

5 Elle était totalement surprise quand l'homme assis dans la rue l'a accueillie par un torrent de mots allemands.

Sie war total ...., als der ... ...
.... Mann sie mit einem Schwall
.... empfing.

Corrigé de l'exercice 2

❶ Sie haben vor – zu besuchen, bevor – ❷ – entlang radeln – vorbei ❸ Ich habe – von – gehört – es geht – gut ❹ Beim Aussteigen – einen Salto – glücklicherweise – ihm – ❺ – überrascht – auf der Straße sitzende – deutscher Wörter –

Deuxième vague : 51ᵉ leçon

Et voilà ! Nous sommes arrivés à la fin de notre méthode. Nous ne pouvons que vous en féliciter, tout en vous invitant à terminer la deuxième vague ; cette phase, réellement active, au cours de laquelle vous traduirez les dialogues des leçons 50 à 100 du français vers l'allemand, ne fera que renforcer vos acquis. En espérant que le parcours que nous avons fait ensemble vous a procuré autant de plaisir qu'à nous, nous vous disons à regret...

Auf Wiedersehen!

Appendice grammatical

Sommaire

1	**Les noms**	581
2	**Les articles**	582
3	**Les quatre cas**	582
4	**La déclinaison**	583
5	**Le pluriel des noms**	584
6	**Les articles indéfinis, partitifs et négatifs**	585
7	**L'adjectif**	585
7.1	L'adjectif démonstratif	585
7.2	L'adjectif possessif	585
7.3	L'adjectif attribut	586
7.4	L'adjectif adverbe	586
7.5	L'adjectif épithète	587
7.6	L'adjectif substantivé	587
8	**Les pronoms**	587
8.1	Le pronom personnel	587
8.2	Le pronom réfléchi	588
8.3	Les pronoms démonstratifs	588
8.4	Les pronoms interrogatifs	589
8.5	Le pronom relatif	590
8.6	Les pronoms indéfinis	590
8.7	Les pronoms possessifs	590
9	**Les verbes**	591
9.1	Les verbes faibles ou réguliers	591
9.2	Les verbes forts ou irréguliers	592
9.3	Les verbes faibles irréguliers	594
9.4	**sein, haben, werden**	594
9.5	Les temps composés	598
9.6	Les verbes de modalité	598
9.7	Les participes I et II	599
9.8	Les verbes substantivés	599
10	**Le passif**	600
11	**Le conditionnel**	601
12	**Les verbes à particules**	601
13	**Les verbes transitifs et intransitifs**	603
14	**Le locatif et le directionnel**	603

15	**Les verbes avec complément prépositionnel**	604
16	**Les conjonctions**	606
16.1	Les conjonctions de coordination	606
16.2	Les conjonctions de subordination	607
17	Les propositions relatives	607
18	Quelques expressions impersonnelles	608

1   Les noms

Un nom peut être précédé d'un article, lequel nous indique le genre du nom : **der** (masculin), **die** (féminin), **das** (neutre). Il n'y a pas de règles strictes qui permettent de déterminer le genre d'un nom. Un objet peut être masculin, féminin ou neutre : **der Tisch**, *la table*, **die Reise**, *le voyage*, **das Buch**, *le livre*.
En revanche,
• Les personnes et les animaux sont généralement masculins ou féminins selon leur sexe ; le neutre ne s'emploie que pour les très jeunes : **der Mann**, *l'homme*, **der Onkel**, *l'oncle*, **die Frau**, *la femme*, **die Großmutter**, *la grand-mère*, **der Stier**, *le taureau*, **die Kuh**, *la vache*, mais **das Kind**, *l'enfant*, **das Kalb**, *le veau*.

• Les noms des jours, des mois et des saisons sont masculins : **der Sonntag**, *le dimanche*, **der Mai**, *le [mois de] mai*, **der Winter**, *l'hiver*.

• Les noms des arbres, des fruits et des fleurs sont généralement féminins : **die Eiche**, *le chêne*, **die Birne**, *la poire*, **die Rose**, *la rose* (mais : **der Baum**, *l'arbre*, **der Apfel**, *la pomme*, **der Pfirsich**, *la pêche*…).

• Les noms de villes et de pays sont neutres, à l'exception de **die Schweiz**, *la Suisse*, **die Türkei**, *la Turquie*, **der Libanon**, *le Liban*, **der Iran** et **der Irak**…

Certaines terminaisons peuvent vous aider à déterminer le genre des noms :
Par exemple :
• Les noms se terminant en **-er** formés à partir d'un verbe, et ceux en **-ling** ou **-ismus** sont masculins :

löschen, *éteindre* → **der Feuerlöscher**, *l'extincteur*,
der Liebling, *le chéri / la chérie*,
der Optimismus, *l'optimisme*.

• Les noms en **-ung**, **-heit**, **-keit**, **-schaft** sont féminins :
die Wohnung, *l'appartement*,
die Freiheit, *la liberté*,
die Freundlichkeit, *la gentillesse, l'amabilité*,
die Wirtschaft, *l'économie*.

• Les noms en **-chen**, **-lein** et les infinitifs substantivés (§ 9.8) sont neutres :
das Mädchen, *la fille*,
das Tischlein, *la petite table*,
das Essen, *le repas*.

Notez que tous les noms s'écrivent avec une majuscule.

2   Les articles

L'article précède un nom. (Si aucun nom ne suit, il s'agit d'un pronom.)
Comme en français, on différencie l'article défini **der**, **die**, **das** (*le*, *la*, *le*/neutre) de l'article indéfini **ein**, **eine**, **ein** (*un*, *une*, *un*/neutre), mais contrairement au français, il existe un article indéfini négatif : **kein**, **keine**, **kein** (*pas un/aucun, pas une/aucune, pas un/aucun*/neutre).
L'article se présente sous des formes différentes qui, elles, dépendent de trois choses :
– du genre du nom (masculin, féminin ou neutre),
– du nombre (singulier ou pluriel),
– et du cas grammatical du nom. C'est là la grande différence avec le français.
Il y a quatre cas qui correspondent à la fonction occupée par le nom dans la phrase.

3   Les quatre cas

Le nom se trouve
• au nominatif lorsqu'il est sujet,
• à l'accusatif lorsqu'il est complément direct,

• au datif lorsqu'il est complément d'objet indirect,
• au génitif lorsqu'il est complément de nom.
C'est en général le verbe qui entraîne le cas. La plupart du temps, les verbes français régissent le même cas que les verbes allemands, c'est-à-dire qu'ils sont accompagnés du même complément direct, indirect, de nom… :
Er kennt den Weg (accusatif) **gut**, *Il connaît bien le chemin* (complément d'objet direct) ;
Das Buch gehört meinem Freund (datif), *Le livre appartient à mon ami* (complément d'objet indirect) ;
Der Freund meiner Schwester (génitif) **ist nett**, *L'ami de ma sœur* (complément de nom) *est gentil.*

Mais méfiez-vous, il y a quelques exceptions :
- **helfen**, *aider*, entraîne en allemand un complément d'objet indirect :
Kann ich dir helfen? *Puis-je t'aider* ("à toi") *?*
fragen, au contraire, entraîne un accusatif :
Fragen Sie Ihren Lehrer! *Demandez [à] votre professeur !* (cf. leçon 58, note 2)

L'ensemble des quatre cas grammaticaux s'appelle "une déclinaison".

4   La déclinaison

Elle s'applique avant tout sur les articles :

	Singulier		
	Masculin	Féminin	Neutre
Nominatif	**der/ein Tisch**	**die/eine Reise**	**das/ein Buch**
Accusatif	**den/einen Tisch**	**die/eine Reise**	**das/ein Buch**
Datif	**dem/einem Tisch**	**der/einer Reise**	**dem/einem Buch**
Génitif	**des/eines Tisch(e)**s	**der/einer Reise**	**des/eines Buch(e)**s

Pluriel	
Nom.	**die/keine Tische/Reisen/Bücher**
Acc.	**die/keine Tische/Reisen/Bücher**
Dat.	**den/keinen Tischen/Reisen/Büchern**
Gén.	**der/keiner Tische/Reisen/Bücher**

Mais attention ! Il y a deux cas où le nom prend une terminaison :
• **-s** ou **-es** au génitif singulier – masculin et neutre,
• **-n** au datif pluriel, à l'exception des noms qui se terminent déjà en **-n** ou en **-s** : **die Autos**, **den Autos**.
Dans les autres cas, le nom est invariable. Cependant quelques noms masculins prennent un **-n** ou **-en** à tous les cas, à l'exception du nominatif. On appelle ces noms "les masculins faibles".
Exemples :
der Herr, *le monsieur*, **den Herrn**, **dem Herrn**, **des Herrn** ;
der Präsident, *le président*, **den Präsidenten**, **dem Präsidenten**, **des Präsidenten**.

5 Le pluriel des noms

Les noms forment leur pluriel de multiples façons, dont les huit suivantes sont les plus courantes :
– en mettant un **"Umlaut"** : **der Bruder**, *le frère* → **die Brüder**
– en mettant un **"Umlaut"** + **-e** : **die Hand**, *la main* → **die Hände**
– en ajoutant **-e** : **der Hund**, *le chien* → **die Hunde**
– en ajoutant **-er** : **das Kind**, *l'enfant* → **die Kinder**
– en mettant un **"Umlaut"** + **-er** : **das Rad**, *la roue, le vélo* → **die Räder**
– en ajoutant **-n** : **das Auge**, *l'œil* → **die Augen**
– en ajoutant **-en** : **die Wohnung**, *l'appartement* → **die Wohnungen**
– sans rien mettre ni ajouter : **das Zimmer**, *la chambre, la pièce* → **die Zimmer**.

Notre conseil : Prenez vite l'habitude d'apprendre chaque nom avec son article et son pluriel. Ceci vous aidera à éviter des erreurs !

6 Les articles indéfinis, partitifs et négatifs

L'article indéfini **ein, eine, ein** n'a pas de pluriel : **ein Mann**, *un homme*, **Männer**, *[des] hommes*.
En revanche, il y a un pluriel pour l'article indéfini négatif : **kein Mann**, *pas un homme*, **keine Männer**, *pas d'hommes*.
L'article partitif n'existe pas : **Am Sonntagmorgen essen die Deutschen Brötchen mit Marmelade oder Honig**, *Le dimanche matin, les Allemands mangent [des] petits pains avec [de la] confiture ou [du] miel*.
kein, keine, kein s'emploie également comme article partitif négatif : **Die Franzosen essen morgens keine Brötchen, sondern Croissants**, *Le matin, les Français ne mangent pas [de] petits pains, mais [des] croissants*.

7 L'adjectif

7.1 L'adjectif démonstratif

L'adjectif démonstratif **dieser**, **diese**, **dieses**, *ce(t)*, *cette*, *ce(t)/* neutre, se décline comme l'article défini :
Geben Sie diesem Mann kein Geld mehr!, *Ne donnez plus d'argent à cet homme !*
Son pendant **jener**, **jene**, **jenes**, *ce*, *cette*, *ce*/neutre…-*là*, n'est presque plus employé dans la langue courante ; comme **dieser**, on préfère le remplacer par l'article défini que l'on accentue fortement :
– dans la langue classique, on dira :
Dieser Mann ist mein Großvater und jener Mann unser Nachbar, <u>*Cet homme-ci*</u> *est mon grand-père et* <u>*cet homme-là*</u> *notre voisin* ;
– dans la langue courante, on dira :
Der Mann (da) ist mein Großvater und der Mann (dort) unser Nachbar.

7.2 L'adjectif possessif

Il se décline comme l'article indéfini **ein**, **eine**, **ein** au singulier, et comme l'article négatif **keine** au pluriel. En d'autres termes, à l'instar des autres articles, la forme de l'adjectif possessif dépend à la fois du genre et du nombre du nom qu'il précède, et de la fonction que le nom occupe dans la phrase.

- Singulier :
ich → mein/meine : mein Bruder, *mon frère*, **meine Schwester**, *ma sœur*
du → dein/deine : dein Bruder, *ton frère*, **deine Schwester**, *ta sœur*
er → sein/seine : sein Bruder, *son frère* (à lui), **seine Schwester**, *sa sœur* (à lui)
sie → ihr/ihre : ihr Bruder, *son frère* (à elle), **ihre Schwester**, *sa sœur* (à elle)
es → sein/seine : sein Bruder, *son frère*, **seine Schwester**, *sa sœur*.

- Pluriel :
wir → unser/unsere : unser Bruder, *notre frère*, **unsere Schwester**, *notre sœur*
ihr → euer/eu(e)re : euer Bruder, *votre frère*, **eure Schwester**, *votre sœur*
sie → ihr/ihre : ihr Bruder, *leur frère*, **ihre Schwester**, *leur sœur*

Attention, l'adjectif possessif **sein** nous indique un possesseur masculin ou neutre : **sein Auto** est "sa voiture à lui" ; en revanche, quand il s'agit d'un possesseur féminin, on emploie **ihr** : **ihr Auto**, "sa voiture à elle".

7.3 L'adjectif attribut

L'adjectif peut être "attribut", c'est-à-dire séparé du sujet par un verbe. L'adjectif attribut est invariable :
Herr Müller ist nett, *Monsieur Müller est gentil*,
seine Frau ist nett, *sa femme est gentille*,
und sein Sohn und seine Tochter sind auch nett, *et son fils et sa fille sont également gentils*.

7.4 L'adjectif adverbe

L'adjectif employé comme adverbe est également invariable :
Fahren Sie bitte nicht so schnell!, *Ne conduisez pas si vite, s'il vous plaît !*

Kinder, grüßt nett die Nachbarn!, *[Les] enfants, saluez gentiment les voisins !*

7.5 L'adjectif épithète

En revanche, l'adjectif du nom – que l'on appelle aussi "adjectif épithète"– se décline lorsqu'il précède le nom. Dans ce cas, il prend au moins un **-e** comme terminaison :
der nette Mann, ein netter Mann, *l'/un homme gentil*,
die nette Frau, eine nette Frau, *la/une gentille femme*,
das nette Kind, ein nettes Kind, *le/un enfant gentil*.

Pour retrouver toutes ces déclinaisons, référez-vous aux tableaux de la leçon 56, § 1.

7.6 L'adjectif substantivé

Lorsqu'on fait précéder l'adjectif d'un article (défini, indéfini ou possessif…), et qu'il n'est pas suivi d'un nom, il devient alors lui-même un substantif et en tant que tel, il s'écrit avec une majuscule : **der Alte**, *le vieux*, **die Schöne**, *la belle*.
Mais attention, l'adjectif substantivé se décline de la même façon que l'adjectif épithète (paragraphe précédent).

8 Les pronoms

8.1 Le pronom personnel

Il ne s'emploie pratiquement qu'aux trois cas : nominatif, accusatif et datif, les formes du génitif ayant presque totalement disparu de la langue courante.

Nom.	ich	du	er/sie/es	wir	ihr	sie/Sie
Acc.	mich	dich	ihn/sie/es	uns	euch	sie/Sie
Dat.	mir	dir	ihm/ihr/ihm	uns	euch	ihnen/Ihnen

8.2 Le pronom réfléchi

Il ne fonctionne qu'à l'accusatif et au datif (lorsqu'il y a un autre complément d'objet direct). Les formes du pronom réfléchi sont semblables à celles du pronom personnel sauf aux 3es personnes et à la forme de politesse, qui sont toutes **sich** :

Acc.	mich	dich	sich/ sich/ sich	uns	euch	sich/ sich
Dat.	mir	dir	sich/ sich/ sich	uns	euch	sich/ sich

Er wäscht sich, *Il se lave.*
Waschen Sie sich die Hände im Bad!, *Lavez-vous les mains dans la salle de bains !*
Ich möchte mir die Hände waschen, *J'aimerais me laver les mains.*

8.3 Les pronoms démonstratifs

Il y en a plusieurs :
• Le pronom **der, die, das** qui est identique à l'article défini, à l'exception du génitif et du datif pluriel :

	Singulier			Pluriel
	Masculin	Féminin	Neutre	
Nom.	der	die	das	die
Acc.	den	die	das	die
Dat.	dem	der	dem	denen
Gén.	dessen	deren	dessen	deren

Kennst du die Beiden? Denen gehört die halbe Stadt, *Connais-tu ces deux-là ? [C'est] à eux à ceux-ci qu'appartient la moitié de la ville.*

• **dieser**, **diese**, **dieses**, *celui-ci, celle-ci, celui-ci*/neutre, et **jener**, **jene**, **jenes**, *celui-là, celle-là, celui-là*/neutre, sont identiques aux articles démonstratifs, comme nous l'avons vu au § 7.1 :
Dieser ist mein Freund, aber jenen dort habe ich nie gesehen, *Celui-ci est mon ami, mais celui-là, je ne l'ai jamais vu.*

• **derselbe**, **dieselbe**, **dasselbe**, *le même, la même, le même*/neutre et **derjenige**, **diejenige**, **dasjenige** – qui est généralement suivi d'un pronom relatif –, se déclinent comme l'article défini pour la première partie et comme l'adjectif pour la dernière partie du mot :
Er hat denselben Pullover wie du, *Il a le même pull-over que toi.*
Sie wohnt in demselben Haus wie ich, *Elle habite dans la même maison que moi.*
Diejenigen, die zu spät kommen, kriegen nichts mehr, *Ceux qui arrivent en retard n'ont plus rien.*

8.4 Les pronoms interrogatifs

• **wer?**, *qui ?* se décline comme l'article défini masculin. En revanche **was?**, *que ?/quoi ?* est invariable et n'existe qu'au nominatif et à l'accusatif :
- nom. : **Wer sind Sie?**, *Qui êtes-vous ?* / **Was machen Sie?**, *Que faites-vous ?*
- acc. : **Wen zeichnen Sie?**, *Qui dessinez-vous ?* **Was zeichnen Sie?**, *Que dessinez-vous ?*
- datif : **Wem gehört das neue Auto?**, *À qui appartient la nouvelle voiture ?*
- gén. : **Wessen Papiere sind das?**, *Ce sont les papiers de qui ?*

• **welcher**, **welche**, **welches**, *lequel, laquelle, lequel*/neutre s'emploie aussi comme adjectif interrogatif.
Il se décline comme l'article défini, mais ne connaît pratiquement plus de génitif :
Welcher König hat Neuschwanstein bauen lassen?, *Quel roi a fait construire Neuschwanstein ?*
Welchen Film haben Sie gestern gesehen?, *Quel film avez-vous vu hier ?*
Ich habe zwei Stück Kuchen. Welches möchtest du?, *J'ai deux morceaux de gâteau. Lequel veux-tu ?*

8.5 Le pronom relatif

Il est semblable au pronom **der, die, das** (voir le tableau 8.3 de l'appendice grammatical et le tableau de la leçon 77, §1) :
Der Film, den ich sehen möchte, spielt im Kino Panorama, *Le film que je voudrais voir [se] joue au cinéma Panorama.*
Die Freunde, mit denen wir in Urlaub fahren, kennen wir schon lange, *Nous connaissons depuis longtemps les amis avec lesquels nous partons en vacances.*

8.6 Les pronoms indéfinis

• **einer, eine, eines**, *quelqu'un, [l']un(e)* ou **keiner, keine, kein(e)s**, *aucun(e)* se déclinent comme l'article défini :
Einer von uns Beiden muss das machen, *L'un de nous deux doit le faire,*
Ich habe kein(e)s von diesen Büchern gelesen, *Je n'ai lu aucun de ces livres.*

• **man**, *on*, ne s'emploie qu'au nominatif et jamais à la place de "nous" :
Man hat das noch nie gesehen, *On n'a jamais vu cela.*
Au datif et à l'accusatif, on emploie **einem** et **einen** :
Liebe macht einem das Leben leichter, *[L']amour vous ("à quelqu'un") rend la vie plus facile.*
Mit seinen Fragen kann er einen verrückt machen, *Avec ses questions, il peut te/vous ("quelqu'un") rendre fou.*

8.7 Les pronoms possessifs

Les pronoms possessifs **meiner, deiner, seiner...** *le mien, le tien, le sien...* se forment à partir de l'adjectif possessif (voir § 7.2 de l'appendice grammatical) en ajoutant les terminaisons de l'article défini :
Dein Pullover ist sehr schön, meiner ist nicht so schön, *Ton pullover est très beau, le mien n'est pas aussi beau.*
Mit eurem Auto könnt ihr überall parken, mit unserem ist das nicht möglich, *Avec votre voiture, vous pouvez vous garer partout, avec la nôtre, ce n'est pas possible.*

9 Les verbes

9.1 Les verbes faibles ou réguliers

Un verbe est "faible" ou "régulier" lorsque la voyelle du radical ne change jamais. Exemple :
• **hören**, *entendre*

Indicatif (présent en leçon 14, § 1, passé composé/parfait en leçon 49, § 2, futur en leçon 56, § 2, prétérit en leçon 70, § 1) :

Présent	Prétérit	Passé composé	Plus-que-parfait	Futur
ich höre	**hörte**	**habe gehört**	**hatte gehört**	**werde hören**
du hörst	**hörtest**	**hast gehört**	**hattest gehört**	**wirst hören**
er/sie/es hört	**hörte**	**hat gehört**	**hatte gehört**	**wird hören**
wir hören	**hörten**	**haben gehört**	**hatten gehört**	**werden hören**
ihr hört	**hörtet**	**habt gehört**	**hattet gehört**	**werdet hören**
sie hören	**hörten**	**haben gehört**	**hatten gehört**	**werden hören**
Sie hören	**hörten**	**haben gehört**	**hatten gehört**	**werden hören**

L'impératif :
Hör(e)!, *Écoute !* ; **Hören wir!**, *Écoutons !* ; **Hört!**, *Écoutez !* ;
Hören Sie!, *Écoutez* (politesse) *!*

Konjunktiv (subjonctif) (cf. leçon 98, § 1) :

Présent		Passé	
Konj. I	**Konj. II**	**Konj. I**	**Konj. II**
ich höre	hörte = würde hören	habe gehört	hätte gehört
du hörest	hörtest = würdest hören	habest gehört	hättest gehört
er/sie/es höre	hörte = würde hören	habe gehört	hätte gehört
wir hören	hörten = würden hören	haben gehört	hätten gehört
ihr höret	hörtet = würdet hören	habet gehört	hättet gehört
sie hören	hörten = würden hören	haben gehört	hätten gehört

9.2 Les verbes forts ou irréguliers

Un verbe est "fort" ou "irrégulier" lorsque la voyelle du radical change, que ce soit au présent, au prétérit ou pour la formation du participe passé.

Nous vous donnons ici un exemple, mais vous devez savoir que les verbes irréguliers s'apprennent par cœur ! Vous trouverez une liste des verbes les plus usités ici, à la fin de l'index grammatical. Pour les changements éventuels de voyelle, référez-vous aux leçons de révision 21, § 1 (présent) ; 63, § 1 (participe passé) ; 70, § 1 (prétérit).

• **sehen**, *voir*, **sah, gesehen**

Indikativ (*indicatif*) :

Présent	Prétérit	Passé composé	Plus-que-parfait	Futur
ich sehe	sah	habe gesehen	hatte gesehen	werde sehen
du siehst	sahst	hast gesehen	hattest gesehen	wirst sehen

er/sie/es sieht	sah	hat gesehen	hatte gesehen	wird sehen
wir sehen	sahen	haben gesehen	hatten gesehen	werden sehen
ihr seht	saht	habt gesehen	hattet gesehen	werdet sehen
sie sehen	sahen	haben gesehen	hatten gesehen	werden sehen
Sie sehen	sahen	haben gesehen	hatten gesehen	werden sehen

L'impératif :
Sieh!, *Regarde !* ; **Sehen wir!**, *Regardons !* ; **Seht!**, *Regardez !* ; **Sehen Sie!**, *Regardez* (politesse) *!*
Rappelons que l'on ajoute souvent **mal** (*fois*) à l'impératif : **Sieh mal! Seht mal! Sehen Sie mal!**

Konjunktiv (*subjonctif*) (cf. leçon 98, § 1) :

Présent		Passé	
Konj. I	**Konj. II**	**Konj. I**	**Konj. II**
ich sehe	sähe = würde sehen	habe gesehen	hätte gesehen
du sehest	sähest = würdest sehen	habest gesehen	hättest gesehen
er/sie/es sehe	sähe = würde sehen	habe gesehen	hätte gesehen
wir sehen	sähen = würden sehen	haben gesehen	hätten gesehen
ihr sehet	sähet = würdet sehen	habet gesehen	hättet gesehen
sie sehen	sähen = würden sehen	haben gesehen	hätten gesehen

9.3 Les verbes faibles irréguliers

On les appelle aussi "verbes mixtes", car ils ont à la fois des caractéristiques des verbes faibles (les mêmes terminaisons au prétérit,
ainsi qu'un **-t** final au participe passé) et des verbes forts (changement de la voyelle du radical).
Il n'y en a que quelques-uns. Vous les trouverez en leçon 70, § 1.1.

9.4 *Sein, haben, werden*

• **sein**, *être*
Indikativ :

Présent	Prétérit	Passé composé	Plus-que-parfait	Futur
ich bin	war	**bin** gewesen	war gewesen	werde sein
du bist	warst	**bist** gewesen	warst gewesen	wirst sein
er/sie/es ist	war	**ist** gewesen	war gewesen	wird sein
wir sind	waren	**sind** gewesen	waren gewesen	werden sein
ihr seid	wart	**seid** gewesen	wart gewesen	werdet sein
sie sind	waren	**sind** gewesen	waren gewesen	werden sein
Sie sind	waren	**sind** gewesen	waren gewesen	werden sein

Notez surtout qu'à la grande différence du français, **sein** forme
son passé composé avec lui-même et non avec **haben**, *avoir* : **Er
ist zufrieden gewesen, weil er ein gutes Geschäft gemacht hat.**

L'impératif :
Sei froh!, *Sois content(e) !* ; **Seien wir froh!**, *Soyons content(e)s !* ;
Seid froh!, *Soyez content(e)s !* ; **Seien Sie froh!**, *Soyez content(e) (politesse) !*

Konjunktiv (cf. leçon 98, § 1) :

Présent		Passé	
Konj. I	**Konj. II**	**Konj. I**	**Konj. II**
ich sei	wäre = würde sein	sei gewesen	wäre gewesen
du seiest	wärest = würdest sein	seiest gewesen	wärest gewesen
er/sie/es sei	wäre = würde sein	sei gewesen	wäre gewesen
wir seien	wären = würden sein	seien gewesen	wären gewesen
ihr seiet	wäret = würdet sein	seiet gewesen	wäret gewesen
sie seien	wären = würden sein	seien gewesen	wären gewesen

• **haben**, *avoir*

Indikativ :

Présent	Prétérit	Passé composé	Plus-que-parfait	Futur
ich habe	hatte	habe gehabt	hatte gehabt	werde haben
du hast	hattest	hast gehabt	hattest gehabt	wirst haben
er/sie/es hat	hatte	hat gehabt	hatte gehabt	wird haben

wir haben	hatten	haben gehabt	hatten gehabt	werden haben
ihr habt	hattet	habt gehabt	hattet gehabt	werdet haben
sie haben	hatten	haben gehabt	hatten gehabt	werden haben
Sie haben	hatten	haben gehabt	hatten gehabt	werden haben

À part la 2ᵉ personne du singulier, qui présente un piège dans lequel on tombe facilement – le **b** du radical est supprimé, et il faut s'en souvenir : **du hast**, *tu as !* –, la conjugaison de **haben** n'est pas compliquée ; aussi l'impératif se forme régulièrement :

L'impératif :
Hab(e) Geduld!, *Sois patient(e) !* ("Aie patience !") ; **Haben wir Geduld!**, *Soyons patient(e)s !* ; **Habt Geduld!**, *Soyez patient(e)s !* ; **Haben Sie Geduld**, *Soyez patient(e) (politesse) !*

Konjunktiv (cf. leçon 98, § 1) :

Présent		Passé	
Konj. I	**Konj. II**	**Konj. I**	**Konj. II**
ich habe	hätte = würde haben	habe gehabt	hätte gehabt
du habest	hättest = würdest haben	habest gehabt	hättest gehabt
er/sie/es habe	hätte = würde haben	habe gehabt	hätte gehabt
wir haben	hätten = würden haben	haben gehabt	hätten gehabt
ihr habet	hättet = würdet haben	habet gehabt	hättet gehabt
sie haben	hätten = würden haben	haben gehabt	hätten gehabt

• **werden**, *devenir*, est également employé comme auxiliaire pour former le futur et le passif.

Indikativ :

Présent	Prétérit	Parfait	Plus-que-parfait	Futur
ich werde	wurde	bin geworden	war geworden	werde werden
du wirst	wurdest	bist geworden	warst geworden	wirst werden
er/sie/es wird	wurde	ist geworden	war geworden	wird werden
wir werden	wurden	sind geworden	waren geworden	werden werden
ihr werdet	wurdet	seid geworden	wart geworden	werdet werden
sie werden	wurden	sind geworden	waren geworden	werden werden

Il est tout à fait normal que nous trouvions deux fois **werden** au futur, car ce dernier se construit avec **werden** + infinitif ! Mais rassurez-vous, dans la réalité, nous ne trouvons presque jamais les deux **werden** côte à côte. D'une part parce que l'emploi du futur est très rare, et d'autre part, lorsqu'il arrive qu'on l'utilise, l'infinitif est placé à la fin de la proposition : **Die Menschen werden immer größer werden!**, *Les hommes seront* ("deviendront") *de plus en plus grands !*

L'impératif : **Werde nicht frech!**, *Ne sois* ("deviens") *pas insolent !*, **Werdet nicht frech!**, **Werden Sie nicht frech!**

Konjunktiv (cf. leçon 98, § 1) :

Présent		Passé	
Konj. I	**Konj. II**	**Konj. I**	**Konj. II**
ich werde	würde*	sei geworden	wäre geworden
du werdest	würdest	seiest geworden	wärest geworden
er/sie/es werde	würde	sei geworden	wäre geworden
wir werden	würden	seien geworden	wären geworden
ihr werdet	würdet	seiet geworden	wäret geworden
sie werden	würden	seien geworden	wären geworden

* **würde** = **würde werden**, **würdest** = **würdest werden**, etc.

9.5 Les temps composés

Comment choisir entre **haben** et **sein** ?
Le passé composé se forme avec l'auxiliaire **sein**, *être*, ou **haben**, *avoir* + participe passé. En général, on emploie **haben** avec les verbes transitifs (ceux qui ont un complément d'objet), les verbes réfléchis, les verbes de modalité et les verbes de position. À part quelques exceptions (**sein**, **bleiben**, **werden**), l'auxiliaire **sein** s'emploie avec les verbes de mouvement, ou plus généralement, avec ceux qui expriment un changement de lieu ou d'état.

9.6 Les verbes de modalité

Voici les six verbes de "modalité" :
müssen, *être obligé, falloir, devoir,*
sollen, *devoir,*
können, *pouvoir,*
wollen, *vouloir,*
dürfen, *avoir la permission de,*
mögen, *aimer bien.*

En allemand, on les appelle ainsi car ils peuvent "modifier" le contenu d'un autre verbe qui se trouve à l'infinitif :
Wollen Sie mitkommen?, *Voulez-vous venir avec [nous] ?*
Wir müssen heute bis 19 Uhr arbeiten, *Aujourd'hui, nous devons travailler jusqu'à 19 heures.*

C'est le verbe de modalité qui occupe la 2e position dans la phrase, l'infinitif se trouvant généralement à la fin, sauf, par exemple, pour les subordonnées :
Das ist das Kleid, das ich haben will, *C'est la robe que je veux avoir.*

Attention ! L'infinitif complément d'un verbe de modalité n'est jamais précédé de **zu** !
Pour plus d'explications sur leur conjugaison, leur sens et leur emploi, référez-vous à la leçon 35, § 1 et 2.

9.7 Les participes I et II

Le participe I est le participe présent.
En général, on le forme en ajoutant **-d** à l'infinitif :
weinen, *pleurer* → **weinend**, ("en") *pleurant* :
Das Kind kommt weinend nach Hause, *L'enfant arrive en pleurant à la maison.*
Le participe II est le participe passé.
schmücken, *décorer* → **geschmückt**, *décoré*
Wer hat den Weihnachtsbaum geschmückt?, *Qui a décoré l'arbre de Noël ?*

Tous les deux s'emploient également comme adjectif :
Er gibt dem weinenden Kind Schokolade, *Il donne à l'enfant qui pleure ("pleurant") du chocolat.*
der geschmückte Weihnachtsbaum, *l'arbre de Noël décoré.*

9.8 Les verbes substantivés

L'infinitif d'un verbe, tout comme ses deux participes – présent et passé – peuvent se transformer en nom (ou "substantif"). Pour cela, il suffit de les écrire avec une majuscule :
lachen, *rire* → **Sein Lachen gefällt mir**, *Son rire me plaît.*
lachend, *riant* → **Der zuletzt Lachende lacht am besten** (litt. "Celui qui rit en dernier, rit le mieux"), *Rira bien qui rira le dernier.*
angestellt, *employé* → **Die Angestellten der Firma...**, *Les employés de l'entreprise...*

10 Le passif

Vous en avez vu les explications détaillées en leçon 91, § 1 ; c'est pourquoi nous ne faisons que vous rappeler ici les points les plus importants :

On distingue deux formes de passif :

• Le passif d'état (**sein** + participe passé) est employé pour décrire un état :

Der Baum ist geschmückt, *L'arbre est décoré.*

• Le passif d'action (**werden** + participe passé) est employé pour décrire une action :

Der Baum wird geschmückt, *L'arbre est en train d'être décoré.*

ou lorsque c'est l'action que l'on veut souligner :

Der Baum ist von mir allein geschmückt worden, *L'arbre a été décoré par moi seul.*

Notez que le participe passé de **werden** – employé pour former un passif – est **worden** (sans **ge-** !).

Voici la conjugaison du verbe **schmücken**, *décorer*, au passif de l'indicatif :

Présent	Prétérit	Futur
ich werde geschmückt	**wurde geschmückt**	**werde geschmückt werden**
du wirst geschmückt	**wurdest geschmückt**	**wirst geschmückt werden**
er/sie/es wird geschmückt	**wurde geschmückt**	**wird geschmückt werden**
wir werden geschmückt	**wurden geschmückt**	**werden geschmückt werden**
ihr werdet geschmückt	**wurdet geschmückt**	**werdet geschmückt werden**
sie werden geschmückt	**wurden geschmückt**	**werden geschmückt werden**

Parfait	Plus-que-parfait
ich bin geschmückt worden	war geschmückt worden
du bist geschmückt worden	warst geschmückt worden
er/sie/es ist geschmückt worden	war geschmückt worden
wir sind geschmückt worden	waren geschmückt worden
ihr seid geschmückt worden	wart geschmückt worden
sie sind geschmückt worden	waren geschmückt worden

Pour former le passif au subjonctif, il suffit de mettre **werden** au subjonctif (voir 9.4 de l'appendice grammatical) et d'ajouter le participe passé du verbe : **sei geschmückt (worden), wäre geschmückt (worden)**, etc.

11 Le conditionnel

Il s'agit en général d'un énoncé hypothétique exprimant une condition (**wenn...**, *si...*) et une conséquence (**dann...**, *alors...*) :
Wenn es morgen regnet, (dann) bleibe ich zu Haus, *S'il pleut demain, alors je reste[rai] à la maison.*

Pour un événement non réel, on emploie le "**Konjunktiv II** du présent" dans les deux parties de la phrase :
Wenn es regnen würde, (dann) würde ich zu Haus bleiben, *S'il pleuvait* ("pleuvrait"), *je resterais à la maison.* (Mais il ne pleut pas… !)

Pour un événement non réel du passé, on emploie le "**Konjunktiv II** du passé" dans les deux parties de la phrase :
Wenn es geregnet hätte, (dann) wäre ich zu Haus geblieben, *S'il avait* ("aurait") *plu, alors je serais resté à la maison.* (Mais il n'a pas plu… !).

Pour plus d'explications, référez-vous à la leçon 98, § 1.2.

12 Les verbes à particules

Un verbe peut être précédé d'un préfixe, que l'on appelle aussi une "particule".

À l'infinitif, toutes les particules sont collées au verbe. Dans certains cas, la particule modifie légèrement le sens d'un verbe de base :

gehen, *aller* → **weg**gehen, *s'en aller*
sprechen, *parler* → **aus**sprechen, *prononcer*

Dans d'autres cas, elle le change radicalement :
fangen, *attraper* → **an**fangen, *commencer*
kommen, *venir* → **be**kommen, *obtenir, recevoir*

Il y a deux sortes de particules : la particule séparable, qui, comme son nom l'indique, se sépare du noyau du verbe lorsque le verbe est conjugué :
Ich gehe weg, *Je m'en vais*,
et la "particule <u>in</u>séparable" – aussi appelée "préfixe" – qui reste toujours collée au noyau du verbe :
Er bekommt einen Brief, *Il reçoit une lettre.*

Comment reconnaître une particule séparable d'une particule inséparable ?
Encore une fois, c'est la pratique qui constitue le moyen le plus sûr. Toutefois, les explications suivantes peuvent vous être utiles :
• la particule séparable est porteuse de l'accent ; la particule inséparable n'est jamais accentuée ;
• en général, les particules séparables existent toutes seules en tant que prépositions ou adverbes ; en revanche, les particules inséparables ne sont que des syllabes* ;

• il y a cinq particules qui peuvent être séparables ou inséparables suivant leur emploi concret (séparable) ou figuré (inséparable) :
wieder, um, durch, über et **unter**
Unterbrechen Sie mich nicht!, *Ne m'interrompez pas !*
Das Boot geht unter!, *Le bateau coule* (litt. "va en dessous").

* Autrefois, on apprenait au lycée les particules inséparables par cœur : **zer- be- er- ge- miß- emp- ent- ver-** (ce qui donne : "*Cerbère gémit en enfer*"). Mais il faut y ajouter **hinter-** et **wider-**.

Rappelons aussi qu'au participe passé, on peut facilement reconnaître s'il s'agit d'une particule séparable ou inséparable grâce à la particule **ge-** du passé : en effet, soit **ge-** s'intercale entre la particule séparable et le verbe : **Der Film hat schon angefangen**, *Le film a déjà commencé*, soit **ge-** est supprimé avec un verbe à particule inséparable : **Ich habe heute keine E-Mail bekommen**, *Je n'ai pas reçu d'e-mail aujourd'hui.*

Vous trouvez plus d'explications dans les leçons de révision 21, § 1.2 et 49, § 2.2.

13 Les verbes transitifs et intransitifs

Un verbe transitif peut être accompagné d'un complément direct :
Er kennt diese Stadt sehr gut, *Il connaît très bien cette ville.*
Die Kellnerin bringt das Bier, *La serveuse apporte la bière.*

Un verbe intransitif ne peut être accompagné d'un complément direct, car l'action reste centrée sur le sujet :
Kommen Sie!, *Venez !*
Wir gehen nach Hause, *Nous rentrons allons à la maison.*
Seuls les verbes transitifs se mettent au passif :
Das Bier wird von der Kellnerin gebracht, *La bière est apportée par la serveuse.*

Vous avez des questions sur le passif ? Référez-vous au § 10 et/ou à la leçon 98.

14 Le locatif et le directionnel

On parle du "locatif" lorsqu'il s'agit de situer ou de localiser quelque chose ou quelqu'un.
La question est posée avec **wo?**, *où ?*
Wo wohnen Sie? – In Ulm, *Où habitez-vous ? – À Ulm.*
Wo steht die Weinflasche? – Auf dem Tisch. *Où est ("debout") la bouteille de vin ? – Sur la table.*

En revanche, on parle du "directionnel" lorsqu'il y a un but à atteindre, un déplacement avec une direction. Dans ce cas-là, on emploie **wohin?** ou **wo... hin?**, ("vers") *où ?*
Wohin gehen Sie?/Wo gehen Sie hin? – Ins Kino, *Où allez-vous ? – Au cinéma.*
Wohin stelle ich die Flasche?/Wo stelle ich die Flasche hin? – Auf den Tisch, *Où est-ce que je mets la bouteille ? – Sur la table.*

La réponse est dictée

• soit par le choix de la préposition de lieu elle-même :

bei, *chez*, est une préposition nous indiquant qu'il n'y a pas de changement d'endroit ni de direction :

Sie hat bei Freunden gegessen. *Elle a mangé chez des amis.*

Au contraire, **zu** et **nach** ne s'emploient que pour indiquer un changement d'endroit, une direction :

Sie ist zu Freunden gefahren. *Elle est allée chez des amis.*

Er ist nach Hamburg gefahren. *Il est allé à Hambourg.*

(Seule exception à la règle : **Er ist zu Hause gelieben**, *Il est resté à la maison.*)

• soit par le cas entraîné par les prépositions de lieu appelées "mixtes*" :

– le datif lorsqu'il s'agit du "locatif" :

Er ist schon im (= in dem) Büro. *Il est déjà au bureau.* (**Wo?**)

– l'accusatif lorsqu'il s'agit du "directionnel" :

Er fährt ins Büro. *Il va au bureau.* (**Wohin ?**)

* Il y en a neuf : **an**, *près de, au bord de, à*, **auf**, *sur*, **in**, *dans*, **über**, *au-dessus*, **unter**, *[en-des]sous*, **vor**, *devant*, **hinter**, *derrière*, **neben**, *à côté*, et **zwischen**, *entre*.

15 Les verbes avec complément prépositionnel

Il y a des verbes qui ne sont suivis que par une seule préposition entraînant un cas précis et d'autres verbes qui en ont plusieurs. C'est une difficulté de l'allemand, où le choix des prépositions est considérablement plus grand ! Et vous connaissez probablement le proverbe **Wer die Wahl hat, hat die Qual!** (litt. "Celui qui a le choix, a de la peine !"), *On n'a que l'embarras du choix.* Aussi, le meilleur conseil que nous puissions vous donner est de toujours apprendre le verbe avec sa (ses) préposition(s).

Voici quelques exemples :

• Verbes avec une préposition régissant l'accusatif :

denken an, *penser à*, **bitten um**, *demander* ("pour") *quelque chose*, **danken für**, *remercier pour/de*, **sich erinnern an**, *se souvenir de*, **lachen über**, *rire de, se moquer de*, **schreiben an**, *écrire à*, **sich verlieben in**, *tomber amoureux de*, **warten auf**, *attendre* ("sur") *quelque chose*, etc.

• Verbes avec une préposition régissant le datif :
 abhängen von, *dépendre de*, **anfangen/aufhören mit**, *commencer/terminer avec/par*, **fragen nach**, *demander ("après")* *quelque chose*, **sich beschweren bei**, *se plaindre auprès de ("chez")*, **teilnehmen an**, *participer à*, **sich fürchten vor**, *avoir peur de*, **zweifeln an**, *douter de*, etc.

• Verbes avec deux prépositions :
sich erkundigen bei jemandem (datif) **nach etwas** (datif), *se renseigner de quelque chose auprès de quelqu'un* :
Er erkundigt sich bei dem Verkäufer nach den Öffnungszeiten, *Il se renseigne auprès du vendeur des horaires d'ouverture.*

sich unterhalten mit jdm (datif) **über etwas** (acc.), *s'entretenir/discuter de quelque chose avec quelqu'un* :
Wir haben uns die ganze Nacht mit unseren Freunden über Politik unterhalten, *Nous avons discuté de politique toute la nuit avec nos amis.*

• Verbes qui changent de sens selon la préposition qui les accompagne :
sich freuen auf, *être content (dans la perspective de…)*,
sich freuen über, *être content (de ce qui est arrivé)* :
Sie freut sich auf den Sommer, *Elle est contente que l'été approche*,
Sie freut sich über den Sommer, *Elle est contente que l'été soit arrivé.*
kämpfen um, *se battre pour (l'enjeu)*,
kämpfen für/gegen/mit, *lutter, se battre pour/contre/avec* :
Sie kämpfen um eine Flasche Champagner, *Ils se battent pour une bouteille de champagne*,
Wir kämpfen für mehr Gerechtigkeit, *Nous nous battons pour plus de justice*,
Heinrich Böll hat gegen den Krieg gekämpft, *Heinrich Böll s'est toujours battu contre la guerre*,
Sie kämpfen mit unehrlichen Mitteln, *Ils luttent avec des moyens malhonnêtes.*

• Les questions avec verbe + complément prépositionnel :
Si la question concerne une personne, on emploie la préposition suivie du pronom interrogatif **wer** au cas régi par la préposition :
An wen denken Sie?, *À qui pensez-vous ?*

Auf wen warten Sie?, *Qui attendez-vous ?*
Von wem sprechen Sie?, *De qui vous parlez-vous ?*
Vor wem fürchten sich die Kinder?, *De qui les enfants ont-ils peur ?*

Pour les réponses, on emploie la préposition suivie d'un nom ou d'un pronom personnel :
Ich denke an Ludwig II., denken Sie auch an ihn?, *Je pense à Louis II, et vous, pensez-vous aussi à lui ?*
Wir sprechen von Frau Krumbach, und Sie, sprechen Sie auch von ihr?, *Nous parlons de Mme Krumbach, et vous, parlez-vous aussi d'elle ?*

• Si la question concerne une chose, on emploie **wo** + la préposition, en ajoutant **-r** pour mieux lier les deux lorsque la préposition commence par une voyelle :
Woran denken Sie?, *À quoi pensez-vous ?*
Worauf warten Sie?, *Qu'attendez-vous ?*
Wovon sprechen Sie?, *De quoi parlez-vous ?*
Wovor fürchten sich die Kinder?, *De quoi les enfants ont-ils peur ?*

Pour les réponses, on emploie la préposition suivie d'un objet, ou **da-** + la prépositon :
Ich denke an das Wochenende, und Sie, denken Sie auch daran?, *Je pense au week-end, et vous, y pensez-vous aussi ?*
Wir sprechen von dem Streik, und Sie, sprechen Sie auch davon?, *Nous parlons de la grève, et vous, en parlez-vous aussi ?*

Encore des questions ? La leçon 84, § 2 vous apporte beaucoup de réponses…

16 Les conjonctions

Les conjonctions relient deux éléments ou deux propositions (cf. leçon 84, § 3).

16.1 Les conjonctions de coordination

Les conjonctions de coordination **und**, *et*, **aber**, *mais*, **oder**, *ou*, **denn**, *car*, se "glissent" simplement entre deux éléments ou deux phrases sans en changer la structure :
Wir essen (und) danach sehen wir fern, *Nous mangeons, (et) puis nous regardons la télévision.*

Er wartet, (aber) seine Freundin kommt nicht, *Il attend, (mais) son amie ne vient pas.*

16.2 Les conjonctions de subordination

• de temps : **als**, *quand* ; **bevor**, *avant que* ; **bis**, *jusqu'à* ; **nachdem**, *après que* ; **seit**, *depuis que* ; **sobald**, *dès que* ; **solange**, *tant que* ; **während**, *pendant que* ; **wenn**, *lorsque, quand* (cf. leçon 63, § 3)
• de cause : **weil**, *parce que* ; **da**, *comme*
• de concession : **obwohl, obgleich**, *bien que*
• de but : **damit, dass**, *pour que, afin de…*

Il y a deux choses importantes à retenir :
Comme leur nom l'indique, les conjonctions de subordination introduisent des subordonnées. Ce sont elles qui rejettent le verbe conjugué à la fin de la subordonnée qu'elles introduisent :
Ich habe in Heidelberg gewohnt, als ich Kind war, *J'ai habité à Heidelberg quand j'étais enfant.*

Elles s'emploient en général avec l'indicatif :
Macht Ordnung, bevor Papa kommt!, *Faites de l'ordre avant que papa n'arrive !*
Iss dein Müsli, damit du groß und stark wirst!, *Mange tes céréales pour être* ("que tu sois") *grand et fort.*
Sie trinkt ein Bier, obwohl sie kein Bier mag, *Elle boit une bière bien qu'elle n'aime pas la bière.*

17 Les propositions relatives

Les propositions relatives sont des subordonnées introduites par un pronom relatif. Comme dans les autres subordonnées, le verbe se trouve à la fin. Le pronom relatif s'appuie sur un nom ou un pronom antécédent dont il prend le genre et le nombre :
Die Frau, die ich um 17 Uhr treffe, arbeitet mit mir, *La femme que je vais rencontrer à 17 heures travaille avec moi.*
Der Mann, der im Café wartet, ist ihr Freund, *Le monsieur qui attend au café est son petit ami.*
Warum sind die Kinder, die dort spielen, noch nicht zu Hause?, *Pourquoi les enfants qui jouent là-bas ne sont-ils pas encore rentrés ?*

Diejenigen, die nach Hause wollen, können jetzt gehen, *Ceux qui veulent rentrer peuvent y aller.*

Attention ! Le pronom relatif ne prend pas seulement le genre et le nombre du nom antécédent ; il se met aussi au cas correspondant à la fonction qu'il occupe dans la relative :
Die Frau, der sie die Stadt zeigt, ist Spanierin, *La femme à laquelle elle montre la ville est une Espagnole.*
Der Mann, den sie getroffen hat, kommt aus Berlin, *Le monsieur qu'elle a rencontré vient de Berlin.*
Die Kinder, mit denen sie spielt, sind glücklich, *Les enfants avec lesquels elle joue sont heureux.*
Diejenigen, deren Arbeit zu Ende ist, dürfen gehen, *Ceux dont le travail est terminé ont le droit de partir.*
D'autres exemples – ainsi que le tableau complet du pronom relatif – vous attendent leçon 77, § 1.

18 Quelques expressions impersonnelles

Ce sont des expressions qui s'emploient à la 3ᵉ personne du singulier avec le pronom neutre **es** :
es gibt, *il y a* ; **es dreht sich um…/es handelt sich um**, *il s'agit de* ; **es hängt davon ab**, *cela dépend* ; **es schmeckt**, *c'est bon* ; **es regnet**, *il pleut* ; **es schneit**, *il neige* ; **es tut mir Leid**, *je regrette*, etc.

Retenez surtout la question **Wie geht es Ihnen/dir?**, *Comment allez-vous/vas-tu ?* (litt. "Comment va-t-il à vous/à toi ?") et sa réponse **es geht mir…**, *je vais…* (litt. "il va à moi"), auquel on ajoute un adjectif : **(sehr) gut**, *(très) bien*, **schlecht**, *mal*, **ausgezeichnet**, *très bien*, **miserabel**, *très mal*, **blendend**, *formidablement bien…*

Nous arrivons au terme de nos explications grammaticales. Si vous n'y avez pas trouvé ce que vous vouliez savoir, regardez l'index grammatical qui vous indiquera la leçon de révision ou la note d'une leçon comportant l'explication recherchée.

Index grammatical et lexical

Le premier chiffre renvoie au numéro de la leçon, le second à la note ou au paragraphe s'il s'agit d'une leçon de révision. Les leçons de révision sont signalées en gras. Les lettres AG renvoient à l'appendice grammatical.

Accent (verbes à particule) AG,12 ; 11,6
Accusatif (articles) AG,3 ; AG,4 ; 16,6 ; **21,2**
    ~ du pronom personnel **28,1**
Adjectif - adverbe AG,7.4 ; 8,5
    ~ attribut AG,7.3 ; 3,6 ; **7,4**
    ~ démonstratifs AG,7.1 ; 30,8 ; 43,5 ; **49,5**
    ~ démonstratif **derjenige** 85,7
    ~ épithète AG,7.5 ; 18,5 ; 31,1 ; **35,3** ; 50,3 ; 50,4 ; 51,2 ; **56,1**
    ~ possessif AG,7.2 ; **28,2** ; **56,4**
    ~ possessif **sein/ihr** 23,3 ; 25,7
    ~ substantivé AG,7.6 ; 69,4 ; 76,1 ; 88,5
Âge (l') 22,5
Apostrophe 12,1
Articles définis AG,2 ; AG,4 ; 3,2 ; **7,2**
    ~ à l'accusatif AG,4 ; **21,2**
    ~ au nominatif AG,4 ; **7,2** ; **14,2**
    ~ indéfinis AG,2 ; AG,6 ; 3,2
    ~ négatifs AG,6 ; 9,6 ; 12,3 ; **14,3**
    ~ partitifs AG,6 ; 4,4
Auxiliaires AG,9.4
    ~ **sein** et **haben** **14,1** ; **49,3**
Cas AG,3
Comment allez-vous ? (**Wie geht es Ihnen?**) AG,18 ; 6,1 ; 6,2 ; 6,3 ; 100,1
Comment vas-tu ? (**Wie geht's dir?**) AG,18 ; 6,2
Comparaison **63,2** ; **98,2**
    ~ d'égalité 60,2 ; **63,2.2**
    ~ d'inégalité 58,5 ; **63,2.2**
Comparatif 57,4 ; **63,2**

Conditionnel AG,11 ; 38,6 ; 39,3 ; 59,5 ; 92 ; 93 ; 94 ; 95 ; 96,2 ; **98,1.2**

Conjonctions AG,16 ; 31,6 ; **84,3**

    ~ de finalité **damit/dass** AG,16.2 ; 66,5 ; 79,2

    ~ temporelles **als/wenn** AG,16.2 ; 38,6 ; 39,7 ; 52,9 ; 57,2 ; 58,8 ; **63,3**

Conjonction **indem** 86,7

    ~ de concession **obwohl** AG,16.2

Conjugaisons AG,9

Conjugaison (présent) AG,9 ; **7,1** ; **14,1**

D'autant plus/moins 95,8

Date (la) 22,7 ; **28,5.2** ; 44,1 ; 64,2 ; 80,1

Datif AG,3 ; 6,2 ; 37,2 ; 37,3 ; 37,5 ; 37,6 ; 38,1 ; 39,8

    ~ (articles) **42,1**

    ~ (pronoms) **42,1**

Déclinaison AG,4 ; **14,2** ; **49,1**

    ~ de l'adjectif épithète **56,1**

Diminutif AG,1 ; 4,3 ; 8,2

Directionnel AG,14 ; 11,7 ; **42,3** ; **49,4**

Discours indirect **98,1.3**

Double infinitif 76,9

-einander 90,10

"**-e**" intercalaire 13,3 ; 26,5

Emploi du passif **91,3**

Es ("faux sujet") 83,1 ; 88,8 ; **91,4**

    ~ (passif) 86,5 ; **91,4**

    ~ explétif **91,4**

Exclamation (avec **doch**) 97,1

Expressions impersonnelles AG,18

Futur AG,9 ; 55,5 ; **56,2**

Génitif AG,3 ; 32,3 ; 47,1 ; 48,4 ; 48,6 ; **49,1**

    ~ des noms propres 78,8

    ~ saxon ("à l'anglaise") 64,1

Genres et articles AG,1 ; AG,2 ; 2,3 ; 5,6 ; **7,2**

Heure (l') 20,6 ; **35,5** ; 44,2 ; 52,2 ; 52,5 ; 71,2

Impératif AG,9 ; 11,1 ; 13,2 ; 16,3 ; 18,8

    ~ **(sprich)** 36,1

    ~ (politesse) AG,9 ; 5,5 ; 15,1

    ~ **(sein)** AG,9.4

    ~ 1re pers. pluriel 86,8

    ~ pluriel et politesse 13,2 ; 15,1

Indicatif/présent AG,9 ; **14,1**

Infinitif 1,2

    ~ (complément) avec **zu** 64,9 ; 66,3 ; 66,7

    ~ (place) **28,4**

    ~ substantivé AG,9.8 ; 27,2 ; 79,8 ; 81,4

Interrogatif adverbial (**wo** + prép.) AG,15.5 ; 89,2

Inversion 12,2

Jours de la semaine (et les heures) **35,5**

Konjunktiv = subjonctif AG,11 ; **98,1**

Lassen 76,9 ; 88,7

Legen, **setzen**, **stellen**, **hängen** (verbes d'action) **56,5.2**

Lettre de candidature 80

Locatif AG,14 ; 11,7 ; **42,3** ; 49,4

Majuscule AG,1 ; 1,1

Masculin faible 47,2 ; 65,6 ; 82,4

Mots (formation) 52,1

    ~ composés 5,1 ; 15,2 ; 20,1 ; 73,1

Négation 5,3 ; 9,6 ; **14,3**

    ~ du verbe 5,3

Nombres cardinaux **21,3**

    ~ ordinaux **28,5.1**

Nominatif AG,3 ; **14,2**

Noms communs AG,1 ; 1,1

    ~ d'habitants des pays 67,4 ; 67,5 ; **70,3**

    ~ d'habitants des villes 64,4

Participe passé (participe II) AG,9.7 ; 10,5 ; 34,8 ; 36,4

    ~ à particule inséparable 40,7

    ~ à particule séparable 43,1

    ~ des verbes en **-ieren** 89,5

    ~ irrégulier 43,1 ; 43,2 ; 44,4 ; 45,5 ; 45,6 ; 45,9 ; 46 ; **49,2** ; **63,1**

    ~ régulier/formation AG,9 ; 36,4 ; 36,6 ; 40,7 ; **42,2**

Participe présent (participe I) AG,9.7 ; 61,1 ; 73,2 ; 100,5
Particules AG,12 ; 9,7
Particule séparable 11,6 ; 12,5 ; 12,6 ; 16,1
    ~ séparable ou inséparable ? 94,8
Passé composé 10,5 ; **63,1**
Passif AG,10 ; 85,1 ; 85,3 ; 85,6 ; **91,1**
    ~ (agent) 86,3 ; **91,1**
    ~ (emploi) **91,3**
    ~ (futur) AG,10 ; 90,3 ; **91,2**
    ~ (prétérit) AG,10 ; 87,3 ; **91,2**
Pays et leurs habitants (les) **70,3**
Place du verbe 25,3 ; **28,4** ; 43,7
Pluriel AG,5 ; 6,4 ; 8,6
    ~ (noms en **-er**) 29,3
Plus-que-parfait **84,3**
Politesse 1,2 ; 2,4
Pour (traduction de) **56,3**
Préférence (**lieber** + verbe) 62,5
Préfixe **ge-** du passé **49,2**
Préfixe = particule inséparable AG,12
Prépositions (contraction) 2,1
    ~ de lieu (= spatiales) AG,14 ; 36,5 ; 43 ; 44 ; **84,1**
    ~ spatiales "mixtes" + datif et + accusatif AG,14 ; 43 ;
    44 ; **49,4** ; **84,1**
    ~ + accusatif **84,1**
    ~ + datif **84,1**
Présent **7,1** ; **14,1**
Prétérit AG,9 ; **49,3** ; 64,3 ; 64,6 ; 64,8 ; 68,2 ; 68,3 ; 68,4 ; **70,1.1**
    ~ (verbes de modalité) AG,9.6 ; 52,3 ; 64,5
    ~ de **sein** et **haben** AG,9.4 ; **49,3**
    ~ des verbes en **-ieren** 68,10
Principale (la) 39,3
Pronoms
    Pronom **derjenige** AG,8.3 ; AG,17 ; 85,7
    Pronoms de politessse AG,8.1 ; AG,8.2 ; 1,2
    ~ démonstratifs AG,8.3 ; 13,6 ; 32,3 ; **49,5**
    Pronom impersonnel neutre (**das**) 3,1
    Pronoms indéfinis AG,8.6
    Pronom indéfini **keiner** AG,8.6 ; **69,3**

Pronoms interrogatifs AG,8.4 ; 23,2 ; **28,3** ; **70,2**

Pronom personnel AG,8.1 ; **7,3** ; 22,3 ; **28,1**

Pronoms possessifs AG,8.7 ; 32,8

~ réfléchis AG,8.2 ; 45,7 ; 47,5 ; **77,2**

~ relatifs AG,8.5 ; 33,7 ; 72,4 ; 72,6 ; 72,9 ; **77,1** ; 85,7

Quand : **als** ou **wenn** ? **63,3**

Quelle heure est-il ? 78,2 ; 78,3 ; 78,4

Question indirecte (structure) 88,1

Radical 3,3 ; **7,1**

Relation directionnelle / relation locative AG,14 ; 41,4 ; **42,3**

Si (en réponse) 19,2

~ : **wenn** ou **ob** ? **77,3**

Structure de la phrase (syntaxe) AG,16 ; AG,17 ; 2,2 ; 6,3 ; 11,6 ; 12,2 ; 44,6 ; **84,3**

Subjonctif (= **Konjunktiv**) 92,2 ; 92,3 ; 92,4 ; 92,8 ; 93,1 ; 93,2 ; 93,3 ; 94,3 ; 95,6 ; 95,9 ; 96,2 ; 96,3 ; 96,4 ; **98,1**

Subordonnée (la) 39,3

~ (structure) 33,7 ; 34,4 ; **35,4** ; 59,5

Superlatif 57,3 ; 57,5 ; 62,8 ; **63,2.2**

Umlaut (prononciation) 4

Unité de mesure 9,4

Verbe (placement) **28,4**

Verbes irréguliers AG,9.2 ; 15,3 ; 16,1 ; **21,1.1** ; **70,1.1**

~ à particule séparable AG,12 ; **21,1.2**

~ "d'action" (= de déplacement) 43 ; 44,5 ; **56,5.2**

~ de modalité AG,9.6 ; 29,1 ; **35,1** ; **35,2**

~ de modalité/subj. 96,4

~ de "position" 44,3 ; **56,5.1**

~ en **-ieren** 46,2

~ faibles = réguliers AG,9.1

~ forts = irréguliers AG,9.2

~ impersonnels AG,18 ; 6,1

~ intransitifs AG,13

~ réfléchis 20 ; 41 ; 45 ; 47 ; 55,1 ; 58 ; 62,6 ; 73,6 ; **77,2**

~ "statiques" (~ de position) 68,9

~ transitifs AG,13 ; 29,4 ; 39,1

~ + préposition AG,15 ; 36,5 ; **84,2**

Wo + **r** + préposition AG,15.5 ; 89,2 ; 90,5

Woher/wohin AG,14 ; 36,3 ; 36,7 ; **42,3**

Liste des verbes irréguliers

Dans cette liste, vous trouverez l'infinitif suivi de la 1re personne du prétérit et du participe passé. Pour les verbes qui sont irréguliers aux 2e et 3e personnes du singulier du présent, nous vous donnons la 3e personne du singulier entre prarenthèses. Attention aux conjugaisons des verbes de "modalité" et de **wissen**, *savoir*, particulièrement irrégulières au présent (cf. leçon 35, § 1).

anbieten, bot an, angeboten, *offrir*
bleiben, blieb, geblieben, *rester*
beißen, biss, gebissen, *mordre*
beginnen, begann, begonnen, *commencer*
bekommen, bekam, bekommen, *obtenir, recevoir, avoir*
benehmen, sich ~ (benimmt), benahm, benommen, *se conduire*
beschließen, beschloss, beschlossen, *décider*
besitzen, besaß, besessen, *posseder*
betrügen, betrog, betrogen, *tromper*
bewerben (bewirbt), bewarb, beworben, *poser sa candidature*
binden, band, gebunden, *attacher, lier, nouer*
bitten, bat, gebeten, *demander, prier, supplier*
bleiben, blieb, geblieben, *rester*
brennen, brannte, gebrannt, *brûler*
brechen (bricht), brach, gebrochen, *casser, rompre*
denken, dachte, gedacht, *penser*
dürfen (darf), durfte, gedurft, *avoir la permission de, pouvoir*
einladen (lädt ein), lud ein, eingeladen, *inviter*
entkommen, entkam, entkommen, *s'échapper*
empfangen (empfängt), empfing, empfangen, *accueillir, recevoir*
empfehlen (empfiehlt), empfahl, empfohlen, *recommander*
entscheiden, entschied, entschieden, *décider*
erkennen, erkannte, erkannt, *connaître, reconnaître*
erscheinen, erschien, erschienen, *apparaître, paraître*
erschrecken (erschrickt), erschrak, erschrocken, *s'effrayer*
essen (isst), aß, gegessen, *manger*
fahren (fährt), fuhr, gefahren, *aller (en voiture/train/vélo...)*
fallen (fällt), fiel, gefallen, *tomber*
fangen (fängt), fing, gefangen, *attraper*
finden, fand, gefunden, *trouver*

fliegen, flog, geflogen, *voler, aller en avion*
fliehen, floh, geflohen, *s'enfuir*
fließen, floss, geflossen, *couler*
frieren, fror, gefroren, *geler, avoir froid*
gefallen (gefällt), gefiel, gefallen, *plaire*
geben (gibt), gab, gegeben, *donner*
gelingen, gelang, gelungen, *réussir*
gelten (gilt), galt, gegolten, *être valable, valoir*
geschehen (geschieht), geschah, geschehen, *se passer*
gewinnen, gewann, gewonnen, *gagner*
gießen, goss, gegossen, *verser, arroser*
graben (gräbt), grub, gegraben, *creuser*
greifen, griff, gegriffen, *saisir, prendre*
haben (hat), hatte, gehabt, *avoir*
halten (hält), hielt, gehalten, *tenir, arrêter*
hängen, hing, gehangen, *être suspendu*
hauen, haute, gehauen, *frapper, taper*
heben, hob, gehoben, *soulever*
heißen, hieß, geheißen, *s'appeler*
helfen (hilft), half, geholfen, *aider*
kennen, kannte, gekonnt, *connaître*
klingen, klang, geklungen, *sonner*
kommen, kam, gekommen, *venir*
können (kann), konnte, gekonnt, *pouvoir*
kriechen, kroch, gekrochen, *ramper*
laden (lädt), lud, geladen, *charger*
lassen (lässt), ließ, gelassen, *laisser*
laufen (läuft), lief, gelaufen, *courir, marcher*
leiden, litt, gelitten, *souffrir*
lesen (liest), las, gelesen, *lire*
liegen, lag, gelegen, *être allongé/couché*
lügen, log, gelogen, *mentir*
meiden, mied, gemieden, *éviter*
messen (misst), maß, gemessen, *mesurer*
mögen (mag), mochte, gemocht, *aimer bien*
müssen (muss), musste, gemusst, *être obligé, falloir, devoir*
nehmen (nimmt), nahm, genommen, *prendre*
nennen, nannte, genannt, *appeler*
pfeifen, pfiff, gepfiffen, *siffler*
raten (rät), riet, geraten, *deviner, conseiller*
reißen, riss, gerissen, *rompre, se déchirer*

riechen, roch, gerochen, *sentir*
rufen, rief, gerufen, *appeler, crier*
schaffen, schuf, geschaffen, *créer*
scheinen, schien, geschienen, *sembler, rayonner*
schlafen (schläft), schlief, geschlafen, *dormir*
schlagen (schlägt), schlug, geschlagen, *frapper*
schließen, schloss, geschlossen, *fermer*
steigen, stieg, gestiegen, *monter*
schmelzen (schmilzt), schmolz, geschmolzen, *fondre*
schneiden, schnitt, geschnitten, *couper*
schreiben, schrieb, geschrieben, *écrire*
schreien, schrie, geschrien, *crier*
schweigen, schwieg, geschwiegen, *se taire*
schwimmen, schwamm, geschwommen, *nager*
schwören, schwor, geschworen, *jurer*
sehen (sieht), sah, gesehen, *voir*
sein (ist), war, gewesen, *être*
senden, sandte, gesandt, *envoyer*
singen, sang, gesungen, *chanter*
sitzen, saß, gesessen, *être assis*
sollen (soll), sollte, gesollt, *devoir*
spinnen, spann, gesponnen, *filer, être " fou "*
sprechen (spricht), sprach, gesprochen, *parler*
springen, sprang, gesprungen, *sauter*
stechen (sticht), stach, gestochen, *piquer*
stehen, stand, gestanden, *être debout*
stehlen (stiehlt), stahl, gestohlen, *voler, dérober*
steigen, stieg, gestiegen, *monter*
sterben (stirbt), starb, gestorben, *mourir,*
streiten, stritt, gestritten, *se disputer, se battre*
tragen (trägt), trug, getragen, *porter*
treffen (trifft), traf, getroffen, *rencontrer*
treten, trat, getreten, *marcher (sur), donner un coup de pied*
trinken, trank, getrunken, *boire*
tun, tat, getan, *faire*
unterhalten (unterhält), unterhielt, unterhalten, *entretenir*
unterscheiden, unterschied, unterschieden, *distinguer, différencier*
verbieten, verbot, verboten, *interdire*
verderben, (verdirbt), verdarb, verdorben, *gâter, gacher*
vergehen, verging, vergangen, *passer*
vergessen (vergisst), vergaß, vergessen, *oublier*

verleihen, verlieh, verliehen, *prêter, donner*
verlieren, verlor, verloren, *perdre*
verschwinden, verschwand, verschwunden, *disparaître*
versprechen (verspricht), versprach, versprochen, *promettre*
verstehen, verstand, verstanden, *comprendre*
verzeihen, verzieh, verziehen, *pardonner*
wachsen (wächst), wuchs, gewachsen, *croître, pousser*
waschen (wäscht), wusch, gewaschen, *laver*
werben (wirbt), warb, geworben, *faire la publicité, recruter*
werden (wird), wurde, geworden, *devenir*
wiegen, wog, gewogen, *peser*
wissen (weiß), wusste, gewusst, *savoir*
wollen (will), wollte, gewollt, *vouloir*
ziehen, zog, gezogen, *tirer*
zwingen, zwang, gezwungen, *contraindre, obliger*

Bibliographie

Nous vous proposons ici une liste d'ouvrages pour compléter votre apprentissage de l'allemand. Vous y trouverez aussi bien des livres d'exercice que des lectures actuelles et littéraires.

Depuis 2001, le Cadre Européen Commun de Référence pour les Langues (CECRL) définit les niveaux de maîtrise d'une langue étrangère qui vont de A1 (découverte) à C2 (maîtrise). Par conséquent, chaque ouvrage d'allemand langue étrangère (cf. la collection Deutsch als Fremdsprache : DaF) vous indique le niveau correspondant (de A1 à C2).

Votre méthode d'allemand couvre les niveaux A1 (découverte, leçons 1-30), A2 (intermédiaire, leçons 31-60) et B1/B2 (seuil, leçons 61-100). Rien ne vous empêche donc d'aller dans une librairie, réelle ou virtuelle, et de chercher l'ouvrage qui vous paraît utile pour progresser dans votre niveau.

Voici une sélection qui ne se veut absolument pas exclusive, au contraire !

Dictionnaires

Dès le début, un dictionnaire peut vous être utile. Le choix est grand :

• *Dictionnaire de poche Hachette & Langenscheidt,* français-allemand/allemand-français, Hachette, Paris, 2003.
45 000 mots et expressions.
Ce dictionnaire répondra à toutes vos questions portant sur l'allemand courant et littéraire. Vous y trouverez également quelques explications étymologiques et des exemples, d'une aide précieuse pour ne pas se tromper dans le choix d'un mot.

Si vous êtes courageux, optez (en plus) pour le dictionnaire unilingue :

• Götz (D.), Wellman (H.), *Das Langenscheidt Taschenwörterbuch Deutsch als Fremdsprache,* Langenscheidt, Berlin et Munich, 2012.
C'est un dictionnaire adapté aux apprenants débutants avec à peu près 30 000 mots, tournures et exemples. Des définitions faciles avec des explications grammaticales renforcent la compréhension et l'expression.

Grammaires

Comprendre les règles de la grammaire c'est une bonne chose, mais si l'on peut s'entraîner pour qu'elles deviennent automatiques, **„Fleisch und Blut"** (*"chair et sang"*), comme on dit en allemand, c'est encore mieux. Il existe de nombreuses grammaires avec exercices sur le marché et c'est à vous de choisir celle que vous jugerez la plus utile. Par exemple, préférez-vous une grammaire où tout est en allemand ou préférez-vous une édition bilingue ?

• LEGROS (W.), *Ach so! Les bases de la grammaire allemande : tout reprendre à zéro,* Ellipses, Paris, 1999.
Une grammaire dans laquelle vous trouvez toutes les règles de base expliquées de manière limpide. Pour mieux vous en souvenir, des exercices sont proposés pour chaque sujet.

• REIMANN (M.), *Grammaire de base de l'allemand,* Hueber Verlag, Ismaning, 1999.
Explications en français. Quelques exercices.

Cette grammaire existe également en allemand seulement, chez le même éditeur :
• *Grundstufen-Grammatik für Deutsch als Fremdsprache Erklärungen und Übungen (einsprachig Deutsch).*

• RUSH (P.), SCHMITZ (H.), *Einfach Grammatik, Übungsgrammatik Deutsch A1 bis B1,* 4ᵉ édition, Langenscheidt, Berlin, Munich, 2007.
Cette grammaire contient de nombreux exercices, avec leurs corrigés.

Vous avez plus de 15 minutes par jour à consacrer à votre apprentissage de l'allemand, vous avez donc lu votre dialogue et fait vos exercices de la méthode, mais vous souhaitez en faire plus. Voici une méthode complémentaire du Goethe-Institut, sur DVD, qui devrait vous plaire :

• *redaktion-D – multimedialer Deutschkurs zum Selbstlernen.*
Une formule innovante, souple et attrayante (niveau A1-A2).

Ce programme d'auto-apprentissage se base sur 12 séquences filmographiques attrayantes : "les journalistes Internet" Paul et Laura enquêtent en Allemagne sur de mystérieuses affaires, comme par exemple le requin dans le port de Hambourg et le fantôme du roi Louis II de Bavière. Vous avez ainsi l'occasion de découvrir la culture et la réalité allemandes et d'avoir un aperçu sur l'Allemagne d'aujourd'hui.

Littérature et autres lectures

Vous aimez lire et en même temps perfectionner la grammaire et la syntaxe allemande ? Voici, quelques titres pour aiguiser votre appétit :
• BURGER (E.), SCHERLING (T.), *Der Filmstar*, Langenscheidt et Goethe-Institut, 2010. (niveau A1)
Un très bon entraînement pour la compréhension écrite et audio car tous les livres de cette collection sont accompagnés d'un enregistrement de l'ouvrage sur CD.

Vous préférez les policiers ?

• Les éditions Cornelsen vous proposent sa collection "Lextra", des romans accompagnés d'enregistrements, p. ex. la série *DaF-Lernkrimis: Ein Fall für Patrick Reich.*
Le détective privé Patrick Reich enquête à Kassel. Vous trouverez beaucoup d'informations culturelles, des exercices et des explications sur le vocabulaire.

Les éditions Maison des langues et leur collection "Tatort DaF" :
• SCHURIG (C.), *Kalt erwischt in Hamburg*, 2010.
Klaas Hansen joue de la trompette tous les matins et tous les soirs au club "Michel". Mais un samedi soir, il ne vient pas jouer... où est-il ? Que lui est-il arrivé ? La dernière personne l'ayant vu est une journaliste...

Les éditions Black Cat-Cideb vous proposent :
• MEDAGLIA (C.), SEIFFARTH (A.), *Die Nachbarn*, coll. "Lesen und Üben", 2002.
La voisine de Georg est morte. Le jeune garçon de quinze ans soupçonne un crime et s'improvise détective en conduisant le lecteur dans une histoire pleine de rebondissements.

Vous aimez les textes plus littéraires ? Dans ce cas, optez plutôt pour la lecture d'un des ouvrages de la collection "Lesehefte DaF", chez Hueber Verlag :

• BRAUCEK (B.), *Der Passagier und anderen Gechichten,* 2008. (livre + CD)
Cinq petites histoires sorties de la vie de tous les jours.
• KLEIST (H. von), *Der Zerbrochene Krug,* 2010. (livre + CD)
• LUGER (U.), *Fräulein Else,* 2010. (livre + CD)

ou l'ouvrage de Cinzia Medaglia aux éditions Black Cat-Cideb :
• *Kurzgeschichten: Einstieg in die Literatur durch die Kurzgeschichte*
Ein Lese- und Arbeitsbuch, 2003.
L'ouvrage présente 15 histoires courtes d'auteurs célèbres (Böll, Dürrenmatt, Borchert, etc.) offrant un aperçu global du type de l'histoire courte dans la littérature allemande du XXe siècle. Grâce à la simplicité des histoires présentées et des appareils didactiques, le volume peut être proposé à partir du niveau A2/B1.

Vous souhaitez vous préparer à un examen ou simplement savoir "si vous êtes à niveau". Tous les éditeurs proposent des ouvrages qui vous entraînent spécialement pour les examens "Start A1", "Start A2" et "Zertifikat Deutsch B1". Vous trouverez également de nombreux tests gratuits sur Internet.

• Fit für Start 1, Start 2 B1…, de l'éditeur Hueber
• Prüfungstraining DaF, A2-B1, de l'éditeur Cornelsen
• So geht's noch besser zum ZD: Prüfungsvorbereitung Zertifikat Deutsch B1, de l'éditeur Klett.

Viel Spaß!

Lexiques

Vous trouverez dans ces lexiques l'ensemble des mots employés tout au long de cette méthode. Les chiffres accompagnant le mot allemand correspondent au(x) numéro(s) des leçons où le mot est apparu. Chaque nom est accompagné de son genre (*m.*) : masculin, (*f.*) : féminin, (*n.*) : neutre, puis de son pluriel (*pl.*).
Ex. : **Bild** (*n.*) (-er) = **das Bild, die Bilder, Stadt** (*f.*) (¨e) = **die Stadt, die Städte**.
Les verbes irréguliers sont marqués d'un astérisque et les particules séparables sont séparées du reste du verbe par une apostrophe.

Liste des abréviations			
acc.	accusatif	*ind.*	indicatif
adj.	adjectif	*inf.*	infinitif
adv.	adverbe	*nég.*	négation
art.	article	*part.*	participe
compl.	complément	*pers.*	personnel
conj.	conjonction	*pl.*	pluriel
dat.	datif	*pr.*	pronom
fam.	familier	*vb.*	verbe

Lexique allemand-français

A
ab'fahren*   partir (en train, en voiture) 16
ab'hauen (*fam.*)   dégager, filer 55
ab'heben*   ôter, enlever 86
ab'holen   aller chercher, venir chercher 20
ab'nehmen*   reprendre 87
ab'stellen   éteindre 74, 90
ab'stürzen   s'écraser, tomber 62
Abend (*m.*) (-e)   soir 2, 11, 26, 53, 71
Abendessen (*n.*) (-)   dîner 47
aber   mais 6, 8, 10, 75
Abschied nehmen*   prendre congé 12

Abschluss *(m.)* (⁻e)	clôture, fin (des études) 81
Absicht *(f.)* (-en)	intention 86
Abstecher *(m.)* (einen ~ machen)	faire un crochet, faire un saut 100
Abteilung *(f.)* (-en)	service (département) 80
ach	ah 15, 26, 44, 58 ; bof 26
ach so!	ah bon ! 15
acht	huit 52
Acht nehmen* (sich in ~)	faire attention, se méfier 69
achten	respecter 94
Achtung *(f.)*	attention 16, 69, 90
Acker *(m.)* (⁻)	champ labouré 59
Affe *(m.)* (-n)	singe 88
ahnen	se douter de, pressentir 87
ähnlich	semblable 80
Ahnung *(f.)* (-en)	idée (vague), pressentiment 87
Akzent *(m.)* (-e)	accent 75
alle	tous, tout le monde 23, 39
alle Welt	tout le monde 79
allein	seul 2, 57
allerdings	cependant 74
alles	tout 9, 18, 24, 31, 34, 38, 52, 62
alles zusammen	en tout 9
Allgemeinbildung *(f.)*	culture générale 68
Alltag *(m.)*	vie quotidienne 73 ; quotidien, routine, vie courante 81
alltäglich	banal, de tous les jours, ordinaire 81
Alpen *(pl.)*	Alpes 83
als	lorsque 57 ; quand 57, 58, 71, 73, 75 ; que *(comparatif)* 58 ; comme (en tant que) 72
als ob	comme si (faire ~) 95
also	alors 9, 12, 19, 59, 61 ; donc 17
alt	vieux 18, 22, 36, 41, 78, 82
älter	plus vieille, plus vieux 82
älter werden/alt werden	vieillir 82
Altstadt *(f.)* (⁻e)	vieille ville 33
am (= an dem)	*voir* an 20 ; le (date) 51
am Ball bleiben	ne pas lâcher 99
am Ende	à la fin 68
am Ende sein	être au bout 67
Amerika	Amérique 39, 88 ; États-Unis 88
Ampel *(f.)* (-n)	feu tricolore 94
an	jusqu'à 16 ; à 20, 22, 24, 25 ; au bord de, près de 24 ; à (contre) 54
an'bieten*	offrir 37, 62, 72
an'fangen*	commencer 45, 52, 55, 58, 60, 73
an'halten*	s'arrêter 29, 79
an'kommen*	arriver 20, 46, 59, 79
an'machen	allumer 43
an'passen (sich ~)	s'adapter 97

an'rufen*	appeler au téléphone 11, 66, 96
an'sehen*	regarder 10 ; voir 76
an'sprechen*	aborder (qqn) 37
an'stellen	allumer 74 ; employer 81
an'strengen (sich ~)	faire des efforts 66
an'ziehen* (sich ~)	s'habiller 59
an'zünden	allumer, enflammer 90
ander-	autre 6, 34, 40, 55, 59, 67, 80
andere (das ~)	autre chose 38
ändern (sich ~)	modifier 39 ; changer 39, 88
Anfang *(m.)* (⁻e)	début 99, 100
Anfänger *(m.)* (-)	débutant 90
Angebot *(n.)* (-e)	offre 62
Angelegenheit *(f.)* (en)	affaire 54
angestellt sein	être employé 81
Angestellte (der/*m.*, die/*f.*) (-n)	employé/e 81
Angst *(f.)* (⁻e)	peur 76, 94
Angst haben	avoir peur 59
Ankunft *(f.)* (⁻e)	arrivée 30
Ankunftszeit *(f.)* (-en)	heure d'arrivée 30
Annonce *(f.)* (-n)	annonce 50
Anrufbeantworter *(m.)* (-)	répondeur (téléphonique) 12
anscheinend	apparemment 100
Anschluss *(m.)* (⁻e)	correspondance 20
anständig	convenable(ment) 85
anstrengend	fatigant 26, 66
Anstrengung *(f.)* (-en)	effort 66
Antwort *(f.)* (-en)	réponse 68, 80, 89
antworten	répondre 11, 58, 83
Anzeige *(f.)* (-n)	annonce 50
Anzug *(m.)* (⁻e)	costume 38
Apfel *(m.)* (¨-)	pomme 24, 55, 89
Apfelkuchen *(m.)* (-)	gâteau aux pommes 27
Apfelsaft *(m.)* (⁻e)	jus de pomme 24, 89
Apfelwein *(m.)* (-e)	cidre 33, 89
Arbeit *(f.)* (-en)	travail 78
arbeiten	travailler 19, 25, 81
Arbeiter *(m.)* (-)	travailleur *(nom)* 33
Arbeitsstelle *(f.)* (-n)	emploi, poste de travail 80
Arbeitszeit *(f.)* (-en)	horaire de travail 78
ärgern	embêter 93
Argument *(n.)* (-e)	argument 61
arm	pauvre 53, 93
Arzt *(m.)* (⁻e)	médecin 50
au/aua	ah 26 ; aïe 32, 55
auch	aussi 6, 27, 40, 53, 58, 65
auch nicht	non plus 27 ; même pas 78
auf	sur 10, 29, 43, 50, 51, 54
auf Wiederhören!	au revoir (au téléphone) 5, 61
auf Wiedersehen!	au revoir ! 12
auf'geben*	abandonner 99

auf'holen	rattraper 79
auf'hören	terminer 51 ; s'arrêter 51, 55, 89
auf'klären	éclairer 99
auf'machen	ouvrir 21, 74
auf'passen (auf)	faire attention (à) 99
auf'regen (sich ~)	s'énerver, s'exciter, se fâcher, s'inquiéter 79
auf'schlagen*	casser, ouvrir 85
auf'stehen*	se lever 30, 55, 71
auf'wachen	se réveiller 71
Aufgabe *(f.)* (-n)	tâche 80
aufgeregt	excité 18
aufs Klo müssen	avoir envie d'aller aux toilettes 79
Auge *(n.)* (-n)	œil 54, 75
Augenblick (im ~)	pour le moment 53
Augenblick *(m.)* (-e)	moment 47, 53, 85 ; instant 47, 85
August *(m.)*	août 22
aus *(+ dat.)*	de (provenance, origine) 3, 18, 48 ; hors de 71
aus'geben*	dépenser 21
aus'machen	éteindre 43 ; convenir 96
aus'sehen*	avoir l'air 18
aus'sehen* (gut ~)	être beau 18
aus'steigen*	descendre (train, voiture) 16, 33
Ausdauer *(f.)*	persévérance 99
Ausfahrt *(f.)* (-en)	sortie 48
ausgezeichnet	excellent 27, 95
Auskunft *(f.)* (¨e)	renseignement 15
Auslagen *(f.)*	dépenses/frais remboursables 80
ausmachen (etwas unter sich ~)	convenir de qqch. 95
Ausnahme *(f.)* (-n)	exception 62
außer	à part, excepté, sauf 39 ; hors de 39, 64
außerdem	en plus 50, 78 ; en outre 81
außergewöhnlich	exceptionnel, hors du commun 64
Aussicht *(f.)* (-en)	vue 50
Austausch *(m.)*	échange 81
Auto *(n.)* (-s)	voiture 40, 48, 52, 79
Autobahn *(f.)* (-en)	autoroute 79
Automechaniker *(m.)* (-)	garagiste 67

B

Baby *(m.)* (-s)	bébé 35
Bäckerei *(f.)* (-en)	boulangerie 100
Bad *(n.)* (¨er)	salle de bains 50
Badeanzug *(m.)* (¨e)	maillot de bain 97
Bahn *(f.)* (-en)	train, voie 15
Bahnhof *(m.)* (¨e)	gare 20, 33
bald	bientôt 12, 26
Balkon *(m.)* (-s)	balcon 50
Bankier *(m.)* (-s)	banquier 67
Bär *(m.)* (-en)	ours 53

Bärenhunger *(m.)*	faim de loup 53
Barock *(m.)*	baroque 41
Baskenmütze *(f.)* (-n)	béret basque 72
Bauch *(m.)* (¨e)	ventre 96
bauen	construire 57
Bauer *(m.)* (-n)	paysan 75
Bayer *(m.)* (-n)	Bavarois 75, 83
bayerisch	bavarois 75
bedanken (sich ~) für	remercier de 100
bedeutend	important 51
beeilen (sich ~)	se dépêcher 71
beeindruckend	impressionnant 74
beendet werden	être terminé 85
begeistern	enthousiasmer 73
begrüßen	saluer 93
bei	chez (sans mouvement) 51, 78
bei *(+ dat.)*	au 34 ; dans, de, près 51 ; à 65
bei'bringen* (jdm etwas ~)	apprendre qqch. à qqn 93
beide	les deux 100
beim *(+ vb. substantivé)*	être en train de 59
Bein *(n.)* (-e)	jambe 58, 60, 97
Beispiel *(n.)* (-e)	exemple 75, 85
beißen*	mordre 32
bekommen*	obtenir 33, 58
belegt	occupé 96
bemerken	remarquer 97
benehmen* (sich ~)	se comporter, bien se tenir 85
Benimmregeln *(f.)*	règles de savoir-vivre 85
Benzin *(n.)*	essence 29
Benzinuhr *(f.)* (-en)	jauge à essence 29
beobachten	observer 88
Berg *(m.)* (-e)	montagne 46, 54
Bericht *(m.)* (-e)	rapport 87
Berliner *(m.)* (-)	Berlinois 64
Berlinerin *(f.)* (-nen)	Berlinoise 64
berühmt	célèbre 51, 72
Bescheid sagen *(ou geben)*	renseigner 58
Bescheid sagen *(ou geben)*	avertir 58
Bescheid sagen *(ou geben)*	informer 58
beschließen*	décider 71
besetzt	occupé 66, 80
besichtigen	visiter 33, 41, 83
Besichtigung *(f.)* (en)	visite 33
besitzen*	posséder 55
Besitzer *(m.)* (-)	propriétaire 48, 53
besser	mieux 41, 62, 75 ; meilleur 62
Beste (das ~)	le, la meilleur/e 27
beste (der/die/das ~)	le, la meilleur/e 62, 71
besuchen	venir voir 80 ; rendre visite 80, 87, 100
Besucher *(m.)* (-)	visiteur 87

betrunken	en état d'ivresse, ivre 34
Bett *(n.)* (-en)	lit 56, 71
Beute *(f.)* (-n)	proie 36
bevor *(+ indic.)*	avant que 29, 83, 100
bewachen	surveiller 90
bewahren	garder 93
bewegen (sich ~)	se bouger, circuler 64
bewerben* (sich ~ bei)	poser sa candidature (auprès de) 80, 81
Bewerbung *(f.)* (-en)	candidature 80
bezahlen	payer 9, 93
Bibliothek *(f.)* (-en)	bibliothèque 56
Bier *(n.)* (-e)	bière 8, 33
Biergarten *(m.)* (¨)	*Biergarten, bistrot en plein air* 75
Bierkrug *(m.)* (¨e)	chope de bière 87
Bierzelt *(n.)* (-e)	tente à bière 87
Bild *(n.)* (-er)	tableau 54
billig	bon marché 40
Binde *(f.)* (-n)	bandage, bande, cravate 54
binden*	attacher, lier, nouer 54
Bindfaden *(m.)* (¨)	ficelle 87
Bindfäden regnen	pleuvoir des cordes 87
bis	jusqu'à 12
bis bald	à bientôt 12
bis jetzt	jusqu'à maintenant 79
bis morgen!	à demain ! 14
bis später	à plus tard 12, 78
bis zu *(+ dat.)*	jusqu'à 45, 60, 74
bisschen (ein ~)	un peu 18
bisschen (ein ~) (von)	un peu (de) 36, 60, 65, 96
bitte	s'il te plaît/s'il vous plaît 4, 45, 80 ; je vous/t'en prie 4, 81
bitten	demander 15 ; prier 30
blau	bleu 72
Blaumeise *(f.)* (-n)	mésange bleue 97
bleiben	rester 11, 26, 30, 47, 55, 97
bleiben (sitzen ~)	rester (assis) 60
blockieren	bloquer 48
blond/e	blond/e 36, 72
blühen	fleurir 82
Blume *(f.)* (-n)	fleur 82
Boden *(m.)* (¨)	sol 83
Bodensee *(m.)*	lac de Constance 83
böse sein (jdm ~)	en vouloir à qqn 92
Boss *(m.)* (-e)	boss 90
Brasilien *(n.)*	Brésil 37, 83
Brathähnchen *(n.)* (-)	poulet rôti 87
Bratwurst *(f.)* (¨e)	saucisse à griller 9
brauchen	avoir besoin de 24, 39, 50, 57, 65, 78
brechen	casser 93
Brief *(m.)* (-e)	lettre 39

bringen*	apporter 8, 46, 68
Brot *(n.)* (-e)	pain 4, 100
Brötchen *(n.)* (-)	petit pain 4
Brücke *(f.)* (-n)	pont 94
Bruder *(m.)* (¨)	frère 23, 33, 58
buchen	comptabiliser 62 ; réserver, retenir une place 62, 96
Bundesbürger *(m.)* (-)	citoyen 72
Bundesregierung *(f.)* (-en)	gouvernement fédéral 64
Bundesrepublik *(f.)* (-en)	République fédérale 64
Bundestag *(m.)* (-e)	parlement 64
Büro *(n.)* (-s)	bureau 6, 25, 49, 52

C

Café *(n.)*	café (établissement) 4
Capuccino	capuccino 8
Champagner *(m.)* (-)	champagne (vin) 24, 44, 95
Chef *(m.)* (-s)	patron 30, 31, 47, 85
China *(n.)*	Chine 39
chinesisch	chinois 73
Computer *(m.)* (-)	ordinateur 25

D

da	là 6, 36, 44, 58, 73, 83
da *(conj.)*	parce que 80 ; comme 80, 93
dagegen	en revanche 60, 67, 71
damals	à l'époque 74 ; autrefois 82
Dame *(f.)* (-n)	dame 33, 51
damit	avec ça, par là 58 ; pour que 66
danach	après 51, 79
Dank *(m.)*	remerciement 15 ; merci 29
dankbar	reconnaissant 89
danke	merci 4, 27
danken jdm *(dat.)* für + *acc.*	remercier qqn pour 61
dann	alors 15, 24, 29, 54 ; puis 15, 33, 52
daran	de cela 74 ; à cela 79
daran denken*	y penser 79
daraufhin	là-dessus 93
darüber	en 75 ; de cela 83
darum	de cela 94
darum geht* es nicht	il ne s'agit pas de cela 94
darunter	en dessous 74
das	cela 3 ; le *(art. n.)* 3, 4 ; ce 3, 10, 13 ; ça 9, 13
das lohnt sich	ça vaut la peine 41
dass	que *(conj.)* 31, 34
dass (= damit)	afin que, pour que 79
dasselbe	le même *(n.)* 48 ; la même chose 48, 92
Daumen *(m.)* (-)	pouce 79
Daumen für jdn drücken (die ~)	croiser les doigts pour qqn 79
davon	de cela 78, 87

dazu	avec cela 75
Deckel *(m.)* (-)	couvercle 57
dein/e	ton/ta/tes 11, 16, 18
denken*	penser 46, 54, 57, 73, 74, 75, 79
denn	donc 10, 29
denn (= weil)	car *(conj. de coordination)* 82
der	le *(art. m.)* 3 ; celui-ci 32 ; celui qui 85
derjenige	celui qui 85
derselbe	le même *(m.)* 48
deshalb	c'est pourquoi 65 ; pour cela 65, 79, 99
Deutsch	allemand (langue) 1, 50
deutsch *(adj.)*	allemand 50, 51
Deutscher/Deutsche	Allemand/-e (habitant) 50, 51, 67
Deutschland *(n.)*	Allemagne 14
Dezember *(m.)*	décembre 44
Dialekt *(m.)* (-e)	dialecte 89
dich *(acc. de du)*	te 16, 39 ; toi 22
Dichter *(m.)* (-)	écrivain, poète 51
dick	gros 82
dick/dicker werden*	grossir 82
die	la *(art. f.)* 3 ; les *(art.)* 6 ; ceux-ci 13 ; celles-ci 88
dieser/diese/dieses	ce/cette/ce *(n)* 43
Dienst *(m.)* (-e)	service 25, 30
Dienstag *(m.)* (-e)	mardi 25, 30, 61
dieselbe	la même *(f.)* 48
Ding *(n.)* (-e)	chose 93, 99
Diplom *(n.)* (-e)	diplôme 65
dir *(dat.)*	à toi 37
direkt	juste 85
doch	si *(après question négative)* 19 ; donc 30, 47 ; mais (quand même) 40 ; mais 40, 79
Doktor *(m.)* (-en)	docteur 25
Dom *(m.)* (-e)	cathédrale 33
Donautal *(n.)*	vallée du Danube 83
Donner *(m.)* (-)	tonnerre 25
Donnerstag *(m.)* (-e)	jeudi 25
Doppelzimmer *(n.)* (-)	chambre double 96
dort	là-bas 10, 36, 39, 41, 43
dorthin	vers là-bas 42, 83 ; y *(mouvement vers lieu)* 83
dran (ich bin ~) (= an der Reihe)	c'est mon tour 95
draußen	dehors 61, 78, 97
drehen um *(+ acc.)* (sich ~)	s'agir de, tourner autour de 57
dreimal	trois fois 9, 72
dringend	d'urgence 69, 78, 79, 92
drinnen	à l'intérieur 78
drücken	serrer 79
du	toi, tu 8
dumm	bête 10 ; stupide 88

Dummer *(m.)*	imbécile 88
dunkel	sombre 33 ; obscur 45
Dunkelheit *(f.)* (-en)	obscurité 76
durch	par 64 ; de travers 79
durch'fahren* (bei Rot)	griller (un feu tricolore) 94
durch'führen* (ein Experiment ~)	mener (une étude) 88
Durchschnitt (im ~)	en moyenne 79
Durchschnitt *(m.)*	moyenne 79
dürfen*	avoir le droit 32, 33, 34, 37, 72 ; pouvoir 32, 33, 37 ; devoir 47, 61
Durst *(m.)* (¨e)	soif 19
E	
echt	véritablement, vraiment 92
egal	quoi qu'il arrive 99
egal sein* (jdm ~)	être égal à qqn 48
Ehemann *(m.)*	mari 66
Ehemann *(m.)* (¨er)	époux 66
eher	plutôt 31
ehren	honorer, respecter 80
Ei *(n.)* (-er)	œuf 4
eigentlich	au fait 22, 34, 65, 87 ; en réalité 34, 97
Eihütchen *(n.)* (-)	"chapeau" de l'œuf 86
ein/e	un/e 1, 2
ein'brechen*	cambrioler, pénétrer par effraction 93
ein'fallen*	venir à l'esprit 100
ein'kaufen	faire des courses 24, 48
ein'kaufen fahren	faire ses courses (en voiture) 48
ein'kaufen gehen	aller faire des courses (à pied) 24 ; 48
ein'laden*	inviter 23, 75
ein'leben (sich ~)	s'acclimater, s'adapter, s'habituer 75
ein'schlafen*	s'endormir 71
ein'steigen*	monter (train, avion) 16
ein'stellen	programmer 74
eineinhalb Stunden	une heure et demie 17
einfach	simple 31, 89 ; simple(ment) 71, 73 ; facile 85
Einfahrt *(f.)* (-en)	entrée 48
Einfluss *(m.)* (¨e)	influence 51
Einheit *(f.)* (-en)	unité 64
einige	quelques 62
einmal	une fois 9, 52, 60, 62
eins	une chose, un 38
einverstanden	d'accord 58
einziges Mal (ein ~)	pour une fois 79
Eiskonditormeister *(m.)* (-)	maître confiseur glacier 57
Eistorte *(f.)* (-n)	*gâteau glacé* 57
eklig	dégoûtant 75
Elektrotechnik *(f.)*	électrotechnique 81
E-Mail-Adresse *(f.)* (-n)	adresse e-mail 100
Empfang *(m.)* (¨e)	accueil (réception) 96

empfangen*	accueillir 100
empfehlen*	recommander 65
Ende *(n.)* (-n)	fin *(nom)* 13, 48, 60, 67, 76, 100 ; bout 67
endlich	enfin 43
Engel *(m.)* (-)	ange 72
England *(n.)*	Angleterre 70
Engländer *(m.)* (-)	Anglais 67
Englisch	anglais (langue) 73
entdecken	découvrir 88
entfernt	loin 100
entkommen*	échapper 43
entlang	le long de 100
entscheiden*	décider 86
entschuldigen	excuser 5, 45, 52
entschuldigen (sich ~)	s'excuser 81
entschuldigen Sie	excusez-moi 69
Entschuldigung *(f.)* (-en)	excuse, pardon 5, 81
enttäuscht	déçu/-e 97
Entwicklung *(f.)* (-en)	évolution 97
er	il 3, 32
Erbe *(m.)* (-n)	héritage, héritier 88
Erbgut *(n.)* (¨er)	bien héréditaire, patrimoine 88
Erdbeere *(f.)* (-n)	fraise 57
Erde *(f.)*	terre 97
erfinden*	inventer 57, 68
erinnern (sich ~) (an + *acc.*)	se souvenir de 74, 82, 95
erkennen*	reconnaître 72, 82
erklären	expliquer 71, 96
erlauben	permettre 34, 81
erlaubt	permis 34
erleben	vivre (qqch.) 64
ermöglichen	permettre, rendre possible 97
eröffnen	inaugurer, ouvrir 65
erscheinen*	paraître 85
Erschöpfung *(f.)* (-en)	épuisement 60
erschrecken*	avoir peur 100
erst	ne… que *(temporel)* 52, 74, 75, 90 ; d'abord 53, 86
erstaunlich	étonnant 74
erste	premier/-ère 46, 49, 51, 73
ersticken	étouffer 58
Erwärmung *(f.)*	réchauffement 97
erwidern	rétorquer 58
Erzählung *(f.)*	récit 72
es	il *(pr. pers. n.)* 4 ; ça, cela, il *(impersonnel)* 6 ; ce 6, 12 ; le *(pr. pers. compl. n.)* 12
es geht um	il s'agit de 94
es gibt*	il y a 15, 19, 41, 50, 67
es handelt sich um *(+acc.)*	il s'agit de 94
es ist zu *(+ vb. inf.)*	c'est à (+ *vb. inf.*) 79

Essen *(n.)* (-)	repas 27, 95
essen*	manger 8, 47, 53, 57
Etage *(f.)* (-n)	étage 90
etwa	à peu près 89
etwas	quelque chose 8, 66, 69 ; un peu 61
etwas aus'machen	arranger qqch. 95
euer	votre/vos 55
Euro *(m.)* (-s)	euro 9
Europa *(n.)*	Europe 37
Experiment *(n.)* (-e)	étude (expérience) 88

F

(Ehe)frau *(f.)* (-en)	épouse 38, 40, 58
Faden *(m.)* (¨)	fil 54, 87
fahren*	aller (en train, en voiture, en vélo) 16, 34, 41, 46
Fahrrad *(n.)* (¨er)	vélo 34, 40, 49, 82
Fahrrad fahren	aller en vélo 34
Fahrt *(f.)* (-en)	trajet, transfert 62
Fahrzeug *(n.)* (-e)	véhicule 48
Fall *(m.)* (¨e)	cas 76, 89
Fälle (auf alle ~)	en tous les cas 76
fallen*	tomber 24, 43, 53, 55, 64, 81
falls	au cas où 57, 83
falsch	faux 5, 93
Familie *(f.)* (-n)	famille (proche) 23, 39
fangen*	attraper 45
fantastisch	fantastique 18, 42, 62
Farbe *(f.)* (-n)	couleur 74
fast	presque 58, 64, 71, 81 ; près de (environ) 87
Feder *(f.)* (-n)	plume 74
Federlesen machen	prendre des gants 93
fehlen	manquer 65
fehlen (jdm ~)	manquer à qqn 81
feiern	fêter 23, 64, 66
Feld *(n.)* (-er)	champ 58, 59
Felsen *(m.)* (-)	rocher 68
Fenster *(n.)* (-)	fenêtre 53, 82
Ferien *(pl.)*	vacances 13, 37, 46, 50
Ferienwohnung *(f.)* (-en)	appartement de vacances 50
fern	loin 55
fern'sehen*	regarder la télévision 55
Fernsehapparat *(m.)* (-e)	télé 74
fertig	prêt/e 13
Fest *(n.)* (-e)	fête 22
festlich	de cérémonie, solennel 38
Film *(m.)* (-e)	film 53, 55, 72, 76
Filmmuseum *(n.)* (-museen)	musée du cinéma 74
finanzieren	financer 83
finden*	trouver 19, 26, 36, 50, 52, 58, 71, 76

sechshundertzweiunddreißig • 632

Firma *(f.)* (Firmen)	société 47 ; entreprise 75
Fitness-Studio *(n.)* (-s)	centre de remise en forme 96
Flasche *(f.)* (-n)	bouteille 44 ; flacon 58
Fleisch *(n.)*	viande 24, 74 ; chair 74
fleischfarben	couleur chair 74
fleißig	studieux 99
flexibel	flexible 78
fliegen*	aller en avion, prendre l'avion 25, 62 ; voler 62
fließen*	couler, s'écouler 73
fließend	couramment, courant *(adj.)* 73, 99
Flug *(m.)* (⁻e)	vol 62
Flughafen *(m.)* (¨)	aéroport 24, 62
Flugzeug *(n.)* (-e)	avion 62
Fluss *(m.)* (⁻e)	fleuve 60
folgen jdm *(dat.)*	suivre qqn 75
Forscher *(m.)* (-)	chercheur 88
Fortsetzung *(f.)* (-en)	suite 59
Fortsetzung folgt	à suivre 58
Fortuna *(f.)*	chance, fortune 54
Foto *(n.)* (-s)	photo 3
Frage *(f.)* (-n)	question 15, 62, 68, 89, 95
fragen (sich ~ ob)	se demander si 76
fragen jdn *(acc.)* nach *(+ dat.)*	demander à qqn qqch. 38, 39, 58, 73
Frankfurt	Francfort 51
Frankreich	France 20, 30
Franzose *(m.)* (-n)	Français 67
Frau *(f.)* (-en)	femme 3, 38, 40, 58 ; dame 37
Frau X	madame X 6, 80
frech	insolent 48
frei	libre 2 ; libre(ment) 32, 64, 78
frei'halten*	garder 78
Freitag *(m.)* (-e)	vendredi 25
freitagabends	le vendredi soir 30
Fremdsprache *(f.)* (-n)	langue étrangère 73
freuen (sich ~)	être content/heureux, se réjouir de 20, 26, 80, 81, 100
Freund *(m.)* (-e)	ami 3, 23, 40, 49
Freundin *(f.)* (-nen)	amie 3, 23
freundlich	gentil 80
freundliche Grüße	meilleures salutations 80
Frieden *(m.)* (-)	paix 55
frisch	frais 78
Friseursalon *(m.)* (-s)	salon de coiffure 65
frisieren	coiffer 65
Frisör *(n.)* (-e)	coiffeur 50
froh	content 53
früh	tôt 30
Frühstück *(n.)*	petit-déjeuner 4
fühlen (sich ~)	se sentir 89
funktionieren	fonctionner 25

für *(+ acc.)*	pour 2, 11, 15, 22, 30, 38
Furche *(f.)* (-n)	sillon 59
fürchterlich	horriblement 100
Fuß *(m.)* (¨e)	pied 33, 74
Fußgänger *(m.)* (-)	piéton 33
Fußgängerampel *(f.)* (-n)	feu pour les piétons 94
Fußgängerzone *(f.)* (-n)	zone piétonne 33
Futur *(n.)*	futur 55

G

Gabel *(f.)* (-n)	fourchette 33
Gang (im ~)	en cours 76
ganz	tout 37, 45, 67 ; tout à fait 45, 69, 76, 81 ; entièrement 69
gar	du tout 73
gar keins *(n.)*	aucun 73
gar nicht	pas du tout 76, 94, 99
garantieren	assurer 75
Garderobe *(f.)* (-n)	vestiaire 56
Garten *(m.)* (¨)	jardin 23
Gartenfest *(n.)* (-e)	fête au jardin 23
Gartenzwerg *(m.)* (-e)	nain de jardin 68
Gast (¨e)	hôte, visiteur 87
geben*	donner 16, 22, 41 ; accorder 47
geboren	né/-e 51
Geburt *(f.)* (-en)	naissance 22, 65, 81
Geburtstag *(m.)* (-e)	anniversaire 22, 38, 89
Geburtstagsfest *(n.)* (-e)	fête d'anniversaire 22
Geburtstagslied *(n.)* (-er)	chanson d'anniversaire 90
Geburtstagsparty *(f.)* (-s)	soirée d'anniversaire 22 ; fête d'anniversaire 28
Gedächtnis *(n.)* (-se)	mémoire 95
gedulden (sich ~)	patienter 47
geehrt-	honoré 80
Gefahr (in ~)	en danger 61
gefährlich	dangereux 32
gefallen*	plaire 40, 53
gefüllt	fourré 78
Gegenteil (im ~)	au contraire 69
Gegenteil *(n.)* (-e)	contraire 85
gegenüber (von)	en face (de) 33
Geheimnis *(n.)* (-se)	mystère 65 ; secret 65, 99
gehen*	aller 6, 10, 37
gehören *(+ dat.)*	appartenir 74
Gehweg *(m.)* (-e)	trottoir 65
Geist *(m.)* (-er)	esprit 83
geisteskrank	fou 83
gelb	jaune 82, 92
Geld *(n.)* (-er)	argent 9, 39, 52, 92
gelegen (liegen*)	situé 50
Gelegenheit *(f.)* (-en)	occasion 38

geliebt	bien-aimé 19
genau	exactement 20, 55, 81 ; bien 55 ; exact 88
Generaldirektor *(m.)* (-en)	P.D.G. 90
Generation *(f.)* (-en)	génération 51
genial	génial 83
Gentleman *(m.)*	gentleman 93
genug	assez 9, 46, 61, 69, 78, 92
genug haben	en avoir assez 46
gerade	droit 47 ; juste, juste(ment) 47, 86
gerade *(+ vb. au passé)*	venir de 87
gerade *(+ vb. au présent)*	être en train de 86
geradeaus	tout droit 15, 47
Gericht *(n.)* (-e)	tribunal 93
gern	volontiers 8, 12, 57, 62, 80
Geschäft *(n.)* (-e)	affaire, boutique 10 ; magasin 10, 100
Geschäftsmann *(m.)* (¨er)	homme d'affaires 93
Geschäftsreise *(f.)* (-n)	voyage d'affaires 85
geschehen*	arriver 76
Geschichte *(f.)* (-n)	histoire 41, 64, 82, 93
geschlossen	fermé 10
Geschrei *(n.)*	criaillerie, cris 55
Geschwister *(pl.)*	frères et sœurs 23
Geselle *(m.)* (-n)	compagnon 57
Gesetz *(n.)* (-e)	loi 94
Gesicht *(n.)* (-er)	visage 54
Gespräch *(n.)* (-e)	conversation 5 ; entretien 80
gestern	hier 36, 71, 73
gestorben (sterben*)	mort/e 51
Gesundheit *(f.)*	santé 65
Getränk *(n.)* (-e)	boisson 8
getrennt	séparé(ment) 95
gewinnen*	gagner 58, 62, 86
gewiss	certainement 89
gewöhnen (sich an etwas *+ acc.* ~)	s'habituer à 75
gewöhnlich	commun, habituel, ordinaire 64
gierig	avidement 86
gießen*	verser 54
Glas *(n.)* (¨er)	verre 33
glauben (an *+ acc.*)	croire (en, à) 20, 45, 74, 76
gleich	tout de suite 6, 47, 55, 58
gleichzeitig	en même temps 64
Gleis *(f.)* (-e)	voie 16
Glück *(n.)*	bonheur 1 ; chance 1, 22, 29, 65
Glück haben	avoir de la chance 79
glücklich	heureux 10, 17, 75
glücklicherweise	heureusement 10
Glückwunsch *(m.)* (¨e)	félicitation 89
golden	en or 54
Goldtaler *(m.)* (-)	louis d'or 58
gotisch	gothique 63
Gott *(m.)* (¨er)	Dieu 29, 46

Gott sei Dank	Dieu merci 29
Grad *(m.)* (-e)	degré 57
gratulieren jdm *(dat.)* zu *(+ dat.)*	féliciter qqn de, souhaiter 38
greifen*	saisir 86
Grenze *(f.)* (-n)	frontière 79
Grieche *(m.)* (-n)	Grec 68
Grillfest *(n.)* (-e)	barbecue 22
Grillfleisch *(n.)*	viande à griller 24
groß	grand 1, 18, 27, 36, 40, 50, 59, 72
groß werden*	grandir 82
große Klasse *(f.)*	luxe 40
Großmarkt *(m.)* (¨e)	supermarché 48
Großmutter *(f.)* (¨)	grand-mère 39
grün	vert 94
Grund *(m.)* (¨e)	raison 48
gründen	fonder 89
Gruß *(m.)* (¨e)	salut 18
Grüße *(pl.)*	salutations 18, 80
grüßen	saluer 18, 58
gucken *(fam.)*	regarder 36
günstig	favorable, intéressant 38
gut	bon 1, 16, 23, 24, 26 ; bien 6, 8
gut gehen*	aller bien, marcher 59
gute Nacht	bonne nuit 43, 53
guten Abend	bonsoir 2, 51, 53, 66
guten Morgen	bonjour (le matin) 6
guten Tag	bonjour 1, 38, 40, 47, 61, 81

H

haben*	avoir 2, 14, 38, 46
halb	demi/e 52
halbe Stunde	demi-heure 48
hallo	salut (bonjour) 11 ; salut 37, 55
Hals *(m.)* (¨e)	gorge 90 ; cou 93
halt	stop 24, 31, 83 ; halte 58
halten*	s'arrêter 29
Haltestelle *(f.)* (-n)	arrêt (station) 15
Hamburg	Hambourg 20
Hand *(f.)* (¨e)	main 54
handeln um *(+ acc.)* (sich ~)	s'agir de 90
Handy *(n.)* (-s/-ies)	portable (téléphone) 11
hängen* (an + *dat.*)	pendre (à), être suspendu (à) 54
hart	rude 90
Hase *(m.)* (-n)	lapin 58 ; lièvre 58, 59, 60
Hasenfrikassee *(n.)*	fricassée de lièvre 70
hassen	détester 62
hässlich	moche 36, 42
haupt-	central, principal 27
Haupt *(n.)* (¨er)	tête 27
Hauptbahnhof *(m.)* (¨e)	gare principale 27
Hauptrolle *(f.)* (-n)	rôle principal 72
Hauptsache *(f.)* (-n)	le principal 99

Hauptspeise *(f.)* (-n)	plat principal 27
Hauptstadt *(f.)* (⸚e)	capitale 64
Haus *(n.)* (⸚er)	maison 11, 23, 46, 53, 58
hausgemacht	fait maison 78
Hausmeister *(m.)* (-)	concierge 69
heben*	lever, soulever 86
Heiligabend *(m.)*	Noël ("Saint-Soir") 97
heiraten	se marier 38
heiß	chaud 22
heißen*	s'appeler 3, 57
helfen	aider 38
helfen* jdm *(dat.)*	aider qqn 59
hell	clair 33, 50
her'bringen*	apporter par ici 37
heraus	dehors 46
Herr *(m.)* (-en)	monsieur 5, 46, 51, 89
Herr Ober	garçon (restaurant) 95
herrlich	magnifique 46 ; merveilleux (-sement) 50
herum'fahren*	tourner en voiture 52
herunter	vers le bas 43
Herz *(n.)* (-en)	cœur 18, 54, 79
herzlich	cordial 18, 51, 89
heute	aujourd'hui 1, 26, 51, 55, 64
heute Abend	ce soir 11
hier	ici 4, 11, 15, 27
hier bitte	voici 4
hierher	vers ici 37 ; ici *(rapprochement)* 37, 48
hierhin	ici, vers ici 45
Hilfe! *(f.)* (-n)	au secours ! 45
Himbeere *(f.)* (-n)	framboise 57
Himmel *(m.)* (-)	ciel 46, 85
hin-	y *(mouvement vers lieu)* 31
hin'gehen*	y aller, aller vers 31, 37
hinter	derrière *(adv.)* 54, 82
hinterlassen	laisser (définitivement) 12
Hintern *(m.)* (-)	derrière *(nom)*, fesses 96
Historiker *(m.)* (-)	historien 83
Hitze *(f.)* (-n)	chaleur 22
hitzefrei haben	avoir congé pour cause de chaleur 22
Hitzewelle *(f.)* (-n)	vague de chaleur 22
hoch	haut 54, 57
Hochdeutsch *(n.)*	allemand "standard" (langue) 89
höchst-	le plus haut 100
Hochzeitstag *(m.)*	anniversaire de mariage 66
Hof *(m.)* (⸚e)	cour 20, 52
hoffen	espérer 25, 45, 92
hoffentlich	espérons (j'espère) que 45, 100
höflich	poli(ment) 52, 58
Höflichkeit *(f.)* (-en)	politesse 52
hoh-	élevé, haut 82

hohes Tier *(n.)* (-e)	grosse légume 90
holen	venir chercher 24, 44 ; aller chercher 24, 44, 100
Holland	Hollande 20
Hölle *(f.)* (-n)	enfer 67
hören	entendre 36, 43, 50, 54, 73, 82
hören (an + *dat.*)	entendre (à) 75
Hose *(f.)* (-n)	pantalon 80
Hotel *(n.)* (-s)	hôtel 2, 62
Hund *(m.)* (-e)	chien 32
Hunger *(m.)*	faim 19, 53
I	
ICE *(m.)* (-s)	*équivalent du T.G.V.* 20
ich	je 2 ; moi 27
Idee (auf eine ~ kommen*)	avoir une idée 88
Idee *(f.)* (-n)	idée 26
identisch	identique 88
Idiot/Idiotin	idiot/-e 100
Igel *(m.)* (-)	hérisson 58, 59, 60
ihm *(dat. de* er*)*	lui 37
ihn *(acc. de* er*)*	le *(pr. pers. compl. m.)* 24
Ihnen *(dat. de* Sie*)*	vous *(pr. de politesse, compl. indirect)* 6
ihr *(pl. de* du*)*	vous *(pr. pl.)* 10
ihr/e	son/sa/ses (à elle) 23 ; leur/s 25
Ihr/e	votre/vos 25, 38, 54
ihr/e	leur/s 64
Ihr/e	votre/vos 86
im (= in dem)	*voir* in 2
immer	toujours 6, 29
immer *(+ comparatif)*	de plus en plus 60
immer noch	toujours (continuité) 84
immer noch kein…	toujours pas de… 75
in	à/au, en 2 ; dans 2, 10, 16
in der Tat	en effet 81, 82
inbegriffen	compris, inclus 62
indem	en *(vb. + part. présent)* 86
Informatik *(f.)*	informatique 80, 81
informieren	indiquer 80
Inhalt *(m.)* (-e)	contenu 57
insgesamt	en tout 87
interessant	intéressant 36, 62
interessieren (sich ~) (für)	être intéressé (par) 80
Internet *(n.)*	internet 73
Interview *(n.)* (-s)	interview 89
inzwischen	entre-temps 80, 100
irgend-	n'importe-, quelconque 76
irgendwo	quelque part 82
irren (sich ~)	se tromper 54
Italien *(n.)*	Italie 30

Italiener *(m.)* (-)	Italien 67
italienisch	italien *(adj.)* 73
IT-Unternehmen *(n.)*	entreprise d'informatique 81

J

ja	oui 2, 27, 32, 43 ; mais 32, 43 ; bien 43
ja und?	et alors ? 88
Jahr *(n.)* (-e)	année 17, 46, 51, 62 ; an 17, 51
Jahrhundert *(n.)* (-e)	siècle 68
je *(+ comparatif)*… desto/umso *(+ comparatif)*	plus… plus, moins… moins 97
jedenfalls	en tout cas 99
jeder/e/es	chaque 30, 46, 65
jedes Mal	à chaque fois 76
jedes Mal, wenn	chaque fois que 76
jedoch	pourtant 80
jemand	quelqu'un 34, 45
jemanden zu etwas machen	faire qqch. de qqn 72
jetzt	maintenant 11, 37, 40, 44, 48
jung	jeune 51, 82
Junge *(m.)* (-n)	garçon 7
jünger werden*	rajeunir 82
Jungs *(fam.)*	gars 90
Juni *(m.)*	juin 46
Jura *(m.)*	droit 51

K

Kabelfernsehen *(n.)*	câble (télé) 73
Kaffee *(m.)* (-s)	café (boisson) 4
Kaffeekanne *(f.)* (-n)	cafetière 8
Kaiser *(m.)* (-)	empereur 68
Kakao *(m.)*	cacao 57
Kalender *(m.)* (-)	calendrier 25
kalt	frais 8 ; froid 8, 78
Kälte *(f.)*	froid 78
Kamm *(m.)* (¨e)	peigne 65
Kännchen *(n.)* (-)	petite cafetière 8
kapieren *(fam.)*	comprendre 54
Kapital *(n.)*	capitaux 65
kaputt gehen	se casser 85
kaputt sein	être cassé 85
Karriere *(f.)* (-n)	carrière 82
Kartoffel *(f.)* (-n)	pomme de terre 24, 78
Käse *(m.)*	fromage 4, 43
Käsefreund *(m.)* (-e)	amateur de fromages 73
Kasse *(f.)* (-n)	caisse 24
Kater *(m.)* (-)	matou 13 ; chat 13, 54 ; gueule de bois 54
Katze *(f.)* (-n)	chat 54
Kauf *(m.)* (¨e)	achat 40
kaufen	acheter 19, 40, 48, 73

kaum	à peine 46
kein/e	pas un/e 9 ; aucun/e 9, 12, 15, 27 ; pas de 9, 19, 27 ; pas 26
keine Ursache!	il n'y a pas de quoi ! 15
keinerlei	pas la moindre 86
Kellner *(m.)* (-)	garçon (restaurant) 95
Kelterei *(f.)* (-en)	pressoir 89
kennen lernen	faire la connaissance de 66, 80, 81
kennen*	connaître 32, 36, 38, 41, 69, 73
Kerze *(f.)* (-n)	bougie 90
Kilo *(n.)* (-s)	kilo 9
Kilogramm *(n.)*	kilo 57
Kilometer *(m.)* (-)	kilomètre 29
Kind *(n.)* (-er)	enfant 4, 13, 39, 49, 53, 79
Kirchturm *(m.)* (¨-e)	clocher 100
kitzeln	chatouiller 76
klappen	aller bien (marcher), marcher bien 90
klar	clair 31, 88
klar *(fam.)*	bien sûr 9 ; évidemment 39
Klasse *(f.)*	classe 40
klasse!	super ! 20
Klassik *(f.)*	classicisme 51
Kleid *(n)* (-er)	robe 74
klein	petit 18
Klima *(n.)*	climat 97
klingen	sembler 50 ; avoir l'air (à l'oreille) 50, 62, 72 ; sonner 50, 72
Klo *(n.)* (-s)	toilettes 45, 79
Klosett *(n.)*	toilettes 45
Kneipe *(f.)* (-n)	bar 16 ; bistrot 16, 19
Knödel *(m.)* (-)	quenelle 78
knurren	gargouiller (intestins), gronder 78
Koch *(m.)* (¨-e)	cuisinier 59, 67
kochen	bouillir, faire bouillir/cuire, cuire 59 ; faire la cuisine 59, 67
Köchin *(f.)* (-nen)	cuisinière 59
Koffer *(m.)* (-)	valise 13
Kollege *(m.)* (-n)	collègue *(m.)* 6, 81
Kollegin *(f.)* (-nen)	collègue *(f.)* 6
Köln	Cologne 20, 33
komisch	bizarre 76, 99 ; drôle 99
kommen*	arriver 4, 24 ; venir 5, 13, 14, 26
kommen* (nach Hause ~)	rentrer 11
komponieren	composer 68
Konditor *(m.)* (-en)	pâtissier 57
König *(m.)* (-e)	roi 52, 82, 83, 89
konkret	concrètement 73
Können *(n.)*	savoir-faire 90
können*	pouvoir 26, 29, 38, 41, 43
kontrollieren	contrôler 30
Konzert *(n.)* (-e)	concert 53

Kopf *(m.)* (⁻e)	tête 54, 59, 74, 81
köpfen	décapiter, trancher la tête 85
kosten	coûter 50, 65, 92
kostenlos	gratuitement 96
köstlich	délicieux 27, 61 ; bon (au goût) 61
Krabbe *(f.)* (-n)	crabe 13
Kragen *(m.)* (-)	col 93
krank	malade 83, 95
Krawatte *(f.)* (-n)	cravate 54
Kreditkarte *(f.)* (-n)	carte de crédit 12
Krieg *(m.)* (-e)	guerre 72
kriegen	attraper, avoir (obtenir), recevoir 40
Krimi (= Kriminalfilm) *(m.)* (-s)	film policier 76
Krimi (= Kriminalroman) *(m.)* (-s)	roman policier 76
krumm	tordu 58
Kuba	Cuba 62
Küche *(f.)* (-n)	cuisine 50, 61
Kugel *(f.)* (-n)	boule 57
Kuh *(f.)* (⁻e)	vache 63
kühl	froid 44
Kühlschrank *(m.)* (⁻e)	réfrigérateur 44
kümmern (sich ~ um + *acc.*)	s'occuper de 81
Kunde *(m.)* (-n)	client 25, 65
kurz	bref 34, 80 ; court 60 ; brièvement 79 ; rapidement 80
Kuss *(m.)* (⁻e)	baiser, bise 16
Küste *(f.)* (-n)	côte (bord de mer) 50
L	
lächeln	sourire 54
lachen	rire *(vb.)* 37, 58
Lachen *(n.)*	rire *(nom)* 58
lächerlich	ridicule 85
Laden *(m.)* (¨)	magasin 49
Lampe *(f.)* (-n)	lampe 43
Land *(n.)* (⁻er)	pays 6, 57, 73
lang/e	longtemps 22, 29, 45 ; long 41 (pendant) longtemps 53, 75, 76
langsam	lent(ement) 81
langweilen (sich ~)	s'ennuyer 76
langweilig	ennuyeux, fatigant 76
lassen*	laisser 12, 32, 52, 55, 59, 76, 79
lassen* *(+ vb.)*	faire "faire" 26
Lastwagen *(m.)* (-)	camion 94
laufen*	aller 18 ; marcher 18, 19 ; courir 18, 32, 58, 59, 60
Laune *(f.)* (-n)	humeur 31, 65, 97
laut	fort (bruyant) 34, 36, 58 ; à voix haute 34, 83
leben	vivre 13, 73, 75
Leben *(n.)*	vie 51, 71, 74

Lebensart *(f.)* (-en)	manière de vivre 75
Lebenswerk *(n.)* (-e)	œuvre d'une vie 51
Leberwurst *(f.)* (¨e)	pâté de foie 78
lebhaft	turbulent 53
Lederhose *(f.)* (-n)	*culotte courte en cuir* 75
ledig	célibataire 36, 42
leer	vide 53
legen	mettre, poser 54, 56
leicht	facile 72, 75
Leid *(n.)* (-en)	mal, malheur, souffrance 51
leider	malheureusement 12, 35, 57, 80, 92, 96
leihen*	emprunter, prêter 92
leise	à peine audible, bas, doux (doucement), léger (musique) 34
leisten	accomplir 74
leiten	diriger 89
Leiter *(m.)* (-)	directeur 80
lenken	diriger 46
Lenkrad *(n.)*	guidon 100
lernen	apprendre 1, 41, 50, 73
Lesen *(n.)*	lecture 27
lesen*	lire 27, 73
letzt-	dernier 40, 45, 62, 76
Leute *(pl.)*	les gens 48, 65
Licht *(n.)* (-er)	lumière 43
lieb	cher, sage 18
Liebe *(f.)*	amour 74
lieben	aimer 16, 33, 82
lieber	plus volontiers 62, 96
Liebesdienst *(m.)* (-e)	complaisance 88
Liebesgeschichte *(f.)*	histoire d'amour 100
Liebhaber *(m.)* (-)	amant 67, 72
Liebling *(m.)*	chéri/e 26, 66
liegen*	se trouver 41, 99 ; être couché/ allongé 44, 50, 54, 82, 100
Limousine *(f.)* (-n)	berline 82
links	à gauche 15, 33
Liter *(m. ou n.)* (-)	litre 57, 89
Löffel *(m.)* (-)	cuillère 86
logisch	logique 76
lohnen (sich ~)	valoir la peine 41
los *(+ vb. modalité)*	partir 71
los!	allons-y !, dépêche-toi !, partons ! 55 ; allez ! 55, 71
los'fahren*	partir (en train, en voiture) 59, 71
los'fliegen*	partir (en avion) 62
los'laufen*	partir en courant 60
Ludwig der Zweite	Louis II 83
Luft *(f.)* (¨e)	air 78
Lüge *(f.)* (-n)	mensonge 69

Lust haben (zu)	avoir envie de 26, 71
lustig	amusant 23 ; drôle 23, 58 ; joyeux 23, 68
Luxus *(m.)*	de luxe 50, 96

M

machen	faire 9, 10, 26, 34, 37, 55
machen + *adj.*	rendre 17
machen lassen*	faire faire 88
Mädchen *(n.)* (-)	fille (jeune fille) 36
Mädchenname *(m.)* (-n)	nom de jeune fille 81
Magen *(m.)*	ventre 53 ; estomac 53, 78
Mahlzeit *(f.)* (-en)	repas 78
Mahlzeit!	bon appétit ! 78
Mai *(m.)*	mai 22
mal	donc 11
Mal *(n.)*	fois 11, 43, 60, 95
mal müssen	avoir envie d'aller aux toilettes 79
malen	peindre 90
man	on 17, 29, 34, 46, 54, 60
manchmal	de temps à autre 87
Manieren (gute ~)	bonnes manières, savoir-vivre, (bonnes) manières 85
Mann *(m.)* (¨-er)	homme 3, 49, 72, 100 ; mari 23, 75, 100
Männchen *(n.)* (-)	mâle 88
Mantel *(m.)* (¨)	manteau 56, 74
Märchen *(n.)* (-)	conte 58, 82
Margerite *(f.)* (-n)	marguerite 92
März *(m.)*	mars 51
Maschine *(f.)* (-n)	appareil 25
Maß *(f.)*	chope de bière 87
Maß *(n.)*	mesure 87
Mauer *(f.)* (-n)	mur 64
Mauerfall *(m.)*	chute du mur 64
Mäuschen *(n.)* (-)	petite souris 18
Mäzen *(m.)* (-e)	mécène 83
Medizin *(f.)*	médecine 51
Meer *(n.)* (-e)	mer 24, 50, 97
mehr	plus (de) 83
mehrere	plusieurs 87
mein/e	mon/ma/mes 5, 18, 23, 39
meine	la mienne 32
meine Damen	mesdames 33, 51
meine Herren	messieurs 33, 51
meinen	penser 26, 54 ; être d'avis, croire, vouloir dire 67 ; vouloir dire (signifier) 67, 73, 81, 82
meiner	le mien 32
meinetwegen	d'accord, soit 92
Meinung *(f.)* (-en)	avis, opinion, point de vue 67
Meister *(m.)* (-)	maître 24
melden	annoncer 47

melken*	traire 63
Mensch *(m.)* (-en)	homme (être humain) 17, 46, 97
Mensch!	oh ! là ! là ! 17
Menschenfreund *(m.)*	philantrope 73
Menschheit *(f.)*	humanité 88, 97
merken	remarquer 76, 87
Messer *(n.)* (-)	couteau 33
Meter *(n. ou m.)* (-)	mètre 57
Methode *(f.)* (-n)	méthode 73
mich *(acc. de ich)*	moi 11 ; me 45
Milch *(f.)*	lait 7, 57
Milchkaffee *(m.)* (-s)	café au lait 8
Million *(f.)* (-en)	million 18, 87
Minister *(m.)* (-)	ministre 83
minus	moins 57
Minute *(f.)* (-n)	minute 16, 45, 48, 76, 90
mir *(dat. de ich)*	à moi 16, 43, 47 ; me 37, 43, 47
mischen (sich ~ in etwas + *acc.*)	se mêler (de qqch.) 54
Missverständnis *(n.)* (-se)	malentendu 32
Mist *(m.)*	fumier 9
Mist!	zut ! 9
mit *(+ dat.)*	avec 4, 10, 64
mit'bringen*	apporter 23, 46
mit'kommen*	accompagner 12 ; venir avec (qqn) 12, 59
mit'kriegen *(fam.)*	piger, saisir 76
mit'nehmen*	emporter 26, 71
Mitarbeit *(f.)*	collaboration 80
Mittag *(m.)*	midi 35, 44
Mittag *(m.)* (-e)	midi *(nom)* 25
Mittagessen *(n.)* (-)	déjeuner 47
Mittagspause *(f.)* (-n)	pause de midi 78
Mitte *(f.)* (-n)	milieu 25
Mittel *(n.)* (-)	moyen 73
Mitternacht *(f.)*	minuit 44, 90
Mittwoch *(m.)* (-e)	mercredi 25, 80
mögen	vouloir 4, 50, 51 ; bien aimer 8, 23, 33, 57
möglich	possible 13, 61, 93
Moment (im ~)	pour le moment 12
Moment *(m)* (-e)	moment 12, 47, 79, 83, 86
Monat *(m.)* (-e)	mois 17, 40, 49
Mond *(m.)* (-e)	lune 25
Montag *(m.)* (-e)	lundi 25
morgen	demain 10, 30, 54
Morgen *(m.)* (-)	matin 6, 10, 48, 85
Mozartkugeln	*"praliné Mozart"* 57
Mücke *(f.)* (-n)	moustique 43
müde	fatigué 17, 72
müde machen	fatiguer 17
Mühle *(f.)* (-n)	moulin 78
mühsam	laborieuse 65

Münchner *(m.)* (-)	Munichois 64
Mund *(m.)* (¨er)	bouche 53, 86
Mundart *(f.)* (-en)	dialecte 89
Museum *(n.)* (Museen)	musée 74
Musikfreund *(m.)*	amateur de musique, mélomane 73
Müsli *(n.)*	céréales (petit-déjeuner) 4
müssen*	devoir 10, 12, 30, 31, 33, 83 ; être obligé 30, 31 ; falloir 30, 37, 79
Mut *(m.)*	courage 99
mutig	courageux 74
Mutter *(f.)* (¨)	mère 18
Mutti	maman 18
Mütze *(f.)* (-n)	béret 72

N

na	eh bien 39 ; alors 53
na dann	eh bien 53
na ja	bof 75
na so was!	ça alors ! 87
na und?	et alors ? 94
nach	vers 11 ; avec mouvement, à la maison 11, 46 ; pour *(destination)* 16, 41
nach (pour l'heure)	après 20
nach *(+ dat.)*	après 38, 46, 52, 81
nach Haus/e	chez soi *(avec mouvement)*, à la maison *(avec mouvement)* 11
nach'denken*	réfléchir 53, 83
nach'kommen*	rejoindre 78
nach'sehen*	regarder, vérifier 44
Nachbar *(m.)* (-n)	voisin 93
nachdem *(+ ind.)*	après que 83
Nachfolger *(m.)* (-)	successeur 82
Nachmittag *(m.)* (-e)	après-midi 25
Nachname/Familienname *(m.)* (-n)	nom de famille 81
Nachricht *(f.)* (-en)	message 11 ; nouvelle 96
Nachspeise *(f.)* (-n)	dessert 27
nächste Mal (das ~)	la prochaine fois 83
nächster/nächste	prochain/e 18, 61, 79
Nacht *(f.)* (¨e)	nuit 17, 35, 43, 93
Nachtisch *(m.)*	dessert 27, 61
nachts	pendant la nuit 88
nackt	nu 74
nah/e	près 37 ; proche 80
nahe (bei + *dat.*)	près (de) 82
Name *(m.)* (-n)	nom 5, 61, 69, 93
nämlich	en effet 62, 65, 85
Nase *(f.)* (-n)	nez 54
Nase voll haben (die ~)	en avoir marre 54
Nationalität *(f.)* (-en)	nationalité 67

Natur *(f.)*	nature 97
natürlich	bien sûr 8, 19 ; évidemment 44 ; naturellement 52, 78
neben	à côté 37
nee *(fam.)*	non 55, 71
negativ/e	négatif/-ve 80
nehmen*	prendre 4, 20, 27, 39, 83
nein	non 5, 26, 27, 29
nennen*	appeler 68
nervös	nerveux 31
nett	gentil 18, 89 ; sympa 92
neu	neuf (nouveau) 40
Neujahr *(n.)*	Nouvel An 96
nicht	ne… pas 5, 6 ; pas 36, 40
nicht ein einziges Mal	pas une seule fois 71
nicht mal/nicht einmal	même pas 71, 76
nicht mehr	ne plus 22
nicht wahr?	n'est-ce pas ? 40, 75, 81
nicht… mehr	ne… plus 52, 71
nichts	rien 19, 24
nicken	hocher la tête (pour approuver) 59
nie(mals)	jamais 53, 69, 93
niemand	personne *(pr.)* 39, 45, 52
noch	encore 6, 13, 16, 29, 30
noch nicht	pas encore 6, 38, 47, 83
normalerweise	normalement 46
nötig	nécessaire 79
Nougatpraline *(f.)* (-n)	bonbon au nougat 57
Null *(f.)* (-en)	zéro 29
Nummer *(f.)* (-n)	numéro 5
nun	alors 82
nur	seulement 15, 31, 37 ; ne… que (seulement) 31, 46
nützen	servir à 60

O

oben *(adv.)* (an + *dat.*)	en haut (de) 59
obwohl *(+ ind.)*	bien que 72
obwohl *(ind.)*	quoique 72
Ochs *(m.)* (-en)	bœuf 87
oder	ou 4, 71, 75
öffnen	ouvrir 29, 74
oft	souvent 72
Ohr *(n.)* (-en)	oreille 76
okay	O.K. 24
Oktoberfest *(m.)*	Fête de la Bière 87
Öl *(n.)*	huile 44
Olivenöl *(n.)*	huile d'olive 44
Onkel *(m.)* (-)	oncle 39
Oper *(f.)* (-n)	opéra 11, 68, 83
Orangensaft *(m.)* (¨e)	jus d'orange 24

Orchester *(n.)* (-)	orchestre 23
Ordnung (in ~)	bien *(adv.)*, en ordre 52
Organisation *(f.)* (-en)	organisation 23
Ostdeutschland	Allemagne de l'Est 64
Ozean *(m.)*	océan 97
P	
paar (ein ~)	quelques 60, 90
Paar *(n.)* (-e)	couple 60
Paket *(n.)* (-e)	paquet 24
Panik *(f.)*	panique 90
Papa *(m.)* (-s)	papa 48, 55, 71
Papagei *(m.)* (-en)	perroquet 93, 73
parken	se garer, stationner 48
Parkplatz *(m.)* (⁻e)	place de parking 52 ; aire de repos (sans restauration) 79
Partie *(f.)* (-n)	parti (un beau parti) 37
Party *(f.)* (-s)	soirée (fête) 22
passen	convenir 80
passieren/geschehen*	arriver (se passer) 46, 93, 100 ; arriver, se passer 52, 76
passt (das ~ mir)	aller (cela me va) (vêtement), convenir (cela me convient) 80
Pause *(f.)* (-n)	pause 4 ; entracte 45
Pazifist *(m.)* (-en)	pacifiste 72
Pech *(n.)*	malchance 39
perfekt	parfait 90
Person *(f.)* (-en)	personne *(nom)* 2, 61, 65
Personalleiterin (-nen)	chef du personnel *(f.)* 80
persönlich	personnelle(ment) 30, 69, 80
pfeifen*	siffler 86
pfeifen* auf *(+ acc.)*	se moquer de 86
Pferd *(n.)* (-e)	cheval 63, 68
Pizza *(f.)* (-s ou Pizzen)	pizza 26
Plan *(m.)* (⁻e)	plan (projet) 39, 90
planen	prévoir 90
Platz *(m.)* (⁻e)	place 11, 37, 45, 59, 78
platzen	éclater 93
plötzlich	soudain(ement) 82, 86
Politik *(f.)*	politique 80, 90
Polizei *(f.)*	police 48, 53
Polizeiwagen *(m.)* (-)	voiture de police 48
Polizist *(m.)* (-en)	policier 67
Pommes *(fam.)*	frites 9
Portion *(f.)* (-en)	portion 8, 27
positiv/e	positif/-ve 80
Postkarte *(f.)* (-n)	carte postale 18
praktisch	pratiquement 29
Preis *(m.)* (-e)	prix 38, 62, 99
Preußen *(n.)*	Prusse 70
prima!	super ! 20

Prinz *(m.)* (-en)	prince 82
pro	par 17
Probe *(f.)* (-n)	épreuve 90
probieren	goûter *(vb.)* 75
Problem *(n.)* (-e)	problème 22, 39
produzieren	produire 89
Professor *(m.)* (-en)	professeur (université) 18
Programm *(n.)* (-e)	programme 74
Prozent *(n.)* (-e)	pour cent 88
pst!	chut ! 45
Punkt *(m.)* (-e)	point 52
pünktlich	à l'heure 6 ; ponctuel 52
Pünktlichkeit *(f.)*	exactitude, ponctualité 52
Puppe *(f.)* (-n)	poupée 56

Q

Quatsch *(m.)*	bêtise 55
Quatsch!	n'importe quoi !, sottises ! 76

R

Rad *(n.)* (¨er)	roue 34 ; vélo 34, 62
Rad fahren*	aller en vélo 100
radeln	aller en vélo 100
Radio *(n.)* (-s)	radio 74, 89
Radiosendung *(f.)* (-en)	émission de radio 51
Rast *(f.)*	repos 79
Rastplatz *(m.)*	aire de repos (sans restauration) 79
Raststätte *(f.)* (-n)	aire de repos 79
Rat *(m.)* (Ratschläge)	conseil 31, 41, 49
raten*	deviner 72, 83, 87 ; conseiller 83
Ratte *(f.)* (-n)	rat/-te 13
rauchen	fumer 72
rauchig	rauque 72
raus (= heraus)	dehors 46, 71
raus'gehen*	sortir 46, 78
rechnen	calculer, compter 61
rechnen mit	s' attendre à 97
Rechnung *(f.)* (-en)	calcul, facture, note 61 ; addition 61, 95
Recht *(n.)*	droit, raison 73
Recht haben	avoir raison 73
rechts	à droite 15
reden	parler 36
reden über *(+ acc.)*	parler (de) 36
Regen *(m.)* (-)	pluie 26, 46
Regenschirm *(m.)* (-e)	parapluie 26
Regenwetter *(n.)*	temps pluvieux 48, 54
Regisseur *(m.)* (-e)	metteur en scène 72
regnen	pleuvoir 26, 36, 45, 46
reich	riche 36, 65
Reihe *(f.)* (-n)	rang 45
rein (= herein/hinein) (gehen)	entrer 52

Reise *(f.)* (-n)	voyage 16, 41, 62, 80
Reisebüro *(n.)* (-s)	agence de voyages 62
reißen	rompre 54
Rente *(f.)* (-n)	retraite 89
reparieren	réparer 25
reservieren	réserver 61, 66, 80, 96
Restaurant *(n.)* (-s)	restaurant 36, 66
Rezept *(n.)* (-e)	recette 57
richtig	bien (juste) 73 ; juste (exact) 74 ; bon, juste, vrai 97
Rivalin *(f.)* (-nen)	rivale 74
Roman *(m.)* (-e)	roman 51
romantisch	romantique 100
rosig	rose (couleur) 97
Rosine *(f.)* (-n)	raisin sec 88
rot	rouge 34, 94
Rot (bei ~)	aux feux rouges 34
rufen*	appeler 11 ; s'écrier 58 ; crier 59
Ruhe *(f.)*	silence 45 ; calme, tranquillité 93
ruhig	calmement, tranquillement 60
rum'fahren*	tourner en voiture 52
rund *(adj.)*	rond 57
rundherum	tout autour 86
runter	vers le bas 43
runter'fallen*	tomber 43
runter'gehen*	descendre 43
runter'gucken*	regarder en bas 43
Rutsch *(m.)*	glissade 96
rutschen	glisser 96

S

Saal *(m.)* (Säle)	salle 90
Saft *(m.)* (ᵕe)	jus 24
sagen	dire 11, 18, 29, 36
Sahne *(f.)*	crème 8 ; crème (Chantilly) 57
Salto *(m.)* (-s)	salto 100
Samstag *(m.)* (-e)	samedi 22, 25, 48
Sand *(m.)*	sable 54
Sandale *(f.)* (-n)	sandale 34
satt	rassasié 27
Sau *(f.)* (ᵕe)	truie 78
Sauwetter *(n.)*	temps de cochon 78
Saxofon *(n.)*	saxophone 34
Schachtel *(f.)* (-n)	boîte 57
schade	dommage 20, 61, 62, 86, 95, 97
schaffen (es ~)	réussir à 29 ; y arriver 29, 99
Schale *(f.)* (-n)	coquille 86
schämen (sich ~)	avoir honte 54
Schatz *(m.)* (ᵕe)	trésor 66
schauen	regarder 38
Schauspielerin *(f.)* (-nen)	actrice 72

Schausteller *(m.)* (-)	exposant 87
scheinen*	sembler 31, 75 ; paraître 31, 76 ; avoir l'air 82
schicken	envoyer 39
schief gehen*	rater, aller de travers 90
Schiff *(n.)* (-e)	bateau 68
Schimpanse *(m.)* (-n)	chimpanzé 88
schimpfen	maugréer, rouspéter 100
Schimpfwort *(n.)* (¨er)	gros mot, injure 100
schlafen*	dormir 17, 43
schlaflos	sans sommeil 93
Schlafzimmer *(n.)* (-)	chambre à coucher 50
schlagen*	battre, frapper 85
Schlägerei *(f.)* (-en)	bagarre 76
Schlagsahne *(f.)*	crème (Chantilly), crème fouettée 8
Schlange *(f.)* (-n)	serpent 24 ; queue (file d'attente) 24, 45
Schlange stehen*	faire la queue 24
schlau	futé 62
schlecht	mauvais 79, 96
schließen*	fermer 10, 13, 61, 71
schließlich	enfin 52, 90 ; finalement 62
schlimm	grave 69, 94
Schloss *(n.)* (¨er)	château 82, 83
Schluss *(m.)* (¨e)	fin *(nom)* 29
schmecken	goût (avoir (bon) ~) 27
Schmied *(m.)*	forgeron 100
Schmusekätzchen *(n.)* (-)	petit chat câlin 18
Schnäppchen *(n.)* (-)	occasion, offre exceptionnelle 62
Schnaps *(m.)*	eau-de-vie 30, 58
Schnee *(m.)*	neige 97
schneiden*	couper 79
schneien	neiger 97
schnell	vite 11, 43, 44 ; rapide(ment) 63
Schnitt (im ~)	en moyenne 79
Schokolade *(f.)* (-n)	chocolat 57
Schokoladenkuchen *(m.)* (-)	gâteau au chocolat 27
schon	déjà 15, 24, 27, 29, 45, 55, 75, 98
schön	belle 3, 18, 46, 50, 57, 58, 82 ; beau 46, 57, 58
schon lange	depuis longtemps 53
schon wieder	à nouveau 95
Schrank *(m.)* (¨e)	armoire 44
Schreck *(m.)* (-s)	frayeur 94
Schrecken *(m.)*	peur 94
Schrecken einjagen (jdm einen ~)	faire peur à qqn 94
schrecklich	terriblement 36
schreiben*	écrire 39
schreien*	crier 45, 49, 93 ; s'écrier 60
Schriftsteller *(m.)* (-)	écrivain 72
Schritt *(m.)* (-e)	pas *(nom)* 60, 64
Schulbuch *(n.)* (¨er)	livre scolaire 83

Schuld *(f.)* (-en)	dette 83
Schule *(f.)* (-n)	école 51, 71
Schüler *(m.)* (-)	écolier 22
schütteln (mit dem Kopf ~)	secouer (la tête pour désapprouver) 59
Schwan *(m.)* (¨e)	cygne 74
Schwanenfedermantel *(m.)*	*manteau en plumes de cygne* 74
Schwarzwald *(m.)*	Forêt-Noire 83
Schwein *(n.)* (-e)	cochon, porc 63, 75
Schweinerei *(f.)* (-en)	cochonnerie 75
Schweinshaxe *(f.)* (-n)	jarret de porc 75, 87
Schweiz *(f.)*	Suisse 67, 68
schwer	lourd 57 ; difficile 57, 71 ; dur 99
Schwester *(f.)* (-n)	sœur 23
schwierig	difficile 48, 73
Schwimmbad *(n.)* (¨er)	piscine 96
schwimmen*	nager 96
schwören*	jurer 41
See *(m.)* (-n)	lac 83
sehen*	voir 10, 15, 31, 33, 41 ; regarder 37
sehr	très 3, 50, 51
Seide *(f.)*	soie 54
seiden *(adj.)*	en soie 54
sein*	être 1, 14, 38, 40, 46
sein/e	son/sa/ses (à lui) 23, 37, 48, 57
seit	depuis 29 ; depuis que 44, 79
seit langem	depuis longtemps 76
Seite *(f.)* (-n)	côté 50
Sekt *(m.)* (-e)	vin mousseux 24
Sekunde *(f.)* (-n)	seconde 90
selb-	même 48
selbst	même, en personne 61
selbst wenn/auch wenn	même si 76
Selbstmord *(m.)*	suicide 76
selbstständig	indépendant 81
selbstverständlich	naturellement, il va de soi, bien sûr 61, 80, 95
Sendung *(f.)* (-en)	émission, émission de radio 74
Sessel *(m.)* (-)	fauteuil 55
setzen	asseoir, mettre, poser 56
setzen (sich ~)	s'asseoir 37, 45, 55, 81
Shorts *(pl.)*	short 34
sich	se 47
sicher	sûrement 6, 26 ; certainement 19, 41, 42 ; sûr 44, 62, 83
Sie	vous *(de politesse)* 1
sie	elle 3 ; elles, ils 6
sieh da!	tiens ! 87
Silvester	la Saint-Sylvestre 96
singen*	chanter 82
Sitte *(f.)* (-n)	coutume 5
sitzen bleiben	rester assis 60

651 • **sechshunderteinundfünfzig**

sitzen*	être assis 25, 43, 45, 55, 61, 68
Sitzung *(f.)* (-en)	réunion 25
Smoking *(m.)*	smoking 38
so	si 16
so etwas	une telle chose 93
so tun*, als ob	faire comme si 95
so… wie	aussi… que 60
sobald	dès que 79
Socke *(f.)* (-n)	chaussette 34
sofort	tout de suite 4, 55, 95 ; immédiatement 48
sogar	même 37, 50, 62
sollen	devoir 31, 36, 41, 48, 83, 87
sondern *(après nég.)*	mais (au contraire) 30, 54 ; mais 65, 72, 89
Sonnabend *(m.)*	samedi 25
Sonne *(f.)* (-n)	soleil 25, 62
sonnig	ensoleillé 50
Sonntag *(m.)* (-e)	dimanche 10
sonst	sinon 71, 95 ; autrement 82, 95 ; d'habitude 95
sonst irgendwo	où que ce soit, quelque part 82
sonstwo	partout ailleurs 82
Sorge *(f.)* (-n)	souci 52
Souvenir *(n.)* (-s)	souvenir 87
soviel	autant 88
soweit (es ist ~)	ça y est 90
sowieso	de toute façon 48
Spanien *(n.)*	Espagne 50
Spanier *(m.)* (-)	Espagnol (habitant) 50
Spanisch	espagnol (langue) 50
spannend	captivant 76
sparen	faire des économies, épargner 10 ; économiser 12
Spaß machen	faire plaisir 99
spät	tard 6, 30, 43, 48, 55, 61
spätestens	au plus tard 71
spazieren gehen*	aller se promener 34 ; aller se promener 58
Spaziergang *(m.)* (¨e)	promenade 26
Speise *(f.)* (-n)	nourriture 8, 27 ; plat 27
Speisekarte *(f.)* (-n)	carte (menu) 8
spezialisieren auf *(+ acc.)* (sich ~)	se spécialiser en 81
Spiegel *(m.)* (-)	miroir 82
spiegelblank	poli comme un miroir 82
spielen	jouer 34, 74
Spielregel *(f.)* (-n)	règle du jeu 85
Spinne *(f.)* (-n)	araignée 55
spinnen*	filer, filer (la laine), être fou 55
Sprache *(f.)* (-n)	langue 73
sprechen*	parler 8, 47, 50
sprechen* (von)	parler (de) 36, 62

Sprudel *(m.)* (-)	eau gazeuse 33
Stadt *(f.)* (¨e)	ville 10, 41, 64
Stadtbesichtigung *(f.)* (-en)	visite de la ville 33
Stadttor *(n.)* (-e)	porte de la ville 68
Stamm *(m.)* (¨e)	tronc 55
stammen (aus)	provenir (de) 68
Station *(f.)* (-en)	station 10, 15
Statistik *(f.)*	statistique 62
Stätte *(f.)* (-n)	lieu 79
Stau *(n.)* (-s)	bouchon (embouteillage) 79
stehen*	être debout 24, 44, 56, 82 ; se tenir 44, 53, 55, 82 ; être écrit 83, 87 ; y avoir 87
steigen*	monter 97
Stelle *(f.)* (-n)	endroit 15, 80 ; lieu 19, 80 ; place, poste (travail) 80
stellen	mettre 44, 52, 56 ; poser 44, 56
sterben*	mourir 51
still	calme 45
still sein	se taire 45
Stimme *(f.)* (-n)	voix 72, 75
stimmen	accorder, être exact 40 ; être vrai 40, 57
stimmt	effectivement, exact, juste 40
stimmt!	exact ! 24
Stock *(m.)* (pl. Stockwerke)	étage 90
stören	gêner 34
strahlend	rayonnant 85
Strand *(m.)* (¨e)	plage 79
Straßburg	Strasbourg 51
Straße *(f.)* (-n)	rue 15, 34, 100
Straßenbahn *(f.)* (-en)	tramway 15
Strauß *(m.)* (¨e)	bouquet 92
streicheln	caresser 32
streiten über (sich ~) *(+ acc.)*	se disputer à propos de qqch. 83
stressig	stressant 65
streuen	jeter (de la poudre) 54 ; saupoudrer 86
Strich *(m.)* (-e)	trait 61
Strom *(m.)*	courant 90
Stück *(n.)* (-e)	morceau 4, 57 ; pièce (théâtre) 45 ; pièce 57
Stück *(n.)* (ein ~)	morceau 64
Student/-in	étudiant/e 3
studieren	étudier 51, 81
Studium *(n.)* (Studien)	études 81
Stuhl *(m.)* (¨e)	chaise 55
Stunde *(f.)* (-n)	heure (durée) 17, 19, 78
Sturm *(m.)* (¨e)	tempête 46
stürzen	faire une chute 62
suchen	chercher 19, 38, 69, 87
Süden *(m.)*	sud 50
super!	super ! 20

Supermarkt *(m.)* (¨e)	supermarché 19, 36
süß	mignon, sucré 32
Symbol *(n.)* (-e)	symbole 64
vor'stellen *(+ dat.)* (sich ~)	s'imaginer 62, 85

T

Tag *(m.)* (-e)	jour 1, 17, 30, 46, 54, 57, 83
Tankstelle *(f.)* (-n)	station-service 19, 80
Tante *(f.)* (-n)	tante 39
Tasse *(f.)* (-n)	tasse 8
tausend	mille 18
Taxi *(n.)* (-s)	taxi 13
Tee *(m.)* (-s)	thé 4, 8
teilen	couper, séparer 64
teilen (sich ~ in)	se diviser en 35
Telefon *(n.)* (-e)	téléphone 5
Telefongespräch *(n.)* (-e)	appel, conversation téléphonique 5
Teller *(m.)* (-)	assiette 33
Termin *(m.)* (-e)	date, rendez-vous, terme 25, 80
Terminkalender *(m.)* (-)	agenda 25
Terrasse *(f.)* (-n)	terrasse 82
teuer	cher 23, 40, 53, 57, 93 ; chèrement 93
Teufel *(m.)* (-)	diable 90
Theater *(n.)* (-)	théâtre 26
Theologie *(f.)* (-n)	théologie 51
theoretisch	théoriquement 29
tief	profond(ément) 58
Tier *(n.)* (-e)	animal 73
Tierfreund *(m.)* (-e)	ami des animaux 73
Tisch *(m.)* (-e)	table 56, 61, 66
Titel *(m.)* (-)	titre 100
tja	eh bien 87
Tochter *(f.)* (¨)	fille 81
todernst	très sérieux 85
toi, toi, toi	je touche du bois ! 89
Toilette *(f.)* (-n)	toilettes 45, 79
toll!	super ! 20
Top-Form (in ~)	en pleine forme 96
tot	mort 57, 58
tot um'fallen*	tomber mort 60
total	totalement 27, 37, 60, 76 ; complètement 37
totlachen (sich ~)	mourir de rire 58
Tourist *(m.)* (-en)	touriste 38
tragen*	porter (vêtement) 34, 38, 72, 74
Trapez *(n.)* (-e)	trapèze 56
Traum *(m.)* (¨e)	rêve 53
träumen	rêver 82
traumhaft	de rêve 53, 87
traurig	triste 54
treffen*	rencontrer 25 ; se rencontrer 58

trennen	séparer 95
Trennung *(f.)* (-en)	séparation 64
trinken*	boire 4, 8, 33
Trinkschokolade *(f.)* (-n)	chocolat (boisson) 8
trotzdem	malgré cela 80
tschüs(s)	au revoir, salut (au revoir) 12
tüchtig	appliqué, assidu, studieux, travailleur *(adj.)* 99
tun*	faire 32
Tür *(f.)* (-en)	porte 16, 44
Turm *(m.)* (¨e)	tour 63
tut mir Leid (es ~)	je suis désolé/e 32, 46, 47
typisch	typique 33

U

U-Bahn *(f.)* (-en)	métro 15
über	de, par-dessus 36 ; plus (de) 57 ; sur 74
über die Straße gehen*	traverser la rue 94
über eine Brücke gehen*	traverser un pont 94
überall	partout 44
übergeschnappt	fou 37
überhaupt/gar nicht	pas du tout 95
Überlegung *(f.)* (-en)	réflexion 65
übermorgen	après-demain 62
übernehmen*	se charger de 80
überqueren	traverser 34
überraschen	surprendre 76
überrascht	sidéré, surpris 100
übersetzen	traduire 1
überzeugen	convaincre, persuader 61
überzeugend	convaincant 61
Übung *(f.)* (-en)	exercice 1, 25
Ufer *(n.)* (-)	rive 68
Uhr *(f.)*	heure 16, 47, 61, 78
Uhr *(f.)* (-en)	horloge, montre 17
um	à (+ heure) 16, 33, 61 ; autour de 33
um Gottes willen!	Pour l'amour de Dieu ! 49
um wie viel Uhr?	à quelle heure ? 16
um'drehen	tordre 93
um'fallen*	se renverser, tomber 60
um… zu *(+ vb. inf.)*	pour *(+ vb.)* 50, 52, 65
umso besser	tant mieux 99
umso mehr als	d'autant plus que 95
Umwelt *(f.)*	environnement 40
umweltfreundlich	écologique 40
unbedingt	absolument 41, 83
unbekannt	inconnu 69
und	et 3
ungefähr	à peu près 29 ; environ 57
Uni *(f.)*	fac 18
Universität *(f.)*	université 18

unmöglich	impossible 93
Unrecht *(n.)*	injustice, tort 73
Unrecht haben	avoir tort 73
uns *(acc. de* wir*)*	nous 22
unten *(adv.)*	en bas 59
unter *(+ dat.)*	au-dessous de, parmi, sous 75
unter uns	entre nous 69
Untergrund *(m.)*	souterrain 15
unterhalten* (sich ~)	s'entretenir 37
Unterkunft *(f.)* (¨e)	hébergement 62
Unternehmen *(f.)* (-)	entreprise 80, 89
unterscheiden*	différencier, distinguer 67
Unterschied *(m.)* (-e)	différence 29, 67
unvergesslich	inoubliable 100
uralt	très vieux 89
Urlaub *(m.)*	congé, vacances 37
Ursache *(f.)* (-n)	cause 15
Ur-Urgroßvater *(m.)* (¨)	arrière-arrière-grand-père 89
Urzeit *(f.)* (-en)	les temps primitifs 89
V	
Vater *(m.)* (¨)	père 18, 37, 71
Vati	papa 18
verabreden (sich ~)	prendre rendez-vous 52
verabredet sein	avoir rendez-vous 52
Verabredung *(f.)* (-en)	rendez-vous 47
verändern	changer 82
verbieten*	interdire 34
verboten	interdit 34
verbringen*	passer (du temps) 37, 46
verdanken (jdm etwas ~)	être redevable de 83
verderben*	gâter 65, 97
verdienen	gagner (argent) 31, 88 ; gagner 88
Verehrte	honoré (discours oral) 91
Vereinigte Staaten	États-Unis 70
Vereinigung *(f.)* (-en)	unification 64
verflixt *(adj.)*	fichu, maudit, sacré 29
verflixt!	zut ! 29
Verfügung *(f.)* (-en)	disposition 96
Vergangenheit *(f.)* (-en)	passé 64
vergehen*	disparaître, passer 16
vergessen	oublier 16, 24, 95
Vergnügen *(n.)*	plaisir 1, 60 ; amusement, joie 60
vergnügt	joyeux (-sement) 60
vergöttern	adorer 72
verheiratet	marié/e 38
verkaufen	vendre 40, 48
Verkäuferin *(f.)* (-nen)	vendeuse 62
verleihen*	accorder, attribuer, concéder 72 ; prêter 92
verletzen	blesser 58

verlieren*	perdre 54, 96
verloren/e	perdu/e 79
vermieten	louer 50
vermutlich	vraisemblablement 87
verpassen	manquer (rater) 20
verrückt	fou 32, 34, 83
verrückt werden*	devenir fou 79
versammeln	réunir 90
versprechen*	promettre 54
Verstand *(m.)*	esprit, raison 60
verständlich	compréhensible 61
Verständnis *(n.)*	accord 32 ; compréhension 32, 92
verständnisvoll	compréhensif 92
verstecken (sich ~)	se cacher 59
verstehen*	comprendre 27, 39, 54, 59
verstehen* (sich ~)	s'entendre 93
verstopfen	boucher 52
Versuch *(m.)* (-e)	tentative 65
versuchen	essayer 61, 66, 87
vertraulich	confidentiel 69
Vertreter *(m.)* (-)	représentant 25, 90
verurteilen	condamner 93
Verwandte *(pl.)*	famille, parents 39
verwechseln (mit)	confondre 74
verwirrt	déconcerté 60
verwöhnen	gâter 87
verzeihen*	pardonner 69, 81
Verzeihung *(f.)*	pardon 81
verzichten *(auf + acc.)*	renoncer (à) 75, 86
verzweifelt	désespéré 54
Vesper *(n.)*	goûter *(nom)*, vêpres 47
Vesperbrot *(n.)* (-e)	casse-croûte, goûter *(nom)* 47
viel *(adv. et adj.)*	beaucoup 1, 41, 51, 57
viele Grüße	amicalement 80
vielen Dank!	merci beaucoup ! 15
vielleicht	peut-être 29, 62
viereinhalb	quatre et demi 78
Viertel *(n.)*	quart 52
Viertelstunde *(f.)*	quart d'heure 47, 71
vierundzwanzig Uhr	minuit 44
Vogel *(m.)* (¨)	oiseau 82, 93
voll	plein 25, 54, 92
Vollpension *(f.)*	pension complète 62
vom (= von dem)	de (provenance), du 47, 55
von *(+ dat.) (voie passive)*	par 86
von *(+ dat.)*	de (appartenance ou provenance) 3, 33, 47, 82
von innen	de l'intérieur 82
vor	avant 20 ; devant 68
vor (avec l'heure)	moins 20, 44 ; avant 44
vor'gehen*	procéder 90
vor'stellen	présenter 37, 51

vor'stellen *(+ acc.)* (sich ~)	se présenter 62
vor'stellen *(+ dat.)* (sich ~)	se représenter qqch. 62, 73 ; s'imaginer, se figurer 73, 100
vor'ziehen*	préférer 80
voraus'sagen	annoncer 97
vorbei	fini 22
vorbei'fahren	passer (devant) 100
Vorfahr *(m.)* (-en)	ancêtre 88
Vormittag *(m.)*	matinée 25
vorn	devant 45
Vorname *(m.)* (-n)	prénom 81
vornehm	distingué 86
Vorsicht *(f.)*	attention 13, 43, 94
vorsichtig	avec précaution, prudent 86
Vorspeise *(f.)* (-n)	entrée (repas) 27
Vorstellungsgespräch *(n.)* (-e)	entretien d'embauche 81
Vorteil *(m.)* (-e)	avantage 78
Vorzimmer *(n.)* (-)	antichambre 47

W

etwas	quelque chose 19
Wagen *(m.)* (-)	voiture 40, 48, 53
Wahl *(f.)* (-en)	choix 31
wahr	vrai 37
wahrscheinlich	probablement 48, 83 ; vraisemblablement 83
Wald *(m.)* (¨er)	forêt 65
Wand *(f.)* (¨e)	mur (intérieur) 54, 90
wann?	quand 11, 22 ; quand ? 29, 38, 44
warm	chaud 97
warnen	prévenir 86
warten	attendre 13, 14, 31, 36
warten auf *(+ acc.)*	attendre 59
warum	pourquoi 1
was	que 4, 26 ; quoi 19, 22
was (= etwas)	quelque chose 78
was anderes	autre chose 78
was auch kommt*	quoi qu'il arrive 99
was es auch sei	quoi que ce soit 97
was für ein/e…	quel genre de…, quel/quelle… 22
was ist los?	que se passe-t-il ? 55, 71
waschen* (sich ~)	se laver 71
Wasser *(n.)*	eau 97
WC	W.-C. 45
wechseln	changer 75
wecken (jemanden)	réveiller qqn 71, 76
Wecker *(m.)* (-)	réveil 71
weder… noch	ni… ni 34
weg	parti/e 52
Weg *(m.)* (-e)	chemin 38
weg'fahren*	s'en aller en voiture 48
weg'fliegen*	s'envoler 43

weg'gehen*	s'en aller 52
weg'laufen*	se sauver 73
weh'tun	faire mal 78
Weibchen *(n.)* (-)	femelle 88
weiche Ei (das ~)	œuf à la coque 85
Weihnachten *(n.)*	Noël 97
Weihnachtsmann	père Noël 97
weil	parce que 57, 76
Weise *(f.)* (-n)	façon, manière 10
weiß	blanc 82, 92
Weißbier *(n.)*	bière blanche 75
Weißwurst *(f.)* (¨e)	boudin blanc 75
weit	loin 18
weit (von)	loin (de) 29, 55, 69
weiter'gehen*	continuer 33, 79
weiter'machen	continuer 99
weiter'zählen*	continuer à compter 17
weitere	d'autres 80
welche	lequel 68
welcher/welche/welches	quel/quelle 20, 61
Welt *(f.)* (-en)	monde 57, 64, 73, 87
Weltgeschichte *(f.)*	histoire du monde 64
wem? *(dat. de* wer*)*	à qui ? 98
wen? *(acc. de* wer*)*	qui ? *(pr. compl.)* 23
wenig (ein ~)	un peu (de) 30, 60
wenigstens	au moins 57
wenn	si 32, 38, 39, 52, 65, 73 ; quand (chaque fois que) 38, 39 ; quand 52, 76
wer	celui qui, qui 33
wer?	qui ? *(pr. sujet)* 3, 9, 39
werben* um (+ *acc.*)	briguer qqch., postuler pour qqch. 80
werden*	devenir 22, 23, 48, 51, 60, 64
werden* (+ *inf.*)	forme du futur 55
werden* (+ *part. II*)	forme du passif 85
Werk *(n.)* (-e)	œuvre 51
Wert *(m.)* (-e)	valeur 41
Westdeutschland	Allemagne de l'Ouest 64
wetten	parier 58
Wetter *(n.)*	temps (météo) 46, 58, 61, 87
Wetterbericht *(m.)* (-e)	bulletin météo 97
Wettlauf *(m.)* (¨e)	course 58
wichtig	important 73
wie	comment 5, 6, 40, 53 ; comme 46 ; que *(comparatif d'égalité)* 48, 60
wie alt bist du?	quel âge as-tu ? 22
wie bitte?	comment ? 27
wie es sich gehört	comme il se doit 85
wie gefällt dir…?	comment trouves-tu… ? 76
wie geht's?	comment ça va ? 66
wie lange?	combien de temps 62
wie spät ist es?	quelle heure est-il ? 78

wie viel Uhr (um ~)	à quelle heure 61
wie viel(e)	combien 9, 50, 61
wieder	de nouveau 54, 64 ; de retour 60
wieder erkennen	reconnaître 82
wieder'sehen	revoir 100
Wiederaufbau *(m.)*	reconstruction 64
wiederholen	répéter 65
Wiederholung *(f.)* (-en)	révision 7
wiegen	peser 57
Wiese *(f.)* (-n)	prairie 82, 87
Wille *(m.)*	volonté 65
willkommen	bienvenue 51, 87
winken	faire un signe 37
Winter *(m.)*	hiver 97
wir	nous 1
wirklich	vraiment 27, 39, 40, 62
Wirtschaft *(f.)*	économie 90
wissen*	savoir 30, 31, 36, 38
Witwe *(f.)* (-n)	veuve 68
wo	où *(sans mouvement)* 11, 36, 43
wo doch	puisque 97
wo… (doch)	alors que 99
Woche *(f.)* (-n)	semaine 18, 25, 61
Wochentag *(m.)* (-e)	jour de la semaine 25
woher	d'où *(provenance)* 36, 68, 81
wohin	où *(+ direction)* 36, 41, 43, 44, 52, 83
wohnen	habiter 37, 75
Wohnung *(f.)* (-en)	appartement 50
Wohnzimmer *(n.)* (-)	salon 50
wollen*	vouloir 27, 31, 32, 33, 36, 38
Wort *(n.)* (¨er) ou (-e)	mot 58
wozu?	dans quel but ?, pour quoi faire ?, pourquoi ? 19 ; à quoi bon ? 19, 73
Wunder *(n.)* (-)	miracle 73
Wundermittel *(n.)* (-)	recette miracle 73
wunderschön	magnifique 50
wünschen	désirer, souhaiter 1, 61, 92
Wurst *(f.)* (¨e)	charcuterie, saucisse, saucisson 4
Würstchen *(n.)* (-)	petite saucisse 4
Wut *(f.)*	colère, fureur 60
wüten	être en colère 60
wütend	furieux 60
Z	
Zahl *(f.)* (-en)	chiffre, nombre 17
zahlen	payer 9, 60, 95
zählen	compter 60
Zahn *(m.)* (¨e)	dent 50
Zahnarzt *(m.)* (¨e)	dentiste 50
Zauberflöte *(f.)*	*flûte enchantée (d'après l'œuvre de Mozart)* 68
zeigen	montrer 13, 37

Zeit *(f.)* (-en)	temps (qui passe) 12, 16, 38, 39, 52 ; époque 39, 46
Zeit haben	être libre, avoir le temps 12
Zeitung *(f.)* (-en)	journal 43, 83, 87
Zerstörung *(f.)* (-en)	destruction 64
ziemlich *(+ adj.)*	assez 31, 76
Zimmer *(n.)* (-)	chambre 2, 18, 50, 96 ; pièce 50, 96
zischen	siffler 21
zögern	hésiter 64
Zone *(f.)* (-n)	zone 33
zu *(+ adj. ou adv.)*	trop 22, 27, 43
zu *(+ dat.)*	vers 37 ; chez *(avec mouvement)* 37, 69
zu *(+ inf.)*	à, de 19
zu Ende sein	être terminé 67
zu Fuß	à pied 33
zu Haus/e	chez soi, à la maison *(sans mouvement)* 11, 26, 79
zu viel	trop 23
zu'machen (= schließen*)	fermer 74
zu'nehmen*	augmenter 97
zuerst	d'abord 33, 53, 74, 86
zufrieden	content 82
Zug *(m.)* (¨e)	train 16
Zugvogel *(m.)* (¨)	oiseau migrateur 97
Zukunft *(f.)*	futur 80 ; avenir 80, 97
zukünftig	futur *(adj.)* 38
Zukunkt (in naher ~)	dans un avenir proche 80
zum Beispiel	par exemple 75
zum Schluß	à la fin 33
zurück	en arrière 12 ; de retour 12, 43, 47, 48, 55
züruck sein*	revenir 47, 58
zurück'fliegen*	rentrer en avion 83
zurück'gehen*	retourner 12
zurück'halten*	retenir 32, 86
zurück'kommen*	revenir 12, 25, 47
zurück'rufen*	rappeler 12
zusammen	ensemble 9, 95
zusammen laufen*	se rassembler 86
Zusammenhang *(m.)* (¨e)	rapport 88
zuverlässig	fiable 52
Zuverlässigkeit *(f.)*	fiabilité 52
zwar…	certes… 75
zwar… aber	certes… mais 75
zweimal	deux fois 9
zweite	second 45 ; deuxième 45, 74
zweites Mal	deuxième fois 76
zwischen	entre 29, 67
zwölf	douze, midi, minuit 44
zwölf Uhr mittags	midi 44
zwölf Uhr nachts	minuit 44

Lexique français-allemand

A

à	zu *(+ inf.)* 19 ; an 20, 22, 24, 25 ; bei *(+ dat.)* 65
à *(+ heure)*	um 16, 33, 61
à *(avec mouvement,*	nach 11, 46 ~ la maison)
à *(contre)*	an 54
à *(jusqu'~)*	bis 12 ; an 16 ; bis zu *(+ dat.)* 61
à côté	neben 37
à part	außer 39
à peine	kaum 46
à peine audible	leise 34
à plus tard	bis später 12, 78
à qui ?	wem? *(dat. de* wer*)* 39
à quoi bon ?	wozu? 19, 73
à/au	in 2
abandonner	auf'geben* 99
abord (d'~)	zuerst 33, 53, 74, 86 ; erst 53, 86
aborder (qqn)	an'sprechen* 37
absolument	unbedingt 41, 83
accent	Akzent *(m.)* 75
acclimater (s'~)	sich ein'leben 75
accompagner	mit'kommen* 12
accomplir	leisten 74
accord	Verständnis *(n.)* 32
accord (d'~)	einverstanden 58 ; meinetwegen 92
accorder	stimmen 40 ; geben* 47 ; verleihen* 72
accueil (réception)	Empfang *(m.)* (¨e) 96
accueillir	empfangen* 100
achat	Kauf *(m.)* (¨e) 40
acheter	kaufen 19, 40, 48, 73
actrice	Schauspielerin *(f.)* (-nen) 72
adapter (s'~)	sich ein'leben 75 ; sich an'passen 97
addition	Rechnung *(f.)* (-en) 61, 95
adorer	vergöttern 72
adresse e-mail	E-Mail-Adresse *(f.)* (-n) 100
aéroport	Flughafen *(m.)* (¨) 24, 62
affaire	Geschäft *(n.)* (-e) 10 ; Angelegenheit *(f.)* (-en) 54
afin que	dass (= damit) 79
âge (quel ~ as-tu ?)	wie alt bist du? 22
agence de voyages	Reisebüro *(n.)* (-s) 62
agenda	Terminkalender *(m.)* (-) 25
agir (s'~ de)	sich drehen um *(+ acc.)* 57 ; sich handeln um *(+ acc.)* 90
ah	ach 15, 26, 44, 58 ; au 26
ah bon !	ach so! 15
aider	helfen 38
aider qqn	helfen* jdm *(dat.)* 59
aïe	au, aua 32, 55

aimer	lieben 16, 33, 82
aimer (bien ~)	mögen 8, 23, 33, 57
air	Luft *(f.)* (⁻e) 78
aire de repos	Raststätte *(f.)* (-n) 79
aire de repos (sans restauration)	Parkplatz *(m.)* (⁻e), Rastplatz *(m.)* 79
Allemagne	Deutschland *(n.)* 14
Allemagne de l'Est	Ostdeutschland 64
Allemagne de l'Ouest	Westdeutschland 64
allemand	deutsch *(adj.)* 50, 51
allemand (langue)	Deutsch 1, 50
allemand "standard" (langue)	Hochdeutsch *(n.)* 89
Allemand/-e (habitant)	Deutscher/Deutsche 50, 51, 67
aller	gehen* 6, 10, 37 ; laufen* 18
aller (cela me va) (vêtement)	das passt mir 80
aller (en train, en voiture, en vélo)	fahren* 16, 34, 41, 46
aller (s'en ~ en voiture)	weg'fahren* 48
aller (s'en ~)	weg'gehen* 52
aller (y ~)	hin'gehen* 31, 37
aller bien	gut gehen* 59
aller bien (marcher)	klappen 90
aller chercher	ab'holen 20 ; holen 24, 44, 100
aller en avion	fliegen* 25, 62
aller en vélo	Fahrrad fahren 34 ; Rad fahren*, radeln 100
aller se promener	spazieren gehen* 58
aller vers	hin'gehen* 31, 37
allez !	los! 55, 71
allons-y !	los! 55
allumer	an'machen 43 ; an'stellen 74 ; an'zünden 90
alors	also 9, 12, 19, 59, 61 ; dann 15, 24, 29, 54 ; na 53 ; nun 82
alors que	wo… (doch) 99
Alpes	Alpen *(pl.)* 83
amant	Liebhaber *(m.)* (-) 67, 72
amateur de fromages	Käsefreund *(m.)* (-e) 73
amateur de musique	Musikfreund *(m.)* 73
Amérique	Amerika 39, 88
ami	Freund *(m.)* (-e) 3, 23, 40, 49
ami des animaux	Tierfreund *(m.)* (-e) 73
amicalement	viele Grüße 80
amie	Freundin *(f.)* (-nen) 3, 23
amour	Liebe *(f.)* 74
amusant	lustig 23
amusement	Vergnügen *(n.)* 60
an	Jahr *(n.)* (-e) 17, 51
ancêtre	Vorfahr *(m.)* (-en) 88
ange	Engel *(m.)* (-) 72
Anglais	Engländer *(m.)* (-) 67
anglais (langue)	Englisch 73
Angleterre	England *(n.)* 70
animal	Tier *(n.)* (-e) 73

année	Jahr *(n.)* (-e) 17, 46, 51, 62
anniversaire	Geburtstag *(m.)* (-e) 22, 38, 89
anniversaire de mariage	Hochzeitstag *(m.)* 66
annonce	Annonce *(f.)* (-n), Anzeige *(f.)* (-n) 50
annoncer	melden 47 ; voraus'sagen 97
antichambre	Vorzimmer *(n.)* (-) 47
août	August *(m.)* 22
appareil	Maschine *(f.)* (-n) 25
apparemment	anscheinend 100
appartement	Wohnung *(f.)* (-en) 50
appartement de vacances	Ferienwohnung *(f.)* (-en) 50
appartenir	gehören *(+ dat.)* 74
appel	Telefongespräch *(n.)* (-e) 5
appeler	rufen* 11 ; nennen* 68
appeler (s'~)	heißen* 3, 57
appeler au téléphone	an'rufen* 11, 66, 96
appliqué	tüchtig 99
apporter	bringen* 8, 46, 68 ; mit'bringen* 23, 46
apporter par ici	her'bringen* 37
apprendre	lernen 1, 41, 50, 73
apprendre qqch. à qqn	jdm etwas bei'bringen* 93
après	nach (pour l'heure) 20 ; nach *(+ dat.)* 38, 46, 52, 81 ; danach 51, 79
après que	nachdem *(+ ind.)* 83
après-demain	übermorgen 62
après-midi	Nachmittag *(m.)* (-e) 25
araignée	Spinne *(f.)* (-n) 55
argent	Geld *(n.)* (-er) 9, 39, 52, 92
argument	Argument *(n.)* (-e) 61
armoire	Schrank *(m.)* (¨e) 44
arranger qqch.	etwas aus'machen 95
arrêt (station)	Haltestelle *(f.)* (-n) 15
arrêter (s'~)	halten* 29 ; an'halten* 29, 79 ; auf'hören 51, 55, 89
arrière (en ~)	zurück 12
arrière-arrière-grand-père	Ur-Urgroßvater *(m.)* (¨) 89
arrivée	Ankunft *(f.)* (¨e) 30
arriver	kommen* 4, 24 ; an'kommen* 20, 46, 59, 79
arriver (se passer)	passieren/geschehen* 46, 52, 76, 93, 100
arriver (y ~)	es schaffen 29, 99
asseoir	setzen 56
asseoir (s'~)	sich setzen 37, 45, 55, 81
assez	genug 9, 46, 61, 69, 78, 92 ; ziemlich *(+ adj.)* 31, 76
assez (en avoir ~)	genug haben 46
assidu	tüchtig 99
assiette	Teller *(m.)* (-) 33
assis (être ~)	sitzen* 25, 43, 45, 55, 61, 68
assis (rester ~)	sitzen bleiben 60
assurer	garantieren 75
attacher	binden* 54

attendre	warten 13, 14, 31, 36 ; warten auf *(+ acc.)* 59
attendre (s' ~ à)	rechnen mit 97
attention	Vorsicht *(f.)* 13, 43, 94 ; Achtung *(f.)* 16, 69, 90
attention (faire ~)	sich in Acht nehmen* 69
attention (faire ~) (à)	auf'passen (auf) 99
attraper	kriegen 40 ; fangen* 45
attribuer	verleihen* 72
au	bei *(+ dat.)* 34
au cas où	falls 57, 83
au fait	eigentlich 22, 34, 65, 87
au moins	wenigstens 57
au revoir	tschüs(s) 12
au revoir !	auf Wiedersehen! 12
au revoir (au téléphone)	auf Wiederhören! 5, 61
au secours !	Hilfe! *(f.)* (-n) 45
aucun	gar keins *(n.)* 73
aucun/e	kein/e 9, 12, 15, 27
au-dessous de	unter *(+ dat.)* 75
augmenter	zu'nehmen* 97
aujourd'hui	heute 1, 26, 51, 55, 64
aussi	auch 6, 27, 40, 53, 58, 65
aussi… que	so… wie 60
autant	soviel 88
autant (d'~) plus que	umso mehr als 95
autoroute	Autobahn *(f.)* (-en) 79
autour (tout ~)	rundherum 86
autour de	um 33
autre	ander- 6, 34, 40, 55, 59, 67, 80
autre chose	das andere 38 ; was anderes 78
autrefois	damals 82
autrement	sonst 82, 95
autres (d'~)	weitere 80
avant	vor 20 ; vor (avec l'heure) 44
avant (~ que)	bevor *(+ indic.)* 29, 83, 100
avantage	Vorteil *(m.)* (-e) 78
avec	mit *(+ dat.)* 4, 10, 64
avenir	Zukunft *(f.)* 80, 97
avenir proche (dans un ~)	in naher Zukunft 80
avertir	Bescheid sagen *(ou* geben) 58
avidemment	gierig 86
avion	Flugzeug *(n.)* (-e) 62
avis	Meinung *(f.)* (-en) 67
avis (être d'~)	meinen 67
avoir	haben* 2, 14, 38, 46
avoir (obtenir)	kriegen 40
avoir (y ~)	stehen* 87
avoir l'air	aus'sehen* 18 ; scheinen* 82
avoir l'air (à l'oreille)	klingen 50, 62, 72

B

bagarre	Schlägerei *(f.)* (-en) 76
baiser	Kuss *(m.)* (¨e) 16
balcon	Balkon *(m.)* (-s) 50

banal	alltäglich 81
bandage	Binde *(f.)* (-n) 54
bande	Binde *(f.)* (-n) 54
banquier	Bankier *(m.)* (-s) 67
bar	Kneipe *(f.)* (-n) 16
barbecue	Grillfest *(n.)* (-e) 22
baroque	Barock *(m.)* 41
bas	leise 34
bas (en ~)	unten *(adv.)* 59
bas (vers le ~)	herunter, runter 43
bateau	Schiff *(n.)* (-e) 68
battre	schlagen* 85
Bavarois	Bayer *(m.)* (-n) 75, 83
bavarois	bayerisch 75
beau	schön 46, 57, 58
beau (être ~)	gut aus'sehen* 18
beaucoup	viel *(adv. et adj.)* 1, 41, 51, 57
bébé	Baby *(m.)* (-s) 35
belle	schön 3, 18, 46, 50, 57, 58, 82
béret	Mütze *(f.)* (-n) 72
béret basque	Baskenmütze *(f.)* (-n) 72
berline	Limousine *(f.)* (-n) 82
Berlinois	Berliner *(m.)* (-) 64
Berlinoise	Berlinerin *(f.)* (-nen) 64
besoin (avoir ~ de)	brauchen 24, 39, 50, 57, 65, 78
bête	dumm 10
bêtise	Quatsch *(m.)* 55
bibliothèque	Bibliothek *(f.)* (-en) 56
bien	gut 6, 8 ; ja 43 ; genau 55
bien (juste)	richtig 73
bien *(adv.)*	in Ordnung 52
bien héréditaire	Erbgut *(n.)* (⸚er) 88
bien que	obwohl *(+ ind.)* 72
bien sûr	natürlich 8, 19 ; klar *(fam.)* 9 ; selbstverständlich 95
bien-aimé	geliebt 19
bientôt	bald 12, 26
bientôt (à ~)	bis bald 12
bienvenue	willkommen 51, 87
bière	Bier *(n.)* (-e) 8, 33
bière blanche	Weißbier *(n.)* 75
bise	Kuss *(m.)* (⸚e) 16
bistrot	Kneipe *(f.)* (-n) 16, 19
bizarre	komisch 76, 99
blanc	weiß 82, 92
blesser	verletzen 58
bleu	blau 72
blond/e	blond/e 36, 72
bloquer	blockieren 48
bœuf	Ochs *(m.)* (-en) 87
bof	ach 26 ; na ja 75

boire	trinken* 4, 8, 33
boisson	Getränk *(n.)* (-e) 8
boîte	Schachtel *(f.)* (-n) 57
bon	gut 1, 16, 23, 24, 26 ; richtig 97
bon (au goût)	köstlich 61
bon appétit !	Mahlzeit! 78
bon marché	billig 40
bonbon au nougat	Nougatpraline *(f.)* (-n) 57
bonheur	Glück *(n.)* 1
bonjour	guten Tag 1, 38, 40, 47, 61, 81
bonjour (le matin)	guten Morgen 6
bonne nuit	gute Nacht 43, 53
bonsoir	guten Abend 2, 51, 53, 66
bord (au ~ de)	an 24
boss	Boss *(m.)* (-e) 90
bouche	Mund *(m.)* (¨er) 53, 86
boucher	verstopfen 52
bouchon (embouteillage)	Stau *(n.)* (-s) 79
boudin blanc	Weißwurst *(f.)* (¨e) 75
bouger (se ~)	sich bewegen 64
bougie	Kerze *(f.)* (-n) 90
bouillir	kochen 59
bouillir/cuire (faire ~)	kochen 59
boulangerie	Bäckerei *(f.)* (-en) 100
boule	Kugel *(f.)* (-n) 57
bouquet	Strauß *(m.)* (¨e) 92
bout	Ende *(n.)* (-n) 67
bouteille	Flasche *(f.)* (-n) 44
boutique	Geschäft *(n.)* (-e) 10
bref	kurz 34, 80
Brésil	Brasilien *(n.)* 37, 83
brièvement	kurz 79
briguer qqch.	werben* um *(+ acc.)* 80
bulletin météo	Wetterbericht *(m.)* (-e) 97
bureau	Büro *(n.)* (-s) 6, 25, 49, 52
but (dans quel ~ ?)	wozu? 19

C

c'est à (+ *vb. inf.*)	es ist zu *(+ vb. inf.)* 79
c'est pourquoi	deshalb 65
ça	es 6 ; das 9, 13
ça (avec ~)	damit 58
ça alors !	na so was! 87
ça vaut la peine	das lohnt sich 41
ça y est	es ist soweit 90
câble (télé)	Kabelfernsehen *(n.)* 73
cacao	Kakao *(m.)* 57
cacher (se ~)	sich verstecken 59
café (boisson)	Kaffee *(m.)* (-s) 4
café (établissement)	Café *(n.)* 4
café au lait	Milchkaffee *(m.)* (-s) 8

cafetière	Kaffeekanne *(f.)* (-n) 8
caisse	Kasse *(f.)* (-n) 24
calcul	Rechnung *(f.)* (-en) 61
calculer	rechnen 61
calendrier	Kalender *(m.)* (-) 25
calme	still 45 ; Ruhe *(f.)* 93
calmement	ruhig 60
cambrioler	ein'brechen* 93
camion	Lastwagen *(m.)* (-) 94
candidature	Bewerbung *(f.)* (-en) 80
capitale	Hauptstadt *(f.)* (¨e) 64
capitaux	Kapital *(n.)* 65
captivant	spannend 76
capuccino	Capuccino 8
car *(conj. de coordination)*	denn (= weil) 82
caresser	streicheln 32
carrière	Karriere *(f.)* (-n) 82
carte (menu)	Speisekarte *(f.)* (-n) 8
carte de crédit	Kreditkarte *(f.)* (-n) 12
carte postale	Postkarte *(f.)* (-n) 18
cas	Fall *(m.)* (¨e) 76, 89
cas (en tous les ~)	auf alle Fälle 76
cassé (être ~)	kaputt sein 85
casse-croûte	Vesperbrot *(n.)* (-e) 47
casser	auf'schlagen* 85 ; brechen 93
casser (se ~)	kaputt gehen 85
cathédrale	Dom *(m.)* (-e) 33
cause	Ursache *(f.)* (-n) 15
ce	das 3, 10, 13 ; es 6, 12
ce/cette/ce *(n)*	dieser/diese/dieses 43
cela	das 3 ; es 6
cela (à ~)	daran 79
cela (avec ~)	dazu 75
cela (de ~)	daran 74 ; davon 78, 87 ; darüber 83 ; darum 94
cela (pour ~)	deshalb 65, 79, 99
célèbre	berühmt 51, 72
célibataire	ledig 36, 42
celles-ci	die 88
celui qui	wer 33 ; der, derjenige 85
celui-ci	der 32
central	haupt- 27
centre de remise en forme	Fitness-Studio *(n.)* (-s) 96
cependant	allerdings 74
céréales (petit-déjeuner)	Müsli *(n.)* 4
cérémonie (de ~)	festlich 38
certainement	sicher 19, 41, 42 ; gewiss 89
certes… mais	zwar… aber 75
ceux-ci	die 13
chair	Fleisch *(n.)* 74
chaise	Stuhl *(m.)* (¨e) 55

chaleur	Hitze *(f.)* (-n) 22
chambre	Zimmer *(n.)* (-) 2, 18, 50, 96
chambre à coucher	Schlafzimmer *(n.)* (-) 50
chambre double	Doppelzimmer *(n.)* (-) 96
champ	Feld *(n.)* (-er) 58, 59
champ labouré	Acker *(m.)* (-) 59
champagne (vin)	Champagner *(m.)* (-) 24, 44, 95
chance	Glück *(n.)* 1, 22, 29, 65 ; Fortuna *(f.)* 54
chance (avoir de la ~)	Glück haben 79
changer	sich ändern 39, 88 ; wechseln 75 ; verändern 82
changer (se ~)	sich ändern 100
chanson d'anniversaire	Geburtstagslied *(n.)* (-er) 90
chanter	singen* 82
"chapeau" de l'œuf	Eihütchen *(n.)* (-) 86
chaque	jeder/e/es 30, 46, 65
chaque fois (à ~)	jedes Mal 76
chaque fois que	jedes Mal, wenn 76
charcuterie	Wurst *(f.)* (¨e) 4
charger (se ~ de)	übernehmen* 80
chat	Kater *(m.)* (-) 13, 54 ; Katze *(f.)* (-n) 54
château	Schloss *(n.)* (¨er) 82, 83
chatouiller	kitzeln 76
chaud	heiß 22 ; warm 97
chaussette	Socke *(f.)* (-n) 34
chef du personnel *(f.)*	Personalleiterin (-nen) 80
chemin	Weg *(m.)* (-e) 38
cher	lieb 18 ; teuer 23, 40, 53, 57, 93
chercher	suchen 19, 38, 69, 87
chercheur	Forscher *(m.)* (-) 88
chèrement	teuer 93
chéri/e	Liebling *(m.)* 26, 66
cheval	Pferd *(n.)* (-e) 63, 68
chez *(avec mouvement)*	zu *(+ dat.)* 37, 69
chez *(sans mouvement)*	bei 51, 78
chez soi *(avec mouvement)*	nach Haus/e 11
chez soi *(sans mouvement)*	zu Haus/e 11
chien	Hund *(m.)* (-e) 32
chiffre	Zahl *(f.)* (-en) 17
chimpanzé	Schimpanse *(m.)* (-n) 88
Chine	China *(n.)* 39
chinois	chinesisch 73
chocolat	Schokolade *(f.)* (-n) 57
chocolat (boisson)	Trinkschokolade *(f.)* (-n) 8
choix	Wahl *(f.)* (-en) 31
chope de bière	Bierkrug *(m.)* (¨e), Maß *(f.)* 87
chose	Ding *(n.)* (-e) 93, 99
chose (une ~)	eins 38
chose (une telle ~)	so etwas 93
chut !	pst! 45
chute du mur	Mauerfall *(m.)* 64

cidre	Apfelwein *(m.)* (-e) 33, 89
ciel	Himmel *(m.)* (-) 46, 85
circuler	sich bewegen 64
citoyen	Bundesbürger *(m.)* (-) 72
clair	klar 31, 88 ; hell 33, 50
classe	Klasse *(f.)* 40
classicisme	Klassik *(f.)* 51
client	Kunde *(m.)* (-n) 25, 65
climat	Klima *(n.)* 97
clocher	Kirchturm *(m.)* (¨e) 100
clôture	Abschluss *(m.)* (¨e) 81
cochon	Schwein *(n.)* (-e) 63, 75
cochonnerie	Schweinerei *(f.)* (-en) 75
cœur	Herz *(n.)* (-en) 18, 54, 79
coiffer	frisieren 65
coiffeur	Frisör *(n.)* (-e) 50
col	Kragen *(m.)* (-) 93
colère	Wut *(f.)* 60
colère (être en ~)	wüten 60
collaboration	Mitarbeit *(f.)* 80
collègue *(f.)*	Kollegin *(f.)* (-nen) 6
collègue *(m.)*	Kollege *(m.)* (-n) 6, 81
Cologne	Köln 20, 33
combien	wie viel(e) 9, 50, 61
comme	wie 46 ; da *(conj.)* 80, 93
comme (en tant que)	als 72
comme il se doit	wie es sich gehört 85
comme si (faire ~)	als ob 95
commencer	an'fangen* 45, 52, 55, 58, 60, 73
comment	wie 5, 6, 40, 53
comment ?	wie bitte? 27
comment ça va ?	wie geht's? 66
comment trouves-tu… ?	wie gefällt dir…? 76
commun	gewöhnlich 64
compagnon	Geselle *(m.)* (-n) 57
complaisance	Liebesdienst *(m.)* (-e) 88
complètement	total 37
comporter (se ~)	sich benehmen* 85
composer	komponieren 68
compréhensible	verständlich 61
compréhensif	verständnisvoll 92
compréhension	Verständnis *(n.)* 32, 92
comprendre	verstehen* 27, 39, 54, 59 ; kapieren *(fam.)* 54
compris	inbegriffen 62
comptabiliser	buchen 62
compter	zählen 60 ; rechnen 61
concéder	verleihen* 72
concert	Konzert *(n.)* (-e) 53
concierge	Hausmeister *(m.)* (-) 69
concrètement	konkret 73
condamner	verurteilen 93

confidentiel	vertraulich 69
confondre	verwechseln (mit) 74
congé	Urlaub *(m.)* 37
connaissance (faire la ~ de)	kennen lernen 66, 80, 81
connaître	kennen* 32, 36, 38, 41, 69, 73
conseil	Rat *(m.)* (Ratschläge) 31, 41, 49
conseiller	raten* 83
construire	bauen 57
conte	Märchen *(n.)* (-) 58, 82
content	froh 53 ; zufrieden 82
content/heureux (être ~), réjouir (se ~)	sich freuen 20, 26, 80, 81, 100
contenu	Inhalt *(m.)* (-e) 57
continuer	weiter'gehen* 33, 79 ; weiter'machen 99
continuer à compter	weiter'zählen* 17
contraire	Gegenteil *(n.)* (-e) 85
contraire (au ~)	im Gegenteil 69
contrôler	kontrollieren 30
convaincant	überzeugend 61
convaincre	überzeugen 61
convenable(ment)	anständig 85
convenir	passen 80 ; aus'machen 96
convenir (cela me convient)	das passt mir 80
convenir de qqch.	etwas unter sich ausmachen 95
conversation	Gespräch *(n.)* (-e) 5
conversation téléphonique	Telefongespräch *(n.)* (-e) 5
coquille	Schale *(f.)* (-n) 86
cordial	herzlich 18, 51, 89
correspondance	Anschluss *(m.)* (¨e) 20
costume	Anzug *(m.)* (¨e) 38
côté	Seite *(f.)* (-n) 50
côte (bord de mer)	Küste *(f.)* (-n) 50
cou	Hals *(m.)* (¨e) 93
couché/allongé (être ~)	liegen* 44, 50, 54, 82, 100
couler	fließen* 73
couleur	Farbe *(f.)* (-n) 74
couleur chair	fleischfarben 74
couper	teilen 64 ; schneiden* 79
couple	Paar *(n.)* (-e) 60
cour	Hof *(m.)* (¨e) 20, 52
courage	Mut *(m.)* 99
courageux	mutig 74
couramment	fließend 73, 99
courant *(adj.)*	Strom *(m.)* 90
courant *(adj.)*	fließend 73, 99
courir	laufen* 18, 32, 58, 59, 60
cours (en ~)	im Gang 76
course	Wettlauf *(m.)* (¨e) 58
courses (aller faire des ~) (à pied)	ein'kaufen gehen 24
court	kurz 60
couteau	Messer *(n.)* (-) 33

coûter	kosten 50, 65, 92
coutume	Sitte *(f.)* (-n) 5
couvercle	Deckel *(m.)* (-) 57
crabe	Krabbe *(f.)* (-n) 13
cravate	Binde *(f.)* (-n), Krawatte *(f.)* (-n) 54
crème	Sahne *(f.)* 8
crème fouettée	Schlagsahne *(f.)* 8
criaillerie	Geschrei *(n.)* 55
crier	schreien* 45, 49, 93 ; rufen* 59
cris	Geschrei *(n.)* 55
croire	meinen 67
croire (en, à)	glauben (an + *acc.*) 20, 45, 74, 76
croiser les doigts pour qqn	die Daumen für jdn drücken 79
Cuba	Kuba 62
cuillère	Löffel *(m.)* (-) 86
cuire	kochen 59
cuisine	Küche *(f.)* (-n) 50, 61
cuisine (faire la ~)	kochen 59, 67
cuisinier	Koch *(m.)* (¨e) 59, 67
cuisinière	Köchin *(f.)* (-nen) 59
culture générale	Allgemeinbildung *(f.)* 68
cygne	Schwan *(m.)* (¨e) 74

D

dame	Dame *(f.)* (-n) 33, 51 ; Frau *(f.)* (-en) 37
danger (en ~)	in Gefahr 61
dangereux	gefährlich 32
dans	in 2, 10, 16 ; bei *(+ dat.)* 51
date	Termin *(m.)* (-e) 25, 80
de	zu *(+ inf.)* 19 ; über 36 ; bei *(+ dat.)* 51
de *(appartenance ou provenance)*	von *(+ dat.)* 3, 33, 47, 82
de *(provenance)*	vom (= von dem) 47, 55
de *(provenance, origine)*	aus *(+ dat.)* 3, 18, 48
debout (être ~)	stehen* 24, 44, 56, 82
début	Anfang *(m.)* (¨e) 99, 100
débutant	Anfänger *(m.)* (-) 90
décapiter	köpfen 85
décembre	Dezember *(m.)* 44
décider	beschließen* 71 ; entscheiden* 86
déconcerté	verwirrt 60
découvrir	entdecken 88
déçu/-e	enttäuscht 70
dégager	ab'hauen *(fam.)* 55
dégoûtant	eklig 75
degré	Grad *(m.)* (-e) 57
dehors	heraus 46 ; raus (= heraus) 46, 71 ; draußen 61, 78, 97
déjà	schon 15, 24, 27, 29, 45, 55, 75, 98
déjeuner	Mittagessen *(n.)* (-) 47
délicieux	köstlich 27, 61
demain	morgen 10, 30, 54
demain (à ~ !)	bis morgen! 14

demander	bitten 15
demander (se ~ si)	sich fragen, ob 76
demander à qqn qqch.	fragen jdn *(acc.)* nach *(+ dat.)* 38, 39, 58, 73
demi/e	halb 52
demi-heure	halbe Stunde 48
dent	Zahn *(m.)* (¨-e) 50
dentiste	Zahnarzt *(m.)* (¨-e) 50
dépêcher (se ~)	sich beeilen 71
dépêche-toi !	los! 55
dépenser	aus'geben* 21
dépenses/frais remboursables	Auslagen *(f.)* 80
depuis	seit 29
depuis (~ que)	seit 44, 79
dernier	letzt- 40, 45, 62, 76
derrière *(adv.)*	hinter 54, 82
derrière *(nom)*	Hintern *(m.)* (-) 96
dès que	sobald 79
descendre	runter'gehen* 43
descendre (train, voiture)	aus'steigen* 16, 33
désespéré	verzweifelt 54
désirer	wünschen 1, 61, 92
désolé/e (je suis ~)	es tut mir Leid 32, 46, 47
dessert	Nachspeise *(f.)* (-n) 27 ; Nachtisch *(m.)* 27, 61
dessous (en ~)	darunter 74
destruction	Zerstörung *(f.)* (-en) 64
détester	hassen 62
dette	Schuld *(f.)* (-en) 83
deux (les ~)	beide 100
deux fois	zweimal 9
deuxième	zweite 45, 74
deuxième fois	zweites Mal 76
devant	vorn 45 ; vor 68
devenir	werden* 22, 23, 48, 51, 60, 64
deviner	raten* 72, 83, 87
devoir	müssen* 10, 12, 30, 31, 33, 83 ; sollen 31, 36, 41, 48, 83, 87 ; dürfen* 47, 61
diable	Teufel *(m.)* (-) 90
dialecte	Dialekt *(m.)* (-e), Mundart *(f.)* (-en) 89
Dieu	Gott *(m.)* (¨-er) 29, 46
Dieu (Pour l'amour de ~ !)	um Gottes willen! 49
Dieu merci	Gott sei Dank 29
différence	Unterschied *(m.)* (-e) 29, 67
différencier	unterscheiden* 67
difficile	schwierig 48, 73 ; schwer 57, 71
dimanche	Sonntag *(m.)* (-e) 10
dîner	Abendessen *(n.)* (-) 47
diplôme	Diplom *(n.)* (-e) 65
dire	sagen 11, 18, 29, 36
dire (vouloir ~)	meinen 67
directeur	Leiter *(m.)* (-) 80

diriger	lenken 46 ; leiten 89
disparaître	vergehen* 16
disposition	Verfügung *(f.)* (-en) 96
disputer (se ~ à propos de qqch.)	sich streiten über *(+ acc.)* 83
distingué	vornehm 86
distinguer	unterscheiden* 67
diviser (se ~ en)	sich teilen in 35
docteur	Doktor *(m.)* (-en) 47
dommage	schade 20, 61, 62, 86, 95, 97
donc	denn 10, 29 ; mal 11 ; also 17 ; doch 30, 47
donner	geben* 16, 22, 41
dormir	schlafen* 17, 43
douter (se ~ de)	ahnen 87
doux (doucement)	leise 34
douze	zwölf 44
droit	gerade 47 ; Jura *(m.)* 51 ; Recht *(n.)* 73
droit (avoir le ~)	dürfen* 32, 33, 34, 37, 72
droit (tout ~)	geradeaus 15, 47
droite (à ~)	rechts 15
drôle	lustig 23, 58 ; komisch 99
du	vom (= von dem) 47, 55
du tout	gar 73
dur	hart 90 ; schwer 99
E	
eau	Wasser *(n.)* 97
eau gazeuse	Sprudel *(m.)* (-) 33
eau-de-vie	Schnaps *(m.)* 30, 58
échange	Austausch *(m.)* 81
échapper	entkommen* 43
éclairer	auf'klären 99
éclater	platzen 93
école	Schule *(f.)* (-n) 51, 71
écolier	Schüler *(m.)* (-) 22
écologique	umweltfreundlich 40
économie	Wirtschaft *(f.)* 90
économie (faire des ~s)	sparen 10
économiser	sparen 12
écouler (s'~)	fließen* 73
écraser (s'~)	ab'stürzen 62
écrier (s'~)	rufen* 58 ; schreien* 60
écrire	schreiben* 39
écrit (être ~)	stehen* 83, 87
écrivain	Dichter *(m.)* (-) 51 ; Schriftsteller *(m.)* (-) 72
effectivement	stimmt 40
effort	Anstrengung *(f.)* (-en) 66
efforts (faire des ~)	sich an'strengen 66
égal (être ~ à qqn)	jdm egal sein* 48
eh bien	na 39 ; na dann 53 ; tja 87
électronique	Elektronik *(f.)* 81
élevé	hoh- 82

elle	sie 3
elles	sie 6
embêter	ärgern 93
émission	Sendung *(f.)* (-en) 74
émission de radio	Radiosendung *(f.)* (-en) 51
empereur	Kaiser *(m.)* (-) 68
emploi	Arbeitsstelle *(f.)* (-n) 80
employé (être ~)	angestellt sein 81
employé/e	Angestellte (der/*m.*, die/*f.*) (-n) 81
employer	an'stellen 81
emporter	mit'nehmen* 26, 71
emprunter	leihen* 92
en	in 2 ; darüber 75
en *(vb. + part. présent)*	indem 86
en effet	nämlich 62, 65, 85 ; in der Tat 81, 82
en face (de)	gegenüber (von) 33
en haut (de)	oben *(adv.)* (an + *dat.*) 59
en outre	außerdem 81
en revanche	dagegen 60, 67, 71
en tout cas	jedenfalls 99
en train de (être ~)	beim *(+ vb. substantivé)* 59 ; gerade *(+ vb. au présent)* 86
encore	noch 6, 13, 16, 29, 30
endormir (s'~)	ein'schlafen* 71
endroit	Stelle *(f.)* (-n) 15, 80
énerver (s'~)	sich auf'regen 79
enfant	Kind *(n.)* (-er) 4, 13, 39, 49, 53, 79
enfer	Hölle *(f.)* (-n) 67
enfin	endlich 43 ; schließlich 52, 90
enflammer	an'zünden 90
ennuyer (s'~)	sich langweilen 76
ennuyeux	langweilig 76
ensemble	zusammen 9, 95
ensoleillé	sonnig 50
entendre	hören 36, 43, 50, 54, 73, 82
entendre (à)	hören (an + *dat.*) 75
entendre (s'~)	sich verstehen* 93
enthousiasmer	begeistern 73
entièrement	ganz 69
entracte	Pause *(f.)* (-n) 45
entre	zwischen 29, 67
entre nous	unter uns 69
entrée	Einfahrt *(f.)* (-en) 48
entrée (repas)	Vorspeise *(f.)* (-n) 27
entreprise	Firma *(f.)* (Firmen) 75 ; Unternehmen *(f.)* (-) 80, 89
entreprise d'informatique	IT-Unternehmen *(n.)* 81
entrer	rein (= herein/hinein) (gehen) 52
entre-temps	inzwischen 80, 100
entretenir (s'~)	sich unterhalten* 37
entretien	Gespräch *(n.)* (-e) 80

entretien d'embauche	Vorstellungsgespräch *(n.)* (-e) 81
envie (avoir ~ d'aller aux toilettes)	aufs Klo müssen, mal müssen 79
envie (avoir ~ de)	Lust haben (zu) 26, 71
environ	ungefähr 57
environnement	Umwelt *(f.)* 40
envoler (s'~)	weg'fliegen* 43
envoyer	schicken 39
épargner	sparen 10
époque	Zeit *(f.)* (-en) 39, 46
époque (à l'~)	damals 74
épouse	(Ehe)frau *(f.)* (-en) 38, 40, 58
époux	Ehemann *(m.)* (¨er) 66
épreuve	Probe *(f.)* (-n) 90
épuisement	Erschöpfung *(f.)* (-en) 60
Espagne	Spanien *(n.)* 50
Espagnol (habitant)	Spanier *(m.)* (-) 50
espagnol (langue)	Spanisch 50
espérer	hoffen 25, 45, 92
espérons (j'espère) que	hoffentlich 45, 100
esprit	Verstand *(m.)* 60 ; Geist *(m.)* (-er) 83
essayer	versuchen 61, 66, 87
essence	Benzin *(n.)* 29
estomac	Magen *(m.)* 53, 78
et	und 3
et alors ?	ja und? 88 ; na und? 94
étage	Etage *(f.)* (-n), Stock *(m.) (pl.* Stockwerke*)* 90
état d'ivresse (en ~)	betrunken 34
États-Unis	Vereinigte Staaten 70 ; Amerika 88
éteindre	aus'machen 43 ; ab'stellen 74, 90
étonnant	erstaunlich 74
étouffer	ersticken 58
être	sein* 1, 14, 38, 40, 46
être au bout	am Ende sein 67
étude (expérience)	Experiment *(n.)* (-e) 88
études	Studium *(n.)* (Studien) 81
étudiant/e	Student/-in 3
étudier	studieren 51, 81
euro	Euro *(m.)* (-s) 9
Europe	Europa *(n.)* 37
évidemment	klar *(fam.)* 39 ; natürlich 44
évolution	Entwicklung *(f.)* (-en) 97
exact	stimmt 40 ; genau 88
exact !	stimmt! 24
exact (être ~)	stimmen 40
exactement	genau 20, 55, 81
exactitude	Pünktlichkeit *(f.)* 52
excellent	ausgezeichnet 27, 95
excepté	außer 39
exception	Ausnahme *(f.)* (-n) 62
exceptionnel	außergewöhnlich 64
excité	aufgeregt 18

exciter (s'~)	sich auf'regen 79
excuse	Entschuldigung *(f.)* (-en) 5, 81
excuser	entschuldigen 5, 45, 52
excuser (s'~)	sich entschuldigen 81
excusez-moi	entschuldigen Sie 69
exemple	Beispiel *(n.)* (-e) 75, 85
exercice	Übung *(f.)* (-en) 1, 25
expliquer	erklären 71, 96
exposant	Schausteller *(m.)* (-) 87

F

fac	Uni *(f.)* 18
fâcher (se ~)	sich auf'regen 79
facile	leicht 72, 75 ; einfach 85
façon	Weise *(f.)* (-n) 10
façon (de toute ~)	sowieso 48
facture	Rechnung *(f.)* (-en) 61
faim	Hunger *(m.)* 19, 53
faim de loup	Bärenhunger *(m.)* 53
faire	machen 9, 10, 26, 34, 37, 55 ; tun* 32
faire "faire"	lassen* *(+ vb.)* 26
faire comme si	so tun*, als ob 95
faire des courses	ein'kaufen 24, 48
faire faire	machen lassen* 88
faire peur à qqn	jdm einen Schrecken einjagen 94
faire qqch. de qqn	jemanden zu etwas machen 72
faire ses courses (aller ~) (à pied)	ein'kaufen gehen 48
faire ses courses (en voiture)	ein'kaufen fahren 48
faire un crochet	einen Abstecher *(m.)* machen 100
faire un saut	einen Abstecher *(m.)* machen 100
faire une chute	stürzen 62
fait maison	hausgemacht 78
falloir	müssen* 30, 37, 79
famille	Verwandte *(pl.)* 39
famille (proche)	Familie *(f.)* (-n) 23, 39
fantastique	fantastisch 18, 42, 62
fatigant	anstrengend 26, 66 ; langweilig 76
fatigué	müde 17, 72
fatiguer	müde machen 17
fauteuil	Sessel *(m.)* (-) 55
faux	falsch 5, 93
favorable	günstig 38
félicitation	Glückwunsch *(m.)* (¨e) 89
féliciter qqn de	gratulieren jdm *(dat.)* zu *(+ dat.)* 38
femelle	Weibchen *(n.)* 88
femme	Frau *(f.)* (-en) 3, 38, 40, 58
fenêtre	Fenster *(n.)* (-) 53, 82
fermé	geschlossen 10
fermer	schließen* 10, 13, 61, 71 ; zu'machen (= schließen*) 74
fesses	Hintern *(m.)* (-) 96

fête	Fest *(n.)* (-e) 22
fête au jardin	Gartenfest *(n.)* (-e) 23
fête d'anniversaire	Geburtstagsfest *(n.)* (-e) 22 ; Geburtstagsparty *(f.)* (-s) 28
Fête de la Bière	Oktoberfest *(m.)* 87
fêter	feiern 23, 64, 66
feu pour les piétons	Fußgängerampel *(f.)* (-n) 94
feu tricolore	Ampel *(f.)* (-n) 94
feux rouges (aux ~)	bei Rot 34
fiabilité	Zuverlässigkeit *(f.)* 52
fiable	zuverlässig 52
ficelle	Bindfaden *(m.)* (¨) 87
fichu	verflixt *(adj.)* 29
figurer (se ~)	sich vor'stellen *(+ dat.)* 100
fil	Faden *(m.)* (¨) 54, 87
filer	ab'hauen *(fam.)*, spinnen* 55
filer (la laine)	spinnen* 55
fille	Tochter *(f.)* (¨) 81
fille (jeune fille)	Mädchen *(n.)* (-) 36
film	Film *(m.)* (-e) 53, 55, 72, 76
film policier	Krimi (= Kriminalfilm) *(m.)* (-s) 76
fin (à la ~)	zum Schluß 33 ; am Ende 68
fin (des études)	Abschluss *(m.)* (¨-e) 81
fin *(nom)*	Ende *(n.)* (-n) 13, 48, 60, 67, 76, 100 ; Schluss *(m.)* (¨-e) 29
finalement	schließlich 62
financer	finanzieren 83
fini	vorbei 22
flacon	Flasche *(f.)* (-n) 58
fleur	Blume *(f.)* (-n) 82
fleurir	blühen 82
fleuve	Fluss *(m.)* (¨-e) 60
flexible	flexibel 78
fois	Mal *(n.)* 11, 43, 60, 95
fois (la prochaine ~)	das nächste Mal 83
fois (pour une ~)	ein einziges Mal 79
fois (trois ~)	dreimal 9, 72
fois (une ~)	einmal 9, 52, 60, 62
fonctionner	funktionieren 25
fonder	gründen 89
forêt	Wald *(m.)* (¨er) 65
Forêt-Noire	Schwarzwald *(m.)* 83
forgeron	Schmied *(m.)* 100
forme (en pleine ~)	in Top-Form 96
fort (bruyant)	laut 34, 36, 58
fortune	Fortuna *(f.)* 54
fou	verrückt 32, 34, 83 ; übergeschnappt 37 ; geisteskrank 83
fou (devenir ~)	verrückt werden* 79
fou (être ~)	spinnen* 55
fourchette	Gabel *(f.)* (-n) 33

fourré	gefüllt 78
frais	kalt 8 ; frisch 78
fraise	Erdbeere *(f.)* (-n) 57
framboise	Himbeere *(f.)* (-n) 57
Français	Franzose *(m.)* (-n) 67
France	Frankreich 20, 30
Francfort	Frankfurt 51
frapper	schlagen* 85
frayeur	Schreck *(m.)* (-s) 94
frère	Bruder *(m.)* (¨) 23, 33, 58
frères et sœurs	Geschwister *(pl.)* 23
fricassée de lièvre	Hasenfrikassee *(n.)* 70
frites	Pommes *(fam.)* 9
froid	kalt 8, 78 ; kühl 44 ; Kälte *(f.)* 78
fromage	Käse *(m.)* 4, 43
frontière	Grenze *(f.)* (-n) 79
fumer	rauchen 72
fumier	Mist *(m.)* 9
fureur	Wut *(f.)* 60
furieux	wütend 60
futé	schlau 62
futur	Futur *(n.)* 55 ; Zukunft *(f.)* 80
futur *(adj.)*	zukünftig 38

G

gagner	gewinnen* 58, 62, 86
gagner (argent)	verdienen 31, 88
garagiste	Automechaniker *(m.)* (-) 67
garçon	Junge *(m.)* (-n) 7
garçon (restaurant)	Herr Ober, Kellner *(m.)* (-) 95
garder	frei'halten* 78 ; bewahren 93
gare	Bahnhof *(m.)* (¨e) 20, 33
gare principale	Hauptbahnhof *(m.)* (¨e) 27
garer (se ~)	parken 48
gargouiller (intestins)	knurren 78
gars	Jungs *(fam.)* 90
gâteau au chocolat	Schokoladenkuchen *(m.)* (-) 27
gâteau aux pommes	Apfelkuchen *(m.)* (-) 27
gâter	verderben* 65, 97 ; verwöhnen 87
gauche (à ~)	links 15, 33
gêner	stören 34
génération	Generation *(f.)* (-en) 51
génial	genial 83
gens (les ~)	Leute *(pl.)* 48, 65
gentil	nett 18, 89 ; freundlich 80
gentleman	Gentleman *(m.)* 93
glissade	Rutsch *(m.)* 96
glisser	rutschen 96
gorge	Hals *(m.)* (¨e) 90
gothique	gotisch 63
goût (avoir (bon) ~)	schmecken 27

goûter *(nom)*	Vesper *(n.)*, Vesperbrot *(n.)* (-e) 47
goûter *(vb.)*	probieren 75
gouvernement fédéral	Bundesregierung *(f.)* (-en) 64
grand	groß 1, 18, 27, 36, 40, 50, 59, 72
grandir	groß werden* 82
grand-mère	Großmutter *(f.)* (¨) 39
gratuitement	kostenlos 96
grave	schlimm 69, 94
Grec	Grieche *(m.)* (-n) 68
griller (un feu tricolore)	durch'fahren* (bei Rot) 94
gronder	knurren 78
gros	dick 82
gros mot	Schimpfwort *(n.)* (¨er) 100
grosse légume	hohes Tier *(n.)* (-e) 90
grossir	dick/dicker werden* 82
guerre	Krieg *(m.)* (-e) 72
gueule de bois	Kater *(m.)* (-) 54
guidon	Lenkrad *(n.)* 100

H

habiller (s'~)	sich an'ziehen* 59
habiter	wohnen 37, 75
habitude (d'~)	sonst 95
habituel	gewöhnlich 64
habituer (s'~ à)	sich an etwas + *acc.* gewöhnen 75
habituer (s'~)	sich ein'leben 75
halte	halt 58
Hambourg	Hamburg 20
haut	hoch 54, 57 ; hoh- 82
haut (le plus ~)	höchst- 100
hébergement	Unterkunft *(f.)* (¨e) 62
hérisson	Igel *(m.)* (-) 58, 59, 60
héritage	Erbe *(m.)* (-n) 88
héritier	Erbe *(m.)* (-n) 88
hésiter	zögern 64
heure	Uhr *(f.)* 16, 47, 61, 78
heure (à l'~)	pünktlich 6
heure (à quelle ~ ?)	um wie viel Uhr? 16
heure (durée)	Stunde *(f.)* (-n) 17, 19, 78
heure (quelle ~ est-il ?)	wie spät ist es? 78
heure d'arrivée	Ankunftszeit *(f.)* (-en) 30
heure et demie (une ~)	eineinhalb Stunden 17
heureusement	glücklicherweise 10
heureux	glücklich 10, 17, 75
hier	gestern 36, 71, 73
histoire	Geschichte *(f.)* (-n) 41, 64, 82, 93
histoire d'amour	Liebesgeschichte *(f.)* 100
histoire du monde	Weltgeschichte *(f.)* 64
historien	Historiker *(m.)* (-) 83
hiver	Winter *(m.)* 97
hocher la tête (pour approuver)	nicken 59

Hollande	Holland 20
homme	Mann *(m.)* (¨er) 3, 49, 72, 100
homme (être humain)	Mensch *(m.)* (-en) 17, 46, 97
homme d'affaires	Geschäftsmann *(m.)* (¨er) 93
honoré	geehrt- 80
honoré (discours oral)	Verehrte 91
honorer	ehren 80
honte (avoir ~)	sich schämen 54
horaire de travail	Arbeitszeit *(f.)* (-en) 78
horloge	Uhr *(f.)* (-en) 17
horriblement	fürchterlich 100
hors de	außer 39, 64 ; aus *(+ dat.)* 71
hors du commun	außergewöhnlich 64
hôte	Gast (¨e) 87
hôtel	Hotel *(n.)* (-s) 2, 62
huile	Öl *(n.)* 44
huile d'olive	Olivenöl *(n.)* 44
huit	acht 52
humanité	Menschheit *(f.)* 88, 97
humeur	Laune *(f.)* (-n) 31, 65, 97

I	
ici	hier 4, 11, 15, 27
ici *(rapprochement)*	hierher 37, 48
ici (vers ~)	hierhin 45
idée	Idee *(f.)* (-n) 26
idée (avoir une ~)	auf eine Idee kommen* 88
idée (vague)	Ahnung *(f.)* (-en) 87
identique	identisch 88
idiot/-e	Idiot/Idiotin 100
il	er 3, 32
il *(impersonnel)*	es 6
il *(pr. pers. n.)*	es 4
il n'y a pas de quoi !	keine Ursache! 15
il ne s'agit pas de cela	darum geht* es nicht 94
il s'agit de	es geht um, es handelt sich um *(+ acc.)* 94
il va de soi	selbstverständlich 61, 80
il y a	es gibt* 15, 19, 41, 50, 67
ils	sie 6
imaginer (s'~)	sich vor'stellen *(+ dat.)* 62, 85, 73, 100
imbécile	Dummer *(m.)* 88
immédiatement	sofort 48
important	bedeutend 51 ; wichtig 73
impossible	unmöglich 93
impressionnant	beeindruckend 74
inaugurer	eröffnen 65
inclus	inbegriffen 62
inconnu	unbekannt 69
indépendant	selbstständig 81
indiquer	informieren 80
influence	Einfluss *(m.)* (¨e) 51

informatique	Informatik *(f.)* 80, 81
informer	Bescheid sagen *(ou* geben*)* 58
injure	Schimpfwort *(n.)* (¨-er) 100
injustice	Unrecht *(n.)* 73
inoubliable	unvergesslich 100
inquiéter (s'~)	sich auf'regen 79
insolent	frech 48
instant	Augenblick *(m.)* (-e) 47, 85
intention	Absicht *(f.)* (-en) 86
interdire	verbieten* 34
interdit	verboten 34
intéressant	interessant 36, 62 ; günstig 38
intéressé (être ~) (par)	sich interessieren (für) 80
intérieur (à l'~)	drinnen 78
intérieur (de l'~)	von innen 82
internet	Internet *(n.)* 73
interview	Interview *(n.)* (-s) 89
inventer	erfinden* 57, 68
inviter	ein'laden* 23, 75
Italie	Italien *(n.)* 30
Italien	Italiener *(m.)* (-) 67
italien *(adj.)*	italienisch 73
ivre	betrunken 34

J

jamais	nie(mals) 53, 69, 93
jambe	Bein *(n.)* (-e) 58, 60, 97
jardin	Garten *(m.)* (¨) 23
jarret de porc	Schweinshaxe *(f.)* (-n) 75, 87
jauge à essence	Benzinuhr *(f.)* (-en) 29
jaune	gelb 82, 92
je	ich 2
je vous/t'en prie	bitte 4, 81
jeter (de la poudre)	streuen 54
jeudi	Donnerstag *(m.)* (-e) 25
jeune	jung 51, 82
joie	Vergnügen *(n.)* 60
jouer	spielen 34, 74
jour	Tag *(m.)* (-e) 1, 17, 30, 46, 54, 57, 83
jour (de tous les ~s)	alltäglich 81
jour de la semaine	Wochentag *(m.)* (-e) 25
journal	Zeitung *(f.)* (-en) 43, 83, 87
joyeux	lustig 23, 68
joyeux (-sement)	vergnügt 60
juin	Juni *(m.)* 46
jurer	schwören* 41
jus	Saft *(m.)* (¨-e) 24
jus d'orange	Orangensaft *(m.)* (¨-e) 24
jus de pomme	Apfelsaft *(m.)* (¨-e) 24, 89
jusqu'à	bis zu *(+ dat.)* 45, 60, 74
jusqu'à maintenant	bis jetzt 79

juste	stimmt 40 ; gerade 47, 86 ; direkt 85 ; richtig 97
juste (exact)	richtig 74
juste(ment)	gerade 47, 86

K

kilo	Kilo *(n.)* (-s) 9 ; Kilogramm *(n.)* 57
kilomètre	Kilometer *(m.)* (-) 29

L

là	da 6, 36, 44, 58, 73, 83
là (par ~)	damit 58
la *(art. f.)*	die 3
là-bas	dort 10, 36, 39, 41, 43
laborieuse	mühsam 65
lac	See *(m.)* (-n) 83
lac de Constance	Bodensee *(m.)* 83
lâcher (ne pas ~)	am Ball bleiben 99
là-dessus	daraufhin 93
laisser	lassen* 12, 32, 52, 55, 59, 76, 79
laisser (définitivement)	hinterlassen 12
lait	Milch *(f.)* 7, 57
lampe	Lampe *(f.)* (-n) 43
langue	Sprache *(f.)* (-n) 73
langue étrangère	Fremdsprache *(f.)* (-n) 73
lapin	Hase *(m.)* (-n) 58
laver (se ~)	sich waschen* 71
le (date)	am (= an dem) 51
le *(art. m.)*	der 3
le *(art. n.)*	das 3, 4
le *(pr. pers. compl. m.)*	ihn *(acc. de er)* 24
le *(pr. pers. compl. n.)*	es 12
lecture	Lesen *(n.)* 27
léger (musique)	leise 34
lequel	welche 68
les *(art.)*	die 6
lettre	Brief *(m.)* (-e) 39
leur/s	ihr/e 25, 64
lever	heben* 86
lever (se ~)	auf'stehen* 30, 55, 71
libre	frei 2
libre (être ~)	Zeit haben 12
libre(ment)	frei 32, 64, 78
lier	binden* 54
lieu	Stelle *(f.)* (-n) 19, 80 ; Stätte *(f.)* (-n) 79
lièvre	Hase *(m.)* (-n) 58, 59, 60
lire	lesen* 27, 73
lit	Bett *(n.)* (-en) 56, 71
litre	Liter *(m.* ou *n.)* (-), 76, 89
livre scolaire	Schulbuch *(n.)* (¨-er) 83
logique	logisch 76

loi	Gesetz *(n.)* (-e) 94
loin	weit 18 ; fern 55 ; entfernt 100
loin (de)	weit (von) 29, 55, 69
long	lang/e 41
long (le ~ de)	entlang 100
longtemps	lang/e 22, 29, 45
longtemps (depuis ~)	schon lange 53 ; seit langem 76
longtemps (pendant ~)	lange 53, 75, 76
lorsque	als 57
louer	vermieten 50
louis d'or	Goldtaler *(m.)* (-) 58
Louis II	Ludwig der Zweite 83
lourd	schwer 57
lui	ihm *(dat. de er)* 37
lumière	Licht *(n.)* (-er) 43
lundi	Montag *(m.)* (-e) 25
lune	Mond *(m.)* (-e) 25
luxe	große Klasse *(f.)* 40
luxe (de ~)	Luxus *(m.)* 50, 96
M	
madame X	Frau X 6, 80
magasin	Geschäft *(n.)* (-e) 10, 100 ; Laden *(m.)* (¨) 49
magnifique	herrlich 46 ; wunderschön 50
mai	Mai *(m.)* 22
maillot de bain	Badeanzug *(m.)* (¨e) 97
main	Hand *(f.)* (¨e) 54
maintenant	jetzt 11, 37, 40, 44, 48
mais	aber 6, 8, 10, 75 ; ja 32, 43 ; doch 40, 79
mais (au contraire)	sondern *(après nég.)* 30, 54, 65, 72, 89
mais (quand même)	doch 40
maison	Haus *(n.)* (¨er) 11, 23, 46, 53, 58
maison (à la ~) *(avec mouvement)*	nach Haus/e 11
maison (à la ~) *(sans mouvement)*	zu Haus/e 11, 26, 79
maître	Meister *(m.)* (-) 24
maître confiseur glacier	Eiskonditormeister *(m.)* (-) 57
mal	Leid *(n.)* (-en) 51
mal (faire ~)	weh'tun 78
malade	krank 83, 95
malchance	Pech *(n.)* 39
mâle	Männchen *(n.)* (-) 88
malentendu	Missverständnis *(n.)* (-se) 32
malgré cela	trotzdem 80
malheur	Leid *(n.)* (-en) 51
malheureusement	leider 12, 35, 57, 80, 92, 96
maman	Mutti 18
manger	essen* 8, 47, 53, 57
manière	Weise *(f.)* (-n) 10
manière de vivre	Lebensart *(f.)* (-en) 75
manières (bonnes ~)	gute Manieren 85
manquer	fehlen 65

manquer (rater)	verpassen 20
manquer à qqn	jdm fehlen 81
manteau	Mantel *(m.)* (¨) 56, 74
marcher	laufen* 18, 19 ; gut gehen* 59
marcher bien	klappen 90
mardi	Dienstag *(m.)* (-e) 25, 30, 61
marguerite	Margerite *(f.)* (-n) 92
mari	Mann *(m.)* (¨-er) 23, 75, 100 ; Ehemann *(m.)* 66
marié/e	verheiratet 38
marier (se ~)	heiraten 38
marre (en avoir ~)	die Nase voll haben 54
mars	März *(m.)* 51
matin	Morgen *(m.)* (-) 6, 10, 48, 85
matinée	Vormittag *(m.)* 25
matou	Kater *(m.)* (-) 13
maudit	verflixt *(adj.)* 29
maugréer	schimpfen 100
mauvais	schlecht 79, 96
me	mir *(dat. de* ich*)* 37, 43, 47 ; mich *(acc. de* ich*)* 45
mécène	Mäzen *(m.)* (-e) 83
médecin	Arzt *(m.)* (¨e) 50
médecine	Medizin *(f.)* 51
méfier (se ~)	sich in Acht nehmen* 69
meilleur	besser 62
meilleur/e (le, la ~)	der/die/das beste 27, 62
meilleures salutations	freundliche Grüße 80
mêler (se ~) (de qqch.)	sich mischen in etwas + *acc.* 54
mélomane	Musikfreund *(m.)* 73
même	sogar 37, 50, 62 ; selb- 48 ; selbst 61
même (la ~ chose)	dasselbe 48, 92
même (la ~) *(f.)*	dieselbe 48
même (le ~) *(m.)*	derselbe 48
même (le ~) *(n.)*	dasselbe 48
même pas	nicht mal/nicht einmal 71, 76 ; auch nicht 78
même si	selbst wenn/auch wenn 76
mémoire	Gedächtnis *(n.)* (-se) 95
mener (une étude)	ein Experiment durch'führen* 88
mensonge	Lüge *(f.)* (-n) 69
mer	Meer *(n.)* (-e) 24, 50, 97
merci	danke 4, 27 ; Dank *(m.)* 29
merci beaucoup !	vielen Dank! 15
mercredi	Mittwoch *(m.)* (-e) 25, 80
mère	Mutter *(f.)* (¨) 18
merveilleux (-sement)	herrlich 50
mésange bleue	Blaumeise *(f.)* (-n) 97
mesdames	meine Damen 33, 51
message	Nachricht *(f.)* (-en) 11
messieurs	meine Herren 33, 51

mesure	Maß *(n.)* 87
méthode	Methode *(f.)* (-n) 73
mètre	Meter *(n. ou m.)* (-) 57
métro	U-Bahn *(f.)* (-en) 15
metteur en scène	Regisseur *(m.)* (-e) 72
mettre	stellen 44, 52, 56 ; legen 54, 56 ; setzen 56
midi	Mittag *(m.)* 35, 44 ; zwölf, zwölf Uhr mittags 44
midi *(nom)*	Mittag *(m.)* (-e) 25
mien (le ~)	meiner 32
mienne (la ~)	meine 32
mieux	besser 41, 62, 75
mignon	süß 32
milieu	Mitte *(f.)* (-n) 25
mille	tausend 18
million	Million *(f.)* (-en) 18, 87
ministre	Minister *(m.)* (-) 83
minuit	vierundzwanzig Uhr, zwölf (Uhr nachts) 44 ; Mitternacht *(f.)* 44, 90
minute	Minute *(f.)* (-n) 16, 45, 48, 76, 90
miracle	Wunder *(n.)* (-) 73
miroir	Spiegel *(m.)* (-) 82
moche	hässlich 36, 42
modifier	sich ändern 39
moi	mich *(acc. de* ich*)* 11 ; ich 27
moi (à ~)	mir *(dat. de* ich*)* 16, 43, 47
moindre (pas la ~)	keinerlei 86
moins	vor (avec l'heure) 20, 44 ; minus 57
moins… moins	je *(+ comparatif)*… desto/umso *(+ comparatif)* 97
mois	Monat *(m.)* (-e) 17, 40, 49
moment	Moment *(m)* (-e) 12, 47, 79, 83, 86 ; Augenblick *(m.)* (-e) 47, 53, 85
moment (pour le ~)	im Moment 12 ; im Augenblick 53
mon/ma/mes	mein/e 5, 18, 23, 39
monde	Welt *(f.)* (-en) 57, 64, 73, 87
monsieur	Herr *(m.)* (-en) 5, 46, 51, 89
montagne	Berg *(m.)* (-e) 46, 54
monter	steigen* 97
monter (train, avion)	ein'steigen* 16
montre	Uhr *(f.)* (-en) 17
montrer	zeigen 13, 37
moquer (se ~ de)	pfeifen* auf *(+ acc.)* 86
morceau	Stück *(n.)* (-e) 4, 57 ; ein Stück *(n.)* 64
mordre	beißen* 32
mort	tot 57, 58
mort (tomber ~)	tot um'fallen* 60
mort/e	gestorben (sterben*) 51
mot	Wort *(n.)* (¨er) ou (-e) 58
moulin	Mühle *(f.)* (-n) 78
mourir	sterben* 51

mourir de rire	sich totlachen 58
moustique	Mücke *(f.)* (-n) 43
moyen	Mittel *(n.)* (-) 73
moyenne	Durchschnitt *(m.)* 79
moyenne (en ~)	im Durchschnitt, im Schnitt 79
Munichois	Münchner *(m.)* (-) 64
mur	Mauer *(f.)* (-n) 64
mur (intérieur)	Wand *(f.)* (¨e) 54, 90
musée	Museum *(n.)* (Museen) 74
musée du cinéma	Filmmuseum *(n.)* (-museen) 74
mystère	Geheimnis *(n.)* (-se) 65

N

n'est-ce pas ?	nicht wahr? 40, 75, 81
n'importe-	irgend-
n'importe quoi !	Quatsch! 76
nager	schwimmen* 96
nain de jardin	Gartenzwerg *(m.)* (-e) 68
naissance	Geburt *(f.)* (-en) 22, 65, 81
nationalité	Nationalität *(f.)* (-en) 67
nature	Natur *(f.)* 97
naturellement	natürlich 52, 78 ; selbstverständlich 61
ne plus	nicht mehr 22
né/-e	geboren 51
ne… pas	nicht 5, 6
ne… plus	nicht… mehr 52, 71
ne… que (seulement)	nur 31, 46
ne… que *(temporel)*	erst 52, 74, 75, 90
nécessaire	nötig 79
négatif/-ve	negativ/e 80
neige	Schnee *(m.)* 97
neiger	schneien 97
nerveux	nervös 31
neuf (nouveau)	neu 40
nez	Nase *(f.)* (-n) 54
ni… ni	weder… noch 34
Noël	Weihnachten *(n.)* 97
Noël ("Saint-Soir")	Heiligabend *(m.)* 97
nom	Name *(m.)* (-n) 5, 61, 69, 93
nom de famille	Nachname/Familienname *(m.)* (-n) 81
nom de jeune fille	Mädchenname *(m.)* (-n) 81
nombre	Zahl *(f.)* (-en) 17
non	nein 5, 26, 27, 29 ; nee *(fam.)* 55, 71
non plus	auch nicht 27
normalement	normalerweise 46
note	Rechnung *(f.)* (-en) 61
nouer	binden* 54
nourriture	Speise *(f.)* (-n) 8, 27
nous	wir 1 ; uns *(acc. de* wir) 22
nouveau (à ~)	schon wieder 95
nouveau (de ~)	wieder 54, 64
Nouvel An	Neujahr *(n.)* 96
nouvelle	Nachricht *(f.)* (-en) 96

nu	nackt 74
nuit	Nacht *(f.)* (¨e) 17, 35, 43, 93
numéro	Nummer *(f.)* (-n) 5

O

O.K.	okay 24
obligé (être ~)	müssen* 30, 31
obscur	dunkel 45
obscurité	Dunkelheit *(f.)* (-en) 76
observer	beobachten 88
obtenir	bekommen* 33, 58
occasion	Gelegenheit *(f.)* (-en) 38 ; Schnäppchen *(n.)* (-) 62
occupé	besetzt 66, 80 ; belegt 96
occuper (s'~ de)	sich kümmern um + *acc.* 81
océan	Ozean *(m.)* 97
œil	Auge *(n.)* (-n) 54, 75
œuf	Ei *(n.)* (-er) 4
œuf à la coque	das weiche Ei 85
œuvre	Werk *(n.)* (-e) 51
œuvre d'une vie	Lebenswerk *(n.)* (-e) 51
offre	Angebot *(n.)* (-e) 62
offre exceptionnelle	Schnäppchen *(n.)* (-) 62
offrir	an'bieten* 37, 62, 72
oh ! là ! là !	Mensch! 17
oiseau	Vogel *(m.)* (¨) 82, 93
oiseau migrateur	Zugvogel *(m.)* (¨) 97
on	man 17, 29, 34, 46, 54, 60
oncle	Onkel *(m.)* (-) 39
opéra	Oper *(f.)* (-n) 11, 68, 83
opinion	Meinung *(f.)* (-en) 67
or (en ~)	golden 54
orchestre	Orchester *(n.)* (-) 23
ordinaire	gewöhnlich 64 ; alltäglich 81
ordinateur	Computer *(m.)* (-) 25
ordre (en ~)	in Ordnung 52
oreille	Ohr *(n.)* (-en) 76
organisation	Organisation *(f.)* (-en) 23
ôter	ab'heben* 86
ou	oder 4, 71, 75
où (d'~) *(provenance)*	woher 36, 68, 81
où *(+ direction)*	wohin 36, 41, 43, 44, 52, 83
où *(sans mouvement)*	wo 11, 36, 43
où que ce soit	sonst irgendwo 82
oublier	vergessen 16, 24, 95
oui	ja 2, 27, 32, 43
ours	Bär *(m.)* (-en) 53
ouvrir	auf'machen 21, 74 ; öffnen 29, 74 ; eröffnen 65 ; auf'schlagen* 85

P

P.D.G.	Generaldirektor *(m.)* (-en) 90
pacifiste	Pazifist *(m.)* (-en) 72

pain	Brot *(n.)* (-e) 4, 100
paix	Frieden *(m.)* (-) 55
panique	Panik *(f.)* 90
pantalon	Hose *(f.)* (-n) 80
papa	Vati 18 ; Papa *(m.)* (-s) 48, 55, 71
paquet	Paket *(n.)* (-e) 24
par	pro 17 ; durch 64 ; von *(+ dat.)* *(voie passive)* 86
par exemple	zum Beispiel 75
paraître	scheinen* 31, 76 ; erscheinen* 85
parapluie	Regenschirm *(m.)* (-e) 26
parce que	weil 57, 76 ; da *(conj.)* 80
par-dessus	über 36
pardon	Entschuldigung *(f.)* (-en) 5, 81 ; Verzeihung *(f.)* 81
pardonner	verzeihen* 69, 81
parents	Verwandte *(pl.)* 39
parfait	perfekt 90
parier	wetten 58
parlement	Bundestag *(m.)* (-e) 64
parler	sprechen* 8, 47, 50 ; reden 36
parler (de)	reden (über + *acc.*) 36 ; sprechen* (von) 36, 62
parmi	unter *(+ dat.)* 75
parti (un beau parti)	Partie *(f.)* (-n) 37
parti/e	weg 52
partir	los *(+ vb. modalité)* 71
partir (en avion)	los'fliegen* 62
partir (en train, en voiture)	ab'fahren* 16 ; los'fahren* 59, 71
partir en courant	los'laufen* 60
partons !	los! 55
partout	überall 44
partout ailleurs	sonstwo 82
pas *(nom)*	kein/e 26 ; nicht 36, 40
pas *(nom)*	Schritt *(m.)* (-e) 60, 64
pas de	kein/e 9, 19, 27
pas du tout	gar nicht 76, 94, 99 ; überhaupt nicht 95
pas encore	noch nicht 6, 38, 47, 83
pas un/e	kein/e 9
pas une seule fois	nicht ein einziges Mal 71
passé	Vergangenheit *(f.)* (-en) 64
passer	vergehen* 16
passer (devant)	vorbei'fahren 100
passer (du temps)	verbringen* 37, 46
passer (se ~)	passieren/geschehen* 52, 76
pâté de foie	Leberwurst *(f.)* (¨e) 78
patienter	sich gedulden 47
pâtissier	Konditor *(m.)* (-en) 57
patrimoine	Erbgut *(n.)* (¨er) 88
patron	Chef *(m.)* (-s) 30, 31, 47, 85
pause	Pause *(f.)* (-n) 4
pause de midi	Mittagspause *(f.)* (-n) 78

pauvre	arm 53, 93
payer	zahlen 9, 60, 95 ; bezahlen 9, 93
pays	Land *(n.)* (-̈er) 6, 57, 73
paysan	Bauer *(m.)* (-n) 75
peigne	Kamm *(m.)* (-̈e) 65
peindre	malen 90
pendant la nuit	nachts 88
pendre (à)	hängen* (an + *dat.*) 54
pénétrer par effraction	ein'brechen* 93
penser	meinen 26, 54 ; denken* 46, 54, 57, 73, 74, 75, 79
penser (y ~)	daran denken* 79
pension complète	Vollpension *(f.)* 62
perdre	verlieren* 54, 96
perdu/e	verloren/e 79
père	Vater *(m.)* (-̈) 18, 37, 71
père Noël	Weihnachtsmann 97
permettre	erlauben 34, 81 ; ermöglichen 97
permis	erlaubt 34
perroquet	Papagei *(m.)* (-en) 73, 93
persévérance	Ausdauer *(f.)* 99
personne (en ~)	selbst 61
personne *(nom)*	Person *(f.)* (-en) 2, 61, 65
personne *(pr.)*	niemand 39, 45, 52
personnelle(ment)	persönlich 30, 69, 80
persuader	überzeugen 61
peser	wiegen 57
petit	klein 18
petit-déjeuner	Frühstück *(n.)* 4
petit pain	Brötchen *(n.)* (-) 4
petite cafetière	Kännchen *(n.)* (-) 8
petite souris	Mäuschen *(n.)* (-) 18
peu (à ~ près)	ungefähr 29 ; etwa 89
peu (un ~)	ein bisschen 18 ; etwas 61
peu (un ~) (de)	ein wenig 30, 60 ; ein bisschen (von) 36, 60, 65, 96
peur	Angst *(f.)* (-̈e) 76, 94 ; Schrecken *(m.)* 94
peur (avoir ~)	Angst haben 59 ; erschrecken* 100
peut-être	vielleicht 29, 62
philanthrope	Menschenfreund *(m.)* 73
photo	Foto *(n.)* (-s) 3
pièce	Zimmer *(n.)* (-) 50, 96 ; Stück *(n.)* (-e) 57
pièce (théâtre)	Stück *(n.)* (-e) 45
pied	Fuß *(m.)* (-̈e) 33, 74
pied (à ~)	zu Fuß 33
piéton	Fußgänger *(m.)* (-) 33
piger	mit'kriegen *(fam.)* 76
piscine	Schwimmbad *(n.)* (-̈er) 96
pizza	Pizza *(f.)* (-s ou Pizzen) 26
place	Platz *(m.)* (-̈e) 11, 37, 45, 59, 78 ; Stelle *(f.)* (-n) 80
place de parking	Parkplatz *(m.)* (-̈e) 52

plage	Strand *(m.)* (¨e) 79
plaire	gefallen* 40, 53
plaisir	Vergnügen *(n.)* 1, 60
plaisir (faire ~)	Spaß machen 99
plan (projet)	Plan *(m.)* (¨e) 39, 90
plat	Speise *(f.)* (-n) 27
plat principal	Hauptspeise *(f.)* (-n) 27
plein	voll 25, 54, 92
pleuvoir	regnen 26, 36, 45, 46
pleuvoir des cordes	Bindfäden regnen 87
pluie	Regen *(m.)* (-) 26, 46
plume	Feder *(f.)* (-n) 74
plus (de plus en ~)	immer *(+ comparatif)* 60
plus (de)	über 57 ; mehr 83
plus (en ~)	außerdem 50, 78
plus… plus	je *(+ comparatif)*… desto/umso *(+ comparatif)* 97
plusieurs	mehrere 87
plutôt	eher 31
poète	Dichter *(m.)* (-) 51
point	Punkt *(m.)* (-e) 52
point de vue	Meinung *(f.)* (-en) 67
poli comme un miroir	spiegelblank 82
poli(ment)	höflich 52, 58
police	Polizei *(f.)* 48, 53
policier	Polizist *(m.)* (-en) 67
politesse	Höflichkeit *(f.)* (-en) 52
politique	Politik *(f.)* 80, 90
pomme	Apfel *(m.)* (¨) 24, 55, 89
pomme de terre	Kartoffel *(f.)* (-n) 24, 78
ponctualité	Pünktlichkeit *(f.)* 52
ponctuel	pünktlich 52
pont	Brücke *(f.)* (-n) 94
porc	Schwein *(n.)* (-e) 63, 75
portable (téléphone)	Handy *(n.)* (-s/-ies) 11
porte	Tür *(f.)* (-en) 16, 44
porte de la ville	Stadttor *(n.)* (-e) 68
porter (vêtement)	tragen* 34, 38, 72, 74
portion	Portion *(f.)* (-en) 8, 27
poser	stellen 44, 56 ; legen 54, 56 ; setzen 56
poser sa candidature (auprès de)	sich bewerben* bei 80, 81
positif/-ve	positiv/e 80
posséder	besitzen* 55
possible	möglich 13, 61, 93
poste (travail)	Stelle *(f.)* (-n) 80
poste de travail	Arbeitsstelle *(f.)* (-n) 80
postuler pour qqch.	werben* um *(+ acc.)* 80
pouce	Daumen *(m.)* (-) 79
poulet rôti	Brathähnchen *(n.)* (-) 87
poupée	Puppe *(f.)* (-n) 56
pour	für *(+ acc.)* 2, 11, 15, 22, 30, 38 ; zu *(+ inf.)* 19

pour *(+ vb.)*	um... zu *(+ vb. inf.)* 50, 52, 65
pour *(destination)*	nach 16, 41
pour cent	Prozent *(n.)* (-e) 88
pour que	dass (= damit) 79
pour quoi faire ?	wozu? 19
pourquoi	warum 1
pourquoi ?	wozu? 19
pourtant	jedoch 80
pouvoir	können* 26, 29, 38, 41, 43 ; dürfen* 32, 33, 37
prairie	Wiese *(f.)* (-n) 82, 87
pratiquement	praktisch 29
précaution (avec ~)	vorsichtig 86
préférer	vor'ziehen* 80
premier/-ère	erste 46, 49, 51, 73
prendre	nehmen* 4, 20, 27, 39, 83
prendre congé	Abschied nehmen* 12
prendre des gants	Federlesen machen 93
prendre l'avion	fliegen* 25, 62
prénom	Vorname *(m.)* (-n) 81
près	nah/e 37 ; bei *(+ dat.)* 51
près (de)	nahe (bei + *dat.*) 82
près de	an 24
près de (environ)	fast 87
présenter	vor'stellen 37, 51
présenter (se ~)	sich vor'stellen *(+ acc.)* 62
presque	fast 58, 64, 71, 81
pressentiment	Ahnung *(f.)* (-en) 87
pressentir	ahnen 87
pressoir	Kelterei *(f.)* (-en) 89
prêt/e	fertig 13
prêter	leihen*, verleihen* 92
prévenir	warnen 86
prévoir	planen 90
prier	bitten 30
prince	Prinz *(m.)* (-en) 82
principal	haupt- 27
principal (le ~)	Hauptsache *(f.)* (-n) 99
prix	Preis *(m.)* (-e) 38, 62, 99
probablement	wahrscheinlich 48, 83
problème	Problem *(n.)* (-e) 22, 39
procéder	vor'gehen* 90
prochain/e	nächster/nächste 18, 61, 79
proche	nah/e 80
produire	produzieren 89
professeur (université)	Professor *(m.)* (-en) 18
profond(ément)	tief 58
programme	Programm *(n.)* (-e) 74
programmer	ein'stellen 74
proie	Beute *(f.)* (-n) 36
promenade	Spaziergang *(m.)* (¨e) 26
promener (aller se ~)	spazieren gehen* 34
promettre	versprechen* 54

propriétaire	Besitzer *(m.)* (-) 48, 53
provenir (de)	stammen (aus) 68
prudent	vorsichtig 86
Prusse	Preußen *(n.)* 70
puis	dann 15, 33, 52
puisque	wo doch 97

Q

quand	wann? 11, 22 ; wenn 52, 76 ; als 57, 58, 71, 73, 75
quand (chaque fois que)	wenn 38, 39
quand ?	wann? 29, 38, 44
quart	Viertel *(n.)* 52
quart d'heure	Viertelstunde *(f.)* 47, 71
quatre et demi	viereinhalb 78
que	was 4, 26
que (pour ~)	damit 66
que *(comparatif d'égalité)*	wie 48, 60
que *(comparatif)*	als 58
que *(conj.)*	dass 31, 34
que se passe-t-il ?	was ist los? 55, 71
quel genre de…	was für ein/e… 22
quel/quelle	welcher/welche/welches 20, 61
quel/quelle…	was für ein/e… 22
quelconque	irgend- 76
quelle heure (à~)	um wie viel Uhr 61
quelqu'un	jemand 34, 45
quelque chose	etwas 8, 66, 69, 19 ; was (= etwas) 78
quelque part	irgendwo, sonst irgendwo 82
quelques	ein paar 60, 90 ; einige 62
quenelle	Knödel *(m.)* (-) 78
question	Frage *(f.)* (-n) 15, 62, 68, 89, 95
queue (faire la ~)	Schlange stehen* 24
queue (file d'attente)	Schlange *(f.)* (-n) 24, 45
qui (celui ~)	wer 33
qui ? *(pr. compl.)*	wen? *(acc. de* wer) 23
qui ? *(pr. sujet)*	wer? 3, 9, 39
quoi	was 19, 22
quoi qu'il arrive	egal, was auch kommt* 99
quoi que ce soit	was es auch sei 97
quoique	obwohl *(ind.)* 72
quotidien	Alltag *(m.)* 81

R

radio	Radio *(n.)* (-s) 74, 89
raisin sec	Rosine *(f.)* (-n) 88
raison	Grund *(m.)* (¨e) 48 ; Verstand *(m.)* 60 ; Recht *(n.)* 73
raison (avoir ~)	Recht haben 73
rajeunir	jünger werden* 82
rang	Reihe *(f.)* (-n) 45

rapide(ment)	schnell 63
rapidement	kurz 80
rappeler	zurück'rufen* 12
rapport	Bericht *(m.)* (-e) 87 ; Zusammenhang *(m.)* (-e) 88
rassasié	satt 27
rassembler (se ~)	zusammen laufen* 86
rat/-te	Ratte *(f.)* (-n) 13
rater	schief gehen* 90
rattraper	auf'holen 79
rauque	rauchig 72
rayonnant	strahlend 85
réalité (en ~)	eigentlich 34, 97
recette	Rezept *(n.)* (-e) 57
recette miracle	Wundermittel *(n.)* (-) 73
recevoir	kriegen 40
réchauffement	Erwärmung *(f.)* 97
récit	Erzählung *(f.)* 72
recommander	empfehlen* 65
reconnaissant	dankbar 89
reconnaître	erkennen* 72, 82 ; wieder erkennen 82
reconstruction	Wiederaufbau *(m.)* 64
redevable (être ~ de)	jdm etwas verdanken 83
réfléchir	nach'denken* 53, 83
réflexion	Überlegung *(f.)* (-en) 65
réfrigérateur	Kühlschrank *(m.)* (-e) 44
regarder	an'sehen* 10 ; gucken *(fam.)* 36 ; sehen* 37 ; schauen 38 ; nach'sehen* 44
regarder en bas	runter'gucken* 43
regarder la télévision	fern'sehen* 55
règle du jeu	Spielregel *(f.)* (-n) 85
rejoindre	nach'kommen* 78
réjouir (se ~ de)	sich freuen 20, 26, 80, 81, 100
remarquer	merken 76, 87 ; bemerken 97
remerciement	Dank *(m.)* 15
remercier de	sich bedanken für 100
remercier qqn pour	danken jdm *(dat.)* für + *acc.* 61
rencontrer	treffen* 25 ; 58
rendez-vous	Termin *(m.)* (-e) 25, 80 ; Verabredung *(f.)* (-en) 47
rendez-vous (avoir ~)	verabredet sein 52
rendez-vous (prendre ~)	sich verabreden 52
rendre	machen + *adj.* 17
rendre possible	ermöglichen 97
rendre visite	besuchen 80, 87, 100
renoncer (à)	verzichten (auf + *acc.*) 75, 86
renseignement	Auskunft *(f.)* (-e) 15
renseigner	Bescheid sagen *(ou* geben*)* 58
rentrer	nach Hause kommen* 11
rentrer en avion	zurück'fliegen* 83
renverser (se ~)	um'fallen* 60

réparer	reparieren 25
repas	Essen *(n.)* (-) 27, 95 ; Mahlzeit *(f.)* (-en) 78
répéter	wiederholen 65
répondeur (téléphonique)	Anrufbeantworter *(m.)* (-) 12
répondre	antworten 11, 58, 83
réponse	Antwort *(f.)* (-en) 68, 80, 89
repos	Rast *(f.)* 79
reprendre	ab'nehmen* 87
représentant	Vertreter *(m.)* (-) 25, 90
représenter (se ~ qqch.)	sich vor'stellen *(+ dat.)* 62, 73
République fédérale	Bundesrepublik *(f.)* (-en) 64
réserver	reservieren 61, 66, 80, 96 ; buchen 62, 96
respecter	ehren 80 ; achten 94
restaurant	Restaurant *(n.)* (-s) 36, 66
rester	bleiben 11, 26, 30, 47, 55, 97
rester (assis)	sitzen bleiben 60
retenir	zurück'halten* 32, 86
retenir une place	buchen 62, 96
rétorquer	erwidern 58
retour (de ~)	zurück 12, 43, 47, 48, 55 ; wieder 60
retourner	zurück'gehen* 12
retraite	Rente *(f.)* (-n) 89
réunion	Sitzung *(f.)* (-en) 25
réunir	versammeln 90
réussir à	es schaffen 29
rêve	Traum *(m.)* (ᵁe) 53
rêve (de ~)	traumhaft 53, 87
réveil	Wecker *(m.)* (-) 71
réveiller (se ~)	auf'wachen 71
réveiller qqn	wecken (jemanden) 71, 76
revenir	zurück'kommen* 12, 25, 47 ; zurück sein* 47, 58
rêver	träumen 82
révision	Wiederholung *(f.)* (-en) 7
revoir	wieder'sehen 100
riche	reich 36, 65
ridicule	lächerlich 85
rien	nichts 19, 24
rire *(nom)*	Lachen *(n.)* 58
rire *(vb.)*	lachen 37, 58
rivale	Rivalin *(f.)* (-nen) 74
rive	Ufer *(n.)* (-) 68
robe	Kleid *(n)* (-er) 74
rocher	Felsen *(m.)* (-) 68
roi	König *(m.)* (-e) 52, 82, 83, 89
rôle principal	Hauptrolle *(f.)* (-n) 72
roman	Roman *(m.)* (-e) 51
roman policier	Krimi (= Kriminalroman) *(m.)* (-s) 76
romantique	romantisch 100
rompre	reißen 54
rond	rund *(adj.)* 57

rose (couleur)	rosig 97
roue	Rad *(n.)* (¨er) 34
rouge	rot 34, 94
rouspéter	schimpfen 100
routine	Alltag *(m.)* 81
rude	hart 90
rue	Straße *(f.)* (-n) 15, 34, 100

S

enlever	ab'heben* 86
s'il te plaît/s'il vous plaît	bitte 4, 45, 80
sable	Sand *(m.)* 54
sacré	verflixt *(adj.)* 29
sage	lieb 18
Saint-Sylvestre (la ~)	Silvester 96
saisir	mit'kriegen *(fam.)* 76 ; greifen* 86
salle	Saal *(m.)* (Säle) 90
salle de bains	Bad *(n.)* (¨er) 50
salon	Wohnzimmer *(n.)* (-) 50
salon de coiffure	Friseursalon *(m.)* (-s) 65
salto	Salto *(m.)* (-s) 100
saluer	grüßen 18, 58 ; begrüßen 93
salut	Gruß *(m.)* (¨e) 18 ; hallo 37, 55
salut (au revoir)	tschüs(s) 12
salut (bonjour)	hallo 11
salutations	Grüße *(pl.)* 18, 80
samedi	Samstag *(m.)* (-e) 22, 25, 48 ; Sonnabend *(m.)* 25
sandale	Sandale *(f.)* (-n) 34
santé	Gesundheit *(f.)* 65
saucisse	Wurst *(f.)* (¨e) 4
saucisse (petite ~)	Würstchen *(n.)* (-) 4
saucisse à griller	Bratwurst *(f.)* (¨e) 9
saucisson	Wurst *(f.)* (¨e) 4
sauf	außer 39
saupoudrer	streuen 86
sauver (se ~)	weg'laufen* 73
savoir	wissen* 30, 31, 36, 38
savoir-faire	Können *(n.)* 90
savoir-vivre (règles de ~)	Benimmregeln *(f.)* 85
savoir-vivre, (bonnes) manières	gute Manieren 85
saxophone	Saxofon *(n.)* 34
se	sich 47
second	zweite 45
seconde	Sekunde *(f.)* (-n) 90
secouer (la tête pour désapprouver)	mit dem Kopf schütteln 59
secret	Geheimnis *(n.)* (-se) 65, 99
semaine	Woche *(f.)* (-n) 18, 25, 61
semblable	ähnlich 80
sembler	scheinen* 31, 75 ; klingen 50
sentir (se ~)	sich fühlen 89
séparation	Trennung *(f.)* (-en) 64

séparé(ment)	getrennt 95
séparer	teilen 64 ; trennen 95
sérieux (très ~)	todernst 85
serpent	Schlange *(f.)* (-n) 24
serrer	drücken 79
service	Dienst *(m.)* (-e) 25, 30
service (département)	Abteilung *(f.)* (-en) 80
servir à	nützen 60
seul	allein 2, 57
seulement	nur 15, 31, 37
short	Shorts *(pl.)* 34
si	so 16 ; wenn 32, 38, 39, 52, 65, 73
si *(après question négative)*	doch 19
sidéré	überrascht 100
siècle	Jahrhundert *(n.)* (-e) 68
siffler	zischen 21 ; pfeifen* 86
signe (faire un ~)	winken 37
silence	Ruhe *(f.)* 45
sillon	Furche *(f.)* (-n) 59
simple	einfach 31, 89
simple(ment)	einfach 71, 73
singe	Affe *(m.)* (-n) 88
sinon	sonst 71, 95
situé	gelegen (liegen*) 50
smoking	Smoking *(m.)* 38
société	Firma *(f.)* (Firmen) 47
sœur	Schwester *(f.)* (-n) 23
soie	Seide *(f.)* 54
soie (en ~)	seiden *(adj.)* 54
soif	Durst *(m.)* (¨e) 19
soir	Abend *(m.)* (-e) 2, 11, 26, 53, 71
soir (ce ~)	heute Abend 11
soirée (fête)	Party *(f.)* (-s) 22
soirée d'anniversaire	Geburtstagsparty *(f.)* (-s) 22
soit	meinetwegen 92
sol	Boden *(m.)* (¨) 83
soleil	Sonne *(f.)* (-n) 25, 62
solennel	festlich 38
sombre	dunkel 33
sommeil (sans ~)	schlaflos 93
son/sa/ses (à elle)	ihr/e 23
son/sa/ses (à lui)	sein/e 23, 37, 48, 57
sonner	klingen 50, 72
sortie	Ausfahrt *(f.)* (-en) 48
sortir	raus'gehen* 46, 78
sottises !	Quatsch! 76
souci	Sorge *(f.)* (-n) 52
soudain(ement)	plötzlich 82, 86
souffrance	Leid *(n.)* (-en) 51
souhaiter	wünschen 1, 61, 92 ; gratulieren jdm *(dat.)* zu *(+ dat.)* 38

697 • **sechshundertsiebenundneunzig**

soulever	heben* 86
sourire	lächeln 54
sous	unter *(+ dat.)* 75
souterrain	Untergrund *(m.)* 15
souvenir	Souvenir *(n.)* (-s) 87
souvenir (se ~ de)	sich erinnern (an + *acc.*) 74, 82, 95
souvent	oft 72
spécialiser (se ~ en)	sich spezialisieren auf *(+ acc.)* 81
station	Station *(f.)* (-en) 10, 15
stationner	parken 48
station-service	Tankstelle *(f.)* (-n) 19, 80
statistique	Statistik *(f.)* 62
stop	halt 24, 31, 83
Strasbourg	Straßburg 51
stressant	stressig 65
studieux	fleißig, tüchtig 99
stupide	dumm 88
successeur	Nachfolger *(m.)* (-) 82
sucré	süß 32
sud	Süden *(m.)* 50
suicide	Selbstmord *(m.)* 76
Suisse	Schweiz *(f.)* 67, 68
suite	Fortsetzung *(f.)* (-en) 59
suivre (à ~)	Fortsetzung folgt 58
suivre qqn	folgen jdm *(dat.)* 75
super !	klasse!, prima!, super!, toll! 20
supermarché	Supermarkt *(m.)* (¨-e) 19, 36 ; Großmarkt *(m.)* (¨-e) 48
sur	auf 10, 29, 43, 50, 51, 54 ; über 74
sûr	sicher 44, 62, 83
sûrement	sicher 6, 26
surprendre	überraschen 76
surpris	überrascht 100
surveiller	bewachen 90
suspendu (être ~) (à)	hängen* (an + *dat.*) 54
symbole	Symbol *(n.)* (-e) 64
sympa	nett 92

T	
table	Tisch *(m.)* (-e) 56, 61, 66
tableau	Bild *(n.)* (-er) 54
tâche	Aufgabe *(f.)* (-n) 80
taire (se ~)	still sein 45
tant mieux	umso besser 99
tante	Tante *(f.)* (-n) 39
tard	spät 6, 30, 43, 48, 55, 61
tard (au plus ~)	spätestens 71
tasse	Tasse *(f.)* (-n) 8
taxi	Taxi *(n.)* (-s) 13
te	dich *(acc. de du)* 16, 39
télé	Fernsehapparat *(m.)* (-e) 74

téléphone	Telefon *(n.)* (-e) 5
tempête	Sturm *(m.)* (¨e) 46
temps (avoir le ~)	Zeit haben 12
temps (combien de ~)	wie lange? 62
temps (de ~ à autre)	manchmal 87
temps (en même ~)	gleichzeitig 64
temps (météo)	Wetter *(n.)* 46, 58, 61, 87
temps (qui passe)	Zeit *(f.)* (-en) 12, 16, 38, 39, 52
temps de cochon	Sauwetter *(n.)* 78
temps pluvieux	Regenwetter *(n.)* 48, 54
temps primitifs (les ~)	Urzeit *(f.)* (-en) 89
tenir (bien se ~)	sich benehmen* 85
tenir (se ~)	stehen* 44, 53, 55, 82
tentative	Versuch *(m.)* (-e) 65
tente à bière	Bierzelt *(n.)* (-e) 87
terme	Termin *(m.)* (-e) 25, 80
terminé (être ~)	zu Ende sein 67 ; beendet werden 85
terminer	auf'hören 51
terrasse	Terrasse *(f.)* (-n) 82
terre	Erde *(f.)* 97
terriblement	schrecklich 36
tête	Haupt *(n.)* (¨er) 27 ; Kopf *(m.)* (¨e) 54, 59, 74, 81
thé	Tee *(m.)* (-s) 4, 8
théâtre	Theater *(n.)* (-) 26
théologie	Theologie *(f.)* (-n) 51
théoriquement	theoretisch 29
tiens !	sieh da! 87
titre	Titel *(m.)* (-) 100
toi	du 8 ; dich *(acc. de* du) 22
toi (à ~)	dir *(dat.)* 37
toilettes	Klosett *(n.)* 45 ; Klo *(n.)* (-s), Toilette *(f.)* (-n) 45, 79
tomber	fallen* 24, 43, 53, 55, 64, 81 ; runter'fallen* 43 ; um'fallen* 60 ; ab'stürzen 62
ton/ta/tes	dein/e 11, 16, 18
tonnerre	Donner *(m.)* (-) 25
tordre	um'drehen 93
tordu	krumm 58
tort	Unrecht *(n.)* 73
tort (avoir ~)	Unrecht haben 73
tôt	früh 30
totalement	total 27, 37, 60, 76
touche (je ~ du bois !)	toi, toi, toi 89
toujours	immer 6, 29
toujours (continuité)	immer noch 84
toujours pas de…	immer noch kein… 75
tour	Turm *(m.)* (¨e) 63
tour (c'est mon ~)	ich bin dran (= an der Reihe) 95
touriste	Tourist *(m.)* (-en) 38

tourner autour de	sich drehen um *(+ acc.)* 57
tourner en voiture	herum'fahren*, rum'fahren* 52
tous	alle 23, 39
tout	alles 9, 18, 24, 31, 34, 38, 52, 62 ; ganz 37, 45, 67
tout (en ~)	insgesamt 87
tout à fait	ganz 45, 69, 76, 81
tout de suite	sofort 4, 55, 95 ; gleich 6, 47, 55, 58
tout le monde	alle 23, 39 ; alle Welt 79
traduire	übersetzen 1
train	Bahn *(f.)* (-en) 15 ; Zug *(m.)* (¨e) 16
traire	melken* 63
trait	Strich *(m.)* (-e) 61
trajet	Fahrt *(f.)* (-en) 62
tramway	Straßenbahn *(f.)* (-en) 15
trancher la tête	köpfen 85
tranquillement	ruhig 60
tranquillité	Ruhe *(f.)* 93
transfert	Fahrt *(f.)* (-en) 62
trapèze	Trapez *(n.)* (-e) 56
travail	Arbeit *(f.)* (-en) 78
travailler	arbeiten 19, 25, 81
travailleur *(adj.)*	tüchtig 99
travailleur *(nom)*	Arbeiter *(m.)* (-) 33
travers (aller de ~)	schief gehen* 90
travers (de ~)	durch 79
traverser	überqueren 34
traverser la rue	über die Straße gehen* 94
traverser un pont	über eine Brücke gehen* 94
très	sehr 3, 50, 51
trésor	Schatz *(m.)* (¨e) 66
tribunal	Gericht *(n.)* (-e) 93
triste	traurig 54
tromper (se ~)	sich irren 54
tronc	Stamm *(m.)* (¨e) 55
trop	zu + *(adj. ou adv.)* 22, 27, 43 ; zu viel 23
trottoir	Gehweg *(m.)* (-e) 65
trouver	finden* 19, 26, 36, 50, 52, 58, 71, 76
trouver (se ~)	liegen* 41, 99
truie	Sau *(f.)* (¨e) 78
tu	du 8
turbulent	lebhaft 53
typique	typisch 33

U

un	eins 38
un/e	ein/e 1, 2
unification	Vereinigung *(f.)* (-en) 64
unité	Einheit *(f.)* (-en) 64
université	Universität *(f.)* 18
urgence (d'~)	dringend 69, 78, 79, 92

V

vacances	Ferien *(pl.)* 13, 37, 46, 50 ; Urlaub *(m.)* 37
vache	Kuh *(f.)* (¨e) 63
vague de chaleur	Hitzewelle *(f.)* (-n) 22
valeur	Wert *(m.)* (-e) 41
valise	Koffer *(m.)* (-) 13
vallée du Danube	Donautal *(n.)* 83
valoir la peine	sich lohnen 41
véhicule	Fahrzeug *(n.)* (-e) 48
vélo	Fahrrad *(n.)* (¨-er) 34, 40, 49, 82 ; Rad *(n.)* (¨-er) 34, 62
vendeuse	Verkäuferin *(f.)* (-nen) 62
vendre	verkaufen 40, 48
vendredi	Freitag *(m.)* (-e) 25
vendredi soir (le ~)	freitagabends 30
venir	kommen* 5, 13, 14, 26
venir à l'esprit	ein'fallen* 100
venir avec (qqn)	mit'kommen* 12, 59
venir chercher	ab'holen 20 ; holen 24, 44
venir de	gerade *(+ vb. au passé)* 87
venir voir	besuchen 80
ventre	Magen *(m.)* 53 ; Bauch *(m.)* (¨-e) 96
vêpres	Vesper *(n.)* 47
vérifier	nach'sehen* 44
véritablement	echt 92
verre	Glas *(n.)* (¨er) 33
vers	nach 11 ; zu *(+ dat.)* 37
vers là-bas	dorthin 42, 83
verser	gießen* 54
vert	grün 94
vestiaire	Garderobe *(f.)* (-n) 56
veuve	Witwe *(f.)* (-n) 68
viande	Fleisch *(n.)* 24, 74
viande à griller	Grillfleisch *(n.)* 24
vide	leer 53
vie	Leben *(n.)* 51, 71, 74
vie courante	Alltag *(m.)* 81
vie quotidienne	Alltag *(m.)* 73
vieille (plus ~)	älter 82
vieille ville	Altstadt *(f.)* (¨e) 33
vieillir	älter werden/alt werden 82
vieux	alt 18, 22, 36, 41, 78, 82
vieux (plus ~)	älter 82
vieux (très ~)	uralt 89
ville	Stadt *(f.)* (¨e) 10, 41, 64
vin mousseux	Sekt *(m.)* (-e) 24
visage	Gesicht *(n.)* (-er) 54
visite	Besichtigung *(f.)* (en) 33
visite de la ville	Stadtbesichtigung *(f.)* (-en) 33
visiter	besichtigen 33, 41, 83
visiteur	Besucher *(m.)* (-), Gast (¨e) 87

vite	schnell 11, 43, 44
vivre	leben 13, 73, 75
vivre (qqch.)	erleben 64
voici	hier bitte 4
voie	Bahn *(f.)* (-en) 15 ; Gleis *(f.)* (-e) 16
voir	sehen* 10, 15, 31, 33, 41 ; an'sehen* 76
voisin	Nachbar *(m.)* (-n) 93
voiture	Auto *(n.)* (-s) 40, 48, 52, 79 ; Wagen *(m.)* (-) 40, 48, 53
voiture de police	Polizeiwagen *(m.)* (-) 48
voix	Stimme *(f.)* (-n) 72, 75
voix (à ~ haute)	laut 34, 83
vol	Flug *(m.)* (¨e) 62
voler	fliegen* 62
volonté	Wille *(m.)* 65
volontiers	gern 8, 12, 57, 62, 80
volontiers (plus ~)	lieber 62, 96
votre/vos	Ihr/e 25, 38, 54, 86 ; euer 55
vouloir	mögen 4, 50, 51 ; wollen* 27, 31, 32, 33, 36, 38
vouloir (en ~ à qqn)	jdm böse sein 92
vouloir dire (signifier)	meinen 67, 73, 81, 82
vous *(de politesse)*	Sie 1
vous *(pr. de politesse, compl. indirect)*	Ihnen *(dat. de Sie)* 6
vous *(pr. pl.)*	ihr *(pl. de du)* 10
voyage	Reise *(f.)* (-n) 16, 41, 62, 80
voyage d'affaires	Geschäftsreise *(f.)* (-n) 85
vrai	wahr 37 ; richtig 97
vrai (être ~)	stimmen 40, 57
vraiment	wirklich 27, 39, 40, 62 ; echt 92
vraisemblablement	wahrscheinlich 83 ; vermutlich 87
vue	Aussicht *(f.)* (-en) 50

W

W.-C.	WC 45

Y

y *(mouvement vers lieu)*	hin- 31 ; dorthin 83

Z

zéro	Null *(f.)* (-en) 29
zone	Zone *(f.)* (-n) 33
zone piétonne	Fußgängerzone *(f.)* (-n) 33
zut !	Mist! 9 ; verflixt! 29

L'Allemand

chez Assimil, c'est également :

Perfectionnement Allemand
L'Allemand de poche
Kit de conversation allemand
J'apprends l'allemand en chantant (3-6 ans)

N° édition 3284

Achevé d'imprimer par Corlet, Imprimeur, S.A. - 14110 Condé-sur-Noireau
N° d'Imprimeur : 161140 - Dépôt légal : janvier 2014 - *Imprimé en France*